Region und Sozialisation

Beiträge zur sozialökologischen Präzisierung menschlicher Entwicklungsvoraussetzungen

herausgegeben von Heinz Walter

Band I

problemata
frommann-holzboog 81

Herausgeber der Reihe »problemata«: Günther Holzboog

CIP-Kurztitelaufnahme der Deutschen Bibliothek

Region und Sozialisation:
Beitr. zur sozialökolog. Präzisierung menschl. Entwicklungsvoraussetzungen
hrsg. von Heinz Walter. –
Stuttgart-Bad Cannstatt
frommann-holzboog.

NE: Walter, Heinz [Hrsg.]

Bd. 1. – 1981.
(problemata ; 81)
ISBN 3-7728-0751-8 (Br.)
ISBN 3-7728-0750-X (Ln.)

Satz und Druck: Rems-Druckerei Sigg, Härtel & Co., Schwäbisch Gmünd
Bindung: Verlagsdruckerei Otto Zluhan, Bietigheim

Alltägliches Leben von Kindern und Jugendlichen findet in begrenzten Räumen statt: im Altstadtviertel, in der Trabantensiedlung einer Großstadt, auf dem Dorf, anderswo. Charakteristika dieser lokalen Umwelten bedeuten Lernvoraussetzungen für Heranwachsende. „Region und Sozialisation" versammelt Versuche aus verschiedenen sozialwissenschaftlichen Disziplinen, arealspezifische Bedingungen menschlicher Entwicklung zu begründen, empirisch zu ermitteln und in ihren Konsequenzen zu analysieren.

Der Reader setzt damit Bemühungen fort, denen es um die Analyse konkreter Sozialisationserfahrungen ging und geht. Deren Ausgrenzung wird hier jedoch im ersten Schritt „lokal", „regional" vollzogen; dies in der Hoffnung, darüber Mängeln und Gefahren alternativer Zugänge – insbesondere der „schichtspezifischen Sozialisationsforschung" – zu begegnen: Künstlichkeit und Simplifizierung, Blickverengung und Reifizierung.

Die von den einzelnen Autoren(-gruppen) eingeschlagenen Wege sind von erheblicher Vielfalt; nicht nur hinsichtlich der vertretenden theoretischen Postitionen, sondern vor allem auch hinsichtlich des methodischen Vorgehens: mit und ohne Konzentration auf spezifische Aspekte menschlicher Entwicklung, Fallstudien und systematisch vergleichende Ansätze, heterogenste Strategien der Informationsbeschaffung und -verarbeitung.

Die Einleitung des Herausgebers in Band I will den übergeordneten Rahmen abstecken, das gemeinsame Anliegen akzentuieren; arbeitet aber auch das Spezifische der einzelnen Beiträge heraus.

The daily life of children and juveniles takes place in a limited space, i.e. in downtown areas, in suburbia, in a small town or village community, or elsewhere. Socialization of young people is influenced by certain features of these local environments. "Region and Socialization" is a collection of contributions from various social science disciplines which attempt to establish, to describe and to analyse these spatially specific conditions of human development.
The reader thus continues work attempting to define the concrete manner in which people come to be socialized. The dominant thing focused on, moreover, is the regional and local perspective. So to a certain extent the point of view taken in these volumes can be distinguished from the conventional class-oriented one which is often guilty of over-simplifying and distorting, of stereotyping and reifying.
The various authors represented here have adopted widely divergent approaches, not only with respect to their theoretical positions but also in their methodology: e.g. working with or without concrete aspects of development in mind, doing case studies or systematic comparative work, using highly different strategies of collecting and processing information.
The editor's introduction in volume I aims at staking out a common framework and outlook in respect to theory and research. It also points out some characteristics of each contribution.

Inhalt

BAND I

Einstieg und Überblick

Psychologie: eine wieder belebte Tradition

Soziologie: in anglo-amerikanischer Tradition

Soziologie: in deutschsprachiger Tradition

BAND II

Ein Rundgang durch das Spektrum vorhandener Ansätze

Akzentuierung des Anwendungsbezugs

Vorwort

Plötzlich war eine ganze Reihe davon da: von Forschungsprojekten, die sich in irgendeiner Form über Voraussetzungen menschlicher Entwicklungsverläufe Gedanken machten, wie sie sich in konkreten lokalen Bezügen manifestieren.
Für jemanden, der mit ebenso viel Skepsis wie Faszination am ersten Entwurf des einschlägigen und zwischenzeitlich weit verbreiteten „Soziotopen"-Ansatzes beteiligt war[1], war dies hinreichend Grund und Motivation, entsprechende Projektdarstellungen an einem Ort zu versammeln; um u. a. eine vergleichende Diskussion der in ihnen vertretenen metatheoretischen, methodologischen etc. Positionen zu erleichtern, zu fördern. Das sollte auch anhand (erster) empirischer Befunde geschehen.
Letztere ließen häufig – wie sonst auch – länger auf sich warten, als ursprünglich geplant. (So gingen die Erstfassungen der Beiträge zwischen dem März 1977 und Januar 1979 ein; mit »Spitzen« jeweils zum dritten Quartal 1977 und 1978.) Aber nicht nur die damit gegebenen formalen Synchronisationsprobleme machten das Geschäft des Herausgebers überdurchschnittlich aufwendig. Vielmehr stellte die Neuheit des gewählten Rahmenthemas sowie die multidisziplinäre Herkunft der Beiträge dazu alle Beteiligten auch vor besondere inhaltliche Aufgaben: Wie kann man trotz der genannten Tatsachen dennoch einen möglichst hohen Grad allgemeiner Verständlichkeit des einzelnen Beitrags erreichen[2]? In welche Systematik lassen sich die Beiträge insgesamt bringen, ohne ihnen Zwang anzutun? Wie ist der prinzipiell daran Interessierte am voraussetzungsfreiesten wie motivierendsten in die Gesamtthematik einzuführen?
Es gab Einiges abzuklären; es brauchte viele Gespräche; es gingen etliche Briefe hin und her[3]. Der zeit- und investitionsintensive Produktionsprozeß des Readers möge sich darüber gelohnt haben, daß es uns am Ende – in Kooperation mit den Autoren und dem für Innovation so offenen Verlag – gelungen ist, Material zu einem erst anlaufenden Forschungsschwerpunkt so zu strukturieren, daß weitere entsprechende Initiativen dadurch angeregt werden, darauf aufbauen können.

Konstanz, im Sommer 1980 Heinz Walter

Die Anmerkungen zum Vorwort sind in jene zum nachfolgenden Beitrag des Herausgebers integriert.

Mitarbeiter der zwei Bände

Tino Bargel, Universität Konstanz
Imbke Behnken, Jugendbüro und Hauptschülerarbeit e. V., Wiesbaden
Jörg Bourgett, Jugendamt Wiesbaden
Richard Fauser, Universität Konstanz
James Garbarino, Boys Town, Center for the Study of Youth Development, Nebraska
Heide Häberle, Zentralinstitut für Seelische Gesundheit, Mannheim
Wilhelm Henze, Universität Konstanz
Alois Herlth, Universität Bielefeld
Jochen Hölle, Universität Konstanz
Sibylle Hübner-Funk, Deutsches Jugendinstitut, München
Albert Ilien, Universität Hannover
Nivardo Ischi, Universität Freiburg, Schweiz
Utz Jeggle, Universität Tübingen
Manfred Kuthe, Universität Konstanz
Heiner Meulemann, Zentralarchiv für Empirische Sozialforschung, Köln
Günther Moschel, Zentralinstitut für Seelische Gesundheit, Mannheim
Hans-Ulrich Müller, Deutsches Jugendinstitut, München
Jörn W. Mundt, Technische Universität München
Jean-Luc Patry, Universität Freiburg, Schweiz
Meinrad Perrez, Universität Freiburg, Schweiz
Norbert Preusser, Jugendamt Wiesbaden
Mechthild Rotter, Ludwig-Boltzmann-Insititut für Kriminalsoziologie, Wien
Heinz Steinert, Universität Frankfurt
Klaus Peter Strohmeier, Universität Bielefeld
Martin Vatter, Universität Bern
Rainer Völkel, Jugendamt Wiesbaden
Heinz Walter, Universität Konstanz
Horst Weishaupt, Deutsches Institut für Internationale Pädagogische Forschung, Frankfurt
Rainer Welz, Zentralinstitut für Seelische Gesundheit, Mannheim
Jürgen Zinnecker, Jugendbüro und Hauptschülerarbeit e. V., Wiesbaden

Region und Sozialisation. Ein neuer Schwerpunkt zur Erforschung der Voraussetzungen menschlicher Entwicklung[4]

Heinz Walter

1. Einleitung

In den letzten Jahren hat die wissenschaftliche Auseinandersetzung um die menschliche Entwicklung, ihre Regelhaftigkeiten und Bedingtheiten einen beachtlichen Aufschwung genommen. Diese mit Zurückliegendem vergleichende Aussage gilt insbesondere für den deutschen Sprachraum. Sie gilt auch jeweils gesondert für die Entwicklungspsychologie (*Montada* 1979a), für die Pädagogische Psychologie (*Brandtstädter et al.* 1979), für eine interdisziplinär ausgerichtete Sozialisationsforschung (*Hurrelmann/Ulich* 1980)[5]; wobei die Übergänge zwischen den genannten Forschungsbereichen mehr als fließend sind.
Das Augenfälligste im Rahmen dieser Bemühungen sind die vielen Versuche, das Entwicklungsbedeutsame der Umwelt von Kindern, Jugendlichen und Erwachsenen zu präzisieren. Dabei geht es zum einen um eine Konkretisierung und Differenzierung von „Umwelt" – wo vor allem die Entwicklungspsychologie Defizite aufzuholen im Begriff ist. Dabei geht es zum anderen um die „Übersetzung" der Umwelt in die psychosoziale Persönlichkeit und ihre fortlaufende Veränderung; was differenzierte Annahmen nicht nur darüber voraussetzt, aus welchem „Schrot und Korn"[6] die Umwelt ist; sondern ebenso und gleichzeitig, aus welchem die werdende Persönlichkeit ist: welche Antennen und Kompetenzen sie aktuell besitzt bzw. bislang erworben hat, um mit dieser Umwelt in Interaktion zu treten – worüber sich vor allem eine soziologisch dominierte Sozialisationsforschung lange Zeit zu wenig Gedanken machte[7].
Für die Forschung zur menschlichen Entwicklung und ihre künftige Fruchtbarkeit stellt sich damit u. a. die Frage nach der geeigneten „Brennweite" und „Entfernungseinstellung" für empirische Aufnahmen: so, daß – wir setzen die gewählte Bildlichkeit fort – das Individuum noch im Tiefenschärfenbereich bleibt; so, daß aber auch seine Umgebung nicht zu bald ins Unscharfe verschwimmt. Wo ist m. a. W. der Austausch eines heranwachsenden menschlichen Organismus mit seinem sozialen und sächlichen, gleichzeitig historisch wurzelnden, zu „Milieus" sich verdichtenden Umfeld noch detailliert genug nachzuzeichnen, ohne den Ho-

rizont so einzuengen, daß er den erforderlichen Weitblick verhindert? Denn – so formuliert *Montada* (1979b, 27) in gegebenem Zusammenhang – die ,,wissenschaftliche Psychologie ist sich bewußt, daß sie nur Modelle über Ausschnitte des Mensch-Umwelt-Systems konstruieren kann". Doch auch er stellt gleich im Anschluß daran die Frage: ,,Wie groß müssen die Ausschnitte aber sein, damit unsere Sicht nicht in gefährlicher Weise eingeschränkt wird?"

Das Umgehen einer Antwort auf diese Frage in Form des Fächers sogenannter Sozialisationsinstanzen (von ,,Familie" bis ,,Beruf") gerät immer stärker in die Schußlinie der Kritik: wegen des *Nebeneinanders* von sozialen Interaktions- und Erfahrungsräumen, dem damit nahegelegten Schritt einer additiven Verknüpfung; wegen der Konzentration der ,,Instanzen" darauf, worauf auch die Sachwalter moderner Industriegesellschaften – in der Annahme des dann gewährleisteten Funktionierens derselben – ihre Aufmerksamkeit richten: auf Bereiche *intendierter* ,,Erziehungs-" und/oder Ausbildungsaufgaben (Kindergarten, Schule, Hochschule etc.), auf notwendige bzw. sehr weit verbreitete Realität (Arbeit/Produktion, Reproduktion, Massenmedien[8]).

Als heuristische Alternative dazu schlägt *Bronfenbrenner* (1978, 1979) ein Modell vor, das nach Mikro-, Meso-, Exo- und Makrosystemen differenziert: ,,Ein *Mikrosystem* ist das Beziehungsgefüge zwischen der sich entwickelnden Person und der Umwelt in einem unmittelbaren Setting, in dem sich die Person befindet (z. B. Heim, Schule, Arbeitsplatz usw.). Ein Setting ist definiert als ein Ort mit besonderen physikalischen Eigenschaften, in dem sich die Teilnehmer in spezifischer Weise in spezifischen Rollen (z. B. Tochter, Eltern, Lehrer, Beschäftigter usw.) und in spezifischen Zeitabschnitten betätigen". ,,Ein *Mesosystem* umfaßt die Beziehungen zwischen den wichtigeren Settings, in denen sich die in der Entwicklung begriffene Person zu einem bestimmten Zeitpunkt ihres Lebens befindet. So schließt das Mesosystem eines amerikanischen Zwölfjährigen typischerweise die Interaktionen zwischen Schule, Familie und Peer Group ein". ,,Ein *Exosystem* ist eine Ausweitung des Mesosystems, das weitere soziale Strukturen sowohl formeller als auch informeller Art umfaßt, zu denen die sich entwickelnde Person nicht selbst gehört, die aber die unmittelbaren Settings, denen die Person angehört, berühren oder miteinschließen und von daher das, was darin vor sich geht, beeinflussen". ,,Ein *Makrosystem* weicht von den obigen Formen grundsätzlich dadurch ab, daß es sich nicht auf die spezifischen Kontexte, die das Leben einer einzelnen Person betreffen, bezieht, sondern auf allgemeine Prototypen in der Kultur oder Subkultur, die die Muster der Strukturen und Aktivitäten auf dem konkreten Level festlegen. Ein Klassenzimmer sieht von daher in einer gegebenen Gesellschaft wie jedes andere aus und funktioniert auch wie jedes andere. Dasselbe gilt für andere Settings und andere Institutionen sowohl formeller als auch informeller Art. Es ist, als ob allen derselbe Stempel aufgedrückt worden wäre. Diese Stempel sind die Makrosysteme" (*Bronfenbrenner* 1978, 35f.)[9]. – Im Rahmen der empirischen Umsetzung seiner „Ökologie der menschlichen Entwicklung" sieht *Bronfenbrenner* ein argumentatives „Hin-und-her-Gleiten" zwischen den Untersuchungseinheiten Kind-Familie-Wohngebiet-Stadt-Gesellschaft vor (vgl. *Bronfenbrenner/Cochran* 1976). Entsprechendes empirisches Material wird zur Zeit im großen Stil in fünf Ländern erhoben[10]; mit Spannung darf man auf die Befunde und ihre Interpretation warten.

Doch spricht auch manches dafür, eine bestimmte „Einstellung" dieser „Zooming-Strategie" *Bronfenbrenners* wieder relativ fest zu machen, sich darauf zu konzentrieren. Wir meinen eine „Einstellung" irgendwo zwischen der ausschließlich auf die isolierte „Kleinfamilie" gerichteten und einer, die „Kulturen" ganzer Staatengebilde[11] in den Blick nimmt. Unsere Optik soll m. a. W. probeweise zentral auf das fixiert werden, was wir grob mit „Region" umreißen wollen – in der Hoffnung, damit eine gute „mittlere" Position mit ausreichender Tiefenschärfe nach „vorne" und „hinten" zu treffen.

Neben Erwägungen, die aus unmittelbar entwicklungstheoretischer Sicht für unsere Entscheidung sprechen[12], gibt es eine Reihe weiterer Argumente und Überlegungen, die eine solche örtliche/lokale/regionale Sichtweise unterstützen.

Da stellt sich etwa *Heintz* (1976) im Rahmen einer Diskussion von Indikatoren für die Beschreibung der Weltgesellschaft die Frage nach dem „subjektiv relevanten globalen Orientierungshorizont" individueller und kollektiver Akteure. Und trifft in diesem Zusammenhang die Feststellung: „Der schnelle Wandel grundlegender Parameter in diesem Jahrhundert hat z. B. die Komplexität der Weltgesellschaft erhöht. Das erklärt zum Teil die gegenwärtig zu beobachtende Tendenz, die Reichweite des als relevanten Orientierungshorizont betrachteten Systems zu verkürzen. Daraus ergibt sich das wachsende Gewicht kleiner Interaktionsfelder" (S. 126). Neben diesem erschwerten Weitblick sieht *Greverus* (1979) „verlorene(n) Ideale" als Ursache für einen „Rückzug auf das Glück in der kleinen Heimat" (S. 7)[13].

Dieser diagnostizierten Horizont-Begrenztheit des Mannes/der Frau von der Straße in ihrem alltäglichen Lebensvollzug kommt eine zunehmende Betonung der „sozialökologischen Interventionsform" im Rahmen sozialpolitischer Programmatik entgegen: „Der Staat kann durch gezielte Beeinflussung der sozialen Umwelt, beispielsweise durch Stadtplanung, Wohnungsbau oder das Angebot von Dienstleistungen unmittelbar die Lebensverhältnisse bestimmter Bevölkerungsgruppen zu beeinflussen suchen" (*Kaufmann* 1979, 47). Sie wird abgehoben von rechtlichen bzw. ökonomischen Interventionsformen. Während letztere *überregional* zu konzipieren und anzuwenden sind, lassen sich ökologische Interventionen nur mit Blick auf die spezifischen Gegebenheiten *vor Ort* sinnvoll realisieren. Denn hier ist m. a. W. das „Wirksamwerden des öffentlichen Angebots

... entscheidend an die Bedingung geknüpft, daß das Angebot Bestandteil des sozialökologischen Umfeldes des Leistungsadressaten wird"[14], das heißt, daß es „im Bedarfsfalle tatsächlich in Anspruch genommen (wird) und daß die Nutzung für die Betroffenen dazu beiträgt, ihre Probleme zu lösen" (S. 47f.).
Solche Probleme beziehen sich häufig auf Sachverhalte, die nicht ohne Bezug zu und Einfluß auf Entwicklungsverläufe sind. Insgesamt findet sich der zentral an letzteren Interessierte sehr bald einem unerwartet umfangreichen Angebot mit „Region-Bezug" gegenüber; „unerwartet" nach dem nur bescheidenen Fündigwerden, was bereits vorliegende Literatur zum spezifischen Bezug von Region und *Sozialisation* angeht. Man nimmt plötzlich ein weitgefächertes Szenarium von regionbezogenen Initiativen, regionbezogenen Forschungsprogrammen, regionbezogener Literatur wahr; und kann sich seiner Faszination kaum entziehen. – Gemeint sind damit nicht nur Analysen von Bürgerinitiativen (z. B. *Armbruster/Leisner* 1975); oder des systematisch erarbeiteten Alternativangebots dazu (*Dienel* 1978). Man stößt auf überdurchschnittlich umfangreich und langfristig angelegte Forschungsprogramme: „Raumordnung und Städtebau" in der BRD, „Nationales Forschungsprogramm ‚Regionalprobleme'" in der Schweiz[15]. Städtebauliche Gesetzgebung und städtebauliche Utopien[16] laden ebenso zu Überlegungen ein wie die nostalgisch aufgewertete „Provinz"[17]. Und das „Gesellschaftsbild bei Stadtplanern"(*Berndt* 1968) fordert ebenso zu kritischer Rezeption auf wie eine Differenzierung nach psychologischen versus soziologischen Zugängen zu Phänomenen städtischen Lebens (*Fischer* 1978). Für einschlägige Freizeitgestaltung sorgt dann noch Populärwissenschaftliches und Belletristik zum Thema[18].
So viel potentielle „Ablenkung" läßt es besonders geboten erscheinen, das Spezifische des Anliegens möglichst deutlich herauszustellen, das der Herausgeber mit „Region und Sozialisation" im Konzert regional fokussierter Analysen verfolgt. Das soll im folgenden *2. Abschnitt* zunächst dadurch geschehen, daß dominante Stoßrichtungen der aktuellen Sozialisationsforschung eine zunehmende Relativierung erfahren; eine Relativierung, die versucht, Argumente in Richtung einer „Regionalisierung" der Sozialisationsforschung plausibel zu machen. *Der 3. Abschnitt* holt dann noch einmal weiter aus, um einen exemplarischen Rundum-Eindruck davon zu geben, was „regionbezogene Sichtweisen" in der von Sozialwissenschaftlern (mit)getragenen Theorie, Empirie und Praxis konkret bedeuten. Es geht um Definitionen und Operationalisierungen von „Regionen", um das, was „Regionen" ausmachen könnte. Im Zusammenhang mit letztgenanntem Fragenkomplex zieht spezielle Aufmerksamkeit auf sich, was zur Zeit an „ökologischer" Argumentation geführt wird. Deshalb vermittelt der *4. Abschnitt* Einblick in einige soziologische und psychologische Schwerpunkte, denen das Label „Ökologie/Sozialökologie/Humanökologie" gemeinsam ist. Dabei wird es unumgäng-

lich, auf die im gegebenen Zusammenhang besonders bedeutsame „Gretchenfrage der Sozialwissenschaften" einzugehen (die in wenigen Worten so schwierig zu formulieren ist: Umweltdeterminiertheit – im Sinne eines naturwissenschaftlichen Selbstverständnisses – *oder* Konstruktion von Wirklichkeit – im Sinne der Wahl zwischen Alternativen). – Ziel der Abschnitte 2, 3 und 4 ist nicht eine ausgefeilte Systematik, sondern ein – unter einem je anderen Blickwinkel unternommenes – möglichst informations- und argumentehaltiges „Umkreisen" unseres Anliegens. – Gegen Ende des 4. Abschnitts hoffen wir so viel „Substanz" geschaffen zu haben, daß das kurze Eingehen auf die einzelnen Readerbeiträge mehr sein kann als das bloße Erfüllen herausgeberischer Formalia. Der *5. Abschnitt* skizziert abschließend einige Erwartungen und Hoffnungen, die der Herausgeber an Weiterentwicklungen der Forschungsrichtung knüpft, für die die zwei Bände „Region und Sozialisation" breitere Startbasis sein wollen.

Doch noch bevor sich der Leser an die folgenden Abschnitte, danach an die Rezeption der im Reader versammelten systematischen Forschungsinitiativen macht, sei er zu eigenen Beobachtungen eingeladen und aufgefordert: Er fahre mit öffentlichen Verkehrsmitteln kreuz und quer durch die Teile seiner Stadt. Er höre den Gesprächen der Menschen zu, die auf den Bus, die Straßenbahn etc. warten, die da oder dort einsteigen; oder registriere ihr Schweigen. Und mache sich seine Gedanken dazu. Er spaziere – bei etwa identischer Wetterlage und zum identischen Zeitpunkt des Tages- und Wochenrhythmus – durch Wohngebiete, in die ihn sein eigener Alltag bislang noch nicht geführt hat. Er betrachte Art, Alter und Zustand der Bebauung. Und er registriere die Bewohner nicht nur hinsichtlich Kleidung und Alter. Er beobachte ihre Begegnung. Er suche eine Kneipe oder einen Laden auf. Vielleicht kommt er mit Kindern und Jugendlichen ins Gespräch. Er wird mit offenen Augen noch mehr und Erstaunlicheres feststellen als die Tatsache, daß sich in einem bestimmten Areal plötzlich Autos mit „schönen" Kennzeichen[19] häufen. Und er wird unwillkürlich beginnen, Grenzen zwischen Wohnquartieren zu ziehen: zuerst eher weitmaschig, nach einigen Rundgängen vielleicht mit einem engeren Radius.

Dieser Einladung und Aufforderung zu folgen scheint umso wichtiger, als auf den folgenden Seiten zwar eine große Zahl regionspezifischer Phänomene vorgeführt wird, diese Vorführung jedoch bereits wieder vor nicht restlos geöffnetem Vorhang geschieht: Es bleibt der Schleier der mehr oder weniger rigoros vollzogenen Anonymität. Damit verbunden ist ein Verlust an lebendiger Konkretheit[20]. Zudem kann man – selbst wenn man es wollte – nicht durch eigene vor-Ort-Studien um das ergänzen, auf dessen Schilderung in extenso jeder Beitrag notgedrungen verzichten muß.

2. Erster Blickwinkel: Sozialisationsforschung

Sozialisationsforschung hat zum Ziel, Unterschiede in Verhaltensweisen und Orientierungen menschlicher Individuen auf Unterschiede in Umweltbedingungen zurückzuführen. Idealiter sind Neugeborene der Gattung homo sapiens für sie daher tabulae rasae, in die die lebensgeschichtlichen Erfahrungen eine je spezifische Biographie schreiben . Doch wird die Notwendigkeit der Berücksichtigung bestimmter Grundqualitäten des zu gestaltenden ,,Wachses" auf Grund seiner evolutionären Gewordenheit ebenso gesehen wie die Notwendigkeit der Berücksichtigung interindividueller Unterschiede bereits *vor* jedem Umwelteinfluß[21].

Um das ,,Wachs" geht es in der sich intensivierenden Diskussion um anthropologische Konstanten (zuletzt kurz bei *Walter* 1979, 26ff.); konkret in den verschiedenen Spielarten einer handlungstheoretischen Konzeption: ,,Handlungstheorien gehen davon aus, daß der Mensch als ein aktiv auf seine Umwelt einwirkendes, *zukunftsbezogenes* Wesen, das sich selbst Ziele setzt und *Hypothesen* (Erwartungen) über seine Umwelt aufstellt, begriffen werden kann. Damit unterscheiden sie sich von Konzeptionen, in denen der Mensch als ein grundsätzlich passiver, nur von *externen* Reizen oder physiologisch bedingten Triebreizen in Bewegung gebrachter *Organismus* angesehen wird" (*Werbik* 1978, 11; s. auch *Boesch* 1980). Gefragt sind Modelle der *Interaktion* Mensch-Umwelt.
Zu pauschal ist auch noch die an den Anfang dieses Abschnitts gestellte Aussage; sie muß in mehrerlei Hinsicht präzisiert und konkretisiert werden:
Mit *Verhaltensweisen* bzw. *Orientierungen* will die notwendige Unterscheidung zwischen manifest Sichtbarem einerseits und möglicherweise ,,Dahinterstehendem" andererseits angedeutet werden; Dahinterstehendes als etwas, was Laien wie Wissenschaftler in die ,,Köpfe" und ,,Herzen" ihrer Mitmenschen stecken: Einstellungen, Normvorstellungen, Werthaltungen etc., die in der Regel als verhaltensrelevant konzipiert sind, deren Inhaltsspezifität wie Intensität zweifelsohne umweltabhängig sind (vgl. *Dann et al.* 1978); Dahinterstehendes aber auch als jene sich qualitativ voneinander unterscheidenden, kognitiven Niveaus, wie sie vor allem von *Piaget* in ihrer formalen Struktur wie Entwicklung so plausibel dargelegt wurden (vgl. *Flavell* 1964), deren Umweltabhängigkeit aber noch viel zu wenig diskutiert ist (*Walter* 1979, 11, 27f.).
Bei den *Umweltbedingungen* ist u. a. zu unterscheiden zwischen langfristig und aktuell gegebenen. Wobei diese Unterscheidung nur dann sinnvoll ist, wenn das Aktuelle etwas ,,Besonderes" – quasi außerhalb der Regel – ist; z. B. die Tatsache, zufällig einen Ladendiebstahl mitzubekommen (*Abele/Nowack* 1976). Setzt das Aktuelle bloß zurückliegend Erfahrenes fort (z. B. die Mutter findet etwas, was das Kind machte, ,,wieder einmal" nicht gut), so ist die Unterscheidung ,,langfristig"-,,aktuell" heuristisch wertlos. *Von solcher Kontinuität der Erfahrung* – und sei sie permanent widersprüchlich! (*Berger* 1978) – *geht die Sozialisationsforschung aus.* Auch zunächst abrupt eintretende ,,Brüche" im lebensgeschichtlichen Erfahrungsfluß (z. B. bei einem Umzug, beim Verlust eines Elternteils; häufig

beim Hinzutreten der Sozialisationsinstanz Schule zur Sozialisationsinstanz Familie) sind – einmal „installiert" – in der Regel von längerfristiger Dauer und Wirkung (vgl. *Walter* 1977a)[22].

Für eine Sozialisationsforschung, die an für möglichst viele menschliche Individuen gültigen Aussagen – dazu: möglichst zeitlos gültigen Aussagen – interessiert ist, war es konsequent, nach möglichst umfassenden Gruppen mit identischen Umweltbedingungen zu fahnden; dieses „gleiche Schicksal" bzw. seine Konsequenzen nachweisen zu wollen. Die Präzisierungs- und Generalisierungsversuche familiärer Sozialisationserfahrungen waren und sind eine dominante Stoßrichtung (*Bargel* 1974, *Lukesch et. al.* 1980, *Schneewind/Herrmann* 1980, *Thomae* 1972a), auf „soziale Schichten" bezogene eine andere (*Thomae* 1972b). Besonders Aussagen der sog. schichtspezifischen Sozialisationsforschung erreichten aber in kürzester Zeit einen Generalisierungsgrad, dem zu Recht mit Skepsis begegnet wurde (*Lukesch* 1976, *Abrahams/Sommerkorn* 1976; s. auch *Bargel* 1973).
Hier soll jedoch nicht die potentielle Bedeutung einer beruflichen Stellung, finanzieller Einkünfte und/oder formaler Bildungsabschlüsse des Haupternährers einer Familie für deren Mitglieder in Frage gestellt werden. Es fällt nicht schwer, sich ein prima vista plausibles Netz entsprechender kausaler Zusammenhänge auszudenken[23]. Doch laufen die Bemühungen, das in „Schicht" allzu Komprimierte quasi nachträglich einer inhaltlichen wie kausalen Präzisierung zuzuführen, noch sehr weit auseinander. Zudem stößt es auf erhebliche Schwierigkeiten, vorgestellte Beziehungszusammenhänge in ihrer erforderlichen Verzweigtheit empirisch angemessen abzubilden und zu überprüfen (*Beicht et al.* 1976, *Grüneisen/Hoff* 1977, *Heinz* 1977, Oevermann et al. 1976, *Steinkamp/Stief* 1978, *Wegner* 1979).

Die Kluft zwischen „idealtypischem Modell" und „realisierbarer Forschung" – wie *Fröhlich/Wellek* (1972) die bislang gegebene Diskrepanz zwischen theoretisch formulierten, komplexen und interdependenten Wirkungsgefügen und ihrer konkreten empirischen Überprüfung im Rahmen gängiger multivariater Designs charakterisieren[24] – wird höchstens über eine bessere Forschungsförderung im Bereich der Sozialwissenschaften und eine andere Forschungspolitik zu überwinden sein.
Jetzt bereits konzeptionell überwindbar müßte die jeweils isolierte Auseinandersetzung mit den Konsequenzen beruflicher Arbeit einerseits (*Lempert* 1977, *Lempert et al.* 1979) und der Sozialisationsfunktion und -bedeutsamkeit des Vaters andererseits (vgl. *Lamb* 1976) sein. Dies scheint insofern dringend geboten, als bislang im Kontext „schichtspezifischer Sozialisation" Annahmen getroffen wurden, die bei etwas genauerer Inspektion so plausibel gar nicht sind, wie es ihre Verfechter weismachen wollen. Es fehlt das eigentlich recht naheliegende Staunen, warum die Berufserfahrungen von Vätern denn überhaupt bis in Merkmale ihrer Kinder so deutlich erkennbar „durchschlagen" sollen; von Vätern, die im Ver-

gleich zur Mutter – zumindest an fünf von sieben Tagen[25] – in der Regel sehr wenig Zeit mit ihren Kindern verbringen (vgl. *Walter* 1977b).

Doch selbst wenn aus weiterer Forschung die väterliche Berufsposition und -erfahrung als eine sozialisationstheoretische „Supervariable" hervorginge[26], ist zunächst festzuhalten, daß sich die Väter von ihren Arbeitsstätten nur in Ausnahmefällen in sozial quasi homogene Wohnstätten zurückziehen: die Mietskaserne, das Bungalowdorf (wo aber auch unterschiedliches „kollektives Verarbeiten" beruflich und gesellschaftlich einseitiger Erfahrungen denkbar ist[27]); daß es neben den klassischen Industriearbeitervierteln bzw. Villenvierteln auch die *sozial heterogeneren* ländlichen Pendlergemeinden, verstädternden Wohndörfer oder Trabantensiedlungen am Rande von Großstädten gibt. Wo besonders Vieles und schwer Vorhersagbares an „sozialer Dynamik" zu erwarten ist: sich verhärtende Stereotypien oder gegenseitiges Voneinanderlernen? Phänomene des Aufeinanderzugehens oder Gegeneinanderabgrenzens? Nivellierung oder Akzentuierung von berufsgruppenspezifischen Verhaltensweisen und Orientierungsformen?
In jedem Fall ist in solchem Zusammenhang zu betonen, daß „die populäre Vorstellung von der ‚isolierten Kleinfamilie' . . falsch" ist (*Pfeil* 1972, 247), daß soziale Orientierungs- und Vergleichsprozesse im alltäglichen Lebensvollzug – der Erwachsenen ebenso wie der Heranwachsenden ab sehr frühem Alter – klar über die Familie hinausreichen[28]. Die Tatsache, daß sich Bezugspersonen und -gruppen aus Verwandten, Bekannten/Freunden *und* Nachbarn rekrutieren, mag an Zahl und Bezugsintensität variieren, wird als solche aber kaum in Frage zu stellen sein. Dies gilt insbesondere für die uns speziell interessierenden Eltern, die – durch die heranwachsenden Kinder ständig mit neuartigen Phänomenen konfrontiert – zu deren Interpretation und zur Normfindung erzieherischen Handelns gezwungen sind (vgl. *Groß/Weber* 1979)[29].
Das Zurückliegende akzeptiert, läßt sich ferner gegen die Annahme einer stets gegebenen Determinierung des Sozialisationsmilieus durch die *aktuelle* Berufssituation einwenden: Verschiedene Wohnquartiere weisen deutlich unterschiedliche *Altersstrukturen* auf (vgl. z. B. die „A-", „B-" und „C-Gebiete" in *Dittrich* 1973). Ihre Widmung, die zum Zeitpunkt ihrer Entstehung/Erstellung gegebenen Wohnungsgrundrisse, -größen, -kosten, etc. haben vorwiegend Gruppen nicht nur eines bestimmten sozioökonomischen Status, sondern auch eines bestimmten Alters angezogen. Das führt – neben weiteren Gründen [30] – auch in der Folgezeit zu einer quartiersspezifischen Verteilung von Altersgruppen; dies selbst in einem Lande wie der BRD, dessen „normale" Entwicklung der Nutzung von Bausubstanz durch Kriegsfolgen zusätzlich „dynamisiert" wurde. Zu dem u. a. darüber gegebenen, ausgeprägten oder geringen Vorhandensein von Altersgleichen für die Heranwachsenden sind bestimmte vorherrschende Ideologien domi-

nanter Berufs- und Altersgruppen – lokal oder überregional vorliegend und geprägt – zu erwarten: z. B. in einer Siedlung ehemaliger Ruhr-Kumpel; oder einfach in einer Siedlung, in der „the children of the great depression" (*Elder* 1974) überwiegen.

Zusätzlich an dieser Stelle hervorgehoben sei auch gleich noch: Es scheint keineswegs so zu sein, daß in jeder Hinsicht auch länger anhaltende, berufsbezogene Erfahrungen einer Generation die Berufs- und Lebenserfahrungen ihrer Elterngeneration – besser vielleicht: ihrer Vorfahren – in ihrer bewußtseins- und verhaltensprägenden Bedeutung „übertönen", geschweige denn „auslöschen" können[31]. Nicht nur *Ilien/Jeggle* bringen in ihrem Beitrag bedenkenswerte Befunde und Argumente in dieser Richtung. Der Soziologe *Humphreys* (1966), der den Einfluß der industriellen Großstadt Dublin auf die vom Lande zugezogene Generation und deren Kindergeneration untersuchte, unterscheidet sehr deutlich zwischen „those elements in family life that first yield and change under the pressure of the city, and those elements that tend to resist and endure" (S. 5). Daß die „Gegenwart der Vergangenheit" – jedenfalls in Teilgruppen der Gesellschaft – ausgeprägter zu sein scheint, als dies der dominante Forschungsstrom bis heute wahrhaben will, darauf weisen auch die Sozialisationspraktiker *Bourgett, Preusser* und *Völkel* in ihrem Beitrag hin. Sie sehen die „Ungleichzeitigkeit des Bewußtseins" als entscheidenden Bedingungsfaktor für Marginalität in dieser Gesellschaft.

Und in noch einmal ganz anderem Licht erscheint der Zusammenhang Beruf – Region – Sozialisation, wenn man den Beruf nicht als rein individuelle Erfahrung betrachtet, sondern Aspekte der regionalen Beschäftigungsstruktur als supraindividuelle Systemmerkmale einführt. So registrierten *Barker/Schoggen* (1973) in einem Vergleich einer amerikanischen und einer englischen Kleinstadt (Midwest, Yoredale) jedes „offizielle" Betätigungsfeld ihrer Bewohner: sei es eine berufliche Position (z. B. Tankwart), sei es im Bereich unentgeltlicher Dienstleistungen (z. B. Feuerwehrmann), sei es im Feizeitsektor (z. B. Mitglied eines Gesangvereins). Das Verhältnis zwischen solch verfügbaren Betätigungsfeldern („Habitaten") und der Zahl an Bewohnern eines Gemeinwesens bestimmt nach *Barker* und *Schoggen* in hohem Maße die Qualität der Beziehung zwischen den Erwachsenen und der nachfolgenden Generation. Sie stellen fest, „that the functional importance of children in maintaining and implementing the programs of the towns' habitats is greater in Midwest than in Yoredale . . . Midwest children are more important und more powerful – they are, truly, less expandable than Yoredale children; this is the kernel of the difference in the towns' public child-rearing systems" (*Schoggen/Barker* 1974, 19). Für die Jugendlichen von Midwest bedeutet es konkret, stark gefordert zu sein, schon früh in Erwachsenenrollen hineinzuwachsen und dabei einer egalitären Erziehungsideologie der Erwachsenen zu begegnen. Die

entgegengesetzen Erfahrungen machen ihre Altersgleichen im „übervölkerten" Yoredale.
Summa summarum scheint Etliches dafür zu sprechen: in der Sozialisationsforschung sehrwohl über die Grenzen der Familie hinauszugehen[32]; dort aber die einseitige Konzentration auf „Beruf" und „Schicht" aufzugeben; andere mögliche Quellen der Erfahrung – als *bloß* „Arbeiterfamilie", *bloß* „schichtspezifische Elterneinflüsse"[33] – in Rechnung zu stellen; einzelne Wohngebiete, Einzugsgebiete von Kindergärten und Schulen als „Kraftfeld, in dem Wechselwirkungen hin- und hergehen" *(Friedrichs* in *Pfeil* 1972, 370), zu konzipieren – dabei durchaus *auch* Auswirkungen unmittelbarer und mittelbarer individueller Berufserfahrungen[34] einzubeziehen, aber *nicht nur;* und schon gar nicht in Form reifizierender „Additionen"[35] zu homogenen „subkulturellen Milieus"[36].

3. Zweiter Blickwinkel: regionbezogene Sichtweisen

Die Beschäftigung mit dem Gegenstand „Region", die Auseinandersetzung mit dynamischen Vorgängen in und zwischen Regionen hat in den Sozialwissenschaften Tradition.
Vor allem in der Ökonomie hat die unterschiedliche wirtschaftliche Entwicklung verschiedener Regionen früh Aufmerksamkeit auf sich gezogen. Es waren dabei durchaus nicht immer nur pragmatische Aspekte wie jener der Standortentscheidung ausschlaggebend[37]. Den in solchem Kontext häufig als Pionier aufgeführten Wissenschaftler *v. Thünen* (1783–1850) beschäftigte beispielsweise u. a. der Zusammenhang zwischen der Bauernbefreiung, der damit in Beziehung gebrachten Erleichterung von Familiengründungen, der Entwicklung der Geburtenziffern und der Mobilitätsbereitschaft, die den stark expandierenden industriellen Zentren zugute kamen; daraus resultierende soziale Probleme waren mit zentraler Gegenstand seiner Überlegungen (vgl. *Seedorf, v. Thünen, Wollenweber* in *Seedorf/Seraphim* 1933). Doch ist dieses explizite Mitreflektieren sozialer Konsequenzen gesellschaftlich-ökonomischer Entwicklungen bis hin zu den betroffenen Gruppen und Individuen in den makro-orientierten Wirtschaftswissenschaften sicher eher die Ausnahme als die Regel – wiewohl politische Argumentation, mit der man sich in systematischer Weise auseinandersetzt, auch häufig bei der „sozialen Frage" ansetzt (vgl. *Harlander* 1979).
Eine „Volksinitiative für die Schaffung von Regionen" der Liberalen Partei des Kantons Luzern aus jüngster Zeit argumentiert auch vorrangig mit sozialen und kulturellen Belangen (*Staatskanzlei des Kantons Luzern* 1977, 1978). In diesem Zusammenhang wird auch der Begriff Region zu präzisieren versucht: „Wie der Ausdruck ‚Gemeinde' kann auch der Ausdruck ‚Region' das *Gebiet* bezeichnen.

In diesem Sinne verstanden umfaßt die Region die Gebiete einer Gruppe von Gemeinden, welche geographisch und wirtschaftlich zusammengehören. Meist sind die Rand- oder Außengemeinden einer Region wirtschaftlich, kulturell und gesellschaftlich auf eine Zentrums- oder Kerngemeinde ausgerichtet, welche mit ihrem Angebot an erreichbaren Arbeitsplätzen, Einkaufsmöglichkeiten, höheren Schulen, kulturellen Einrichtungen und gesellschaftlichen Veranstaltungen ein regionales Zentrum bilden" (1977, 8).
Auch in der Soziologie scheint „Region" ursprünglich für sehr großflächige Gebilde reserviert zu sein; in der Stadtsoziologie z. B. für räumliche Einheiten, die nach Laienverständnis Stadtgrenzen sprengen – und in diesem Sinne oben wiedergegebenen Vorstellungen vom intergemeindlichen Planungsverband am nächsten kommen[38].

Die *Stadtregion* umfaßt „denjenigen Umlandbereich im Agglomeratsraum einer (großen) Stadt, dessen Einwohner überwiegend nicht-landwirtschaftliche Berufe ausüben und von denen der überwiegende oder zumindest ein erheblicher Teil seine Existenzgrundlage in den Arbeitsstätten der Kernstadt hat" (*Boustedt* zit. nach *Pfeil* 1972, 375).
„Für eine Region im planerischen Sinne bestehen keine festen Definitionen, sondern zumeist nur ad hoc für den jeweiligen Planungszweck notwendige und sinnvolle Abgrenzungen. Generell umfaßt eine Region ein größeres Gebiet eines Landes, in dem Orte unterschiedlicher Größe und unterschiedlicher Funktionen zusammengefaßt werden. Es können demnach auch mehrere Städte oder mehrere Stadtregionen in einer Region vorhanden sein" (*Friedrichs* in *Pfeil* 1972, 384).

Um 1960 lagen in der deutschsprachigen Soziologie bereits eine Reihe von Titeln vor, die auf solche „Stadtregionen" wie auf „den" dörflichen/ländlichen Raum bezogen sind[39]: „Zeche und Gemeinde" (*Croon/Utermann* 1958), „Soziale Schichtung und sozialer Wandel in einer Industriegemeinde" (*Mayntz* 1958), „Gemeindesoziologische Untersuchungen zur Ballung Stuttgart" (*Irle* 1960); „Das Dorf im Spannungsfeld industrieller Entwicklung" (*Wurzbacher/Pflaum* 1961), „Berggemeinden im Wandel" (*Jaeggi* 1965). – Eine nähere Inspektion zeigt jedoch, daß es den Autoren keineswegs um eine simple Kontrastierung etwa von „Stadt" und „Land" ging; sie vielmehr mit ihrer Empirie nach verschiedenen Stadtteilen bzw. verschiedenen ländlichen Arealen differenzierten – damit auch in Gebietseinheiten recherchierten, deren Größe sich jenen Örtlichkeiten nähern dürfte, in denen Kinder und Jugendliche ihre alltäglichen Erfahrungen sammeln. So sind diese Darstellungen auch bei sozialisationstheoretischer Ausrichtung bereits von unmittelbarem Interesse. Sie liefern plastische, detailreiche, konkrete Bilder von Kontexten, in denen Entwicklung stattfindet: mit ihren historischen Wurzeln, mit ihrer aktuellen Wirtschafts- und Berufsstruktur, mit den existenten sozialen Beziehungsnetzen, mit den jeweiligen politischen bzw. religiösen Aktivitäten etc. Der Familie sind häufig eigene Abschnitte gewidmet; bei *Pfeil* (1965) be-

stimmt sie sogar die Überschrift der Darstellung. *Croon/Utermann* (1958) gehen besonders auf das Jugendalter ein; davor schon nimmt sich *Pfeil* (1955) speziell des Großstadtkindes an. Doch wie bereits betont, geht es den Autoren gleichzeitig um *areal-/gebietsspezifische* ,,Daseinsformen der Großstadt" (*Ipsen* 1959), um *unterschiedliche* Formen des ,,Lebens auf dem Lande".[40]
Es ist auch extrem unwahrscheinlich, daß man in so großräumigen Gebieten wie den oben eingeführten ,,Stadtregionen" oder gar ,,Regionen" bereits das in befriedigender Form findet, was wir suchen[41]: Gruppen von Kindern und/oder Jugendlichen ,,gemeinsamen Schicksals", d. h. Gruppen, die sich in ihrer räumlich-geographischen Konzentration von anderen Gruppen als ,,typische Konstellationen mit Sozialisationsrelevanz" klar abheben lassen.
Es bietet sich daher an, zunächst nach Vorbildern einer *systematischen* und *begründeten* weiteren Differenzierung solch großer sozialer Agglomerationen zu suchen. Hier waren es vor allem Experten in Sachen Stadtverwaltung und -planung, die sich seit 1964 in größerem Umfang gezielt Gedanken über Möglichkeiten der Feingliederung von Stadtgebieten machten. Ergebnisse eines Arbeitskreises ,,Stadtgliederung" in der Akademie für Raumforschung und Landesplanung faßt 1968 dessen Leiter *Hollmann* zusammen. Er kommt zu einem hierarchischen System der Stadtgliederung, das ,,als ein Bündel von Wahlmöglichkeiten . . . für möglichst viele Zwecke in der Stadtplanung und Stadtforschung bei der Analyse des Stadtgebietes eingesetzt werden kann" (*Hollmann* 1968, 17). Wir geben es in Abbildung 1 wieder, um den erreichten Grad der Differenzierung[42] zu demonstrieren.

Abbildung 1: Ein hierarchisches System der Stadtgliederung (*Hollmann* 1968, 17)

Verwaltungsbezirk
|
Stadtteil
|
Stadtviertel – Statistischer Bezirk – Ortsteil
|
Nachbarschaft – Volksschuleinheit – Verkehrsbezirk
|
Wohngruppe – Stimmbezirk – Zelle – Marktgebiet
|
Straßenzug | Block | Planquadrat
Straßenabschnitt | Blockseite | Mikronetz
Hausnummer – Grundstück – Flurstück

Ohne jede einzelne Einheit in ihrer möglichen Bewohnerzahl, Fläche und Bestimmungsmodalität charakterisieren zu können, sollen über die folgenden Zitatpassagen einige der kleinsten Einheiten doch etwas konkretere Gestalt annehmen – gerade auch über die vergleichende, ebenfalls von deren eigener Intention her interessante Diskussion:

„Als planungsgerechte Zählbezirke bieten sich . . . die *Blockseiten* an, da sie sich dem Blocksystem ohne weiteres einfügen und als *Straßenabschnitte* zur Straßenzeile zusammenfügen lassen; . . . Der Block bleibt jedoch die unterste räumliche Aufbereitungseinheit der Statistik. Das *Grundstück* kann aus rechtlichen, technischen und organisatorischen Gründen nicht Aufbereitungseinheit sein; es bleibt allerdings der Grundbaustein der ‚Datenbank', die für die Zwecke der Stadtplanung zumeist nur zusammengefaßte Ergebnisse für eine Mehrzahl von Grundstücken liefert. (. . .)

In großen Städten empfiehlt sich außer der Blockgliederung, die dem internen Strukturvergleich am besten gerecht wird, für zeitliche und raumvergleichende Untersuchungen auch eine kleinräumige Gliederung nach dem Rastersystem (*Planquadrat*verfahren). . . Anhand einer Rasterbeschreibung mit den Straßen und Hausnummern, die in das jeweilige Raster fallen, (. . .) hat das flächengleiche Planquadrat nicht zu übersehende Vorteile gegenüber dem unregelmäßig gestalteten Block.

Dennoch wird immer wieder behauptet, daß die *Planquadrate* für den Planer zu abstrakt sind, da sie die lebendige Differenzierung, wie sie die Angaben für Blöcke und Blockseiten bieten, völlig auslöschen. . . Sicher ist zuzugeben, daß die Starrheit der Grenzen zu Willkürlichkeiten in der Zuteilung der Grundstücke und Gebäude, die durchschnitten werden, und zur Abstraktheit in der Vorstellung führt. Aber auch die *Blöcke,* die als städtebaulich-topographische Einheiten die tatsächliche Bebauungsstruktur wiedergeben und für unmittelbare planerische Maßnahmen von Nutzen sind, haben ihre Nachteile. Ihre unterschiedliche Größe wurde schon erwähnt; ihre zeitliche Konstanz ist nicht gesichert, wodurch der statistische Vergleich gestört wird; ihre Zahl ändert sich durch die Baumaßnahmen, die auch ihren Inhalt verändern können, wie dies z.B. durch planerische Maßnahmen bei der Auskernung der Blöcke geschieht[43]; schließlich ist ihre Abgrenzung in den Randgebieten von dem subjektiven Ermessen des jeweiligen Bearbeiters abhängig. (. . .)

Der angebliche Widerspruch zwischen Wohnblöcken und Planquadraten findet seine Auflösung, wenn man versucht, die beiden Arten jeweils für verschiedene Zwecke einzusetzen. Aus dem Vorstehenden ist bereits klar geworden, daß die *Blöcke* für aktuelle und stadtinterne Strukturdarstellungen, die zum Ausgangspunkt planerischer Maßnahmen gemacht werden sollen, am ehesten geeignet sind. Die *Planquadrate* haben ihren Hauptwert dagegen vor allem im zeitlichen Vergleich zur nachträglichen Feststellung von Nutzungs- oder Strukturänderungen sowie im externen Vergleich mit anderen gleichgegliederten Städten, um für den gleichen Zeitpunkt strukturelle Unterschiede feststellen zu können" (*Hollmann* 1968, 8f.; alle Hervorhebungen d. uns, *H. W.*).

Wesentlich für jene Praktiker, für die der Gigant (Groß-)Stadt überschaubar und manipulierbar bleiben muß, ist der Gesichtspunkt, möglichst viele Informationen hinsichtlich solcher Stadteinheiten via periodischen amtlichen Großzählungen[44]

plus weiteren Datenerhebungen der Lokalverwaltungen zu erhalten; um deren Ergebnisse jederzeit in mehr oder weniger groß angelegten EDV-Aktionen auf eine bestimmte Fragestellung hin auswerten zu können.
Der damit verbundenen Gefahr, daß dabei innovatives Problembewußtsein und Anpacken gegenüber dem ,,rein Administrativen" nachstehe, steuert u. a. die sog. Soziale Indikatoren-Bewegung entgegen, die den sozialwissenschaftlichen Gehalt öffentlicher Statistiken sondiert und im Dialog mit Städteplanern, Städtestatistikern etc. zu verbessern sucht (vgl. *Hoffmann-Novotny* 1976[45]). – Wie Beiträge in diesem Reader demonstrieren, hat die Idee der ,,sozialen Indikatoren" auch in die Sozialisationsforschung Eingang gefunden[46].
Nachdem wir uns von der prinzipiellen Machbarkeit einer kleinflächigen Ausgrenzung interessierender Phänomene überzeugt haben, ist nun die entscheidende Frage nach der ,,inhaltlichen" Bestimmung regionaler Einheiten – aus spezifisch sozialisationstheoretischer Sicht – zu stellen. Es geht m. a. W. um die Frage: *Was macht eine ,,Region" – sozialisationstheoretisch betrachtet – aus?*
Schon der ,,Stadtgliederer" *Hollmann* spricht von ,,lebendiger Differenzierung" (s. o.). Und sein Kollege *Fehre* (1968) macht besonders deutlich, was damit gemeint sein mag. Er betont als wesentlichen Gesichtspunkt für die Verwaltungsgliederung den ,,Einklang mit dem Ortsbewußtsein"; er führt – speziell auf die Stadt bezogen – dazu aus: ,,Zuweilen ist das Wort gefallen, die Großstadt mit ihrer Prägekraft des Anonymen verwandle die innerhalb ihrer Grenzen lebende Bevölkerung in eine amorphe Masse, auch die Bewohner der einverleibten Vororte schmelze sie in diesen Teig ein. . . Die soziologische Großstadtforschung hat dagegen immer deutlicher aufgezeigt, daß der in einer Großstadt wohnende Mensch vom Milieu seiner unmittelbaren Nachbarschaft beeinflußt wird, wenn auch die engnachbarlichen Wirkungen von den der Gesamtstadt eigenen Impulsen überlagert werden. Es existieren in der Tat eng verwachsene Lebensgemeinschaften, die man als ,Dorf inmitten der Großstadt' bezeichnen könnte. Von der Bevölkerung bewußt erlebt, bietet sich die Großstadt nicht als einheitliches Raumgebilde, sondern in seiner örtlichen Vielfalt dar. Die Großstadt erscheint als lokal und sozial gegliederte Landschaft, der die administrative Durchgliederung entsprechen sollte" (S. 28).
Und *Göschel et al.* (1979) verweisen in solchem Zusammenhang – in direkter Bezugnahme auf Kind und Familie – darauf hin: ,,Auf einer Stufe, weit vor der spezifischer, zweckrationaler Nutzungsvorgänge (von Infrastruktureinrichtungen; *H. W.*), liegt die Entwicklung und Verfestigung lokaler Bindungen[47]. In diesem Zusammenhang nimmt die Nachbarschaft eine wichtige Funktion ein. So ist eine der ersten wichtigen Erweiterungen des Familienhaushalts für das Kind das Territorium der Nachbarschaft, das für die Entwicklung eines festen Ortsbezugs einen hohen Stellenwert einnimmt. Hier macht das Kind wichtige Erfahrungen mit

Gleichaltrigen, aber eben auch mit Erwachsenen, den Nachbarn oder, etwas weiter gefaßt, den in der Nachbarschaft Wohnenden; durch diese Erfahrungen, wie sehr sie auch immer durch die elterlichen Bezugspersonen vorselegiert sind, beginnt das Kind – zunächst eine stabil bleibende und zur Wohnung geradezu kontinuierliche – soziale Umwelt sich anzueignen. In diesem Sinne bildet die nächste Umgebung der Wohnung einen Lebensraum für das Kind" (S. 42f.)[48]. Über das Kind bzw. die Kinder würden auch die Eltern, insbesondere die Mütter, in eine Fülle sozialer Kontakte einbezogen. – Von ,,Nachbarschaften" ab heben die Autoren größere ,,Quartiere". Die ebenfalls vorhandenen, affektiven Bindungen an sie schlössen jedoch stärker als in den Nachbarschaften auch anonyme, d. h. nicht von Individuum zu Individuum erlebte Sozialbezüge bzw. Beziehungen zu baulich-räumlichen Gegebenheiten mit ein.

Es verlockt; scheint plausibel; sieht zunächst unkompliziert aus: Man fängt per Befragung solcherart beschriebenes ,,Ortsbewußtsein", solcherart beschriebene ,,lokale Bindungen" ein; und kommt darüber zu ,,natürlichen" Grenzen um Lebensräume, in denen sich das an Mensch-Umwelt-Interaktion abspielt, was – so ja unsere Generalthese – auch von erheblicher sozialisatorischer Relevanz ist.

Doch die Schwierigkeiten stellen sich rasch ein: Man mag in einigen Gebieten zu weitgehend übereinstimmenden Aussagen von zur Sache Befragten kommen; in anderen wird der ,,kollektive Konsens" ausbleiben. (Dieser Konsens wird sich unserer Vermutung nach eher in Arealen mit relativ ,,homogener" als in Arealen mit sehr ,,heterogener" Bewohnerschaft einstellen; letztere sind im Rahmen unserer Bemühungen aber die eigentlich interessanten.) Und selbst wenn sich die bei *Fehre* bzw. *Göschel et al.* angedeuteten Konzepte durchgehend (z. B. ,,Bayern-flächendeckend") nachweisen ließen, können sie ungeeignet sein, sozialisationsrelevante ,,regionale Realität" abzubilden; zum Beispiel wenn das per Verwaltungsakt festgelegte Einzugsgebiet einer Schule ,,quer" zur gewachsenen Örtlichkeit steht. Und bei bestimmten konzeptionellen Ausrichtungen wird es auf jeden Fall erforderlich sein, eine spezifische Grenzziehung vorzunehmen.

Konzepte sollten bestehen in Form von Aussagen, was in der Region an ,,Entwicklungsbedeutsamem" vorliegt, und – damit zusammenhängend – wie sich dieses in konkretes Verhalten, Denken, Fühlen, Wollen – und seine Veränderung über die Zeit – ,,übersetzt".

Das Entwicklungsbedeutsame kann sehr ,,gerichtet"[49] konzipiert sein, gerichtet auf einen ganz bestimmten ,,Sozialisationseffekt" hin (wie unterschiedliche Ausprägungen der überdauernden Leistungsmotivation zum Beispiel; vgl. *Vontobel* 1970). Es können ,,ungerichtete" Aussagen gemacht werden; d. h. man grenzt schlicht Regionen voneinander ab, denen man in vielerlei Hinsicht unterschiedliche (positive wie negative) Sozialisationpotenz zuschreibt (z. B. auf Grund beste-

hender Aussagetrends der Entwicklungspsychologie und der Sozialisationsforschung; so der im Beitrag *Bargel et al.* beschriebene Soziotopen-Ansatz).
Elaborierte Vorstellungen hinsichtlich der ,,*Übersetzung*" werden bislang sehr selten artikuliert. In aller Regel muß der Rezipient in Fortführung einzelner Aussagen und Andeutungen der Autoren sich seinen eigenen Reim auf (korrelative) Beziehungen machen[50]. Beispielsweise erforderlich ist dies bei der Lektüre eines frühen Aufsatzes von *Meili/Steiner* (1965), dem es um den Zusammenhang des unterschiedlichen Intelligenzniveaus Elfjähriger mit deren (schweizer) regionaler Herkunft geht.
Die regionale Herkunft wird von *Meili/Steiner* ohne die dezidierte Nennung von Gründen wie folgt festgelegt: Großstadt (Bern, Zürich; *Region 1*); landwirtschaftliche Gebiete des Mittellandes mit Industrie und Verkehr(*Region 2*); landwirtschaftliche Gebiete des Mittellandes mit wenig Industrie und Verkehr (*Region 3*); Berggegend mit Fremdenverkehr (*Region 4*); fremdenverkehrsarme Berggegend (*Region* 5). In der Einleitung werden jedoch Aspekte wie ,,Verkehrsdichte, Bevölkerungsdichte" oder ,,fortschreitende Industrialisierung, Verstädterung, Verbesserung der Kommunikation, Erweiterung der Information durch Radio und Fernsehen" (S. 23) als relevant aufgezählt[51]; Aspekte, mit deren Hilfe sich die beschriebenen Regionen und ihre Transformationen in Intelligenzkennwerte sehrwohl versuchsweise konkretisieren ließen. Doch stattdessen enthält man sich in der Zusammenfassung ganz explizit jeder Kausalannahme hinsichtlich der recht deutlichen, empirisch gefundenen Zusammenhänge: ,,Welche Faktoren aber für diesen Zusammenhang verantwortlich sind, entzieht sich unserem Wissen vorderhand" (S. 31).
Deutlich artikulierte, vergleichsweise präzise Transformationsvorstellungen bestehen im Gegensatz dazu bei *Vontobel* (1970); Übersetzungsvorstellungen, die ebenfalls auf die fünf Region-Typen bei *Meili/Steiner* anzuwenden recht nahe läge. Der Autor führt – in Anlehnung an theoretische Vorarbeiten und flankierende empirische Befunde – die ,,optimale Herausforderung" als entscheidenden Motor sowohl für die Entwicklung wie auch die Aktualisierung einer überdauernden Leistungsbereitschaft ein; und schreibt unterschiedlichen sozio-kulturellen Milieus eine unterschiedliche Realisierung dieser optimalen Herausforderung zu: u. a. einer städtischen vs. ländlichen Subkultur (vgl. S. 127ff., 236ff.). (Er erhält seine Hypothese allerdings nur bestätigt, wenn er seine ländliche ostschweizer Untersuchungsgruppe weiter nach einer bäuerlichen vs. einer nicht-bäuerlichen Teilgruppe differenziert.)
Für das Vorgehen von *Meili/Steiner* gilt ferner, daß an die verschiedenen ,,Regionen"[52] – wie implizit auch immer[53] – durchgehend die selben Dimensionen angelegt werden. Es folgt damit dem klassischen Muster der Sozialisationsforschung: ,,*gleiche* Schicksale", *identische* Biographien aufzuspüren (vgl. oben, S. 7). Dies

scheint im Zusammenhang von ,,Region und Sozialisation" ein mögliches Vorgehen, aber kein die Forschungsmöglichkeiten und -erfordernisse erschöpfendes. Deshalb charakterisieren wir den Gegenstand unseres Interesses weiter vorne mit ,,Gruppen *gemeinsamen* Schicksals", d. h. als ,,Gruppen, die sich in ihrer räumlich-geographischen Konzentration von anderen Gruppen als ,typische Konstellationen mit Sozialisationsrelevanz' klar abheben lassen" (vgl. oben, S. 12). Vorstellungen der letzten Art folgt man im Rahmen des *Soziotopen*-Ansatzes, der vor zehn Jahren von *Bargel* und Kollegen entwickelt wurde; der seither konzeptionell stets verfeinert und methodisch ausgebaut wurde; der vielfach aufgegriffen und kritisch diskutiert wurde[54]. ,,Unter Soziotopen sind abgrenzbare Gebietseinheiten (Areale, Quartiere, Kleingemeinden) zu verstehen, in denen jeweils spezifische Bündel von Bedingungen jeweils andersartige Grundmuster sozialer Situationen und Probleme erzeugen" (S. 194); aktuell wird zwischen fünfzehn derartigen Soziotopen unterschieden. Die ,,Problematik der Lebenssituation ist gerade in jedem Areal anders in seiner Qualität, d. h. es handelt sich für die Kinder und Jugendlichen um jeweils ,kategorial' andere Bedingungskontexte und Situationsmuster" (S. 196). Die theoretischen und methodologischen Konsequenzen daraus werden in diesem Band von *Bargel et al.* selbst vorgeführt.
Ein Spezifikum des Soziotopen-Ansatzes ist die Festlegung der Soziotope mit Hilfe von Informationen aus der amtlichen Statistik[55]. M. a. W. wird für all das, was für die verschiedenen Soziotope an spezifischen interpersonellen Prozessen oder Konsequenzen einer bestimmten Baustruktur etc. angenommen werden kann, ,,soziale Indikatoren" festgelegt; die Prozesse und Beziehungen sind zunächst hypothetisch postulierte. Doch haben entsprechende empirische Untersuchungen zwischenzeitlich die Validität vieler ,,Indikationen" belegt. (Im entsprechenden Readerbeitrag geschieht dies beispielsweise in den Abschnitten 3.3. oder 4.2..) D. h. man kann die regionspezifischen Unterschiede plausibel den hypothetischen Skizzen der Soziotope zuordnen. Hinsichtlich anderer Aspekte ist unser Wissen noch sehr gering; es gibt Überraschungen und Widersprüche. Dazu gehören die so zentralen sozialen Netzwerke, Antworten auf Fragen nach Kontaktarten, -häufigkeiten, -inhalten.

So betonen auch *Bargel et al.* die Schwierigkeit der Beurteilung der von ihnen dazu beigebrachten Befunde (vgl. dort Abschn. 5.2. u. 5.3.): Sind bestimmte Ausprägungen der ermittelten Verhältnisse (z. B. regelmäßige Kontakte mit der Großmutter) für die betroffenen Familien (die Eltern, die Kinder) als positiv, negativ oder irrelevant einzustufen? Hier fehlt es nicht nur an theoretischen Formulierungen, sondern zunächst und vor allem auch an breiten Informationen[56]. Abhilfe sollte hier das von *Bronfenbrenner* initiierte und geleitete Projekt zur ,,Ecology of Human Development" schaffen, das zur Zeit u. a. einen breit angelegten Vorstoß unternimmt, Dichte und Reichweite sowie ,,Inhalt" und ,,Funktion" sozialer Kontakte aus spezifisch sozialisationstheoretischer Sicht zu ermitteln[57].

Hier ist es das zugehörige deutschsprachige Teilprojekt, das der Kind-Seite besondere Aufmerksamkeit schenkt[58]:
In halbstrukturierten Interviews werden die Mitglieder jener Familien, die bereits hinsichtlich anderer Themenkomplexe des Projekts befragt wurden, auf ins Detail gehende Punkte ihrer sozialen Beziehungen hin angesprochen. Es geht um das *soziale Netzwerk der Erwachsenen*; im besonderen in deren Funktion als Mütter und Väter. Deshalb wird gezielt nach Aspekten einer möglichen Unterstützung gefragt wie beispielsweise auf Kinder aufpassen, über Kinderpflege und -erziehung beraten. Es wird aber auch gefragt nach geselligen Kontakten, nach Aussprachemöglichkeiten im Zusammenhang mit schwierigen Entscheidungen, Problemen mit Nahestehenden etc. Aufgrund der erfragten Informationen kann der Personenkreis differenziert werden nach: aus der Wohngegend, Verwandte, Freunde und Bekannte, (ehemalige) Arbeitskollegen, aus mehr oder weniger formellen Vereinigungen, Sonstige; ebenso nach räumlicher Nähe, Alter, Zahl eigener Kinder, Modalitäten des Kennenlernens, Kontaktdauer (in Jahren), aktueller Kontakthäufigkeit. Wiederholt werden Einschätzungen der Zufriedenheit/Unzufriedenheit mit den gegebenen Verhältnissen vorgenommen. – Es geht um das *soziale Netzwerk des Kindes;* jenes zum Zeitpunkt dieser Untersuchung fünf- bis sechsjährigen „Zielkindes", auf das das gesamte Projekt zugeschnitten ist. Man fragt (stellvertretend für das für eine derartige Befragung zu junge Kind) beide Elternteile (unabhängig voneinander): mit welchen Erwachsenen und Kindern das Kind viel zusammen ist; nach einer Reihe von (vor allem demographischen) Gesichtspunkten wie für das soziale Netzwerk der Erwachsenen auch; nach dem Inhalt der gemeinsamen Aktivitäten des Kindes und seiner Kontaktpersonen; nach der entsprechenden An-/Abwesenheit der Eltern; nach mehr oder weniger positiv eingeschätzten Aspekten der Kontakte; speziell nach resultierenden Vor-/Nachteilen für die elterliche Erzieheraufgabe; nach Wünschen bzw. Maßnahmen in Richtung einer Veränderung der gegebenen Verhältnisse.
Da die in die Untersuchung aufgenommenen Familien auch nach dem Kriterium Wohngegend ausgewählt wurden, ergibt sich über den Befragungsschwerpunkt „soziale Netzwerke" folgende Möglichkeit: Es läßt sich überprüfen, wie stark Eltern und/oder deren Kinder tatsächlich in der Nachbarschaft/Wohngegend – im Vergleich zu denkbaren Alternativen – sozial verankert sind. Es bietet sich m. a. W. eine gute Gelegenheit einer Validierung jener Vorstellung, die den zwei Bänden „Region und Sozialisation" zugrunde liegt[59].

Spätestens an dieser Stelle drängt sich die Frage nach umfassenderen theoretischen Ausarbeitungen auf, die bei der Formulierung wie Bearbeitung von Fragen auch im Themenbereich „Region und Sozialisation" hilfreich sein könnten. Sie ist in zwei Richtungen zu beantworten: Sehrwohl existieren solche Konzepte. So reicht allein die Reihe der Diskussionen um ein „Nachbarschafts"-Konzept in der deutschen Nachkriegssoziologie von *Klages* (1958) über *Pfeil* (1963) und *Hamm* (1973) bis zu *Schubert* (1977a, 1977b). Oder *Keim* legte in jüngster Zeit interessante konzeptionelle wie methodische Vorschläge zur Beschreibung älterer Wohnquartiere vor (*Keim* 1979). Doch sind sie allesamt noch sehr weit von dem unmittelbaren Anliegen „Region und Sozialisation" entfernt. Keineswegs so weit, daß ihre Um-

setzung dort ohne Relevanz schiene; doch so weit, daß diese Umsetzung bislang noch nicht in Angriff genommen wurde.
Aufgegriffen wurde bereits und wird in zunehmendem Maße, was in den Sozialwissenschaften unter dem Label „Ökologie" angeboten wird; deshalb sei im nächsten Abschnitt der Frage nachgegangen, was sich dahinter verbirgt.

4. Dritter Blickwinkel: Sozialökologie

„Ökologie": Der 1866 von Ernst *Haeckel* in die Biologie eingeführte Begriff wurde Anfang dieses Jahrhunderts auch in die Sozialwissenschaften übernommen; und mit und über den Begriff eine Reihe heuristischer Vorstellungen[60].

„Eine Population ist eine Gruppe von Individuen derselben Art. Beispielsweise wäre ein Entenschwarm oder wären alle Menschen auf Manhattan eine Population. Wichtig ist, die zur Diskussion stehende Population jeweils genau zu definieren. Die Forellen eines einzelnen Sees bilden gemeinsam eine Population. Alle Forellen der Welt bilden eine andere Population (die die erstere einschließt).
Alle Individuen verschiedener Populationen, die zusammen in einem bestimmten Gebiet leben, bilden zusammen eine Organismen-Gemeinschaft (Biozönose). Eine solche Organismen-Gemeinschaft zusammen mit ihrer unbelebten physikalischen Umwelt ist als ökologisches System oder als Ökosystem bekannt. Man spricht von einem Ökosystem, wenn man Wert darauf legt, die physikalischen, chemischen und biologischen Beziehungen zu unterstreichen, die Organismen-Gemeinschaften und ihre physische Umwelt zu funktionalen Einheiten verbinden. Die Ökosysteme der Welt sind miteinander durch die Bewegung von Energie, durch chemische Stoffe und durch Organismen hindurch zu einem großen globalen Ökosystem verbunden. Dieses wird oft die Biosphäre oder Ökosphäre genannt.
Ökologie ist eine Unterdisziplin der Biologie. Sie beschäftigt sich mit Interaktionen zwischen Organismen und ihrer Umwelt auf der Stufe der Population, der Gemeinschaft und des Ökosystems. Termini wie etwa Populationsdynamik, Tierökologie und Ökosystemanalyse bezeichnen Teile des Gesamtgebietes der ökologischen Forschung. Humanökologie konzentriert sich spezifisch auf die Beziehung zwischen menschlichen Populationen und dem Ökosystem, von dem sie ein Teil sind" (*Ehrlich et al.* 1975, 6).

Im Grunde ist es Wunschtraum jedes Sozialwissenschaftlers, sein Teil zum Aufdecken der Bedingungen eines derartigen Systems recht dauerhaft existenter Bezüge – aber eben einschließlich der durch und in menschlichen Populationen mit gegebenen – beizutragen. Was ihm diese Hoffnung vereitelt, ist jenes Faktum, das ein Naturwissenschaftler anläßlich einer der seltenen Zusammenkünfte von Bioökologen und Psychologen – wohl sichtlich überrascht – so charakterisierte:

„Aber was man nirgends hat, ist, daß ein System vorhanden ist, das sich eine Modellvorstellung vom System macht, wobei das Modell eigenständig wird und mitsteuert" (*Müller* in *Eckensberger/Burgard* 1977, 56f.). Der Psychologe *Boesch* sagt dasselbe, indem er die Perspektive gleichsam umkehrt: Das Dilemma der Psychologie bestünde darin, „sich als Naturwissenschaft mit einem Objekt zu befassen, das Geschichte macht" (*Boesch* 1971, 9).
Es geht um die „Konstituierung von Wirklichkeit" (*Boesch* 1971, 1976), um die „Konstruktion der Wirklichkeit" (*Berger/Luckmann* 1969); um das, was in den „Köpfen" und „Herzen" der Leute als „Realität" kreiert, um das, was über interpersonelle, gesellschaftliche Prozesse als „Realität" ausgehandelt, gehandelt und sozialisiert wird. *Thomas/Thomas* (1928, 572) formulieren den angesprochenen Sachverhalt so: „If men define situations as real, they are real in their consequences". Und *Bronfenbrenner* (1979, 23) meint, daß diese Aussage „is perhaps the only proposition in social science that approaches the status of an immutable law".
Ein Großteil der Sozialwissenschaftler versucht aber permanent, dieses „vielleicht einzige sozialwissenschaftliche Gesetz" durch Aussagen zu suspendieren, wie sie in den Naturwissenschaften möglich und gegeben sind. Man erklärt beispielsweise Orientierungen gegenüber dieser Gesellschaft nicht nur mit divergierenden *Inhalten* des in der Schule erfahrenen Geschichtsunterrichts, der Gesellschaftskunde (*Roth* 1968, *Müller et al.* 1971), sondern z. B. ebenso mit bestimmten (und bei Bedarf „für alle Zeiten" einzuführenden) Formen der „gelebten" Schul- und Unterrichts*organisation* (*Fend et al.* 1973). Oder man sieht unterschiedliche Formen der Lehrer-Schüler-Interaktion weniger durch Appelle oder Abmachungen in konkreter Richtung bestimmt als z. B. durch verschiedene (und bei Bedarf „für alle Zeiten" einzuführende) architektonische Vorgaben (*Institut für Schulbau* 1977, *König/Schmittmann* 1976).
Die Ambivalenz zwischen dem Wunsch, Aussagen von naturwissenschaftlicher Dignitität zu machen, und der Einsicht in die doch so oft gegebene, örtliche, kulturelle und/oder historische Begrenztheit sozialwissenschaftlicher Aussagen läßt sich gut an einem Aufsatz demonstrieren, der mit am Anfang einer sozialökologischen Tradition stand: einem Beitrag von *McKenzie,* ursprünglich aus dem Jahre 1924.
„These men were fascinated with the complexities of the urban community and the prospect of discovering patterns of regularity in its apparent confusion." – So *Janowitz* in seinem Vorwort zur 4. Auflage von „The City", einer Sammlung von elf Aufsätzen von *Park*, *Burgess* und *McKenzie*, sowie einer damals schon umfangreichen annotierten Bibliographie zur „urban community" von Louis *Wirth* – das erste Mal 1925 erschienen. Die aufgeführten Autoren waren markante Vertreter der sog. Chicago-Schule, einer soziologischen Richtung, die in der ersten Hälfte

dieses Jahrhunderts große Produktivität bewies, deren stimulierende Wirkung – gerade auch für den deutschen Sprachraum – bis heute anhält, und die als erste von „Human Ecology" sprach.

Das Gemeinwesen, auf das die Autoren konkret blickten, war Chicago: diese Anfang des Jahrhunderts durch eine Einwandererwelle besonders stark geprägte Stadt, die zu extensiver soziologischer Tätigkeit – theoretisch, empirisch, wie im Bereich direkten sozialen Engagements – herausforderte. Die Hoffnung, Regelmäßigkeiten in ihrem scheinbaren Durcheinander zu entdecken, stützten die Autoren u. a. mit Analogien zur Pflanzen- und Tierökologie.

„. . a community which has reached the point of culmination and which has experienced no form of release is likely to settle into a condition of stagnation. Its natural surplus of population is forced to emigrate. This type of emigration tends to occasion folk-depletion in the parent community. The younger and more enterprising population elements respond most sensitively to the absence of opportunities in their home town. This is particularly true when the community has but a single economic base, such as agriculture, lumbering, mining. Reformers try in vain to induce the young people to remain on the farms or in their native villages, little realizing that they are working in opposition to the general principles of the ecological order.

Again, when a community starts to decline in population due to a weakening of the economic base, disorganization and social unrest follow. Competition becomes keener within the community, and the weaker elements either are forced into a lower economic level or are compelled to withdraw from the community entirely" (*McKenzie* 1967, 71).

Der naturwissenschaftliche Anspruch – „the processes of association and adjustment result from natural unmodifiable reactions" (S. 65) – wird mehr als deutlich im Verweis auf die gut gemeinten, aber doch vergeblichen Appelle der Reformer – wo die Gesetze der Natur ihnen doch entgegenstehen! – Humanökologie wird in diesem Sinne eingeführt „as a study of the spatial and temporal relations of human beings as affected by the selective, distributive, and accommodative forces of the environment" (S. 63f.). The „spatial relationships of human beings are the products of competition and selection, and are continuously in process of change as new factors enter to disturb the competitive relations or to facilitate mobility" (S. 64).

Und doch ist es der Darstellung nach so, daß es in betroffenen Gemeinden zu unterschiedlichen Reaktionen kommt: In der einen gibt es einen Exodus der Jungen und Unternehmungslustigen, in der anderen werden die schwächeren „Elemente" durch die stärkeren ausgetrickst (was „stark" und „schwach", was „Element" auch immer heißen mag). Wieder kaum anschaulicher schilderbar als in Worten *McKenzie*'s selbst ist dieses subjektive Moment: „. . human community differs from the plant community in the two dominant characteristics of mobility and purpose, that is, in the power to select a habitat and in the ability to control or modify the conditions of the habitat" (S. 64f.). Doch entkräftet er diese Denkrichtung gleich wieder mit dem Argument: „.. but closer examination and investigation make it obvious that human communities are not so much the products of artifact or design as many hero-worshipers suppose" (S. 65).

Daß *McKenzie* mit beiden Hinweisen – „natural unmodifiable reactions", „purpose" – „irgendwo" richtig liegt, konzidiert ihm auch der Wissenschaftstheoretiker, wenn er bei seinen Überlegungen davon ausgeht, „daß wir uns in der gegenwärtigen historischen Situation in gemischten Verhältnissen befinden, das heißt in partiell quasi naturhaft ablaufenden gesellschaftlichen Prozessen, partiell bewußt geplanten Handlungszusammenhängen" (*Mittelstraß* o. J., 185f.). Als Aufgabe einer empirischen Sozialwissenschaft resultiert nach dessen Auffassung entsprechend, „nicht nur unser Wissen von den (nur eingriffsfrei gültigen) Gesetzen sozialen Naturwuchses zu vergrößern, sondern auch gesellschaftlich relevante Handlungsweisen auf die in ihnen faktisch wirksamen handlungsleitenden Orientierungen hin, und in diesem Sinne *empirisch-hermeneutisch*, zu analysieren"[61].

Anhand von Themen und Wegen, wie sie in einer jungen Umweltpsychologie/Ökopsychologie[62] aufgenommen wurden und werden, kann gut demonstriert werden, wie Sozialwissenschaftler mit der resultierenden potentiellen „Zerreißprobe" auch noch anders umgehen als *McKenzie; McKenzie*, der auf Indizien einer Konsequenzen nach sich ziehenden Wirklichkeitskonstruktion schlicht mit „Verleugnung" reagiert.

Auffällig häufig wird eine Beschränkung auf exemplarische Studien, auf „Fallbeispiele" vorgenommen; seien die untersuchten „Ökosysteme" so „überschaubar" wie eine Familie oder so „komplex" wie ein Dorf[63]. Dort ist es möglich, die Verwobenheit von vermeintlich „harten Facts" und „weniger Hartem", der je subjektiven „Sicht der Dinge" und konkreter Verhaltensweisen im Detail herauszustellen. Fragen der Generalisierung bleiben häufig zunächst unberührt, werden hintangestellt.

Eine andere Reaktionsform ist die „spaltende": Man konzipiert menschliche Individuen einmal als recht beliebige Situationsdefinitionen aushandelnde und festlegende, einmal als naturwissenschaftlich zu vermessende; und bezieht in einem zweiten Schritt das dynamische „Subjektive" und das statisch konzipierte „Objektive" aufeinander. Ein Beipiel hierfür ist *Moos'* Ermittlung unterschiedlicher Klassenklimata an amerikanischen High Schools – u. a. charakterisiert über Verhaltens- und Orientierungsweisen der unterrichtenden Lehrer –, die „dann" nicht nur durch architektonische und organisatorische Strukturen, sondern ebenso durch stabil konzipierte Lehrereinstellungen beeinflußt gesehen werden (*Moos* 1979, 136ff.).

Die im folgenden Zitat sich ausdrückende Reaktionsform läßt sich schließlich als „akzeptierende" kennzeichnen: im Gegensatz zu *McKenzie* ein Anerkennen des Sowohl-Alsauch im Sinne von *Mittelstraß*. Konkret geht es um „Crowding", einem in der Ökopsychologie sehr häufig aufgriffenen Thema: um die Konsequenzen von Dichte und Enge in Wohnungen, Straßenbahnen, Kaufhäusern, ganzen Wohnquartieren. *Kruse* (1975) spricht hier „in einem Atemzug" eine Reihe essentieller Probleme an, vor denen die Forschung im Bemühen um klare Aussagen zur Mensch-Umwelt-Interaktion steht: „Auch die Beziehung zwischen Dichte und den verschiedenen Formen *sozialer Desorganisation* (speziell der Familie) sind alles andere als eindeutig. Während *Loring* (1956; 1964) hohe Innen- und Außendichte[64] als Determinante sozialer Desorganisation ansetzt (vgl. auch *Chombart de Lauwe* 1959; *Schorr* 1970; *Galle et al.* 1973) wird von anderen Autoren die Eindeutigkeit dieser Beziehung in Frage gestellt (vgl. *Mitchell* 1970; 1971). Tatsächlich dürfte hier größtes Gewicht sogenannten Moderatorvariablen zugemessen werden, die als mögliche, aber nicht notwendige Auswirkungen hoher Dichte auch als mögliche, aber nicht notwendige Bedingungen der Störung bzw. Anomalie sozialen Verhaltens fungieren können. Als solche kommen in Frage: Belastbarkeit, Reizbarkeit, Kontakthäufigkeit, Erziehungsstil, *privacy*. Außerdem ist hier, wie aus dem Vergleich von Untersuchungen in asiatischen und westlichen Ballungsräumen eindeutig hervorgeht, mit einer hochgradigen Kulturspezifität und Schichtspezifität des Sicheinrichtens auf engem Raum zu rechnen (vgl. *Schmitt* 1963; sowie *Wilner* & *Baer* 1970). So ergaben auch Untersuchungen in den Slumgebieten Bostons (vgl. *Fried* & *Gleicher* 1961; *Gans* 1962; *Jacobs* 1971), daß räumliche Dichte, die für mittelständische Angelsachsen leicht unerträglich wird, für Unterschichtangehörige mediterraner Herkunft kein Grund zur Klage bzw. kein Motiv zum Umzug ist. Entscheidend ist die auf eine bestimmte Kontaktdichte angewiesene Sozialstruktur, die u. U. bei der Umsiedlung solcher Slumbewohner in großzügigere räumliche Verhältnisse zerstört wird, wodurch sich das scheinbare Paradoxon ergibt, daß soziale Desorganisation eine Folge der Aufhebung hoher Wohndichte ist! Allerdings darf man wohl auch nicht übersehen, daß der Mensch – worauf *Dubos* (1965; 1969; 1971) immer wieder hingewiesen hat – eine ungeheure Fähigkeit hat, sich auch an potentiell gefährliche Bedingungen anzupassen und bereit ist, Unerträgliches zu ertragen, Unakzeptables zu akzeptieren" (*Kruse* 1975, 15f.).

Da wird die „naturwissenschaftliche" Hoffnung in multivariate Designs – wenn nur umsichtig genug entworfen und ausgeführt – beschworen[65]. Da wird aber auch auf die in verschiedenen Kulturen gegebenen, unterschiedlichen Formen der entsprechenden Wirklichkeitskonstruktion verwiesen[66]. Und da wird eine (nahezu) unbegrenzte Flexibilität der Gattung homo sapiens in Sachen Situationsdefinition/Wirklichkeitskonstruktion und entsprechendem Handeln postuliert[67].

Schließlich scheint – anhand des eingeführten Beispiels der Bostoner Slumbewohner angedeutet – diese Flexibilität dort ihre Grenzen zu finden, wo ein „System" oder ein „Sinnkosmos" nur punktuelle Eingriffe erfährt[68].
Nach einer weiteren „Verunsicherung" durch widersprüchliche Befunde auch in der experimentellen Crowding-Forschung schlägt *Kruse* – darin bereits geübt (vgl. *Kruse* 1974) – den hermeneutischen Weg ein: Hinsichtlich „Privacy" – einem den Crowding-Fragestellungen verwandten Themenkomplex – will sie Schritt für Schritt „persönlichen Privatheitskonstruktionen von Individuen" mit Hilfe verschiedener Methoden (Interviews, Sprachanalysen, verhaltensanalytischen Ansätzen) auf die Spur kommen (*Kruse* 1979). Erst dann soll das Vorhandensein von Gemeinsamkeiten in Gruppen verschiedenen Alters, sozioökonomischen Status etc. überprüft werden.
Daß *Kruse* dort mit ihrem entwicklungspsychologischen Interesse fündig werden wird, d. h. daß sie altersgruppentypische Ausformungen von Privacy-Indikatoren nachweisen können wird, hierfür sprechen Befunde bereits aus den 30er Jahren. Sie wurden von der Psychologin Martha *Muchow* und ihren Mitarbeitern in mehrjähriger Beobachtungs- und Befragungsarbeit zusammengetragen. Konkret ging es um die Frage, wie Kinder und Jugendliche ihre großstädtische Umgebung „leben" (verhaltensmäßig) und „erleben"[69]; bei aller Variabilität gab es doch deutliche Differenzen zwischen Gruppen verschiedenen Alters (*Muchow/Muchow*[1] 1935).
Reflexionsstand und Methodologie der Arbeit *Muchows* sind auch heute noch als vorbildlich zu bezeichnen[70]. Inhaltlich war die Forscherin mit ihrem Ansatz im Begriff, eine entscheidende entwicklungspsychologische Leerstelle zu füllen: „In den psychologischen Untersuchungen aber ging es fast ausschließlich um die *formal*-psychologische Beschreibung des kindlichen Seelenlebens und um die Herausarbeitung *formal*-psychologischer Gesetzmäßigkeiten. Man blieb also bei all diesen Untersuchungen (. . .) grundsätzlich im Rahmen einer auf das Allgemeine gerichteten (generellen) Psychologie befangen. Es läßt sich heute zeigen, daß von dieser Psychologie aus ein restloses Verstehen und ein erfolgreicher Verkehr, z. B. mit dem Großstadtkinde, nicht zu erzielen war, daß dazu vielmehr auch die Kenntnis des besonderen Weltbereiches erforderlich ist, an dem sich die formalen Kräfte des Kindes betätigen. Sobald nun in der Psychologie erkannt war, daß bei objektiv gleicher Lebenswelt doch, je nach der Struktur dessen, der diese Welt lebt, die ‚gelebte Welt' ganz verschieden sein kann, mußte man sich neben der bisher betriebenen Untersuchung der ‚Person' der Erforschung der ‚personalen Welt' zuwenden" (*Muchow/Muchow* 1935, 9).
Daß *Muchows* Vorstoß durch die politischen Verhältnisse so gründlich gebrochen wurde, daß er über vierzig Jahre auf seine Neuentdeckung warten mußte (*Zinnekker* 1978), ist kein Einzelschicksal. *Hellpachs* „Mensch und Volk der Großstadt"

erging es vergleichsweise (*Hellpach* [1]1939, [2]1952). Und die ,,Marienthal"-Studie, an der ebenfalls Psychologen beteiligt waren, und die eine exzellente ,,Gesamtaufnahme" der Dynamik einer österreichischen Gemeinde in den 30er Jahren enthält, wurde breiter erst wieder im Rahmen der Suche nach erneut aktueller Literatur zum Thema Arbeitslosigkeit beachtet (*Jahoda et al.* [1]1933, [2]1960).
Ein Diskussionsverbund dieser und – unter günstigeren Bedingungen – ihnen sicher nachfolgender Arbeiten hätte den Grundstein für eine Forschungsrichtung legen können, die nun in und mit diesem Reader angestrebt wird. Die abrupte Unterbrechung führte hingegen zunächst dazu, daß die Psychologie noch Ende der 60er Jahre in einer Aufzählung von ,,divergent approaches .. developed in the study of local variations" (*Dogan/Rokkan* 1969, 2f.) fehlt.
Die neuesten Entwicklungen würden dies allerdings nicht mehr als ganz gerechtfertigt erscheinen lassen: So sei beispielsweise auf die bereits im 2. Abschnitt kurz aufgegriffene Studie von *Barker/Schoggen* (1973) verwiesen, einem detailreichen Vergleich einer amerikanischen und einer englischen Kleinstadt[71]. Seit 1973 existiert das American Journal of Community Psychology. Gleich der erste Band einer Reihe ,,Advances in Environmental Psychology" wurde der ,,Urban Environment" gewidmet (*Baum et al.* 1978). Allerdings geht es dort überall noch sehr stark um das ,,Prinzipielle" (Konstrukte, theoretische Konzeptionen, Methoden) (s. auch *Sarason* 1974, *Esser/Greenbie* 1978)[72]. Ferner gilt für die anglo-amerikanische wie deutschsprachige Psychologie – in stärkerem Maße als für die Soziologie –, daß ,,Lokales" in den Blick nehmende Forschung meist wenig bzw. nur sehr indirekt einen entwicklungstheoretischen Bezug besitzt[73].
Im deutschen Sprachraum blieb seit 1945 u.W. die im 3. Abschnitt besprochene Arbeit von *Meili/Steiner* (1965) bis in jüngste Zeit sogar die einzige mit entsprechender Ausrichtung[74]. Doch mußte auch in ihr – bei so viel ,,Umweltlosigkeit" der dominanten psychologischen Strömungen auch noch jener Jahre[75] – das lebenswelt-differenzierende und das entwicklungstheoretische Interesse zugunsten eines differentialpsychologischen nachstehen.

Vatter gelingt es in dem von ihm vorgelegten *1. Readerbeitrag*, hier mehr Gleichgewicht herzustellen. Bei ihm geht es wie bei *Meili/Steiner* um *ein*, vom lokalen Sozialisationsmilieu abhängig gesehenes Variablensyndrom: Intelligenz- und Schulleistungskennwerte; der Autor macht deren Operationalisierung auch für den Nicht-Psychologen nachvollziehbar. Vor allem aber liefert er eine anschauliche Skizze der vier von ihm unterschiedenen Region-Typen auf sozialstatistischer Basis mit. Zudem läßt er die aus den einzelnen Regionen untersuchten Jugendlichen eine (standardisierte) subjektive Schilderung vieler Bedingungen ihrer alltäglichen Lebenswelt (Schule ausgenommen) geben (und faßt sie zu ,,Prozeßvariablen" zusammen)[76]. Er stellt seine Daten in einen breiten theoretischen Bezugsrahmen, zu dessen Vorüberlegungen auch eine Auseinandersetzung mit der Frage ,,Sozialisations-(Stimulations-) vs. Selektionswirkung der Regionen" gehört.
So deutlich die Regionen *Vatters* nach von ihm aufgegriffenen Aspekten der sozia-

len Nahumwelt („Prozeßvariablen") differenzieren, so wenig diskriminieren die zwei von *Perrez/Patry/Ischi* im *2. Readerbeitrag* eingeführten regionalen Settings nach dem dort u. a. untersuchten elterlichen Erziehungsstil[77]. Bei den Settings handelt es sich um Dörfer und Kleinstädte, die bislang vermutlich noch keinem analogen Vergleich unterzogen wurden: Tal- vs. Berggemeinden, beide im alpinen Raum des Oberwallis. Als Merkmale auf Seiten der Sozialisanden interessiert ein Katalog von 32 Verhaltensauffälligkeiten. Deren Zusammenhang sowohl mit der „Strenge"-Dimension des (mütterlichen) Erziehungsstils wie auch -allerdings nur hinsichtlich einiger Symptombereiche – mit der örtlichen Situation, die jedoch – entgegen elaborierten Erwartungen – ausgebliebene Beziehung zwischen Örtlichkeit und Erziehungsstil machen – quasi in der Gesamtschau des referierten Projekts – erneut deutlich, wie schwierig es ist: das Aufspüren entwicklungsbedeutsamer regionaler Kontexte, ihr Umsetzen in konkrete alltägliche Erfahrungen, schließlich die stringente Übersetzung in relativ überdauernde Verhaltens- bzw. Orientierungsoutputs.

Die Bemühungen *Vatters* und der Gruppe *Perrez/Patry/Ischi,* ferner des Psychologen *Garbarino* im zweiten Band, die kurz dargelegte „Großoffensive" *Bronfenbrenners* und seines internationalen Projekts (vgl. S. 2f. u. 17f.), sowie der jüngst demonstrierte Mut von Psychologen, sich auf ein Dorf als Gegenstand einer umfänglichen ökopsychologischen Fallstudie einzulassen[78], berechtigen u. E. – mit Blick auf die Vorarbeiten der 30er Jahre – dazu, von einer *wieder* belebten psychologischen Tradition zu sprechen[79].

Die Studie von *Perrez et al.* schlägt eine Brücke zur nächsten Beitragsgruppe: Ihr epidemiologisches Interesse, d. h. ihr Interesse an der regionalen Verbreitung von Verhaltensauffälligkeiten, hat zahlreiche historische Vorläufer – aber in der Soziologie, vor allem in Untersuchungen der Chicago-Schule (der Chicago-Schule, mit deren einem Vertreter, *McKenzie*, wir uns am Anfang dieses Abschnitts aus metatheoretischer Sicht recht eingehend auseinandergesetzt haben). Gleichsam als Extremoutput einer rapiden ungezügelten Entwicklung großstädtischer sozialer Verhältnisse waren verschiedene Formen abweichenden Verhaltens – Formen von „Delinquenz" und „psychischer Krankheit"[80] – in ihrer sehr unterschiedlichen Auftretenshäufigkeit in verschiedenen Stadtteilen aufgefallen. Hier seien nur exemplarisch die „Delinquency Areas" von *Shaw et al.* (1929)[81] und *Faris'* und *Dunham's* „Mental Disorders in Urban Areas" (1939)[82] aufgeführt; einen Überblick über die Vielfalt entsprechender Untersuchungen geben u. a. *Morris* (1957) und *Schwab/Schwab* (1978). Gehalten hat sich bis heute die Tradition, daß es eher Soziologen sind, die auf epidemiologische Fragen eingehen[83]; wobei epidemiologisches Interesse mindestens ebenso stark Verteilungsmustern abweichenden Verhaltens über verschiedene gesellschaftliche Straten wie über räumlich-geographische Einheiten gehört. Geblieben ist auch bis heute die Konzentration auf das Erwachsenenalter. Ferner gilt – jedenfalls für die Vergangenheit – daß epidemiologische Befunde fast nur im anglo-amerikanischen Publikationsraum vorlagen, kaum für den deutschsprachigen[84]. – Einige dieser Punkte zusammengenommen, führten zur Überschrift über die zweite Beitragsgruppe.

Und konkret waren wir froh, Autoren gefunden zu haben, die über aktuelle Daten zur Verteilung von *Jugend*delinquenz – über die 78 Mannheimer statistischen Bezirke – verfügten. Da von *Moschel et al.* gleichzeitig die in den Mannheimer Bezirken durchschnittlich auftretende Häufigkeit von Selbstmorden, gleichzeitig die Häufigkeit verschiedener Formen psychischer Labilität und Erkrankung Erwachsener ermittelt wurde, wird im *3. Readerbeitrag* besonders deutlich: wie gering die Überschneidung ihrer Verbreitung auf Bezirksebene ist; wie sehr jede Symptomgruppe[85] schon auf dieser ,,Makro-Ebene" nach ihrer eigenen kausalen Herleitung verlangt. *Moschel/Häberle/Welz* geben diesem ,,Erklärungsdruck" jedoch wenig nach; stattdessen versorgen sie ,,am Weg dahin" mit viel korrelativem Material; warnen aber gleichzeitig vor voreiligen Schlüssen – ausschließlich aufgrund einer Materiallage, wie sie ihnen selbst vorliegt.[86].
,,Naturwissenschaftliche" Untersuchungsanlage und die Art der Daten bei *Moschel et al.* fordern wenig dazu auf, Befunde unter dem Gesichtspunkt der ,,sozialen Konstruktion von Wirklichkeit" zu beleuchten. Dies besorgen im nachfolgenden *4. Readerbeitrag* – auch an ,,Jugenddelinquenz" interessiert – *Rotter* und *Steinert.* Es geschieht anhand einer ,,Fallstudie" eines dafür besonders geeigneten Wiener Gemeindegebiets. Doch die der Fallstudie vorgeschalteten Abschnitte des Beitrags machen deutlich, daß für die Autoren Wirklichkeitskonstruktion in Richtung ,,Abweichung" keineswegs etwas rein Zufälliges ist, völlig beliebig ansetzen kann, sondern durchaus bestimmte ,,gesellschaftliche Mechanismen" (S. 165) eine notwendige Voraussetzung hierfür sind. Die Ergänzung zu den hinreichenden Bedingungen umfaßt nach Ansicht der Autoren jenen Teil der (wissenschaftlichen/sozialpolitischen) Argumente, um den in aller Regel verkürzt wird: den ,,Definitions-Anteil"; er ist Kern des vorgeführten ,,Falls"[87].

,,Gesellschaftliche Mechanismen", wie sie *Rotter* und *Steinert* im eben charakterisierten Beitrag vor Augen haben und einige davon auch konkret beschreiben, besitzen – in Abhebung von den USA etwa – hierzulande eine besondere und besonders wirkungsvolle Variante: das dreigliedrige Schulsystem. In das Blickfeld der Öffentlichkeit geriet dieses allerdings erst, als man sich seit der Mitte der 60er Jahre – auf Grund der Prognose volkswirtschaftlicher ,,Intelligenz"-Knappheit – daran machte, Begabungsreserven zu mobilisieren; und sie in zu wenig fordernden und geförderten Schulformen suchte. Für Sozialwissenschaftler wie Bildungspolitiker bedeutet es seit damals ein schier unerschöpfliches Betätigungs- und Diskussionsfeld (vgl. *Rolff et al.* 1980).
Als Prototyp des bislang am stärksten vernachlässigten Schülers wurde das ,,katholische Unterschicht-Mädchen vom Lande" korrelativ ausgemacht.
Auch hier spielten also regionale Differenzen eine entscheidende Rolle. *Geipel* (1965), *Geissler* (1965) und *Peisert* (1967) haben als erste systematisch auf sie aufmerksam gemacht; *Eirmbter* (1977) gehört zu den jüngsten einschlägigen Beiträgen. Man kann hier wohl mit Recht von einer eigenen deutschsprachigen Tradition im Forschungskontext ,,Region und Sozialisation" sprechen.

„Richtig sozialisationstheoretisch" wurde die Thematik allerdings erst, als man neben einer technologischen Umsetzung der aufgedeckten Zusammenhänge – Bildungswerbung gegen „Bildungsabstinenz", Verbesserung der infrastrukturellen Versorgung mit weiterführenden Schulen – verstärkt anfing, nach den „echten Ursachen" für das Landen in einer der drei Schulformen zu suchen; und sie in unterschiedlichen Sozialisationsleistungen von Familien einerseits, in einem kontinuierlichen vs. diskontinuierlichen Übergang familialer in schulische Sozialisation andererseits zu finden glaubte. Als besonders kritisches Alter rückte das zwischen 3 und 6, als relevante Institution rückte der Kindergarten/die Vorschule in den Mittelpunkt des Interesses.

„Von Anfang an" fester Bestandteil der zahlreichen einschlägigen Untersuchungen ist eine Systematisierung der Einzugsgebiete von (Modell-)Kindergärten: Welche Sozialstruktur weisen sie auf? Wie ist ihre „materielle Struktur" beschaffen? Welche Konsequenzen hat das für die Heranwachsenden, für ihre Eltern? Welche Konsequenzen für die Ziele des Kindergartens und entsprechendes erzieherisches Handeln? – Die *Arbeitsgruppe Umwelt-Taxonomie* ist im Soziotopen-Ansatz solchen Fragen seit 1971 systematisch nachgegangen[88].

Im *5. Readerbeitrag* geben *Bargel et al.* als aktuelle Repräsentanten dieser Gruppe einen Überblick über die Grundkonzeption der aus Theorie, Empirie und Diskussion resultierenden Soziotope als sozialisationsrelevanten Arealen und über die Breite der in Beziehung damit gebrachten Fragen; Fragen, die nach der Soziotopen-Bestimmung mit Hilfe von Daten aus der amtlich-öffentlichen Statistik u. a. auch direkt an Bewohner nordhessischer Soziotope gestellt wurden. Die Antworten enthalten deutliche Validitätshinweise; manches verweist auf die Notwendigkeit einer weiteren Perspektivendifferenzierung (siehe z. B. Abschnitt 4.3.). Neben „hard facts" (vgl. Tab. 4) stößt man auf manche relativ überdauernde „Mentalität" (vgl. Abb. 10)[89]; das eine scheint durch das andere potenziert zu werden. Wie die im Beitrag enthaltene Fülle an Informationen sich insgesamt eindrucksvoll „verdichtet", wenn man für bestimmte Soziotope einen Durchlauf „quer zur Berichterstattung" – über die zahlreichen und heterogenen Perspektiven hinweg – vornimmt.

Es spricht wenig dafür, daß regional sich artikulierende, soziale Ungleichheit im Kindergartenbereich bzw. -alter keine Fortsetzung im Bereich der Grundschule finden sollte. Wohl ist das eine freiwillig und mit (unterschiedlich hohen) Kosten verbunden, das andere verpflichtend und kostenfrei. Doch gerade solche Fakten – für alle; unentgeltlich – mögen leicht davon ablenken, daß soziale Ungleichheit auch – und vielleicht gerade hier mit besonderer Nachhaltigkeit – über diese für Heranwachsende erste, „ganz offizielle" gesellschaftliche Veranstaltung wirksam werden kann. Im *6. Readerbeitrag* legt die *Projektgruppe Jugendbüro* schwerwiegende Indizien für einen solchen Sachverhalt vor. Sie zeigt anhand der Einzugsgebiete von zwei Grundschulen, wie es über ebenso wirkungsvolle wie „subtile" Prozesse dazu kommt, daß das Schülersein an der einen Schule mit dem Schülersein an der anderen Schule nur wenig gemeinsam hat. Details der entsprechenden sozialen Definitions-, Durchsetzungs-, Legitimations- und „Verdrängungs"-prozesse werden vorgeführt.

Die Zuordnung der ersten sechs Readerbeiträge zu drei Forschungstraditionen, deren zusätzliches Vergattern hinter althergebrachten Disziplingrenzen, birgt eine Gefahr in sich: daß nämlich der – recht falsche – Eindruck entsteht, solche Systematik sei grundsätzlich und ohne weiteres möglich. Forschungsrealität sind vielmehr grenzüberschreitende Brückenschläge und eklektische Anleihen mal da, mal da. Dies gilt nicht nur für eine Forschungsrichtung, für die der vorliegende Reader erst „Geburtshilfe" sein will. Wie die im Zurückliegenden gemachten Ausführungen hinlänglich deutlich gemacht haben werden, gilt dies auch für Aussagen und Beiträge, die mit Selbstverständlichkeit dem renommierten Label „Sozialökologie" subsummiert werden. Denn dieses gehört längst nicht mehr nur dem, was sich klar in die Tradition eines vor über sechzig Jahren in Chicago in Angriff genommenen, wissenschaftlichen Interessenschwerpunkts stellen läßt (vgl. *Friedrichs* 1977, 24ff.). Denn selbst und gerade auch von dort werden Querverbindungen etwa zur ältesten psychologisch-ökologischen Tradition wie zu einer in sich sehr heterogenen „Umweltpsychologie" gezogen (*Hamm* 1979, 17f.)[90]
Die sozialökologische Szene ist m.a.W. im Umbruch. Breit war der Aufbruch (vgl. *Walter* 1980). Die aktuelle Gefahr ist der Abbruch: die Flucht aus dieser extremen „Breite"; das Abschütteln einer wissenschaftshistorisch gewordenen und sich stellenden Aufgabe, bevor sie – in Form des Aufweisens neuer Perspektiven – eingelöst ist.
Auch im Sinne eben dieser Perspektivensuche schien es gerechtfertigt, auch die vorliegende Reader-Initiative als eine sozialökologische einzuführen. Dies, obwohl die wissenschaftliche Herkunft[91] jener Autoren, die zu dieser speziellen Thematik etwas beizutragen haben, als extrem unterschiedlich zu charakterisieren ist. Gerade dieses weite Spektrum, diese Heterogenität sollen in der Gruppierung der Beiträge zu Band II deutlich hervortreten.

Den Anfang in Band II lassen wir *Ilien/Jeggle* machen. Auch ihr Beitrag ist (wie schon die Beiträge von *Rotter/Steinert* und der *Projektgruppe Jugendbüro* in Band I) „nur" eine exemplarische Studie. Es ist die Studie eines Dorfes von (nahezu ausschließlich) Arbeiterfamilien, deren regelmäßiges Einkommen meist in der nächst gelegenen Stadt, z. T. zusätzlich über Nebenerwerbslandwirtschaft erarbeitet wird. Doch während die ersten beiden Fallstudien sich auf eine bestimmte Fragestellung konzentrieren, haben sich die Autoren dieser Studie bald voll und ganz auf das „Systemische" – wie sie es selbst nennen – eingelassen: das zunächst nur selbsterfahrend erahnte, dann Schritt für Schritt herausdestilierte Set an allgemeinen Direktiven, nach denen kogniziert, gefühlt, gehandelt wird; ein Set, das sich zum einen als recht eigenartig, zum anderen als für das untersuchte Sozialsystem erstaunlich konsistent und stimmig erwies – „eigenartig" in dem Sinne etwa, daß es recht wenig mit dem offiziellen Kodex fortschrittlicher Menschlichkeit zu tun hat; „konsistent" in dem Sinne, daß die Gefolgschaft sehr umfassend ist; „stimmig" in dem Sinne, daß der Einzelne damit „gut" leben kann, d. h. problemlos handlungsfähig ist (noch verblüffender: dies auch ohne Anschluß-Schwierigkeiten an die „große Gesellschaft"). – Der Schlüssel zum Geheimnis dieser „Eigenart" ist für *Ilien/Jeggle* die Sozialgeschichte: nicht die Geschichte offiziell geschlagener Schlachten, sondern – im konkreten Fall – die der informellen alltäglichen Erfahrungen mit einer ärmlichen, extrem naturabhängigen, landwirtschaftlichen Produktionsweise – durchaus mit einigen wesentlichen Setzungen von „außen": Regelung der Erbfolge per Realteilung, allgemeine Schulpflicht, etc. . .

Der *7. Readerbeitrag (Ilien/Jeggle)* bringt mehr als nur eine akademische „historische Dimension" in die Diskussion um unseren Forschungsansatz; er verunsichert tiefgreifend. Es stellen sich Fragen wie: Wo findet man heute – in einer durch extreme Mobilität gekennzeichneten Gesellschaft – noch nachbarschaftliche Gruppierungen, die als relativ geschlossenes System aus zurückliegenden Jahrhunderten auf die Gegenwart treffen? Ist in den allermeisten Fällen die Heterogenität heute in Nachbarschaft Zusammenlebender nicht sowohl hinsichtlich ihrer „Jahrhunderts-Erfahrungen" wie hinsichtlich ihrer persönlichen Biographie so groß, daß ein Zugang wie der von *Ilien/Jeggle* vorgeführte – auch bei voller Akzeptierung seiner prinzipiellen Notwendigkeit – unmöglich scheint? Wird darüber eine ahistorische Betrachtungsweise nicht gleichsam erzwungen?

In diesem Diskussionszusammenhang nehmen wir den letzten, den *12. Readerbeitrag*, vorweg. Denn dort machen sich *Bourgett, Preusser* und *Völkel* nachdrücklich für eine „sozialökologische" Forschung stark, die auch bei der „Untersuchung großstädtischer Lebenszusammenhänge . . von möglicher Ungleichzeitigkeit auszugehen" hat (S. 192); vom „Nachhall vergangener Produktionsweisen und Kulturtraditionen" (S. 193), von der Stadt als „Gebinde ungleichzeitiger Strukturen" (S. 209). Als Voraussetzung hierfür nennen sie die „sinnliche Vertrautheit des Sozialforschers mit seinem Forschungsgegenstand" (S. 200) und die (damit wohl zusammenhängende) „Kleinräumigkeit" entsprechenden Recherchierens sowie sozialplanerischen Handelns. Sie machen nicht nur in konsequenten Argumentationsschritten und an Beispielen deutlich, was sie damit meinen, sondern setzen diese Aussagen auch in ein mehrstufiges Modell administrativer Intervention um.

Im Beitrag von *Bourgett et al.* steht nicht das Einzelindividuum, steht vielmehr die Familie im Brennpunkt der sozial-evolutiven Anpassung: „Die Stadt ist ein Produkt dieser Anpassungsleistungen, ein Produkt historisch veränderter Reproduktionsformen, ihre mannigfaltigen Strukturen entsprechen den Lernniveaus, die das Organisationsprinzip Familie im geschichtlichen Prozeß unterschiedlicher sozialstruktureller Bedingungen durchlaufen hat" (S. 202). Die Familie ist demnach gleichsam das erste Fangnetz gesellschaftlicher Verhältnisse; gibt diese dann erst „auf ihre Art" an seine Mitglieder weiter.

Im *8. Readerbeitrag* bekommen wir solche „Reflexe" im System Familie vorgeführt, wie sie sich – so die implizite These *Garbarinos* – aus den zurückliegenden Jahrhunderten der jungen us-amerikanischen Geschichte bis heute perpetuiert haben; Reflexe auf Unterschiede hinsichtlich wirtschaftlicher und sozialer Verhältnisse, wie sie offiziell 1865 aufgehoben wurden. Die Möglichkeit des offensichtlich problemlosen Nachweises derartig „großflächiger Zusammenhänge" (Nord- vs. Südstaaten der USA) steht in scheinbarem Widerspruch zur „kleinflächigen Kompliziertheit" in der Untersuchung *Iliens* und *Jeggles* bzw. den Ausführungen von *Bourgett et al.* Es darf jedoch nicht übersehen werden, daß *Garbarino* mit auf Staaten-Ebene aggregierten Daten arbeitet, außerdem die für die Betrachtung ausgewählten, historischen Verhältnisse mehr als markant sind. – Wenden wir

uns im folgenden wieder „Raummaßen“ zu, die der Vielschichtigkeit europäischer und deutscher Geschichte für unsere Fragestellung angemessen erscheinen.
Will man hier jedoch sehr aufwendige eigene Erhebungen vermeiden, so muß man – je nach Fragestellung – nach der geeignetsten bereits vorgenommener Gebietseinteilungen und nach den aussagekräftigsten Daten, die für die entsprechenden Gebietseinheiten vorliegen, Ausschau halten. Dies ist, in einem Satz gesprochen, das Anliegen des Umgangs mit „sozialen Indikatoren“. *Meulemann/Weishaupt* wählen für ihre im *9. Readerbeitrag* berichteten Analysen Stadtbezirke als Vergleichseinheit. In eleganter Prägnanz führen sie aus: wofür sie soziale Indikatoren suchen (Differenzierung eines Konzepts des „sozialen Milieus“); welche konkreten sozialen Indikatoren (insgesamt 52) sie unter welchem konzeptionellen Gesichtspunkt auswählen; wo ihre ursprüngliche Indizierung durch Analysen am Großrechner Korrekturen erfährt; wie sie letztendlich zu einer sinnhaltigen Zusammenfassung der 104 Frankfurter Stadtbezirke zu 14 Gruppen kommen. Diese 14 Gruppen erfahren über die Akzentuierung sozialstatistischer Daten und die Hinzufügung weiterer (u. a. stadtgeschichtlicher) Informationen eine plastische Kurzcharakteristik. Es entstehen Bilder von ihnen, die nicht nur auch für den Frankfurt-Fremden Lebendigkeit annehmen, sondern auch die Leistungsfähigkeit wie Relevanz des von *Meulemann/Weishaupt* gewählten Weges unter Beweis stellen; Leistungsfähigkeit und Relevanz, die abschließend von den Autoren selbst noch einmal reflektiert werden.
In ihrem ersten Abschnitt diskutieren *Meulemann/Weishaupt* sehr eingehend das Verhältnis von – in ihrer Terminologie – „sozialökologischen Lebensverhältnissen“ und „sozialkultureller Lebenswelt“; wohl das, was wir in unseren zurückliegenden Ausführungen mehrfach mit „hard facts“ versus „soziale Konstruktion von Wirklichkeit“ angesprochen haben. In ihrem 3. Abschnitt gehen die Autoren noch einmal darauf ein, daß ihnen die Induzierung der sozialökologischen Lebensverhältnisse befriedigend gelungen ist, nicht aber die der soziokulturellen Lebensverhältnisse; gerade letztere seien aber „wichtiges Bindeglied in der theoretisch-konzipierten Einflußkette von örtlichen sozialen Milieus zu Prozessen der Sozialisation und Entwicklung“ (S. 92).
Im *10. Beitrag* rücken *Strohmeier/Herlth* auf solch einer hypothetischen Einflußkette näher an das heran, was unmittelbar um und in Familien mit Kindern im Vorschulalter geschieht: indem sie selbst um je sechs Wohnquartiere aus drei verschiedenen Städten Grenzen festlegen – wohl aufgrund eigener hinreichender Kenntnisse der „ räumliche(n) Verdichtung alltäglicher Aktivitäten der Familie – insbesondere der Kinder“ zur je „spezifische(n), historisch gewordene(n) örtliche(n) Kultur“ (S. 113); indem sie diese Wohnquartiere sowohl mit Hilfe kleinräumig vorliegender Daten aus der öffentlichen Statistik (Volkszählung 1970) als auch mit selbsterhobenen Daten näher auf für sozialisationsrelevant (bzw. -induzierend) erachteten Dimensionen charakterisieren; indem sie von da Beziehungen zur unterschiedlichen familialen Förderung eines Aspekts kindlicher Entwicklung (Sprachentwicklung) herstellen. Der Befund: Die „Ergebnisse legen erhebliche Differenzierungen des . . in unseren Arbeitshypothesen unterstellten Zusammenhangs zwischen Schichtzugehörigkeit von Familien und sprachlicher Förderung, die Kinder im Vorschulalter in ihnen erfahren, nahe. Dieser Zusammenhang bedarf der Präzisierung durch Einbeziehung von Merkmalen der sozialen Umwelt, in der Familien leben, in der sich ihr Alltag vollzieht“ (S. 128). Die Autoren beto-

es ihnen nicht um eine Alternative zur gängigen schichtspezifischen Sozialisationsforschung geht, sondern um eine Integration der „sozialstrukturelle(n) Bedingungsvariablen in einen sozialökologischen Bezugsrahmen" (S. 130). Der Beitrag macht nachdrücklich deutlich, daß diese Integration nicht bloß eine Differenzierung der Hypotheseninhalte, sondern gleichzeitig den Einsatz *entsprechender Forschungsmethoden* voraussetzt.

Mit einer entsprechenden Reflexion der Modi sozialwissenschaftlicher Datengewinnung, -verarbeitung und-interpretation beginnen auch die Autoren des *11. Readerbeitrags* ihre Darstellung. Insbesondere geht es *Hübner-Funk/Müller* um das Verhältnis Untersuchende-Untersuchte; sie führen eine Reihe von Aspekten auf, in deren Licht das genannte Verhältnis zu sehen ist, bevor man sich auf es einläßt. Konkrete Anwendung finden die Überlegungen in einem Projekt zum Übergang Jugendlicher von der Hauptschule in die Arbeitswelt. Die dabei für zentral gehaltene, „regionale These" geht davon aus, daß die „Art, wie die Jugendlichen als Gruppe, als einzelne Vertreter dieser Gruppe und als Individuen im Rahmen ihrer Umwelt wahrgenommen und behandelt werden, mit der Art, wie sie sich selbst, die Legitimität ihrer Interessen und ‚ihren Marktwert' bei der Suche nach einer Lehrstelle einschätzen, etwas zu tun" hat (S. 154). Entsprechend werden zwei Teile von extrem unterschiedlichen Stadtbezirken und eine Kleinstadt als Vergleichsgrundlage herangezogen. Es ist ein im Detail durchdachter, dennoch Umwege einräumender, multimethodischer Ansatz, mit dem die Autoren entsprechende Phänomene einfangen, strukturieren und einer Interpretation zuführen wollen. Konkret berichtet wird im vorliegenden Beitrag (Absch. 3.2. und 3.3.) über die Gesamtstrategie sowie über erste Eindrücke und Befunde, die die Feldphase von 1976/77 in einem der drei vorgesehenen Areale erbracht hat. Schon diese Andeutungen (z. B. hinsichtlich der so unterschiedlichen sozialen Vernetzung der Jugendlichen resp. ihrer Eltern, S. 175) verweisen auf ebenso komplizierte wie interessante Zusammenhänge. Noch mehr dazu findet sich bei *Gaiser/Müller* (1979), *Gaiser et al.* (1979a, 1979b, 1980), *Hübner-Funk* (1978, 1979).

5. Ausblick

Wir haben im Zurückliegenden die Essentials der einzelnen Readerbeiträge zu charakterisieren versucht. Es gibt aber auch noch einige „Auffälligkeiten" über die Beiträge hinweg, die Beachtung verdienen.

Da springt sofort der von den Autoren getriebene, erhebliche Aufwand ins Auge, mit dem man sich um eine prinzipielle Einordnung seines Untersuchungsgegenstands und Vorgehens bemüht[92]. Hier läßt sich der argumentative Rahmen offensichtlich noch nicht durch kurze Verweise auf allgemein bekannte und anerkannte Bezugsliteratur abstecken. – Wir nehmen die hohe Konsistenz des entsprechenden Autorenverhaltens als weiteren Hinweis auf die Neuheit des für den Sammelband abgesteckten Rahmenthemas.

Da trifft es für zehn von zwölf Beiträgen zu, daß sie nicht von Einzelautoren, sondern von einem Autorenteam verfaßt wurden. Das weist aber darauf hin, daß eine Auseinandersetzung mit „regionaler Sozialisation" in aller Regel nur dann gewagt bzw. erfolgreich realisiert wird, wenn ausreichend man-power zur Verfügung steht; man-power, die nicht nur in der gedanklichen Auseinandersetzung mit der permanent einstürmenden Flut von These und Antithese einander stützen, sondern sich auch den großen Empirieaufwand teilen kann.
Solche Hilfestellung wird verständlicherweise zunächst „innen" erwartet und verwirklicht; d.h. innerhalb der Gruppe von „Spezialisten", die im Rahmen eines ganz bestimmten, etablierten Forschungsgebiets „regional" zu argumentieren begonnen haben: im Rahmen der Differentiellen, der Entwicklungs-, der Sozial- oder der Klinischen Psychologie, im Rahmen der Sozialepidemiologie oder der Kriminalsoziologie, im Rahmen der Unterrichts- und Bildungsforschung, im Rahmen der Empirischen Kulturwissenschaft, im Rahmen der Familien- oder Jugendsoziologie. Die dabei erforderlichen, „internen" Auseinandersetzungen scheinen so in Beschlag zu nehmen, daß das zusätzliche Eingehen auf „Sprachprobleme" zwischen den Spezialistenguppen kaum mehr leistbar wird[93].
Würde man solches, zum gegenwärtigen Zeitpunkt verständliche Insidertum nicht in Rechnung stellen, ließe sich fragen: warum die verschiedenen Forscher und Forschergruppen mit ihren Fragestellungen nicht an denselben regionalen Einheiten ansetzen; ja zum Teil sogar in identischen Städten recherchieren und doch andere und/oder unterschiedlich große Areale zur Grundlage ihrer Erhebungen machen[94]?
Langfristig sollte man aber doch verstärkt dahin kommen, solches „flächengleiche Recherchieren" zu verwirklichen. Dabei sind insbesondere hinsichtlich der Größe regionaler Einheiten Kompromisse zu schließen; auch hinsichtlich der Geeignetheit konkreter regionaler Verhältnisse für die eigene Fragestellung. Doch halte man sich den Gewinn einer solchen Kooperation vor Augen: Er erschöpft sich nicht darin, daß der Aufwand der Beschaffung und des Aggregierens häufig durchaus gemeinsam interessierender Daten aus der öffentlichen Statistik sowie ergänzender Daten geteilt werden kann. Das in den Grenzen z. B. eines Stadtteils, eines Dorfes etc. im Laufe der Zeit sich anhäufende sozialwissenschaftliche Material ließe sich als Grundlage von Analysen nehmen, die bisher isoliert Betrachtetes in Beziehung zueinander setzten und letztendlich wohl auf ein besseres Verständnis des untersuchten Sozialsystems hinausliefen[95]. Und auf der Ebene des wissenschaftlichen Diskurses würde man – auch bei unterschiedlicher Fragestellung, auch bei unterschiedlichen interessierenden Altersgruppen, auch bei unterschiedlicher wissenschaftstheoretischer Ausgangsposition – notgedrungen in eine argumentative Nähe zueinander geraten, die nicht mehr erlaubt, die Argumentation und die Befunde des jeweils anderen vorschnell in den Wind zu schlagen, um sich

dann mit den eigenen Argumenten im Staub einer nicht geringeren Beliebigkeit davonzustehlen[96]. – Im Laufe der Zeit würde sich dieses Netz von Informationen und Deutungen in einem Maße verdichten, dessen konstruktiv-provokative Potenz man vermutlich kaum zu hoch veranschlagen kann. Das Argument der „verpatzten" Stichprobe in solch „sozialwissenschaftlichen Untersuchungsgemeinden" würde – wenn es überhaupt jemals stichhaltig war – dann wohl kaum noch Gewicht (im Sinne einer „Kontraindikation") besitzen: Ist das Wissen um die Art zurückliegender „Beforschungen" und der Reaktion darauf einer heute in der Regel gegebenen Unkenntnis über das entsprechende „ob" und „wenn, dann wann und wie" nicht vorzuziehen?

Der gemachte Vorschlag läßt sich auch noch erweitern: Er läßt sich als Einladung an alle von der „regionalen Sicht" noch nicht infizierten, sozialwissenschaftlichen Kollegen formulieren, ihr empirisches Material – im Rahmen welcher spezifischen Fragestellungen auch immer – regional kontrolliert zu ermitteln[97]. Auch wenn es ihnen um elterliche Erziehungsstile oder um institutionelle Einflüsse geht. Denn nur so werden sie ihrem Ziel unter Umständen etwas näher kommen, herauszufinden, was Einfluß der sie speziell interessierenden „unabhängigen Variablen" (wie elterliche Belohnung und Bestrafung, wie die Unterrichtsorganisation des traditionellen vs. des Gesamtschul-Systems) – ohne seine „Brechung" durch das konkret gelebte, örtliche Milieu – ist. – Vieles spricht dafür, daß es zunehmend schwieriger fallen wird, sich der regionalen Perspektive zu entziehen (vgl. etwa *Bargel et al.* 1979, *Tillmann et al.* 1979).

Anmerkungen

1 1971 übernahm eine Gruppe von Mitarbeitern des Zentrums I Bildungsforschung an der Universität Konstanz – mit sehr unterschiedlicher sozialwissenschaftlicher Herkunft – den Auftrag des Deutschen Bildungsrats, Einzugsgebiete von Kindergärten hinsichtlich sozialisationsrelevanter Gesichtpunkte zu typisieren (vgl. *Bargel et al.* 1973, 8f.). Der Verfasser war der einzige Psychologe. Hauptamtlich gerade mit der Differenzierung der schulischen Umwelt – einer durch viel Zielgerichtetes und formal Festgelegtes zu kennzeichenden Institution – befaßt und bereits dort mit erheblichen Problemen konfrontiert (*Walter* 1971), schien ihm die „Offenheit" und „Komplexität" des zu strukturierenden Feldes zu groß, um hier zu einem wissenschaftlichen Standards genügenden, befriedigenden Ergebnis zu kommen. Die einschlägige Sachkompetenz vor allem der soziologischen Kollegen und der generelle Mut zur Kreativität überzeugten jedoch schließlich. Und haben offensichtlich eine nachhaltige Wirkung hinterlassen . . .

2 Daß die Frage nicht nur förmlich gestellt wurde, sondern man sich ernsthaft Gedanken dazu machte, zeigt gleich der Beitrag von *Vatter* in diesem Band: Das konkrete Vorstellen von Intelligenztest-Aufgaben erspart es dem Nicht-Psychologen, sich die nötigen Informationen erst mühsam selbst zu besorgen oder aber „abzuschalten".

3 Schon im Vorfeld des nun vorliegenden Readers war häufig nur über eine eingeleitete

Korrespondenz erst möglich abzuklären, ob bestimmte bekannt gewordene Kollegen einen Beitrag zum Thema ,,Region und Sozialisation" leisten könnten. Sonst ist dies festzustellen Herausgebern von Sammelbänden meist bereits aufgrund eines einschlägigen Literaturstudiums möglich.

4 Dieser Beitrag enthält relativ viele Anmerkungen. Diese wollen Zusatzinformationen und -argumente liefern; u. U. möglichen Mißverständnissen gegensteuern; enthalten neben formalen vor allem Vor-, Rück-, weitere Literaturverweise. Sie haben also vorwiegend vertiefende Funktion; sind für das Verständnis des Textes aber nicht unmittelbar erforderlich.

5 In die Sozialisationsforschung gehen auch die einschlägigen Aussagen und Befunde diverser Bindestrich-Soziologien (wie Familien-Soziologie, Soziologie der Schule etc.) ein.

6 Wir bedienen uns bewußt dieser ausgesprochen umgangssprachlichen Bildlichkeit, weil wir das zu frühe und unreflektierte Einstimmen in eine allzu vertraute Begrifflichkeit (,,Eigenschaften", ,,Strukturen" etc.) vermeiden wollen.

7 Auf die angesprochenen Stärken und Schwächen der verschiedenen entwicklungstheoretischen ,,Zubringer" – den oft einseitigen Differenziertheitsgrad in der Betrachtung der ,,Person" bzw. der ,,Umwelt" – und die eng damit verbundene Problematik einer adäquaten ,,Übersetzung" sind wir an verschiedenen Stellen detaillierter eingegangen (z. B. in den Einleitungen zu *Walter* 1973, 1975); jüngere Ausführungen dazu finden sich im Vorwort zu *Walter/Oerter* (1979) und der Einführung zu *Hurrelmann/Ulich* (1980).

8 Wobei der Reproduktionsbereich in seiner informellen, noch einem breiten interindividuellen Entscheidungsspielraum ,,ausgesetzten" Struktur – gemessen an seiner gesellschaftlichen Bedeutsamkeit – bereits wieder erstaunlich wenig (nicht-kommerzielles) öffentliches und wissenschaftliches Interesse auf sich zieht (vgl. *Eichler* 1973, *Schmitz-Scherzer* 1974). – Die ,,Instanzen" Peergroup und Familie wären zweifelsohne überfrachtet, würde man ihnen die analyitsche Bewältigung von allem ,,Informellen", ,,nicht rational Geplanten" aufladen (z. B. auch der Erfahrungen der Frauen, die keinen entlohnten Beruf ausüben, sich auf Haushalt und Kinder konzentrieren).

9 Eine kurze kritische Auseinandersetzung mit diesem Modell *Bronfenbrenners* findet sich im Readerbeitrag *Bargel et al.*, Anm. 6.

10 Es sind dies die BRD, England, Israel, Schweden, die USA. Das deutschsprachige Teilprojekt wird an der Universität Konstanz von der Arbeitsgruppe Familienforschung unter der Leitung von *R. Fisch* und *K. Lüscher* realisiert. Auf Teilaspekte des ,,Bronfenbrenner-Projekts" kommen wir weiter unten noch zu sprechen (S. 17f.).

11 Vgl. z. B. *Bronfenbrenner* (1972), *Gaspari/Millendorfer* (1978).

12 Wir erweitern und vertiefen sie im nachfolgen Abschnitt 2.

13 Analoge Überlegungen zu jenen ,,kognitiven" von *Heintz* und jenen ,,affektiven" von *Greverus* tragen *Hübner-Funk/Müller* in ihrem Readerbeitrag auf Seite 141 vor.

14 Im Original kursiv.

15 Einen Überblick darüber erhält man über eine Programmdarstellung (*Der Bundesminister für Raumordnung, Bauwesen und Städtebau* 1979) bzw. das Informationsbulletin der Programmleitung des nationalen Forschungsprogramms ,,Regionalprobleme" (*Schweizerischer Nationalfonds* 1978).

16 Siehe dazu etwa *Kießler/Korte* 1975, *Klostermann* 1976, *Schmid* 1968.

17 Siehe etwa das *Kursbuch 39* (1975) zu gleichlautendem Thema.

18 Siehe z. B. *Ilien/Jeggle* (1978); *Innerhofer* (1974), *Vesper* (1979).

19 Gemeint sind amtliche Pkw-Kennzeichen, die aufgrund sich wiederholender Zahlen, ihres symmetrischen Aufbaus oder ähnlichem besonders auffällig und damit offensichtlich besonders begehrt sind.

20 Fraglich ist, ob es sinnvoll ist, den Schutz der Namenlosigkeit in jedem Falle unhinterfragt zu praktizieren. – Bei den Readerbeiträgen handelt es sich häufig um Berichte aus laufenden Projekten; hier wäre ein zu früher Überfall durch Neugieriggemachte sicher ungünstig. Darstellungen wie jene der *Projektgruppe Jugendbüro* oder von *Ilien/Jeggle* (in Bd. II) werden immer mit Pseudonymen arbeiten müssen; in anderen Fällen spricht vieles für Veröffentlichung (vgl. *Bargel et al.* 1979, 16f.).

21 Letzteres allerdings auf eher programmatischem Niveau als daß es bereits in konkreter empirischer Sozialisationsforschung realisiert würde. Eine positive Ausnahme und einen Fortschritt bedeuten hier junge Ansätze im Bereich der Kleinkindforschung (*Großmann* 1978, 1979a, 1979b, *Papoušek* 1977).

22 ,,Einmalige" Situationen (wie beispielsweise die oben genannte Konfrontation mit einem Ladendiebstahl) sind aus sozialisationstheoretischer Sicht nur dann von Interesse, wenn man prüfen will, wie ,,so" oder ,,so" *langfristig* Sozialisierte in solch unvertrauten Situationen agieren. Ihre systematische Analyse ist eher Domäne der Sozialpsychologie. Die Differentiellen Psychologen haben zudem unterschiedliche Ausprägungen einer ,,transsituational consistency" bereits als Persönlichkeitsmerkmal eingeführt (*Campus* 1974). – Noch in diesem Zusammenhang: der Begriff ,,Situation" wird im vorwissenschaftlichen wie wissenschaftlichen Sprachgebrauch sowohl für langfristige Erfahrungen als auch für aktuell-kurzfristige Ereignisse (vertraut wie unvertraut) gebraucht (vgl. *Nowack/Abele* 1979) – was die Verständigung nicht gerade vereinfacht.

23 Auch diese Aussage ist noch einmal zu relativieren. Denn ist die psychologische Bedeutsamkeit des Arbeitslohns bzw. des formalen Bildungsniveaus (u. a. über eine ,,standesgemäße Ehe") jeweils einigermaßen als ,,eine Sache" zu sehen und ist ihr ,,Durchschlagen" bis hin zu den Kindern doch recht plausibel, so gilt beides für die berufliche Position des Vaters nicht mehr. Letztere mag qua sozialer Wertschätzung psychologisch bedeutsam werden; und/oder auf Grund der sozialen/kommunikativen Bezüge; in die sie einen generell stellt; und/oder auf Grund der konketen erforderlichen Arbeitsvollzüge. All diese Punkte sind wieder vielfältig aufschlüsselbar; die konkreten Arbeitsvollzüge etwa wieder in körperliche vs. nicht körperliche Arbeit, in das Maß körperlicher, geistiger und emotionaler Beanspruchung, etc. (vgl. *Lempert* 1977, *Lempert et al.* 1979). Und der Weg bis zur familialen Interaktion bzw. den Kindern ist dann noch immer weit; und über verschiedenste Pfade vorstellbar (s. auch *Walter* 1973, 34ff.).

24 Ein gutes konkretes Beispiel hierfür ist die Untersuchung ,,Youth in Göteborg" (*Andersson* 1974).

25 Über das Ausmaß der Kontakte zwischen Vätern und ihren Kindern gibt eine empirische Untersuchung von *Ammen* (1970, 123 ff.) einige Auskunft, der es insgesamt um die Wahrnehmung der außerhäuslichen väterlichen Berufstätigkeit durch die betroffenen Kinder geht.

26 Diesen Eindruck kann man beispielsweise durch folgende Aussage von *Kohn* gewinnen, einem der Hauptexponenten in Sachen beruflicher Sozialisation: ,,Die Beziehung zwischen dem Grad der Selbstverantwortung, den jemand für seinen Beruf erforderlich hält, und den Erziehungswerten für seine Kinder, ist so eng, daß wir vermuten würden, stellten Beruf und Familie nicht unterschiedliche Bereiche dar, daß beide nahezu identisch seien. . . Unabhängig davon, ob jemand stärker mit Sachen, Menschen oder Ideen umgeht, tendieren in beiden Schichten diejenigen, deren Beruf größere Selbstverantwortung erfordert, dazu, Selbstkontrolle hoch zu bewerten, während diejenigen, deren Arbeit weniger Selbstverantwortung erfordert, dazu neigen, nur Gehorsam zu bewerten" (*Pearlin/Kohn* 1966, 475ff.).

27 Ihre Kompensation, ihre Akzentuierung; ,,entkrampfende" Reaktion auf das Erleben

des ,,Unter-sich-Seins", ein ,,gerade jetzt" besonders starkes Absetzen von ,,Seinesgleichen" (wie man es besonders deutlich in ghettoisierten Situationen bei den ,,sozial Verachteten" beobachten kann).

28 Und geschähen sie nur in der Übernahme oder Absetzung von *fiktiv* angenommenen Verhaltens- und Einstellungsnormen anderer.

29 Auf den Aspekt der,,sozialen Vernetzung" wird im 3. Abschnitt noch etwas ausführlicher eingegangen.

30 Bezüglich Quartieren mit besonders hohem Altersdurchschnitt vgl. *Vaskovics* (1979).

31 Einen solchen Eindruck vermitteln allzu leicht – aufgrund ihrer oft einseitigen Fragerichtung – Untersuchungen wie z. B. die in Entwicklungsländern durchgeführte ,,Modernitäts"-Studie von *Inkeles/Smith* (1974).

32 Hier macht neben anderen *Brandtstädter* (1976) relevante Argumente besonders deutlich.

33 Siehe z. B. *Ortmann* (1971), *Neidhardt* (1968). – Im Grunde bleibt auch bei dieser Erweiterung der engen familialen Sozialisationsforschung um die Perspektive ,,väterlicher Beruf" die Betrachtung interpersoneller Wechselwirkungen auf das System Familie beschränkt. Nur kommt zu den formalen Strukturmerkmalen der Familie und diversen elterlichen ,,Erziehungstilen" *(Thomae* 1972a) ein wesentliches Merkmal – zunächst eines Familienmitgliedes – ,,von außen" hinzu.

34 Mit dieser Unterscheidung ,,unmittelbare" und ,,mittelbare" Berufserfahrungen sprechen wir beispielsweise geistige vs. körperliche Arbeit einerseits, (wahrgenommene oder tatsächliche) soziale Wertschätzung aufgrund der eigenen beruflichen Position andererseits an.

35 Zur Tendenz der Reifikation im Rahmen der schichtspezifischen Sozialisationsforschung vgl. *Bargel* (1973, 124ff.).

36 Kurz hingewiesen sei noch auf die Tatsache, daß etwa in der von *Steinkamp* und *Stief* verfaßten, jungen Darstellung des Zusammenhangs von sozialstrukturellen Bedingungen mit Sozialisationskonsequenzen in der Familie durchaus eine Reihe ,,lokaler" Gesichtspunkte (Homogenität der Nachbarschaft, Anregungsgehalt der Sachumwelt des Wohngebietes, Stadt-Land-Unterschiede) – dort allerdings noch als ,,intervenierende Variablen" – konzeptionell eingeführt werden *(Steinkamp/Stief* 1978, 77f., Abb. A1).

37 Zu Fragen der Standortentscheidung vgl. beispielsweise *v. Böventer* (1979).

38 Vgl. entsprechende Ausführungen in *Deutsche Akademie für Städtebau und Landesplanung* (1970).

39 Erst knapp vor Abschluß dieses Überblicks entdeckten wir die neun Monographien zur ,,Darmstadt-Studie" (1952–1954), die auch bereits in beachtlichem Umfang sozialisationsrelevante Themen ansprechen (vgl. *Institut für Sozialforschung* 1956, 133–150, insbes. Anm. 28). Der Leser, der für ,,Ablenkungen" im Sinne des in der Einleitung Gesagten empfänglich ist, sei auch gleich noch auf die viel spätere ,,Wertheim-Studie" hingewiesen, die das Aufarbeiten ,,historischer, ökonomischer, sozialer und politischer Voraussetzungen kommunaler Selbstverwaltung und bürgerlicher Aktivität" sowie eine Analyse der Wertheimer Machtstruktur aus politologischer Sicht – also eher auf ,,Mandatsträger-Ebene" – veranschaulicht *(Ellwein/Zimpel* 1969, *Zoll et al.* 1974).

40 In dem implizit dann doch wieder zum Vorschein kommenden Generalisierungsanspruch unterscheiden sich die aufgeführten Autoren sehr. Ganz explizit ist der Anspruch bei *Aschenbrenner/Kappe* (1965): ,,Großstadt und Dorf als Typen der Gemeinde".

41 Völlig generalisiert kann auch diese Aussage nicht werden, da in Zonen einer unkomplizierten, ,,gleichzeitigen" (vgl. dazu u. a. die Beiträge von *Ilien/Jeggle* und *Bourgett et al.* in Band II) historischen Entwicklung es prinzipiell schon möglich ist, ,,homogene"

Sozialisationsbedingungen auch sehr großflächig nachzuweisen – wie dies *Garbarino* in seinem Beitrag für die Nord- bzw. Südstaaten der USA macht.

42 Zunächst konzeptionell; doch betont *Hollmann* bereits 1968, daß die „Bereitschaft der amtlichen Statistik, eine solche Gliederung in der Erhebungsorganisation und in das Aufbereitungsprogramm der Großzählungen einzubauen, . . . nie größer als in der Gegenwart" war (S. 1). In den letzten zehn Jahren wurde denn auch Einiges an Vorstellungen und Plänen in die Tat umgesetzt.

43 *Hollmann* beruhigt jedoch, daß „die Wohnblöcke ihre Grenzen . . . nur in seltenen Fällen – wie z. B. bei Sanierungs- und Entwicklungsvorhaben" verändern (S. 9).

44 Dazu gehören die Volks- und Berufszählungen, die Gebäude- und Wohnungszählungen, die Landwirtschafts- und Arbeitsstättenzählungen.

45 Wir verweisen bewußt auf diese Bezugsliteratur, weil sie die Inauguration der Soziale Indikatoren-Bewegung in der Schweiz dokumentiert; zu einem Zeitpunkt, zu dem sich diesbezüglich bereits manches auch im deutschen Sprachraum abgeklärt hatte – was dem Einstieg-Suchenden zugute kommt. Ansonsten sei auf die von *Hoffmann-Novotny* herausgegebene Reihe „Soziale Indikatoren" verwiesen; und *Emde* (1979).

46 Grundlegend auch im *Soziotopen*-Ansatz, der sich neben einer sozialisationsbezogenen Differenzierung städtischer Quartiere besonders auch einer solchen dörflicher Einheiten annimmt (vgl. den Beitrag *Bargel et al.*).

47 Siehe dazu auch *Treinen* (1974) (Hinweis durch uns; *H. W.*).

48 Analog äußern sich *Aschenbrenner/Kappe* (1965, 5f.) bezüglich des soziologischen „Gemeinde"-Konzepts.

49 Die Unterscheidung „gerichtetes" vs. „ungerichtetes" Vorgehen wurde zuerst von *Bargel/Wunberg* (1975) vorgenommen.

50 Oder es werden seiner Fantasie in dieser Sache gar keine Schranken auferlegt.

51 In der Diskussion der Ergebnisse wird noch einmal von „abnehmender Industrie und ärmer werdendem Verkehr" (S.27) gesprochen; in der Zusammenfassung von „Verkehr und Industrie, den Hauptmerkmalen der technischen Zivilisation" (S. 31). – Nur eine unzulängliche Auseinandersetzung mit der Übersetzungsproblematik konnte zu einer impliziten Gleichsetzung von „Verkehr" und „Fremdenverkehr" führen. Denn deren psychologische Bedeutsamkeit läßt sich sicher nicht auf einen entscheidenden gemeinsamen Nenner bringen. Dies geht auch ex post aus den Befunden hervor: Region 4 rangiert in der durchschnittlichen Höhe der Intelligenzkennwerte gleich nach Region 1, insgesamt deutlich vor Region 2 (und zwar wesentlich deutlicher als Region 2 vor Region 3).

52 Über die Abgrenzung dieser Regionen werden keine klaren Informationen gegeben; man scheint auf a priori-Konsens zu setzen. So, wenn *Meili/Steiner* (1965) Berufsberater und einige Lehrer „dank ihrer Ortskenntnis auch am besten geeignet" halten, „die Auswahl der Orte vorzunehmen" (S. 25). „Orte" repräsentieren hier vermutlich typische Schuleinzugsgebiete, deren scharfe Grenzen nicht weiter interessieren. – Diese ungeklärte Situation nützt *Vontobel* (1970) geschickt zur „Aufklärung" widersprüchlicher Befunde: Es ließe sich „vermuten, daß sich jener Komplexitätsgrad einer Kultur als optimale Herausforderung bezeichnen läßt, der sich in unseren schweizerischen Klein- und Mittelstädten verkörpert (was ungefähr den ‚ländlichen' und kleinstädtischen Verhältnissen in den USA entsprechen dürfte). Die amerikanische Großstadt scheint dagegen tendenziell eine ‚überstarke' Herausforderung darzustellen" (S. 129).

53 Expliziter im Beitrag von *Vatter* in diesem Band, der auf *Meili/Steiner* aufbaut.

54 Zum Beispiel von *Russig-Kallfass* (1977); kritisch kommentiert wird er u. a. von *Bourgett et al.* in deren Readerbeitrag – nachdem die selben Autoren noch einige Jahre davor ihre eigene kommunale Sozialplanung aufgrund sozialer Indikatoren betrieben ha-

ben *(Bourgett et al.* 1977).

55 Vergleiche besonders Abschnitt 2.3. im Beitrag von *Bargel et al.*.

56 Auch die Ausführungen von *Bargel et al.* basieren auf wenigen geschlossenen Fragen.

57 Die zwei anderen, neben den sozialen Netzwerken in allen nationalen Projektgruppen im Detail durchforschten Themenbereiche sind ,,Stress and Support" (Erleichterungen und Erschwernisse im Rahmen der familialen Sozialisationsfunktion) und die ,,Child-Caretaker Activities" (die Eltern-Kind-Beziehung, eingebettet in den Tagesablauf und Alltagssituationen).

58 Für die im folgenden wiedergegebenen Informationen habe ich Frau *Koebbel* zu danken.

59 Es ist zu hoffen, daß man dem Projekt ausreichend Mittel und Zeit zur Verfügung stellt, um derartige Querverbindungen zwischen vorliegenden Gruppen an Informationen in wünschenswertem Maße realisieren zu können.

60 Von der Biologenseite hatte *Warming* ökologische Vorstellungen bereits 1895 in größere Nähe zu sozialwissenschaftlichen gebracht. Dennoch findet Kommunikation zwischen beiden Blöcken wissenschaftlichen Argumentierens und Handelns (vgl. *Mittelstraß* o. J., *Luckmann* 1980) in Sachen ,,Ökologie" bis heute kaum statt. Manchmal treffen ein Naturwissenschaftler und Sozialwissenschaftler im ,,multidisciplinary area called *human ecology*" thematisch aufeinander. So z. B. der eben zitierte Biologe (*Bresler* 1966, 1) und die Psychologen *Moos/Insel* (1974), die wie Erstgenannter u. a. Temperaturverhältnissen oder generell klimatischen Bedingungen ihre Aufmerksamkeit schenken. Doch ist die Fragerichtung jeweils eine völlig andere; an Gemeinsamem bleibt die fast gleiche (und damit mißverständliche) Überschrift. Berührungspunkte gibt es am ehesten dann, wenn es um einen Beitrag zu dem international akuten Problemkomplex Umweltschutz, Ressourcenknappheit, Bevölkerungswachstum etc. geht. Da haben nicht nur Naturwissenschaftler etwas zu sagen (z. B. *Ehrlich et al.* 1975), sondern auch Psychologen *(Amelang et al.* 1977, *Kaminski* 1973), Soziologen *(Wiehn et al.* 1977), Ökonomen *(Sprenger* 1979) und andere. Doch dominiert stets die ,,fachspezifische Brille"; auch in den resultierenden Vorschlägen, Rettungsangeboten.

61 Ob Sozialwissenschaftler sich wirklich damit begnügen müssen, *stets* ,,nur eingriffsfrei gültige" Aussagen über Beziehungszusammenhänge zu machen, soll an dieser Stelle nicht weiter diskutiert werden.

62 Kurze Ein- und Überblicke dazu finden sich, entwicklungstheoretisch zentriert, bei *Walter* (1979, 1980); allgemein in *Deutsche Forschungsgemeinschaft* (1977).

63 Eine kritische Auseinandersetzung, bezogen auf eine vordergründige Verwendung des Begriffs ,,Komplexität", führt *Kaminski* (1976, 238, 243ff.). – Fallstudien der angesprochenen Art realisieren u. a. *Hildenbrand* (1978) und *Guggenheimer/Ottomeyer* (1980), *Ilien/Jeggle* (u. a. in diesem Reader) und eine im Rahmen des Schwerpunktprogramms ,,Psychologische Ökologie" der Deutschen Forschungsgemeinschaft eingebrachte Dorf-Studie.

64 ,,Innendichte": z. B. Personen pro Wohnung oder pro Gebäude; ,,Außendichte": Personen oder Gebäude pro Hektar (vgl. *Kruse* 1975, 5f.).

65 In jüngster Zeit bezüglich ,,Crowding" sehr deutlich *Schultz-Gambard* (1979). Mehr zum Thema findet sich bei *Aiello/Baum* (1979); aus soziologischer Sicht, mit deutlichem Bezug zur Praxis der Raumplanung, bei *Atteslander* (1975).

66 Vgl. auch in diesem Zusammenhang *Boeschs* (1980) Ausführungen über ,,Kultur und Handlung".

67 In diesem Zusammenhang ist noch einmal auf die in der Sozialisationsforschung aktuell laufende Diskussion um verschiedene ,,Menschenbilder" hinzuweisen, die Konzeptionen der Mensch-Umwelt-Interaktion entscheidend beeinflussen (kurz bei *Walter* 1979,

26f.).

68 Wir beziehen uns in der Formulierung dieser Aussage auf Überlegungen von *Luckmann* (1980), die noch einmal besonders eingängig die ,,Gretchenfrage der Sozialwissenschaften" thematisieren: ,,Leute, die versuchen, mit menschlichem, gesellschaftlichem, geschichtlichem Handeln theoretisch und systematisch umzugehen" (. . .), ,,finden immer Anlaß zu Meinungsverschiedenheiten und Auseinandersetzungen untereinander. Die Selbstverständlichkeiten des einen sind nicht die Selbstverständlichkeiten des anderen. Der Streit geht um die Abgrenzung des Gegenstandsbereichs: gesellschaftliches Handeln als Natur, als Geschichte, als beides zugleich? Er geht um den Deutungsrahmen: Gesellschaft als System, als ein Sinn-Kosmos, als ein Zwitter? Er geht um die rechte Art des Erfassens: Erklären, Verstehen oder vielleicht verstehend erklären? Und er geht natürlich um die Methode; hypothetisch-deduktiv, hermeneutisch oder gar – ist so etwas denkbar? – eine Verbindung jener zwei?" (S. 513f.)

69 Hauptuntersuchungsgebiet war der Hamburger Stadtteil Barmbeck.

70 Das, was die deutschsprachige psychologische Nachkriegsliteratur an Informationen und Überlegungen – unmittelbar auf die lokale Lebenswelt von Kindern und Jugendlichen bezogen – anbietet, nimmt sich gegenüber *Muchows* Leistung – selbst bei der Anwendung auswertungstechnischer Raffinessen – vergleichsweise bescheiden aus (z. B. *Bierhoff* 1974, *Does/Motz* 1979, *Otterstädt* 1962). Es ist (entwicklungs-)theoriearm, methodisch einseitig; fragmentiert die Lebenswelt in Einzelteile (vgl. *Lippitz* 1980, *Zinnecker* 1978).

71 Die Arbeit steht im Kontext der einzigen, etwas älteren ökologisch-*psychologischen* Tradition (*Barker* 1968).

72 Ein erfrischendes, dem Readeranliegen nahestehendes, deutschsprachiges Extrem ,,auf der anderen Seite" legte *Vontobel* (1976) vor.

73 Beispiele dafür sind auch *Lantermann* (1974) und *Klockhaus* (1975).

74 Der bereits in Anm. 70 aufgeführte Aufsatz von *Otterstädt* bleibt deskriptiv und exemplarisch; gehört als ,,Informations-Baustein" mit zum großen Themenbereich ,,Region und Sozialisation"; ist nicht entwicklungstheoretisch i. e. S..

75 Vgl. *Graumann* (1976, 22).

76 Das methodische Vorgehen *Vatters* ist somit eine Annäherung zwischen der von Psychologen bislang vorrangig betriebenen Feinanalyse der ,,Nahumwelt" Heranwachsender, dies meist noch auf eine ,,abhängige Variable" fokusiert (z. B. *Trudewind* 1975), und der ,,soziologischen" Strategie, entwicklungsbedeutsame Regionen mit Hilfe ,,sozialer Indikatoren" festzumachen.

77 Mögliche Gründe für dieses ,,gelungene" vs. ,,mißlungene" ,,Konkretisieren" regionaler Verhältnisse gibt es viele: Obwohl Informationen in beiden Fällen (zu den Prozeßvariablen, zum Erziehungsstil) bei den betroffenen Sozialisanden selbst erhoben wurden, differiert deren Altersdurchschnitt doch erheblich. Das ,,regionale Spektrum" ist in der Untersuchung *Vatters* entschieden breiter als in jener von *Perrez et al.* Etc.

78 Im Sinne der Anm. 20 soll dieses Projekt noch anonym bleiben.

79 Nicht zu übersehen ist dabei jedoch, daß die Anlage der entsprechenden psychologischen Untersuchungen eine völlig andere ist als die ihrer disziplinspezifischen Vorgänger: hier die starke ,,Gerichtetheit" auf eine ,,abhängige Variable"/ein abhängiges Variablensyndrom, dort das zunächst ,,ungerichtete" ganzheitliche ,,Lebenswelt"-Interesse.

80 Auf die gravierenden Definitions- und Operationalisierungsprobleme kann hier nicht näher eingegangen werden (vgl. *Abele et al.* 1975; *Schwab/Schwab* 1978, Chap. 8). Sie deuten sich jedoch zum Teil in den Beiträgen von *Moschel et al.*, insbesondere von *Rotter/Steinert* in diesem Band an.

81 Dieselben Autoren zur Jugenddelinquenz: *Shaw/McKay* ([1]1942, [2]1969).

82 Eine Darstellung der „dazugehörigen" Theorie bzw. 30 Jahre nach der „Chicago-Studie" angestellte, retrospektive Überlegungen durch *Dunham* finden sich auch in *Keupp* (1974, Kap. 4 und 13).

83 Ob hieran Vorschläge und Forderungen in Richtung psychiatrischer „Standardversorgungsgebiete" *(Sachverständigen-Kommission* 1975, Kap. B. 5; *Bauer* 1977) etwas ändern werden, ist abzuwarten. Noch fallen Forschungsschwerpunkte zu einschlägigen Symptomgruppen so stark auseinander, daß Soziologen z. B. auf das gehäufte Auftreten von „Schizophrenie" in „Unterschicht-Gebieten" hinweisen, „Kliniker" (Mediziner, Psychologen) sich jedoch auf eher in „Mittelschicht-Familien" durchgeführte Einzelfallstudien beziehen (vgl. etwa *Thoma* 1978).

84 Eine uns bekannt gewordene Ausnahme ist die Arbeit von *Wilken* (1973). Davor führte *Mitscherlich* (1965) auf Gedanken hinsichtlich „Großstadt und Neurose" hin. – Zum anglo-amerikanischen Publikationsraum zählen wir hier auch die skandinavischen Länder.

85 Unter „psychischer Morbidität" wird von *Moschel et al.* ein so breites Spektrum an klinischer Symptomatik einbezogen, daß hier – im Gegensatz zu den Selbstmorden – wenig mit klaren regionalen Entsprechungen zu rechnen ist. Analoges gilt wohl auch für die formal addierten Summenscores der „Verhaltensauffälligkeiten" im Beitrag *Perrez et al.*

86 Besonders klar informiert einer der Autoren in seiner Dissertation über Gefahren, die in Untersuchungen stecken, die über die Individualebene hinausgehen – insbesondere den ökologischen Fehlschluß (*Welz* 1979, 117ff.).

87 Der Herausgeber vermutet, daß nur die „didaktische" Überakzentuierung ihres Anliegens die Autoren dazu veranlaßte, sich in einen scheinbaren Widerspruch zum Anliegen dieses Readers zu begeben (vgl. die einleitenden Bemerkungen des Beitrags); daß man im Grunde darin übereinstimmt, daß anhaltende „Definition"/„Konstruktion" irgendwann zu „Sozialisation" wird. – „Das ist kein Aberglaube, o nein, das gibt's, Menschen, die verflucht sind, und man kann machen mit ihnen, was man will, ihr Blick genügt, plötzlich bist du so, wie sie sagen. Das ist das Böse. Alle haben es in sich, keiner will es haben, und wo soll das hin? In die Luft? Es ist in der Luft, aber da bleibt's nicht lang, es muß in einen Menschen hinein, damit sie's eines Tages packen und töten können. . ." (*Frisch* 1961, 28).

88 Vgl. unsere Ausführungen bereits weiter vorne dazu, S. 17.

89 Was nicht heißen soll, daß solche „Mentalität" nicht auch ihren „reellen Hintergrund" haben wird.

90 Ein weiteres Dokument dieser Entwicklung ist *Vaskovics* (1981). Ein (wenn auch noch sehr selektiver) Fachgrenzen überschreitender Integrationsversuch von erziehungswissenschaftlicher Seite ist *Fatke* (1977).

91 „Herkunft" bezieht sich auf mehreres: ihre disziplin- und (in diesem Zusammenhang noch einmal) ortsspezifische Sozialisation; ihre aktuelle beruflich-institutionelle Einbindung; ihre metatheoretische, theoretische und methodologische Ausrichtung, ihr konkretes methodisches Vorgehen.

92 Dies auch da, wo die Fülle vorliegenden empirischen Materials dazu verführen könnte, sehr rasch zu dessen Darstellung überzugehen.

93 Wir haben in einer sehr frühen Phase der Readerentstehung alle Voraussetzungen für den Austausch von Manuskriptrohfassungen geschaffen. Es wurde u.W. jedoch in keinem einzigen Falle der entsprechende Vorschlag aufgegriffen – über das hinaus, was an gegenseitiger Kenntnisnahme ohnehin bereits gegeben war. Die Ursachen hierfür suchen wir nicht nur in dem ständigen „legitimierenden" Output-Zwang, unter dem einschlägige

Projekte häufig leiden, sondern ebenso in den ausgeführten Gründen.

94 Die Konstanzer „Arbeitsgruppe Familienforschung" rekrutierte ihr Sample beispielsweise in Konstanz und Mannheim: Mannheim, wo auch *Moschel et al.* epidemiologischen Zusammenhängen auf Stadtbezirksebene nachgingen; Konstanz, das nicht nur in der Geburtsstunde des Soziotopen-Ansatzes als „Modell" diente, sondern auf das zwischenzeitlich eine ganze Reihe erhellender Scheinwerfer gerichtet wurden (u. a. *Kuthe et al.* 1980, *Lange* 1979, *Wirtz* 1978) – wesentlich mehr noch auf den Landkreis Konstanz (z.B. *Bargel* 1976, *Elsner-Hoch et al.* 1979; *Zang* 1978 – als erste Publikation des von *R. Wirtz* und *G. Zang* durchgeführten Projekts „Regionale Sozialgeschichte"). – Und hätten *Hübner-Funk/Müller* konzeptionell wie beim konkreten Rekrutieren ihrer zwei Münchner Untersuchungsgebiete nicht von der Arbeit von *Heil* (1971) profitieren können?

95 Auch für historische Analysen würden damit im Laufe der Zeit optimale Voraussetzungen geschaffen (vgl. *Wirtz* 1979).

96 Neben der logischen Inkonsistenz sind hier übliche Argumente das des unberücksichtigten „entscheidenden" Faktors (sei es schon in der theoretischen Konzeption, sei es z.B. ein Stichprobenmerkmal), das der zu großen Kluft zwischen Hypothesen und ihren angeblichen empirischen Umsetzungen.

97 Es handelt sich hier um die „Kontrolle", wie sie auch *Meulemann/Weishaupt* in ihrem Beitrag vorschlagen (Bd. II, S. 92f.). Teilweise wird sie in Projekten auch bereits ansatzweise realisiert. Bedauerlich ist jedoch, daß sich die Projekte mit der Kontrolle begnügen, ohne inhaltlich etwas über „ihre" Regionen auszusagen; was leicht fallen müßte, wenn man die Regionen nicht bloß nach oberflächlichen common sense-Gesichtspunkten, sondern aufgrund ihrer fundierten Kenntnis voneinander abgrenzt.

Literatur

Abele, A./Mitzlaff, S./Nowack, W. (Eds.)
1975. Abweichendes Verhalten. Erklärungen, Scheinerklärungen und praktische Probleme. Stuttgart: frommann–holzboog.

Abele, A./Nowack, W.
1976. Reaktionen auf abweichendes Verhalten in Abhängigkeit von Variablen der Situation und der beobachtenden Person. Eine empirische Untersuchung. Universität Konstanz: unveröff. Dissertation.

Abrahams, F. F./Sommerkorn, I. N.
1976. Arbeitswelt, Familienstruktur und Sozialisation. In K. Hurrelmann (Ed.), Sozialisation und Lebenslauf. Reinbek: Rowohlt, 70–89.

Aiello, J. R./Baum, A.
1979. Residential crowding and design. London: Plenum.

Amelang, M./Tepe, K./Vagt, G./Wendt, G.
1977. Mitteilung über einige Schritte der Entwicklung einer Skala zum Umweltbewußtsein. Diagnostica 23, 86–88.

Ammen, A.
1970. Die außerhäusliche Berufstätigkeit des Vaters. Eine empirische Untersuchung zur Familiensoziologie. Stuttgart: Enke.

Andersson, B.-E.
1974. Project YG (Youth in Göteborg). A study of a group of Swedish urban adolescents.

In: H. Thomae/T. Endo (Eds.), The adolescent and his environment. Basel: Karger, 24–37.
Armbruster, B./Leisner, R.
1975. Bürgerbeteiligung – zur Freizeitaktivität verschiedener Bevölkerungsgruppen in ausgewählten Beteiligungsfeldern. Göttingen: Schriften der Kommission für wirtschaftlichen und sozialen Wandel, Nr. 54.
Aschenbrenner, K./Kappe, D.
1965. Großstadt und Dorf als Typen der Gemeinde. Opladen: Leske.
Atteslander, P.
1975. Dichte und Mischung der Bevölkerung. Raumrelevante Aspekte des Sozialverhaltens. Berlin: De Gruyter.

Bargel, T.
1973. Probleme der Rezeption empirischer Sozialisationsforschung. In H. Walter (Ed.), Sozialisationsforschung, Bd. I. Stuttgart: frommann – holzboog, 119–138.
Bargel, T.
1974. Familie als Umwelt: Zur Erfassung von Variablen der familialen Situation. In T. Bargel et al., Bildungschancen und Umwelt II. Braunschweig: G. Westermann, 13–59.
Bargel, T.
1976. Soziotope im Landkreis Konstanz. Ihre Bestimmung mit Daten aus der amtlichen Statistik. Universität Konstanz, Zentrum I Bildungsforschung: Arbeitsbericht 2 aus dem Projekt „Umwelt, Kind und Elementarbereich".
Bargel, T./Gloy, K./Heinke, U./Presch, G./Walter, H.
1973. Bildungschancen und Umwelt I. Braunschweig: G. Westermann.
Bargel, T./Kuthe, M./Schober, H.
1979. Gesamtschule und Gemeinde. Entwicklung und Situation von Gesamtschulen in verschiedenen Umfeldern. Paderborn: Schöningh.
Bargel, T./Wunberg, M.
1975. Was leistet die amtliche Statistik für die Sozialisationsforschung? Eine Diskussion der Möglichkeiten und Probleme. In H. Walter (Ed.), Sozialisationsforschung, Bd. III. Stuttgart: frommann – holzboog, 229–270.
Barker, R. G.
1968. Ecological psychology: Concepts and methods for studying the environment of human behavior. Stanford: Stanford University Press.
Barker, R. G./Schoggen, P.
1973. Qualities of community life. Methods of measuring environment and behavior applied to an American and English town. San Francisco: Jossey-Bass.
Bauer, M.
1977. Sektorisierte Psychiatrie im Rahmen einer Universitätsklinik. Anspruch, Wirklichkeit und praktische Erfahrungen. Stuttgart: Enke.
Baum, A./Singer, J. E./ Valins, S. (Eds.)
1978. Advances in environmental psychology. Volume 1. The urban environment. Hillsdale: Lawrence Erlbaum.
Beicht, W./Isecke, H./Krings-Huber, G./Mollenhauer, K.
1976. Familiale Kommunikationsstrukturen – Zwischenbericht einer Untersuchung. In K. Hurrelmann (Ed.), Sozialisation und Lebenslauf. Reinbek: Rowohlt, 104–126.
Berger, M. M.
1978. Beyond the double bind: Communication and family systems, theories and techniques with schizophrenics. New York: Brunner.

Berger, P./Luckmann, Th.
1969. Die gesellschaftliche Konstruktion der Wirklichkeit. Eine Theorie der Wissenssoziologie. Frankfurt: Fischer.
Berndt, H.
1968. Das Gesellschaftsbild bei Stadtplanern. Stuttgart: Krämer.
Bierhoff, H. W.
1974. Spielplätze und ihre Besucher. Darmstadt: Steinkopff.
Boesch, E. E.
1971. Zwischen zwei Wirklichkeiten. Prolegomena zu einer ökologischen Psychologie. Bern: Huber.
Boesch, E. E.
1976. Psychopathologie des Alltags. Zur Ökopsychologie des Handelns und seiner Störungen. Bern: Huber.
Boesch, E. E.
1980. Kultur und Handlung. Bern: Huber.
Böventer, E. v.
1979. Standortentscheidung und Raumstruktur. Hannover: Schroedel.
Bourgett, J./Preusser, N./Völkel, R.
1977. Jugendhilfe und kommunale Sozialplanung. Eine sozialökologische Studie. In Teilen vorgelegt als Jugendbericht der Stadt Wiesbaden. Weinheim: Beltz.
Brandtstädter, J.
1976. Soziale Schicht, Umwelt und Intelligenz: Eine Pfadanalyse der Korrelationsbefunde von Marjoribanks. Psychologische Beiträge, 18, 35–53.
Brandtstädter, J./Reinert, G./Schneewind, K. A. (Eds.)
1979. Pädagogische Psychologie: Probleme und Perspektiven. Stuttgart: Klett.
Bresler, J. B. (Ed.)
1966. Human ecology: Collected readings. Reading/Mass.: Addison-Wesley.
Bronfenbrenner, U.
1972. Erziehungssysteme. Kinder aus den USA und der Sowjetunion..Stuttgart: DVA.
Bronfenbrenner, U.
1978. Ansätze zu einer experimentellen Ökologie menschicher Entwicklung. In R. Oerter (Ed.), Entwicklung als lebenslanger Prozeß. Hamburg: Hoffmann und Campe, 33–65.
Bronfenbrenner, U.
1979. The ecology of human development. Cambridge/Mass.: Harvard University Press.
Bronfenbrenner, U./Cochran, M.
1976. The comperative ecology of human development: A research proposal. Ithaca/N. Y.: Cornell University, Department of Human Development and Family Studies (mimeogr.).

Campus, N.
1974. Transsituational consistency as a dimension of personality. Journal of Personality and Social Psychology, 29, 593–600.
Chombart de Lauwe, P./Chombart de Lauwe, M.
1959. Famille et habitation. Paris: Edition du Centre National de la Recherche Scientifique.
Croon, H./Utermann, K.
1958. Zeche und Gemeinde. Untersuchungen über den Strukturwandel einer Zechengemeinde im nördlichen Ruhrgebiet. Tübingen: Mohr.

Dann, H.-D./Cloetta, B./Müller-Fohrbrodt, G./Helmreich, R.
1978. Umweltbedingungen innovativer Kompetenz. Eine Längsschnittuntersuchung zur Sozialisation von Lehrern in Ausbildung und Beruf. Stuttgart: Klett.

Der Bundesminister für Raumordnung, Bauwesen und Städtebau
1979. Mittelfristiges Forschungsprogramm ,,Raumordnung und Städtebau". Bonn.

Deutsche Akademie für Städtebau und Landesplanung (Ed.)
1970. Zwischen Stadtmitte und Stadtregion. Stuttgart: Krämer.

Deutsche Forschungsgemeinschaft
1977. Schwerpunktprogramm Psychologische Ökologie. Bonn/Bad Godesberg (mimeogr.).

Dienel, P. C.
1978. Die Planungszelle. Eine Alternative zur Establishment – Demokratie. Der Bürger plant seine Umwelt. Opladen: Westdeutscher Verlag.

Dittrich, G. G.
1973. Neue Siedlungen und alte Viertel. Städtebaulicher Kommentar aus der Sicht der Bewohner. Stuttgart: DVA.

Does, K.-J./Motz, J. J.
1979. Freizeit im Käfig. Bild der Wissenschaft, 16, Heft 5, 106–121.

Dogan, M./Rokkan, S. (Eds.)
1969. Quantitative ecological analysis in the social sciences. Cambridge/Mass.: The M.I.T. Press.

Dubos, R.
1965. Man adapting. New Haven: Yale University Press.

Dubos, R.
1969. Man, medicine and environment. New York: Praeger.

Dubos, R.
1971. Man overadapting. Psychology Today, 4, No. 9, 50–53.

Eckensberger, L. H./Burgard, P.
1977. Ökosysteme in interdisziplinärer Sicht. Bericht über ein DFG – Symposium in Reisensburg 1975. Saarbrücken: Universität des Saarlandes, Arbeiten der Fachrichtung Psychologie, 49.

Ehrlich, P. R./Ehrlich, A. H./Holdren, J. P.
1975. Humanökologie. Der Mensch im Zentrum einer neuen Wissenschaft. Berlin: Springer.

Eichler, G.
1973. Spiel und Sport in der Freizeiterziehung: Versuch einer soziologischen Kritik der Spielideologie und Spielerziehung. In H. Walter (Ed.), Sozialisationsforschung, Bd. II. Stuttgart: frommann–holzboog, 161–186.

Eirmbter, W. H.
1977. Ökologische und strukturelle Aspekte der Bildungsbeteiligung. Weinheim: Beltz.

Elder, G.
1974. Children of the great depression: Social change in life experience. Chicago: The University of Chicago Press.

Ellwein, Th./Zimpel, G.
1969. Wertheim I. Fragen an eine Stadt. München: Juventa.

Elsner-Hoch, E./Farenholtz, A./Hölle, J./Hohenlohe, A./Kaeten, H.
1979. Leben im ländlichen Raum. Eine Untersuchung über die Lebensverhältnisse in der Gemeinde Hohenfels im Kreis Konstanz. Universität Konstanz (mimeogr.).

Emde, R.
1979. Sozialindikatoren und Systemvergleich. Zur Analyse intersystemarer Beziehungen. Frankfurt: Campus.
Esser, A. H./Greenbie, B. B. (Eds.)
1978. Design for communality and privacy. New York: Plenum.

Faris, R. E. L./Dunham, H. W.
1939. Mental disorders in urban areas. An ecological study of schizophrenia and other psychoses. New York: Haffner.
Fatke, R.
1977. Schulumwelt und Schülerverhalten. Adaptationsprozesse in der Schule. München: Piper.
Fehre, H.
1968. Allgemeine Gesichtspunkte zur bezirklichen Verwaltungsgliederung. In Akademie für Raumforschung und Landesplanung, Die Gliederung des Stadtgebietes. Hannover: Jänecke, 19–39.
Fend, H./Knörzer, W./Nagl, W./Specht, W./Väth – Szusdziara, R.
1973. Sozialisationseffekte unterschiedlicher Schulformen. Zeitschrift für Pädagogik, 19, 887–903.
Fischer, C. S.
1978. Sociological comments on psychological approaches to urban life. In A. Baum et al. (Eds.), The urban environment. Hillsdale/N. J.: Lawrence Erlbaum, 131–141.
Flavell, J. H.
1964. The developmental psychology of Jean Piaget. Princeton/N. J.: van Nostrand.
Fried, M./Gleicher, P.
1961. Some sources of residential satisfaction in an urban slum. Journal of the American Institute of Planners, 27, 305–315.
Friedrichs, J.
1977. Stadtanalyse. Soziale und räumliche Organisation der Gesellschaft. Reinbek: Rowohlt.
Frisch, M.
1961. Andorra. Frankfurt: Suhrkamp.
Fröhlich, W./Wellek, S.
1972. Der begrifflich-theoretische Hintergrund der Sozialisationsforschung. In C. F. Graumann (Ed.), Sozialpsychologie, 2. Halbband. Göttingen: Hogrefe, 661–714.

Gaiser, W./Hübner-Funk, S./Müller, H.-U.
1979 a. Schule im sozialökologischen Kontext. Bedingungen inner- und außerschulischen Lernens bei Hauptschulabsolventen. Unterrichtswissenschaft, 7, 143–161.
Gaiser, W./Hübner-Funk, S./Müller, H.-U.
1979 b. Sozialisation und Umwelt. Hauptschüler im sozialökologischen Kontext. Bericht über ein laufendes Forschungsprojekt. Materialien zur politischen Bildung, 7, 3, 37–44.
Gaiser, W./Hübner-Funk, S./Müller, H.-U.
1980. „Die sind ja froh, wenn man kommt". Wie wichtig ist Jugendarbeit für Jugendliche? In L. Boehnisch/ R. Münchmeier/ E. Sander, Abhauen oder bleiben? Berichte und Analysen aus der Jugendarbeit. München: Piper, 39–51.
Gaiser, W./Müller, H.-U.
1979. Schülerfreizeit im Wohnquartier. betrifft: erziehung, 12, Heft 12, 25–29.
Galle, O. R./Gove, W. R./Mc Pherson, J. M.

1973. Bevölkerungsdichte und Pathologie. Bauwelt, 64, 13–19.
Gans, H.
1962. The urban villagers: Group and class in the life of Italian – Americans. New York: The Free Press.
Gaspari, C./Millendorfer, H.
1978. Konturen einer Wende. Strategien für die Zukunft. Graz: Styria.
Geipel, R.
1965. Sozialräumliche Strukturen des Bildungswesens. Frankfurt: Diesterweg.
Geissler, C.
1965. Hochschulstandorte – Hochschulbesuch. Hannover: Jänecke.
Göschel, A./Herlyn, U./Krämer, J./Schardt, Th./Wendt, G.
1979. Infrastrukturdisparitäten und Segregation. Forschungsbericht aus dem Förderungsschwerpunkt – Bürgernahe Gestaltung der sozialen Umwelt – des Bundesministeriums für Forschung und Technologie. Göttingen: Soziologisches Seminar der Universität.
Graumann, C. F.
1976. Die ökologische Fragestellung – 50 Jahre nach Hellpachs „Psychologie der Umwelt". In G. Kaminski (Ed.), Umweltpsychologie. Stuttgart: Klett, 21–25.
Greverus, J.-M.
1979. Auf der Suche nach Heimat. München: Beck.
Groß, B./Weber, M.
1979. Alltagstheorien von Müttern über die Entwicklung ihrer Kinder. Universität Konstanz, unveröff. Diplomarbeit.
Großmann, K. E.
1978. Emotionale und soziale Entwicklung im Kleinkindalter. In H. Rauh (Ed.), Jahrbuch für Entwicklungspsychologie 1/1979. Stuttgart: Klett, 25–82.
Großmann, K. E.
1979 a. Das Verhalten von Müttern und ihren neugeborenen Kindern während der ersten postnatalen Woche. In L. H. Eckensberger (Ed.), Bericht über den 31. Kongreß der Deutschen Gesellschaft für Psychologie in Mannheim 1978, Bd. 1. Göttingen: Hogrefe, 199–203.
Großmann, K. E.
1979 b. Untersuchungen zur Entwicklung sozialer Beziehungen bei 50 Kindern im 1. Lebensjahr. In L. H. Eckensberger (Ed.), Bd. 1. 204–207.
Grüneisen, V./Hoff, E.-H.
1977. Familienerziehung und Lebenssituation. Der Einfluß von Lebensbedingungen und Arbeitserfahrungen auf Erziehungseinstellungen und Erziehungsverhalten von Eltern. Weinheim: Beltz.
Guggenheimer, M./Ottomeyer, K. (Eds.)
1980. Zerstörung einer Familie. Eine Fallstudie. Reinbek: Rowohlt.

Hamm, B.
1973. Betrifft: Nachbarschaft. Verständigung über Inhalt und Gebrauch eines vieldeutigen Begriffs. Düsseldorf: Bertelsmann.
Hamm, B.
1977. Die Organisation der städtischen Umwelt. Frauenfeld: Huber.
Hamm, B.
1979. Lebensraum Stadt. Beiträge zur Sozialökologie deutscher Städte. Frankfurt: Campus.
Harlander, T.

1979. Regionale Entwicklungspolitik in der Emilia Romagna. Frankfurt: Campus.
Heil, K.
1971. Kommunikation und Entfremdung. Menschen am Stadtrand – Legende und Wirklichkeit. Eine vergleichende Studie in einem Altbauquartier und in einer neuen Großsiedlung in München. Stuttgart: Krämer.
Heintz, P.
1976. Sozio-ökonomische und politische Indikatoren für die Beschreibung der Weltgesellschaft. In H.-J. Hoffmann-Novotny (Ed.), Soziale Indikatoren. Frauenfeld: Huber, 125–138.
Heinz, W. R.
1977. Die Arbeitssituation der Eltern als Determinante der Sozialisation Heranwachsender. Forschungszwischenbericht. Universität Bremen (mimeogr.).
Hellpach, W.
²1952. Mensch und Volk der Großstadt. Stuttgart: Enke.
Hildenbrand, B.
1978. Familiale Organisation, alltagsweltliche Orientierung und psychische Krankheit. Universität Konstanz: unveröff. Dissertation.
Hoffmann-Novotny, H.-J. (Ed.)
1976. Soziale Indikatoren. Internationale Beiträge zu einer praxis-orientierten Forschungsrichtung. Frauenfeld: Huber.
Hollmann, H.
1968. Die hierarchische Gliederung des Stadtgebietes. In Akademie für Raumforschung und Landesplanung, Die Gliederung des Stadtgebietes. Hannover: Jänecke, 1–17.
Hübner-Funk, S.
1978. Hauptschüler auf Lehrstellensuche in verschiedenen städtischen Umwelten. Demokratische Erziehung, 4, 389–397.
Hübner-Funk, S.
1979. Berufliche Orientierungshilfen von Schule und Arbeitsamt. Ergebnisse einer empirischen Studie zum Berufsfindungsprozeß von Hauptschülern. Zeitschrift für Pädagogik, 25, 747–766.
Humphreys, A. J.
1966. New Dubliners: Urbanization and the Irish family. London: Routledge.
Hurrelmann, K./Ulich, D. (Eds.)
1980. Handbuch der Sozialisationsforschung. Weinheim: Beltz.

Ilien, A./Jeggle, U.
1978. Leben auf dem Dorf. Zur Sozialgeschichte des Dorfes und Sozialpsychologie seiner Bewohner. Opladen: Westdeutscher Verlag.
Inkeles, A./Smith, D. H.
1974. Becoming modern. Individual change in six developing countries. Cambridge/Mass.: Harvard University Press.
Innerhofer, F.
1974. Schöne Tage. Salzburg: Residenz Verlag.
Institut für Schulbau
1977. Untersuchungen zur Qualität gebauter Schulumwelt. Interdisziplinäre Analyse der Zusammenhänge von Baustruktur und Lehr- und Lernprozeßen an den Modellschulen Markdorf, Osterbarken und Weinheim. Villingen-Schwenningen: Neckar-Verlag.
Institut für Sozialforschung
1956. Soziologische Exkurse. Frankfurt: Europäische Verlagsanstalt.

Ipsen, G. (Ed.)
1959. Daseinsformen der Großstadt. Typische Formen sozialer Existenz in Stadtmitte, Vorstadt und Gürtel der industriellen Großstadt. Tübingen: Mohr.
Irle, M.
1960. Gemeindesoziologische Untersuchungen zur Ballung Stuttgart. Bad Godesberg: Selbstverlag der Bundesanstalt für Landeskunde und Raumforschung.

Jacobs, J.
1971. Tod und Leben großer amerikanischer Städte. Gütersloh: Bertelsmann.
Jaeggi, U.
1965. Berggemeinden im Wandel. Eine empirisch – soziologische Untersuchung in vier Gemeinden des Berner Oberlandes. Bern: Haupt.
Jahoda, M./Lazarsfeld, P. F./Zeisel, H.
[2]1960. Die Arbeitslosen von Marienthal. Ein soziographischer Versuch mit einem Anhang zur Geschichte der Soziographie. Allensbach: Verlag für Demoskopie ([1]1935).

Kaminski, G.
1973. Umweltschutz aus der Sicht der Psychologie. Umschau in Wissenschaft und Technik, 73, 240–242.
Kaminski, G. (Ed.)
1976. Umweltpsychologie. Perspektiven, Probleme, Praxis. Stuttgart: Klett.
Kaufmann, F. X. (Ed.)
1979. Bürgernahe Sozialpolitik. Planung, Organisation und Vermittlung sozialer Leistungen auf lokaler Ebene. Frankfurt: Campus.
Keim, K. D.
1979. Milieu in der Stadt. Ein Konzept zur Analyse älterer Wohnquartiere. Stuttgart: Kohlhammer.
Keupp, H. (Ed.)
1974. Verhaltensstörungen und Sozialstruktur. Epidemiologie: Empirie, Theorie, Praxis. München: Urban & Schwarzenberg.
Kießler, O./Korte, H. (Eds.)
1975. Soziale Stadtplanung. Das Städtebauförderungsgesetz – Sozialwissenschaftliche Analysen, Sozialpolitische Forderungen. Düsseldorf: Bertelsmann.
Klages, H.
[1]1958. Der Nachbarschaftsgedanke und die nachbarliche Wirklichkeit in der Großstadt. Stuttgart: Kohlhammer ([2]1968).
Klockhaus, R.
1975. Einstellung zur Wohnumgebung. Empirische Studie an zwei Wohnarealen in Nürnberg-Langwasser. Göttingen: Hogrefe.
Klostermann, M.
1976. Auroville. Stadt des Zukunftsmenschen. Frankfurt: Fischer.
König, H./Schmittmann, R.
1976. Zur Ökologie der Schule. Eine öko-psychologische Untersuchung zum Einfluß von Schulbauten auf Lehr- und Lernprozesse. München: Verlag Dokumentation.
Kruse, L.
1974. Räumliche Umwelt. Die Phänomenologie des räumlichen Verhaltens als Beitrag zu einer psychologischen Theorie der Umwelt. Berlin: de Gruyter.
Kruse, L.
1975. Crowding. Dichte und Enge aus sozialpsychologischer Sicht. Zeitschrift für Sozialpsychologie, 6, 2–30.

Kruse, L.
1979. Privatheit. In L. H. Eckensberger (Ed.), Bericht über den 31. Kongreß der Deutschen Gesellschaft für Psychologie in Mannheim 1978, Bd. 1. Göttingen: Hogrefe, 485–487.
Kuthe, M./Lange, M./Reinhardt, K.
1980. Sozialstruktur und deren Veränderung in den beiden Versuchsgebieten „Markgrafenstraße" und „Staader Berg". Begleituntersuchungen zum Modellversuch Konstanz: Erprobung eines Mehrkammer-Müll-Systems in der Stadt Konstanz. Universität Konstanz (mimeogr.)

Lamb, M. E.
1976. The role of the father in child development. New York: Wiley.
Lange, M.
1979. Stabilität und Wandel sozial-räumlicher Verteilungen II. Quer- und Längsschnittuntersuchung zur räumlichen Ausprägung der Sozialstruktur auf unterschiedlichen Aggregatsstufen am Beispiel der Stadt Konstanz: Universität Konstanz: unveröff. Diplomarbeit.
Lantermann, E.-D.
1974. Solidarität und Wohnen. Darmstadt: Steinkopff.
Lempert, W.
1977. Untersuchungen zum Sozialisationspotential gesellschaftlicher Arbeit. Berlin: Max-Planck-Institut für Bildungsforschung. Materialien aus der Bildungsforschung, Nr. 12.
Lempert, W./Hoff, E./Lappe, L.
1979. Konzeptionen zur Analyse der Sozialisation durch Arbeit. Berlin: Max-Planck-Institut für Bildungsforschung. Materialien aus der Bildungsforschung, Nr. 14.
Lippitz, W.
1980. „Lebenswelt" oder die Rehabilitierung vorwissenschaftlicher Erfahrung. Ansätze eines phänomenologisch begründeten anthropologischen und sozialwissenschaftlichen Denkens in der Erziehungswissenschaft. Weinheim: Beltz.
Loring, W.
1956. Housing characteristics and social organization. Social Problems, 3, 160–168.
Loring, W.
1964. Residential environment: Nexus of personal interactions and healthful development. Journal of Health and Human Behavior, 5, 166–169.
Luckmann, Th.
1980. Zum hermeneutischen Problem der Handlungswissenschaften. In H. R. Jauß/M. Fuhrmann (Eds.), Theologie, Jurisprudenz und Literaturwissenschaft im hermeneutischen Gespräch. München: Fink, 513–523.
Lukesch, H.
1976. Elterliche Erziehungsstile. Psychologische und soziologische Bedingungen. Stuttgart: Kohlhammer.
Lukesch, H./Perrez, M./Schneewind, K. A. (Eds.)
1980. Familiäre Sozialisation und Intervention. Bern: Huber.

Mayntz, R.
1958. Soziale Schichtung und sozialer Wandel in einer Industriegemeinde. Eine soziologische Untersuchung der Stadt Euskirchen. Stuttgart: Enke.
McKenzie, R. D.
1967. The ecological approach to the study of the human community. In R. E. Park/E. W.

Burgess/R. D. McKenzie, The City. Chicago: The University of Chicago Press, 63–79.
Meili, R./Steiner, H.
1965. Eine Untersuchung zum Intelligenzniveau Elfjähriger der deutschen Schweiz. Schweizerische Zeitschrift für Psychologie, 24, 23–32.
Mitchell, R. E.
1970. Personal, family and social consequences arising from high density housing in Hong Kong and other major cities in Southeast Asia. Mimeo prepared for Environmental Control Administration of Health Education and Welfare and the American Public Health Association.
Mitchell, R. E.
1971. Some social implications of high density housing. American Sociological Review, 36, 18–29.
Mitscherlich, A.
1965. Die Unwirtlichkeit unserer Städte. Anstiftung zum Unfrieden. Frankfurt: Suhrkamp.
Mittelstraß, J.
o. J. Sozialwissenschaften im System der Wissenschaft. In M. Timmermann (Ed.), Sozialwissenschaften. Konstanz: Universitätsverlag, 173–189.
Montada, L. (Ed.)
1979 a. Brennpunkte der Entwicklungspsychologie. Stuttgart: Kohlhammer.
Montada, L.
1979 b. Trends und Perspektiven der Forschung. In L. Montada (Ed.), 11–30.
Moos, R. H.
1979. Evaluating educational environments. San Francisco: Jossey-Bass.
Moos, R. H./Insel, P. M. (Eds.)
1974. Issues in social ecology: Human milieus. Palo Alto: National Press Books.
Morris, T.
1957. The criminal area. A study in social ecology. London: Routledge.
Muchow, M./Muchow, H. H.
[1]1935. Der Lebensraum des Großstadtkindes. Bensheim: päd extra ([2]1978).
Müller, E. H./Rehm, W./Nußbaum, R.
1971. Politikunterricht und Gesellschaftskunde in der Schule. Ulm: Süddeutsche Verlagsgesellschaft.

Neidhardt, F.
1968. Schichtenspezifische Elterneinflüße im Sozialisationsprozeß. In G. Wurzbacher (Ed.), Die Familie als Sozialisationsfaktor. Stuttgart: Enke, 174–201.
Nowack, W./Abele, A.
1979. Beiträge der interaktionistischen Psychologie zu umweltorientierter Forschung. In H. Walter/R. Oerter (Eds.), 134–145.

Oevermann, U./Kieper, M./Rothe-Bosse, M./Schmidt, M./Wienskowski, P.
1976. Die sozialstrukturelle Einbettung von Sozialisationsprozessen: Empirische Ergebnisse zur Ausdifferenzierung des globalen Zusammenhangs von Schichtzugehörigkeit und gemessener Intelligenz sowie Schulerfolg. Zeitschrift für Soziologie, 5, 167–199.
Ortmann, H.
1971. Arbeiterfamilie und sozialer Aufstieg. München: Juventa.
Otterstädt, H.
1962. Untersuchungen über den Spielraum von Vorortkindern einer mittleren Stadt. Psychologische Rundschau, 13, 275–287.

Papoušek, H.
1977. Individual differences in adaptive processes of infants. In A. Oliverio (Ed.), Genetics, environment and intelligence. Elsevier: North – Holland Biomedical Press, 269–283.
Pearlin, L. J./Kohn, M. L.
1966. Social class, occupation and parental values. A crossnational study. American Sociological Review, 31, 466–479.
Peisert, H.-G.
1967. Soziale Lage und Bildungschancen in Deutschland. München: Piper.
Pfeil, E.
1955. Das Großstadtkind. Stuttgart: Klett.
Pfeil, E.
1963. Zur Kritik der Nachbarschaftsidee. Archiv für Kommunalwissenschaften, 2, 39–54.
Pfeil, E.
1965. Die Familie im Gefüge der Großstadt. Zur Sozialtopographie der Stadt. Hamburg: Christians.
Pfeil, E.
[2]1972. Großstadtforschung. Entwicklung und gegenwärtiger Stand. Hannover: Jänecke.

Rolff, H.-G./Hansen, G./Klemm, K./Tillmann, K.-J.
1980. Jahrbuch der Schulentwicklung. Daten, Beispiele und Perspektiven. Band 1. Weinheim: Beltz.
Roth, H.
[5]1968. Kind und Geschichte: Psychologische Voraussetzungen des Geschichtsunterrichts in der Volksschule. München: Koesel.
Russig – Kallfass, S.
1977. Handlungsspielräume kommunaler Schulentwicklungsplanung. Zur Theorie und Praxis dezentraler Schulpolitik. Weinheim: Beltz.

Sachverständigen-Kommission
1975. Bericht über die Lage der Psychiatrie in der Bundesrepublik Deutschland – Zur psychiatrischen und psychotherapeutisch/psychosomatischen Versorgung der Bevölkerung. Bonn/Bad Godesberg: Heger.
Sarason, S. B.
1974. The psychological sense of community. Prospects for a community psychology. San Francisco: Jossey-Bass.
Schmid, R. (Ed.)
1968. Das Ende der Städte? Über die Zukunft der menschlichen Umwelt. Strukturen – Systeme – Pro(vo)gramme. Stuttgart: Krämer.
Schmitt, R. C.
1963. Implications of density in Hong Kong. Journal of the American Institute of Planners, 24, 210–217.
Schmitz-Scherzer, R.
1974. Sozialpsychologie der Freizeit. Bericht über den Stand der Freizeitforschung in Soziologie und Psychologie. Stuttgart: Kohlhammer.
Schneewind, K. A./Herrmann, T. (Eds.)
1980. Theorien und Anwendung der Psychologie elterlichen Erziehungsverhaltens. Bern: Huber.
Schoggen, M. P./Barker, R. G.
1974. The ecological psychology of adolescents in an American and an English town. In

H. Thomae/T. Endo (Eds.), The adolescent and his environment. Basel: Karger, 12–23.
Schorr, A. L.
1970. Housing and its effect. In H. M. Proshansky/W. H. Ittelson/L. G. Rivlin (Eds.), Environmental Psychology. New York: Holt, 319–330.
Schubert, H. A.
1977 a. Nachbarschaft, Entfremdung und Protest. Welche Chancen haben Gemeinschaftsinitiativen in modernen Gesellschaften? Freiburg: Alber.
Schubert, H. A.
1977 b. Soziologie städtischer Wohnquartiere. Frankfurt: Campus.
Schultz – Gambard, J.
1979. Crowding. Erleben von Dichte und Enge. In L. H. Eckensberger (Ed.), Bericht über den 31. Kongreß der Deutschen Gesellschaft für Psychologie in Mannheim 1978, Bd. 1. Göttingen: Hogrefe, 490–491.
Schwab, J. J./Schwab, M. E.
1978. Sociocultural roots of mental illness. An epidemiologic survey. New York: Plenum.
Schweizerischer Nationalfonds zur Förderung der wissenschaftlichen Forschung
1978. Nationales Forschungsprogramm „Regionalprobleme in der Schweiz. Namentlich in den Berg- und Grenzgebieten", Ausführungsplan. Bern.
Seedorf, W./Seraphim, H.-J. (Eds.)
1933. Johann Heinrich von Thuenen zum hundertfünfzigsten Geburtstag. Versuch der Würdigung einer Forscherpersönlichkeit. Rostock: Hirnstorff.
Shaw, C. R./McKay, H. D.
^{2}1969. Juvenile delinquency and urban areas. A study of dates of delinquency in relation to differential characteristics of local communities in American cities. Chigaco: The University of Chicago Press.
Shaw, C. R./Zorbaugh, H. W./McKay, H. D./Cotrell, L. S.
1929. Delinquency areas. Chicago: The University of Chicago Press.
Sprenger, R.-U.
1979. Beschäftigungseffekte der Umweltpolitik. Berlin: Duncker.
Staatskanzlei des Kantons Luzern
1977. Bericht des Regierungsrates des Kantons Luzern an den Grossen Rat, zur „Volksinitiative für die Schaffung von Regionen".
1978. Bericht des Regierungsrates an die Stimmberechtigten des Kantons Luzern zur Volksabstimmung vom 24. September 1978, zur „Volksinitiative für die Schaffung von Regionen".
Steinkamp, G./Stief, W. H.
1978. Lebensbedingungen und Sozialisation. Die Abhängigkeit von Sozialisationsprozessen in der Familie von ihrer Stellung im Verteilungssystem ökonomischer, sozialer und kultureller Ressourcen und Partizipationschancen. Opladen: Westdeutscher Verlag.

Tillmann, K.-J./Bussigel, M./Philipp, E./Rösner, E.
1979. Kooperative Gesamtschule – Modell und Realität. Eine Analyse schulischer Innovationsprozesse. Weinheim: Beltz.
Thoma, P.
1978. Psychische Erkrankung und Gesellschaft. Eine medizinsoziologische Analyse. Frankfurt: Campus.
Thomae, H.
1972 a. Familie und Sozialisation. In C. F. Graumann (Ed.), Sozialpsychologie. 7. Band des Handbuches der Psychologie, 2. Halbband. Göttingen: Hogrefe, 778–824.

Thomae, H.
1972 b. Soziale Schichten als Sozialisationsvariablen. In C. F. Graumann (Ed.), 748–777.
Thomas, W. I./Thomas, D. S.
1928. The child in America. New York: Knopf.
Treinen, H.
1974. Symbolische Ortsbezogenheit. In P. Atteslander/B. Hamm (Eds.), Materialien zur Siedlungssoziologie. Köln: Kiepenheuer, 234–259.
Trudewind, C.
1975. Häusliche Umwelt und Motiventwicklung. Göttingen: Hogrefe.

Vaskovics, L. A.
1979. Residentiale Segregation alter Menschen und ihre sozialen Folgen. In B. Hamm (Ed.), Lebensraum Stadt. Frankfurt: Campus, 35–47.
Vaskovics, L. A. (Ed.)
1981. Sozialökologische Einflußfaktoren familialer Sozialisation. Stuttgart: Enke (im Druck).
Vesper, G.
1979. Nördlich der Liebe und südlich des Hasses. München: Hanser.
Vontobel, J.
1970. Leistungsbedürfnis und soziale Umwelt. Zur sozio-kulturellen Determination der Leistungsmotivation. Bern: Huber.
Vontobel, J.
1976. Zum Bischpil X–Wil. Eine Gemeindestudie. Menschliche Umwelt im Wandel. Zürich: Schulthess.

Walter, H.
1971. Schulökologie. Zur Dimensionierung schulischer Sozialisationsverhältnisse. Universität Konstanz, Zentrum I Bildungsforschung: Forschungsbericht 18.
Walter, H. (Ed.)
1973. Sozialisationforschung. Bd. I. Erwartungen, Probleme, Theorieschwerpunkte. Stuttgart: frommann-holzboog.
Walter, H. (Ed.)
1975. Sozialisationsforschung, Bd. III. Sozialökologie – neue Wege in der Sozialisationsforschung. Stuttgart: frommann-holzboog.
Walter, H.
1977 a. Zur Perspektive des „ökologischen Bruchs" im Rahmen einer „life-span developmental psychology". In W. H. Tack (Ed.), Bericht über den 30. Kongreß der Deutschen Gesellschaft für Psychologie in Regensburg 1976, Bd. 1. Göttingen: Hogrefe, 195–196.
Walter, H.
1977 b. ISEP-Diskussionsvorlage: Erste Überlegungen zu einem Projekt „Arbeitswelt, Elternschaft, kindliche Sozialisation". Universität Konstanz (mimeogr.).
Walter, H.
1979. Ökologie und Entwicklung. Zur Standortbestimmung des Konstanzer Symposions. In H. Walter/R. Oerter (Eds.), Ökologie und Entwicklung. Donauwörth: Auer, 10–32.
Walter, H.
1980. Ökologische Ansätze in der Sozialisationsforschung. In K. Hurrelmann/D. Ulich (Eds.), Handbuch der Sozialisationsforschung. Weinheim: Beltz, 285–298.

Walter, H./Oerter, R. (Eds.)
1979. Ökologie und Entwicklung. Mensch-Umwelt-Modelle in entwicklungspsychologischer Sicht. Donauwörth: Auer.
Wegner, T.
1979. Arbeitsbedingungen und familiale Erziehung. Zusammenhänge von familialer Sozialisation und beruflicher Erfahrung – gesellschaftliche Aspekte bei der Erziehung zu autonomem Verhalten. Frankfurt: Haag.
Welz, R.
1979. Selbstmordversuche in Mannheim 1966–1975. Eine epidemiologische Untersuchung über Häufigkeit und regionale Verteilung von Selbstmordversuchen. Göttingen: unveröff. Dissertation.
Werbik, H.
1978. Handlungstheorien. Stuttgart: Kohlhammer.
Wiehn, E. R./Birner, J. M./Mausch, H./Schumacher, K.
1977. Umweltsoziologische Theorieversuche. Der Recycling-„Modellversuch Konstanz" in sozialwissenschaftlicher Perspektive. Universität Konstanz (mimeogr.).
Wilken, M.
1973. Hospitalisationsrisiko und Gemeindestruktur. Ergebnisse einer ökologischen Untersuchung der Einweisungen aus dem Gebiet der Stadt Düsseldorf in das Landeskrankenhaus Düsseldorf-Grafenberg. Kölner Zeitschrift für Soziologie und Sozialpsychologie, 25, 319–335.
Wilner, D. M./Baer, W. G.
1970. Sociocultural factors in residential space. Mimeo prepared for Environmental Control Administration of the Department of Health, Education and Welfare and the American Public Health Association.
Wirtz, R.
1978 a. Arbeitsprozesse in der Buchdruckerei und Buchbinderei Franz Xaver Forster in Konstanz, Haus 701 (heute Kanzleistraße 24) im Jahre 1832. (Eine sozialhistorische Dokumentenstudie.) Universität Konstanz (mimeogr.).
Wirtz, R.
1978 b. On the historicization of theories of socialization. Universität Konstanz (mimeogr.).
Wurzbacher, G./Pflaum, R.
1961. Das Dorf im Spannungsfeld industrieller Entwicklung. Untersuchung an den 45 Dörfern und Weilern einer westdeutschen ländlichen Gemeinde. Stuttgart: Enke.

Zang, G. (Ed.)
1978. Provinzialisierung einer Region. Zur Entstehung der bürgerlichen Gesellschaft in der Provinz. Frankfurt: Syndikat.
Zinnecker, J.
1978. Recherchen zum Lebensraum des Großstadtkindes. Eine Reise in verschüttete Lebenswelten und Wissenschaftstraditionen. In M. Muchow / H. H. Muchow, Der Lebensraum des Großstadtkindes. Bensheim: paed extra.
Zoll, R. et al.
1974. Wertheim III. Kommunalpolitik und Machtstruktur. München: Juventa.

Intelligenz und regionale Herkunft

Eine Längsschnittstudie im Kanton Bern

Martin Vatter

1. Ausgangspunkt der Untersuchung

Im Zusammenhang mit der Diskussion um das „Nachwuchsproblem" und die „Begabungsreserven", beziehungsweise die „Begabungsförderung", führte *Meili* 1963/64 eine breitangelegte Untersuchung über das Intelligenzniveau von 11jährigen Schweizer Kindern durch. Deren Hauptergebnisse ließen sich – unter dem *regionalen* Aspekt – wie folgt zusammenfassen (*Meili/Steiner* 1965, 31f.):

„1. Das Leistungsniveau in allen Tests" (verwendet wurde der AIT und 2 Schultests) „ist um so niedriger, je weniger eine Gegend von Verkehr und Industrie, den Hauptmerkmalen der technischen Zivilisation, berührt wird".

2. Diese Beziehung „ist aber für die Intelligenztests weniger ausgeprägt als für die Schultests . . ."

„5. Die Unterschiede zwischen den Regionen und den Berufen" (= Sozialschichten) „bestehen unabhängig voneinander. Der Einfluß des sozialen Status auf das Intelligenzniveau ist bedeutsamer als jener der Region . . ."

Im Anschluß an diese Untersuchungsergebnisse wurde der Entschluß gefaßt, einen Teil der 1963/64 erfaßten Kinder vor ihrer Entlassung aus der Schulpflicht nochmals – und diesmal mit zusätzlichen Methoden – zu untersuchen, um so Aufschlüsse über Bedingtheit und Konstanz der festgestellten Intelligenzunterschiede in unseren deutsch-schweizerischen Verhältnissen zu erhalten[1].

Damit sind einerseits Ausgangspunkt und Zielsetzung unserer Untersuchung charakterisiert. Andererseits ist damit auch gesagt, daß wir nicht nur die Intelligenzunterschiede (bzw. deren Aufschlüsselung und Verursachungszusammenhänge) zwischen Kindern aus verschiedenen Regionen, sondern auch die intellektuellen Differenzen zwischen Kindern aus verschiedenen Sozialschichten untersucht haben. Im folgenden soll jedoch – entsprechend der Zielsetzung dieses Sammelbandes – ausschließlich von ersteren die Rede sein[2].

2. Theoretischer Hintergrund

Von der Zielsetzung unseres Projekts her drängt sich eine theoretische Standortbestimmung in dreierlei Hinsicht auf: in bezug auf den verwendeten Intelligenzbegriff, hinsichtlich unserer Stellung zur Anlage-Umwelt-Frage (bzw. hinsichtlich der dahinterstehenden ideologischen Position) und bezüglich des Modells, das wir der Entstehung der untersuchten Gruppen-Unterschiede zugrundelegen.
Zum *Intelligenzbegriff:* Eingedenk der u. E. großteils berechtigten Kritik am traditionellen Intelligenzbegriff, der sich vom stark sprachgebundenen Binet-Simon bzw. von den faktorenanalytischen Konzepten der englisch-amerikanischen Schule herleitet, stützten wir uns auf die Intelligenztheorie *Meilis*. Sie ist eine der wenigen ausformulierten und faktorenanalytisch untermauerten Intelligenztheorien, die nicht vom Materialaspekt her, sondern denkpsychologisch konzipiert ist und von Anfang an Kreativitätsaspekte miteinbezogen hat. Hauptcharakteristikum der Intelligenz ist nach dieser Auffassung die *Umformung:* Die Ausgangsordnung eines Denkakts, d. h. die Frage oder Problemsituation, wird in eine Endordnung der Antwort oder Lösung umgeformt. Dabei gibt es 4 grundlegende Intelligenzfaktoren, die jeweils alle in jeden Intelligenzakt in unterschiedlichem Stärkeverhältnis eingehen, wobei auch der eine oder andere sekundäre Materialfaktor beteiligt sein kann. Wechselwirkungen zwischen Prozeßfaktoren und Materialarten sind ebenfalls möglich[3].
Obschon diese 4 Faktoren als grundlegend postuliert sind, sagt dieses Intelligenzkonzept an sich nichts darüber aus, inwieweit das individuelle Niveau der intellektuellen Prozesse und das für ein Individuum spezifische Zusammenwirken der Faktoren durch Anlage oder Umwelt determiniert sind, bzw. in welcher Weise das Zusammen- und Ineinanderwirken dieser beiden Beeinflussungs-Konzepte erfolgt. Um aber unser weiter unten skizziertes theoretisches Modell, von dem aus unsere Befunde ja nicht nur interpretiert, sondern auch „produziert" (nach *Holzkamp* 1972) wurden, transparenter zu machen, sei nachfolgend auch dessen ideologische Verankerung sowie unsere Position in der (für diese Art Forschung so entscheidenden) *Anlage-Umwelt-Frage* in aller Kürze gekennzeichnet. Beides – ideologisch-politische Einstellung und Einschätzung des Anlage- und Umwelt-Anteils in der Intelligenzentwicklung – sowie das Arbeitsgebiet eines Forschers schien uns, nach einer detaillierten Analyse der bisherigen Befunde [4], eng und in bezeichnender Weise verknüpft[5].
Unseren Ansatz haben wir aus einer Haltung heraus gewählt, die am ehesten als *„interaktionistisch"*[6] charakterisiert werden kann. Wegweisend war die Überzeugung, daß die gegenwärtige, unserer westlichen Gesellschaft eigentümliche Verknüpfung zwischen der intellektuellen Ungleichheit und der Status-Ungleichheit

bezüglich der Verfügung über ökonomische Mittel, Prestige und Macht – eine Verknüpfung, die für die heranwachsende Generation zu der sattsam bekannten Kovariation ungünstiger Entwicklungsbedingungen mit ungünstigen genetischen Voraussetzungen führt – in Richtung auf einen Chancen-Ausgleich verändert werden muß[7]. Diese Überzeugung war begleitet von der Einsicht, daß entsprechende Maßnahmen ein Wissen darüber voraussetzen, welche Umwelt-Faktoren (oder welche – wie beeinflußte bzw. wie beeinflußbare? – Persönlichkeitsfaktoren) wirksam die intellektuelle Entwicklung modifizieren. Daß diese Entwicklung dabei nicht nur quantitativ im Sinne eines allgemeinen intellektuellen Leistungsniveaus (IQ), sondern qualitativ differenziert erfaßt werden mußte, ergab sich von der durch uns vertretenen Intelligenztheorie her gleichsam von selbst.

Zusätzlich zu diesen Überlegungen verschafften wir uns einen Überblick über diejenigen empirischen Befunde, die bisher zu den Intelligenz-Differenzen zwischen Kindern aus verschiedenen Sozialschichten und Regionen vorliegen; unser Entwurf eines diesbezüglichen Erklärungsmodells beinhaltet somit ebenfalls das Ergebnis dieser Durchsicht[8]. Im folgenden sollen zwei Schlüsselbegriffe – jeder einen bestimmten Erklärungsansatz darstellend – aus der Diskussion um die Befunde zu den *regionalen* Intelligenzdifferenzen herausgegriffen werden:

- In der *Stimulations-Hypothese* wird das Zustandekommen dieser Intelligenzdifferenzen, die dann meist als Unterschiede zwischen ländlicher und städtischer Bevölkerung begriffen werden, ausschließlich unterschiedlichen Umwelteinflüssen zugeschrieben[9].
- Die *Vererbungs-Selektions-Mobilitäts-Hypothese* hingegen postuliert einerseits eine maßgebliche Mitwirkung von Anlage- bzw. Vererbungsfaktoren bei der Intelligenzentwicklung, andererseits, daß in bezug auf „Testintelligenz" in der Regel eine positive Selektion vom Land in die Stadt abwandert[10].

In unserem Erklärungsversuch verschrieben wir uns weder der einen noch der anderen These, sondern versuchten, eine *integrierte Theorie zur Genese der Intelligenzdifferenzen zwischen soziologisch verschiedenen Gruppen* zu entwerfen, indem wir die uns bekannten relevanten Forschungsergebnisse von einem definierten Standpunkt aus in eine „globale Gesamtschau" integrierten, wobei wir in eklektischer Weise bei verschiedenen „Schulen" Anleihen machten. Aus Platzgründen können wir im folgenden diesen Entwurf und die daraus abgeleiteten Fragestellungen und Hypothesen nicht in extenso darstellen, sondern lediglich – gleichsam fragmentarisch – einige Hauptpunkte herausstellen (vgl. *Vatter* 1975). Diese Punkte sind, unter besonderem Bezug auf die Genese der Intelligenzdifferenzen zwischen Kindern aus verschiedenen Regionen, folgende:

- Die intellektuelle Entwicklung des Kindes wird durch ineinanderwirkende *Anlage-* (und damit z. T. Vererbungs-) und *Umwelt-*Faktoren sowie durch das daraus resultierende *Verhalten* des Kindes selbst bestimmt.

- Bei den psychologisch wirkenden dynamischen Umweltkräften lassen sich theoretisch Faktoren der *spezifischen* und der *allgemeinen* Stimulation[11] auseinanderhalten.
- Der *allgemeinen Stimulation* entspricht die Art und Abfolge der Situationen, die das Kind erlebt. Diese Situationen sind um so verschiedenartiger und folgen sich um so rascher, je „urbaner" ein Umwelt-Kontext ist, wobei sich der psychologisch relevante Urbanitätsgrad einer Region in bezug auf verschiedene Variablen charakterisieren läßt. Grundsätzlich gilt: je verschiedener die Situationen sind und je rascher sie sich folgen, aber auch je intensiver die Interaktion zwischen Individuum und sozialer Umwelt ist (namentlich die verbale), desto besser entwickeln sich bestimmte Dimensionen der Intelligenz.
- Unter *spezifischer Stimulation* verstehen wir folgendes: Durch die spezifischen Anforderungen der Umwelt, denen sich das Kind gegenüber sieht, durch die Erwartungen, Haltungen und Wertungen, deren Ausdruck das Kind in seiner Umwelt erlebt, werden schon früh Grundeinstellungen des Kindes geprägt[12]. Diese Einstellungen, bzw. die sie bestimmenden Einflüsse, variieren nicht nur unter den sozialen Schichten, sondern weisen innerhalb zweckmäßig abgegrenzter Regionen Gemeinsamkeiten auf. Diese Einstellungen beeinflussen nicht nur das Verhalten eines Kindes in der Testsituation, sondern aufgrund dieser Einstellungen (vor allem der internalisierten Wertungen gegenüber Wissen und Problemlösen) und der verinnerlichten Gütemaßstäbe entwickelt das Kind spezifische Motivationen, die ihrerseits wieder zu einem bestimmten Verhalten in kognitiven Lern-Situationen führen. Dabei besteht eine besondere Beziehung zwischen Leistungsstreben/Leistungsmotivation und intellektueller Entwicklung[13].
- Das Kind interagiert in ständiger Wechselbeziehung – je älter desto stärker – selektiv und modifizierend mit seiner Umwelt, was im wesentlichen heißt, daß es unter den ihm offenstehenden Lern-Möglichkeiten die einen nutzt, die anderen aber ungenutzt läßt, oder sich bestimmte Lernsituationen aktiv neu schafft[14]; dieser Prozeß kann als ein in seinem Wesen *dialektischer* Prozeß verstanden werden.[15]. So bestimmt das Eigenverhalten des Kindes maßgeblich mit, was, wieviel und wie rasch das Kind lernt. Besonders in den symbolischen (und damit in den „schulischen") Intelligenzfunktionen macht das Kind aber nur dann Lernfortschritte, wenn diejenigen Lernerfahrungen, welche diese späteren Lernfortschritte erst ermöglichen, vorher vom Kinde gemacht worden sind. Die symbolischen Intelligenzfunktionen sind gerade auch deshalb durch Lernerfahrungen stärker modifizierbar[16].
- Eine in der Stadt zu findende Konzentration „stadtadäquater" Abwanderer (verbaler oder technischer Begabungsakzent, Aufstiegsmotivation, Beweglichkeit) in der Eltern- (oder Vorfahren-)Generation verstärkt – durch entspre-

chende Vererbung – möglicherweise die quantitativen und/oder qualitativen Intelligenz-Unterschiede zwischen Regionen entlang dem Urbanitätskontinuum; dieser Selektions-Vererbungs-Mechanismus wirkt aber kaum generell[17].

Für unseren Untersuchungsbereich nahmen wir aufgrund einer Voranalyse der Resultate aus *Meilis* Untersuchung von 1963/64 an (*Vatter* 1966), daß die intellektuellen Unterschiede zwischen Kindern aus verschiedenen Regionen in erster Linie den Unterschieden in der allgemeinen Stimulation, in geringerem Maße Faktoren der Selektion/Vererbung sowie der spezifischen Stimulation zuzuschreiben sind.

3. Fragestellung

Von den skizzierten theoretischen Überlegungen aus drängten sich drei Fragenkomplexe auf, welche sich trotz der methodologischen Beschränkungen, denen wir unterworfen waren (nur Kollektivtests, keine Beobachtungen und Interviews), untersuchen ließen:

- Wie haben sich die Intelligenz-Differenzen zwischen den regional verschiedenen Gruppen der Elfjährigen im Laufe der 2. Hälfte der Schulzeit verändert? Welche Schlüsse in bezug auf die Wirkung von Bedingungsfaktoren lassen sich aus den gefundenen Veränderungen ziehen?
- Lassen sich die theoretisch postulierten Leistungsmotivations-Unterschiede[18] in der erwarteten Richtung und ihr Zusammenhang mit den Intelligenzunterschieden nachweisen; und, wenn ja, in welcher Stärke?
- Für welche Faktoren der theoretisch postulierten allgemeinen und spezifischen Stimulation kann sowohl ein Zusammenhang mit den (auch qualitativ verstandenen) Intelligenz-Unterschieden in den untersuchten Regionen als auch ein Zusammengehen mit der interindividuellen Intelligenzvariation belegt werden?

Im Blick auf diese drei Haupt-Fragestellungen operationalisierten wir unsere theoretischen Annahmen in einem Hypothesenkatalog (vgl. oben).

Eine weitere, nicht aus der Theorie abgeleitete und damit nicht auf derselben Ebene liegende Frage bezog sich vor allem auf die „Echtheit" der gefundenen Intelligenz-Unterschiede zwischen den Regionen[19]: Sind die gefundenen intellektuellen Unterschiede zwischen den Regionen etwa in dem Sinne Artefakte, als die Land- und vor allem die Bergkinder wegen mangelnder Test-Sophistication, bzw. größerer Prüfungsängstlichkeit in der Untersuchungssituation, bei einer einmaligen Intelligenztest-Aufnahme schlechter abschneiden[20]?

4. Methodisches Vorgehen

4.1. *Stichprobengröße und Abgrenzung der Herkunftsregionen*

Von den ursprünglichen durch *Meili/Steiner* erfaßten, damals elfjährigen deutschsprachigen Schweizer Kindern wurden von uns 4 Jahre später ausschließlich die Kinder aus dem Kanton Bern untersucht. (Der Kanton Bern umfaßte damals eine Fläche von 6883 km^2 und eine Wohnbevölkerung von ca. 1 Million Einwohner). Von diesen in der Erstuntersuchung erfaßten Berner Kindern konnten ca. 4/5 wieder untersucht werden, so daß sich ein N von 416 ergab. Die beiden Geschlechter waren in dieser Stichprobe zu gleichen Teilen vertreten. Das Alter der Kinder zum Zeitpunkt der Untersuchung schwankte zwischen 15;3 und 16;3 Jahren; sie besuchten mehrheitlich das 9. und z. T. das 8. (Repetenten) Schuljahr[21].

In der Erstuntersuchung von *Meili* war das Gebiet der deutschen Schweiz in fünf verschiedene Regionen eingeteilt worden; für jede dieser Regionen waren dann besonders repräsentative Schulorte ausgewählt worden, wo die Schüler eines bestimmten Jahrgangs untersucht wurden. Aufgrund einer soziologischen Analyse[22] mußten wir die Herkunftsorte der Berner Kinder neu in vier Regionen unterteilen, die sich wie folgt charakterisieren lassen (vgl. auch Tabelle 1):

R_1 = Stadt: 121 Vpn (= Versuchspersonen) aus 5 Gemeinden.

Die überwiegende Mehrheit der Kinder wohnte auf dem Gemeindegebiet der Stadt Bern. Bern, Hauptstadt der Schweiz und des Kantons Bern, 161 000 Einwohner, ist eine städtische Gemeinde mit Dienstleistungscharakter, hat gute Verkehrsverbindungen, besitzt eine Universität, mehrere Mittelschulen und ein ausgebautes Sonderschulsystem.

R_{2+3} = vorwiegend ländliches Mittelland: 101 Vpn aus 13 Gemeinden.

Die Mehrheit der Kinder stammte aus vorwiegend ländlichen Orten mit relativ wenig Verkehr und Industrie. Die Region ist recht heterogen, da sie eine Zusammenfassung von *Meilis* Region 2 (Mittelland ohne Verkehr und Industrie) und R 3 (Mittelland mit Verkehr und Industrie) darstellt; das bernische Mittelland umfaßt diejenige Region des Kantons Bern, die zwischen den Voralpen und dem Jura liegt und – für schweizerische Verhältnisse – relativ eben ist.

R_4 = verstädternde Fremdenverkehrsregion des Oberlandes: 109 Vpn aus 7 Gemeinden.

Fast die Hälfte der hier erfaßten Kinder kamen aus einer Gemeinde, die einen bereits weit fortgeschrittenen Verstädterungsprozeß durchgemacht hat. Nahezu alle Kinder stammen aus Ortschaften, in denen mehr als die Hälfte der Beschäftigten im Dienstleistungssektor, namentlich in Einrichtungen für den Tourismus, tätig ist. In allen hier vertretenen Gemeinden sind die Hauptorte (welche die Mehrheit

Tabelle 1: Sozialstatistische Daten zur Charakterisierung der 4 Regionen

	R_1	R_{2+3}	R_4	R_5
Mittlere Gesamteinwohnerzahl pro Gemeinde	160 000	1400	4000	1000
Bevölkerungsbewegung in den letzten 50 Jahren (in %)	+ 60	+ 8	+ 30	– 20
Bevölkerungsdichte (E./km²)	3140	130	60	20
Soziale Distanz (in %)	93	66	67	32
Reihenfolge der Erwerbszweige nach Wichtigkeit	DL I LW	LW I DL	DL I LW	LW I DL
Mittlere Wehrsteuerkopfquote (Fr)	130	33	65	17
Bahnanschluß (in %)	100	62	100	60
„Hauptstraßen"-Anschluß (in %)	100	75	84	80
Eigene weiterführende Schule	100	37	84	30
Bildungsausgaben pro Kopf (Fr)	286	98	126	94
Anteil Sekundarschüler und Gymnasiasten (in %)	47	34	41	23

Erläuterung zu Tabelle 1:

Die stark gerundeten Durchschnittswerte wurden aufgrund der Werte für die Gemeinden berechnet, welche auch für die einzelnen regionalen Charakteristiken berücksichtigt wurden. In den Bergregionen wird die *mittlere Bevölkerungsdichte* maßgeblich bestimmt durch die großen gebirgigen und unbewohnbaren Flächenanteile. Unter *sozialer Distanz* wird der Prozentsatz der Gemeindebewohner, die im Dorfkern wohnen, im Verhältnis zur Gesamteinwohnerzahl der Gemeinde verstanden; dabei ist der „Dorfkern", definiert nach den von *Jaeggi* (1965) verwendeten Kriterien, in den meisten Fällen identisch mit dem politischen Hauptort der Gemeinde. Bei den Erwerbszweigen bedeutet DL = Dienstleistungssektor, I = Industrie, LW = Landwirtschaft. Unter *mittlerer Wehrsteuerkopfquote* verstehen wir den Betrag in Fr pro Kopf der Bevölkerung, berechnet für die eidg. Wehrsteuer 1967/68 für natürliche Personen, mit Steuerausscheidungen; diese Quote stellt den aussagekräftigsten erreichbaren Indikator für das gesamte Steueraufkommen bzw. das mittlere sozioökonomische Niveau pro Region dar. Die Prozentzahlen bei *Bahnanschluß*, *„Hauptstraßen"-Anschluß* und *Schultyp* bedeuten: von den erfaßten Gemeinden verfügen . . . % über Bahnanschluß bzw. einen „Hauptstraßen"-Anschluß[23], bzw. eine eigene weiterführende Schule.

der untersuchten Kinder stellten) verkehrsmäßig gut erschlossen; bis auf eine Ausnahme befindet sich überall eine Primar- und Sekundarschule.
R_5 = *fremdenverkehrsarmes Berggebiet:* 85 Kinder aus 12 Gemeinden.
Die Kinder dieser Region stammten mehrheitlich aus Streusiedlungen in bäuerlichen Gemeinden. Fast die Hälfte der erfaßten Gemeinden verfügen über keinen Bahnanschluß, mehr als die Hälfte nur über eine Primarschule, welche in dieser Region meist nur 2–3 mehrklassige Unterrichtsgruppen umfaßt (z. B. 1.–3. Klasse zusammen, 4.–6. Klasse zusammen etc.).

4.2. *Die Durchführung der Untersuchung: Procedere und Tests*

Im Laufe eines Monats konnten alle Kinder in Gruppen von 15–20 Versuchspersonen (Vpn) – in der Regel in den von ihnen besuchten Schulen – mit den ausgewählten Kollektiv-Verfahren unter Beteiligung zweier Versuchsleiter untersucht werden. Dabei wurden folgende Tests bzw. Verfahren eingesetzt (zu den ersten drei Gruppen vgl. Abb. 1):

- Der *Analytische Intelligenztest* von *Meili (AIT)* mit seinen 6 Untertests (wie 4 Jahre zuvor)[24].
- Ein *Wortschatz-* und ein *Rechentest* für 15- bis 16jährige (entsprechend den 4 Jahre zuvor durchgeführten *schulischen* Tests).
- Je 2 *Referenztests* für die 4 *Meili*'schen Intelligenzfaktoren, insgesamt also 8 Einzeltests (vgl. Abb. 1), wobei von den Materialarten her 5 figürlich und 3 verbal sind[25].
- Der *AAT*, ein *Prüfungsängstlichkeits-Fragebogen,* nach *Alpert/Haber*[26], neu revidiert von *Hürsch* (1975).
- Das projektive *TAT-Leistungsmotivations-Meßverfahren* nach *McClelland/Heckhausen* (leicht modifiziert)[27], bei dem die Vpn zu 6 Bildern Geschichten niederschreiben müssen, die dann nach einem bestimmten Auswertungsschlüssel auf ihren leistungsthematischen Gehalt hin analysiert werden.
- Ein durch uns von unseren theoretischen Annahmen her und in gewisser Anlehnung an *Wolf*[28] konzipierter *Fragebogen zur Erfassung von Umweltvariablen*, von denen Relevanz für die Intelligenzentwicklung angenommen wurde.

Bei der Konstruktion dieses letztgenannten Fragebogens gingen wir so vor, daß wir von unserer Theorie her (vgl. oben) 10 sogenannte Prozeßvariablen als Charakteristika der dynamischen Interaktionsprozesse zwischen Individuum und psycho-sozialer Umwelt postulierten; sechs (1–6) davon ordneten wir der „allgemeinen", vier (7–10) der „spezifischen" Stimulation (vgl. oben) zu. Dazu kam noch eine Einstellungsvariable „Intellektualität". Bei der Konstruktion dieser Variablen hatten wir nicht nur deren Effekt auf die intellektuelle Entwicklung, sondern auch deren Beziehung zu Wohnregion und Sozialschicht im Auge. Zur Erfassung dieser elf Variablen[29] konstruierten wir dann konkrete Fragebogen-Items (pro Variable in unterschiedlicher Anzahl, vgl. Zusammenstellung S. 77), die wir ebenfalls den Schülern zur („subjektivistischen“) Beantwortung vorlegten. Aufgrund von Vorversuchen wurde ein endgültiger und eindeutiger Bewertungsschlüssel festgelegt (mit unterschiedlicher Gewichtung der einzelnen Fragen).

Die Faktoren-Referenztests und die nicht-kognitiven Verfahren wurden bei unseren Kindern im Alter von 15 Jahren, also bei der Zweituntersuchung, erstmals eingesetzt, so daß hier kein Vergleich mit analogen früheren Resultaten möglich war. Die Reihenfolge der einzelnen Untersuchungsteile war grundsätzlich stets dieselbe: TAT als erstes, die Intelligenztests in systematisch variierter Reihenfolge als zweites, schließlich der Prüfungsängstlichkeits- und der Prozeßvariablen-Fragebogen als letztes. In der Regel wurde die Gesamtuntersuchung, die ca. 6 Stunden in Anspruch nahm, auf zwei Halbtage verteilt.

Abbildung 1: Übersicht über die verwendeten Intelligenztests

AIT (6 Untertests)

BI Bilderreihen

ZR Zahlenreihen

5 , 8 , 11 , 14 , 17 , .
1 , 2 , 4 , 8 , 16 , .

SÄ Sätze

Knabe – Bleistift – Polizist

Aus 3 Wörtern müssen Sätze gemacht werden.

LÜ Lücken

Der fehlende Bildteil muß benannt werden.

ZE Zeichnungen

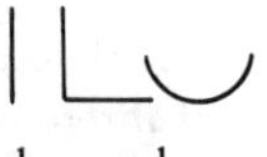

Möglichst viele und verschiedene Kombinationen müssen aus vorgegebenen Zeichen gemacht werden.

AN Analogien

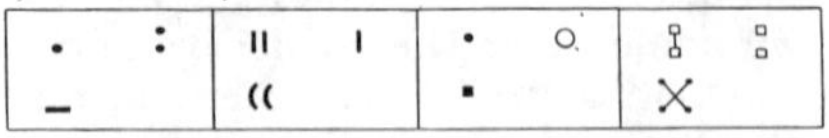

Pro Bild muß das fehlende Zeichen rechts unten analog dem oben gegebenen Verhältnis eingesetzt werden.

Schulische Tests

WS Wortschatztest

Ehrbar	Pfosten
Flink	Rappeln
Gesuch	Rechtschaffen
Mast	Antrag
Schal	Sucht
	Filzig
	Einwand
	Behend
	Ehrlich
	Abgestanden

Den Wörtern der 1. Spalte sind Wörter mit gleicher Bedeutung aus der 2. Spalte zuzuordnen.

SR Schnellrechnen

3×6
: 2
: 3
×10
×2

70 60 64 82

Das Resultat von Kettenrechnungen ist zu identifizieren.

Faktoren-Referenztests

SG Street Gestalt Test (Globalisation)

Unvollständige Bilder müssen benannt werden.

VW Verstümmelte Wörter (Globalisation)

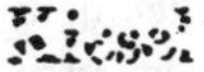 ....

LR Logische Relationen (Komplexität)

Leo ist freundlicher als Toni.
Max ist freundlicher als Leo.
Toni ist fröhlicher als Leo.
Leo ist fröhlicher als Max.

Ist der Fröhlichere freundlicher oder weniger freundlich als der am wenigsten Fröhliche?

Antwort: ....

GS Geheimschrift (Komplexität)

dir ein war

2 5 1
3 5 7
6 4 7

ade:

Welche waagrechte Zahlenfolge entspricht welchem Wort? Verschlüßle das neue Wort.

AA Alpha-Aufgaben/Umwegprobleme (Plastizität)

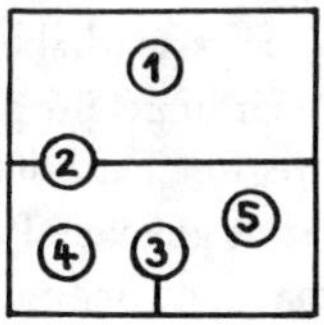

Numerierte Kreise müssen der Reihe nach auf möglichst kurzem Weg ohne Kreuzungen verbunden werden. (Kreisgrenzen dürfen durchkreuzt werden.)

GO Gottschaldt-Figuren (Plastizität)

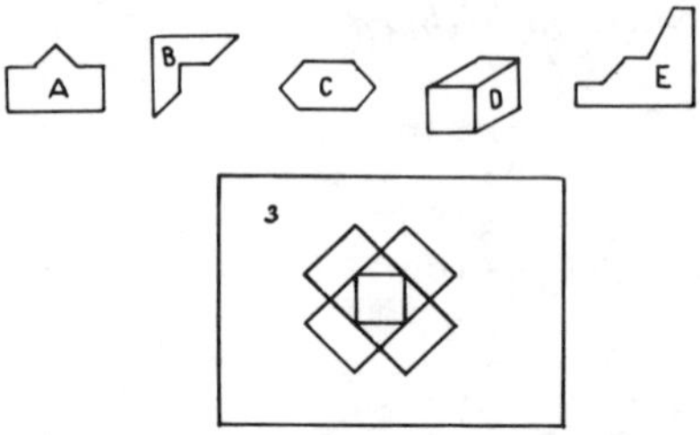

In komplexen Strichfiguren muß jeweils die versteckte Vorlagefigur gekennzeichnet werden.

CZ Cattell-Zeichnungen (Fluency)

Einfache Vorlagefiguren sollen zu möglichst vielen verschiedenen Zeichnungen ergänzt werden.

CW Cattell-Wörter (Fluency)

Was ist z. B. „flüssig":
Wasser
Benzin
Sauce
Gülle
Quecksilber
usw.

Zu vorgegebenen Eigenschaften müssen möglichst viele Dinge hingeschrieben werden, die diese Eigenschaft haben.

4.3. *Die Auswertung der Daten: endgültige Stichproben, statistische Methoden*

Spätestens seit der Untersuchung von *Heuyer et al.* (1950)[30] ist bekannt, daß die bereits oft festgestellten Intelligenzunterschiede zwischen Stadt- und Landkindern wegen des ebenfalls immer wieder festgestellten Zusammenhangs zwischen Intelligenz und Sozialschicht z. T. auf die vergleichsweise Überrepräsentation der oberen Schichten in der Stadt zurückgeführt werden können. Um den „reinen" Einfluß der geographischen Herkunft bzw. der Wohnregion auf die intellektuelle Entwicklung zu erfassen, haben wir aus unserem Gesamt-Sample eine gewogene Stichprobe mit vier ungefähr gleich großen Stichproben pro Region ausgezogen; in jeder dieser regionalen Stichproben sind die Sozialschichten soweit möglich (vgl. Tab. 2) in stets gleichen Prozentsätzen vertreten; zudem weist jede Regions-Stichprobe Primar- und Sekundarschüler sowie Gymnasiasten (bzw. Sonderschüler) zu den für die Region repräsentativen Prozentsätzen auf. Aus der Beachtung beider Kriterien ergab sich natürlich eine beträchtliche Reduktion der Anzahl der Vpn[31]. Wenn indessen die Intelligenztest-Ergebnisse der 11jährigen unserer Stichprobe, z. B. die Mittel der regionalen Gruppen, mit denjenigen aus dem gesamtschweizerischen Sample von *Meili* verglichen werden, ergibt sich weitgehende Übereinstimmung.

Tabelle 2: Endgültige Stichprobe nach Wohnregion, Sozialschicht und Schultyp*

Regionen / Sozialschichten	R_1			R_{2+3}			R_4			R_5			Total aller Regionen	Prozentsatz der Berufe am Gesamt
	M	P	Tot.	M	P	Tot.	M	P	Tot.	M	P	Tot.		
B 1+2	8	–	8	9	–	9	8	1	9	5	3	8	34	14
B 3+6	18	15	33	11	27	38	12	22	34	5	26	31	136	54
B 4	1	12	13	3	11	14	4	9	13	2	10	12	52	21
B 5	–	6	6	–	8	8	2	5	7	1	5	6	27	11
Total aller Berufe	27	33	60	23	46	69	26	37	63	13	44	57	249	100
Verhältnis M:P (in %)	45:55			33:67			41:59			23:77				
Prozentsatz d. Regionen am Gesamt			24			28			25			23	100	

*Bei den *Schultypen* bedeutet M = Mittelschüler (Sekundarschule und Gymnasium); P = Primarschüler (Volksschüler).
Die *Sozialschicht* wurde durch die Berufsgruppenzugehörigkeit des Vaters (bzw. Familienoberhaupts) bestimmt, wobei die Schichten wie folgt definiert sind:
B 1+2 = Akademiker, freie Berufe, gehobene Angestellte und Beamte, Lehrer,
B 3 = sonstige Angestellte und Beamte, Selbständige in Detailhandel und Handwerk,
B 4 = gelernte Arbeiter in Industrie und Handwerk,
B 5 = an- und ungelernte Arbeiter,
B 6 = Landwirte (selbständig und unselbständig),
Da die Stadt ja keine Landwirte aufweist, eine quer durch alle Regionsstichproben konstante Berufsstruktur jedoch weitmöglichst realisiert werden mußte, wurde die Gruppe der Landwirtkinder mit B 3 zusammengerechnet zu einer Mischgruppe B 3+6.

Die Resultate der Intelligenzuntersuchung wurden mit multivariaten Methoden analysiert: Nachdem der Zusammenhang zwischen den im Alter von 11 und 15 Jahren erhobenen Intelligenztest-Resultaten in einer kanonischen Korrelationsanalyse überprüft und als recht eng befunden worden war (Totalredundanz .53 für die 1., .40 für die 2. Testbatterie; R c 1 des hochredundanten 1. Faktors = .91), wurden für die Intelligenztestresultate die Gruppenmittel und 2 Diskriminanzanalysen nach dem Regionskriterium (für die Resultate mit 11 und 15 Jahren) gerechnet[32].
Die Ergebnisse der Untersuchung der nach unseren Hypothesen mit Region und Intelligenz kovariierenden Faktoren (Prüfungsängstlichkeit, Leistungsmotivation, Prozeßvariablen) wurden – dem „Pilot-Study-Charakter" dieses Teils der Untersuchung gemäß – lediglich varianzanalytisch und korrelationsstatistisch und, wo nötig, mit nichtparametrischen Verfahren ausgewertet.

5. *Ergebnisse*[33]

5.1. *Resultate aus der Intelligenzuntersuchung*

5.1.1. *Mittelwerts-Vergleiche*[34]

Wenn wir nun die verschiedenen Regionen, bzw. die Mittelwerte der Kinder aus den verschiedenen Regionen, wie Individuen mit je einem bestimmten Testprofil darstellen, ergibt sich das in Abb. 2 wiedergegebene Bild.
Eine Überprüfung der Mittelwerts-Unterschiede auf ihre Signifikanz ergab, daß die meisten Unterschiede zwischen resultatmäßig benachbarten Regionen in beiden Untersuchungen nicht signifikant sind, hingegen fast immer die Differenz zwischen R_1 und den beiden „rangletzten" Regionen R_{2+3} und R_5; in der Regel sind lediglich Differenzen von mehr als 4–5 T-Werten auf dem 1 %-Niveau, solche von mehr als 3–3$^1/_2$ T-Werten auf dem 5 %-Niveau gesichert.
Gewisse Tendenzen, die sich in diesen Einzeltest-Mittelwerten bereits abzeichnen, lassen sich durch eine Zusammenstellung der Testgruppen-Mittel noch verdeutlichen, wie dies in Abb. 3 geschieht.
Von diesen Mittelwertvergleichen aus kann bereits festgestellt werden:
- Die *Reihenfolge* der Regionen nach der Höhe der Test-Mittelwerte bleibt in der Zweituntersuchung im großen und ganzen dieselbe wie in der Erstuntersuchung. Je nach Einzeltest bzw. je nach Intelligenzaspekt *variiert* indessen diese Reihenfolge in beiden Untersuchungen beträchtlich. Zudem ergeben sich in vier

Abbildung 2: Testprofile der Regionen bei den 11- und 15jährigen (Mittelwerte in T-Werten)

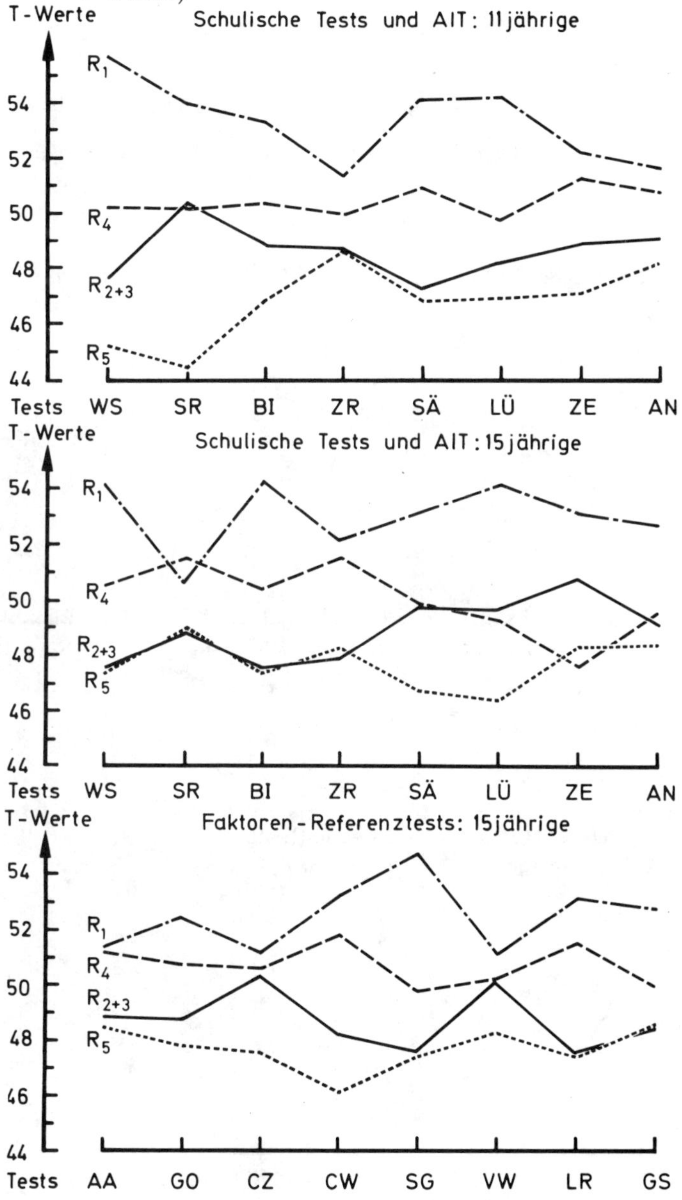

Abbildung 3: Mittelwerte der Regionen in den Testgruppen und im Gesamttest bei den 11- und 15jährigen (T-Werte)

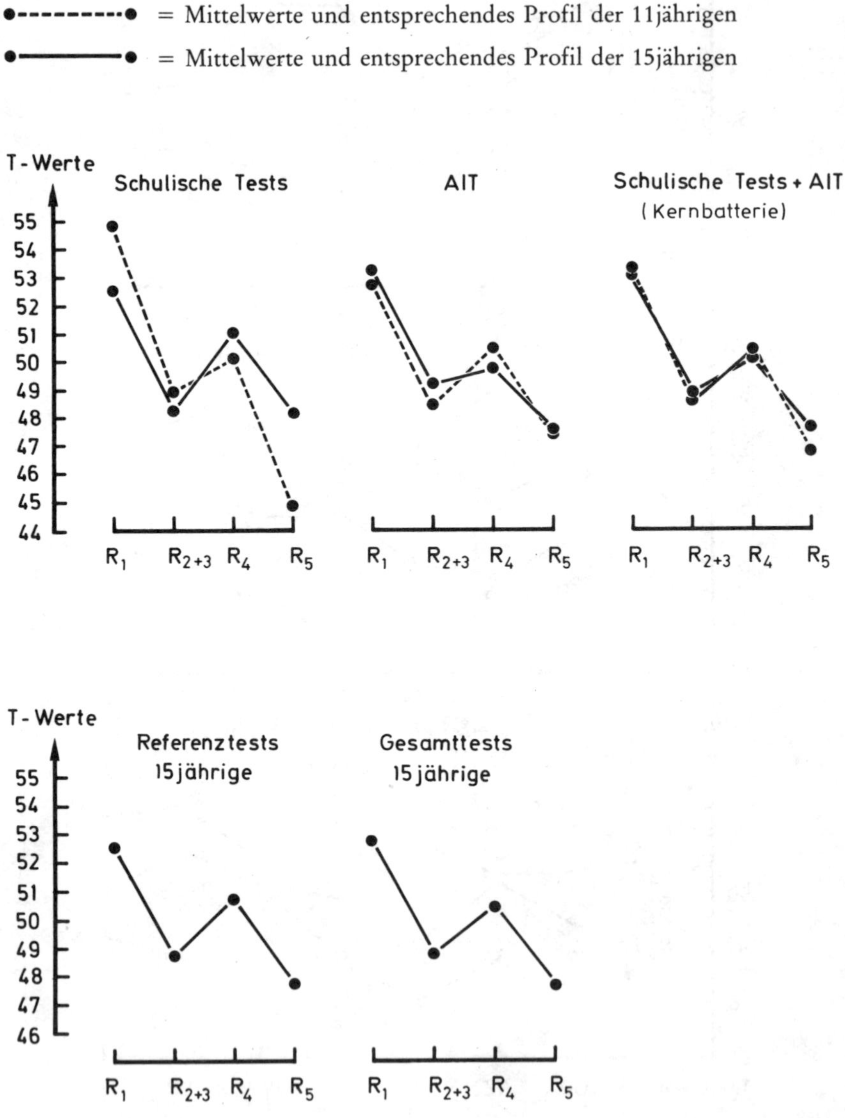

der acht Tests der Kernbatterie in der Zweituntersuchung Rangverschiebungen gegenüber der Erstuntersuchung.

- Bei den *AIT-Untertests* bleiben die regionalen Unterschiede bei der Zweituntersuchung ungefähr in derselben Größenordnung wie bei der Erstuntersuchung, wobei die Nicht-Stadt-Regionen zwar gegenüber R_1 sich nach wie vor deutlich abheben, aber unter sich nivellierter erscheinen (R_{2+3} holt gegenüber R_4 auf).
- In den beiden *schulischen Tests* WS und RE zeichnet sich in der Zweituntersuchung gegenüber der Erstuntersuchung eine *generelle Nivellierung* zwischen den Regionen ab; die Bergregionen R_4 und R_5, insbesondere die letztere, scheinen im schulischen Bereich während der 4 Jahre aufgeholt zu haben. Die schulischen Tests grenzen bei der Erstuntersuchung noch 3 Niveaus (R_1, R_4 und R_{2+3}, R_5), bei der Zweituntersuchung indessen nur noch die 2 Regionalbereiche „vorwiegend verstädtert" ($R_1 + R_4$) und „vorwiegend ländlich" (R_{2+3} und R_5) gegeneinander ab.

5.1.2. *Ergebnisse der Diskriminanzanalysen*

Da die multivariate Methode der Diskriminanzanalyse nicht ohne weiteres bei allen Lesern als bekannt vorausgesetzt werden darf und ihre Verwendung gerade bei unserer Fragestellung nicht unbedingt sofort einleuchtet, sei das Wesentlichste der Methode kurz charakterisiert (nach *Cooley/Lohnes* 1971, 243): „The discriminant model may be interpreted as a special type of factor analysis that extracts orthogonal factors of the measurement battery for the specific task of displaying and capitalizing upon differences among criterion groups. The model derives the components which best separate the cells or groups of a taxonomy in the measurement space." Es interessiert also einerseits in unserem Zusammenhang die Natur dieser die Gruppen trennenden Komponenten, weil diese die Art der intellektuellen Unterschiede zwischen den Gruppen in umfassender Weise beschreiben, anderseits, *wie* nun die Gruppen durch diese Komponenten getrennt werden. Es wurden für die Test-Resultate der 11- und 15jährigen je eine Diskriminanzanalyse nach Regionen gerechnet; beim Vergleich der Ergebnisse muß allerdings stets berücksichtigt werden, daß es sich um zwei z. T. verschiedene Testbatterien handelt (mit 8 bzw. 16 Tests).

Vorerst ergibt die F-Approximation von *Wilk*s Lambda, welche die multiple Nullhypothese auf eine signifikante Differenz der Gruppenzentroide (= Gruppenschwerpunkte, quasi „multiple Gruppen-Mittelwerte") prüft, daß die Nullhypothese sowohl bei der Erstuntersuchung ($F = 3.41$) wie bei der Zweituntersuchung ($F = 1.71$) auf dem 1 %-Niveau verworfen werden kann – eine Bestätigung aufgrund des multiplen Vergleichs also, daß die *Unterschiede zwischen den Regionen generell nicht zufälliger Natur* sind.

Nach Bartlett's Chi-Quadrat-Kriterium ergibt sich für beide Untersuchungen *je eine hoch-signifikante Diskriminanzfunktion* oder -komponente, allerdings ebenfalls, daß bei beiden Diskriminanzanalysen die 2. Funktionen bereits nicht mehr signifikant sind (vgl. Tab. 3).

Tabelle 3: Diskriminationsprozent, kanonische Korrelation und Redundanz der Diskriminanzfunktionen in den beiden Diskriminanzanalysen nach Regionen

Diskriminanzfunktion		1.	2.
Erstuntersuchung (11 Jahre)	% Diskr.	83.72	13.46
	R_{cj}	.47	.21
	Red.	.29	.05
Zweituntersuchung (15 Jahre)	% Diskr.	60.59	29.78
	R_{cj}	.43	.31
	Red.	.23	.11

Wie bei der Faktorenanalyse muß auch die Interpretation der Diskriminanzfunktionen von den Gewichten, mit denen die einzelnen Testvariablen zur jeweiligen Funktion beitragen, ausgehen (vgl. Tab. 4).

Tabelle 4: Skalierte Regressionsgewichte der Testvariablen in den beiden ersten Diskriminanzfunktionen der beiden Diskriminanzanalysen nach Regionen[35]

Testvariablen	Erstuntersuchung (11 Jahre)		Zweituntersuchung (15 J.)	
	1. Diskriminanzfunktion	2. Diskriminanzfunktion	1. Diskriminanzfunktion	2. Diskriminanzfunktion
AA			– 6	20
GO			– 6	– 1
CZ			– 2	– 8
CW			30	21
WS	66	–15	19	– 6
SR	66	52	–22	18
BI	14	4	19	7
ZR	–61	– 5	22	18
SÄ	9	–34	– 3	–18
LÜ	0	–12	2	–31
ZE	21	12	– 1	–34
AN	–20	– 8	–11	–14
SG			34	3
VW			–18	0
LR			15	17
GS			–11	– 6

Vor einer verbalen Charakterisierung dieser Funktionen sei in Tab. 5 angegeben, wie sie die Regionen trennen.

Tabelle 5: Zentroidwerte der Regionen in den ersten zwei Diskriminanzfunktionen der beiden Diskriminanzanalysen

Erst-unters. (11 J.)	1. Df.	2. Df.	Zweit-unters. (15 J.)	1. Df.	2. Df.
R_1	18.24	1.04	R_1	18.28	–4.96
R_{2+3}	12.65	2.42	R_{2+3}	13.84	–5.25
R_4	14.06	1.21	R_4	16.21	–2.41
R_5	9.07	0.65	R_5	13.81	–3.67

Zusammenfassend läßt sich als für uns wichtigstes Ergebnis der Diskriminanzanalysen folgendes festhalten:

- Bei den 11jährigen kann die erste breite bipolare Diskriminanzfunktion als ein *Faktor allgemein-schulischer Intelligenz versus abstrakt-analysierendes Denken* charakterisiert werden; sie trennt die 4 Regionen recht deutlich in der den Mittelwerten entsprechenden Reihenfolge R_1, R_4, R_{2+3}, R_5.
- Ihr gegenüber steht bei den 15jährigen eine weniger breite und in ihrer Bedeutung wesentlich diffusere Funktion, die versuchsweise als ,,*speed verbal*" *versus Schultechniken mit wahrscheinlicher Schulmotivations-Komponente* umschrieben sei, und die eigentlich nur noch Stadt (R_1 und R_4) und Land (R_{2+3} und R_5) klar unterscheidet; die Reihenfolge ist wiederum R_1, R_4, R_{2+3}, R_5, wobei sich allerdings R_{2+3} und R_5 praktisch gleich sind.
- Der zweiten bipolaren, *numerischen* Funktion bei den 11jährigen entspricht bei den 15jährigen eine nicht klar interpretierbare Dimension, die u. a. eine numerische Komponente aufweist. Nach diesen ,,zweiten" Funktionen ergeben sich andere Rangfolgen der Regionen als gemäß den ,,ersten" Dimensionen; beide ,,zweiten" Funktionen sind aber nicht mehr signifikant.
- Ein weiteres wesentliches Ergebnis der Diskriminanzanalysen stellen die *Eta-Werte* dar, die als multivariate biserielle Korrelationskoeffizienten im Fall der Diskriminanzanalyse den Gesamtzusammenhang zwischen den diskreten Gruppierungskriterien (hier: Regionen) und den kontinuierlichen Meßvariablen (hier: Intelligenz-Resultaten) angeben.

Sie betragen

für die Diskriminanzanalyse der Resultate der 11jährigen
Eta = 0.517;
für die Diskriminanzanalyse der Resultate der 15jährigen
Eta = 0.541.

Der Zusammenhang zwischen Intelligenztest-Resultaten und Wohnregion ist bei den 15jährigen mithin eher enger als noch 4 Jahre zuvor.

- Der letztgenannte Gesamtzusammenhang muß zu einem Ergebnis aus der Analyse unserer Resultate nach *Sozialschichten* (Vaterberuf) in Relation gesetzt werden: die entsprechenden Werte betragen dort

für die Diskriminanzanalyse der Resultate der 11jährigen nach Sozialschicht: Eta = 0.594;
für die Diskriminanzanalyse der Resultate der 15jährigen nach Sozialschicht: Eta = 0.637.

Insgesamt erweist sich also der Zusammenhang zwischen Intelligenz und Sozialschicht als etwas stärker denn derjenige zwischen Intelligenz und Wohnregion, und zwar auf beiden Altersstufen.

5.2. *Ergebnisse aus der Untersuchung der nicht-kognitiven Variablen*

5.2.1. *Prüfungsängstlichkeit*

Gemäß der theoretischen Konzeption von *Alpert/Haber* (1960) bzw. *Sarason et. al.* (1952) erhalten wir zwischen leistungsmindernder (Debilitating scale) und leistungsfördernder Prüfungsängstlichkeit (Facilitating scale) eine hochsignifikante negative Korrelation von r = –.40.
Dementsprechend ergeben sich zwischen den Intelligenztest-Mitteln (schulische Tests und AIT mit 11 und 15 Jahren) signifikante, wenn auch schwache negative Korrelationen mit der Debilitating scale (r zwischen –.14 und –.21) und teilweise signifikante positive mit der Facilitating scale (r zwischen .05 und .16).
Die Unterschiede zwischen den Regionen erweisen sich aber in beiden Skalen als generell nicht signifikant, so daß festgehalten werden muß: aufgrund unserer Resultate *kann weder die leistungshemmende noch die leistungsfördernde Prüfungsängstlichkeit für die Intelligenz-Unterschiede zwischen den Regionen in irgendeiner Weise verantwortlich gemacht werden.* (Im Gegensatz dazu zeigten sich aber bei den nach Sozialschichten differenzierten Befunden diesbezüglich signifikante Zusammenhänge, im Sinne von mehr leistungshemmender Prüfungsängstlichkeit in der Grundschicht B_5.)

5.2.2. *Leistungsmotivation*

Unserem theoretischen Postulat entsprechend ergibt sich ein schwacher, aber signifikanter Zusammenhang zwischen der aus den TAT-Geschichten ermittelten Gesamt-Leistungsmotivation (GM) und den verschiedenen Intelligenztest-Mitteln: die Korrelationen schwanken zwischen r = .26 und r = .37. Da sich jedoch der Zusammenhang zwischen GM und der Länge der Geschichten (Wortanzahl = WA) in unserer Stichprobe als sehr eng herausstellte ($r_{GM\text{-}WA}$ = .48!), mußten partielle Korrelationen berechnet werden. Die partielle Korrelation zwischen Intelligenz und GM ($r_{12,3}$ = .17) ist auf dem 5 %-Niveau signifikant.
Der Haupteffekt der Wohnregion auf die Gesamt-Leistungsmotivation erweist sich in der Varianzanalyse aufgrund unserer gewogenen Stichprobe als nicht signifikant. In einer umfassenderen (allenfalls nicht gewogenen) Stichprobe (aus unserem Material) von N = 324 findet sich in R_4 indessen signifikant mehr GM als in den übrigen Regionen. Zudem bestehen zwischen den Regionen auch gleichsinnige, generell signifikante Unterschiede bezüglich WA (in beiden Stichproben) (vgl. Abb. 4).

Abbildung 4: GM und WA in den TAT-Geschichten der verschiedenen Regionen (T-Werte)

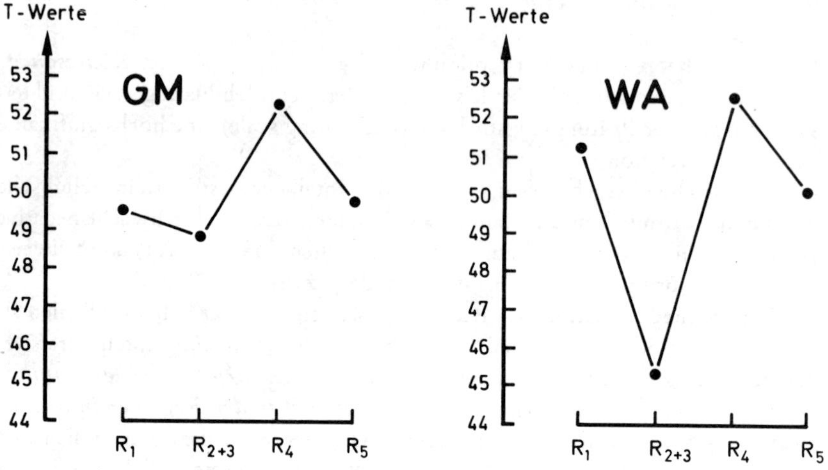

5.2.3 *Charakteristika der Interaktion zwischen Individuum und Umwelt (Prozeßvariablen)*

Die meisten Prozeßvariablen (PV) zeigen signifikante und teilweise recht hohe Zusammenhänge mit den Intelligenztest-Resultaten in der erwarteten Richtung (vgl. Tab. 6).

Keine signifikanten Korrelationen mit den Intelligenzresultaten zeigen PV 2 und PV 7[36]. Da bei einem durchschnittlichen Interkorrelationsniveau aller Prozeßvariablen untereinander von $\bar{r} = .21$ diese beiden PV wesentlich schwächer (zumeist nicht signifikant) mit den übrigen PV korrelieren, haben wir damit offensichtlich deutlich andere Umwelt- bzw. Interaktions-Aspekte erfaßt[37], deren Stimulationswirkung indessen fraglich ist.
Zwischen den Regionen ergeben sich in den meisten PV signifikante Unterschiede, welche mehrheitlich (im Falle der „Handicap"-Variable im umgekehrten Sinn) den festgestellten regionalen Intelligenzunterschieden entsprechen; eine Ausnahme bilden hier PV 2 und PV 5 (letztere differenziert aber hochsignifikant unter den Sozialschichten) (vgl. Tab. 7).

Tabelle 6: Korrelationen der 11 PV mit dem Gesamtresultat in den beiden Intelligenzuntersuchungen mit 11 und 15 Jahren

Nr. PV	*Charakterisierung der Prozeßvariablen*	Korrelation mit Gesamtintelligenz	
		11 Jahre	15 Jahre
1	*Nichtschulische Lernmöglichkeiten außer Hause* (Aufenthalte außer Hause, Erlebnisintensität des Schulweges, elterl. Freizeitimpulse)	.34	.37
2	*Innerhäusliche Lernmöglichkeiten* (Geschwister, Radio, TV)	.10	.08
3	*Direkt-mündliche sprachliche Anregung* (Tischgespräch, übrige verbale Kommunikation)	.28	.32
4	*Schriftsprachl. Anregungsmöglichkeiten* (Verfügbarkeit von Lesestoff und Nachschlagewerken)	.41	.41
5	*Elterl. Einstellung zu intell. Leistung, diesbezügl. Ermutigung und Hilfe* (Elterl. Nachfrage nach Schulerfolg und Aufgabenhilfe, elterl. Reaktion auf Schulleistung, Aufforderung zu Lektüre, etc.)	.14	.18
6	*„Handicap"-Variable: Beanspruchung durch nicht-intellektuelle Tätigkeit* (Mithilfe zu Hause, Schulweglänge)	–.44	–.41
7	*Benutzung von Lernmöglichkeiten außer Hause* (außerhäusl. Hobbies, Mitarbeit in Jugendorganisationen, etc.)	.10	.09
8	*Benutzung von innerhäuslichen Lernmöglichkeiten* (innerhäusl. Hobbies, bewußtes Verfolgen von Radio- und TV-Sendungen)	.26	.25
9	*Benutzung schriftsprachlicher Lernmöglichkeiten* (Lektüre, Benutzung von Nachschlagewerken und Bibliotheken)	.52	.50
10	*Benutzung spezifisch intellektueller Lernmöglichkeiten* (Art der Hobbies, der Lektüre, der verbalen Kommunikation, der Radio- und TV-Benutzung)	.48	.52
11	*Einstellungsvariable: „Intellektualität"* (Schulfächer-Interessen, schulisches Anspruchsniveau, Berufswunsch, Wertung von Eigenschaften, etc.)	.41	.47

Tabelle 7: Mittelwerte der Regionen in PV 1–11 (T-Werte)[38]

Region	PV 1	PV 2	PV 3	PV 4	PV 5	PV 6	PV 7	PV 8	PV 9	PV 10	PV 11	Mittel PV1–10
R_1	54.25	49.58	52.54	54.09	50.81	42.13	51.98	51.55	54.22	53.99	52.99	53.08
R_{2+3}	46.22	48.45	47.80	47.19	47.99	55.62	49.08	47.14	46.60	47.65	49.67	47.24
R_4	50.94	51.95	51.31	49.89	50.55	47.25	52.54	51.59	50.15	51.05	48.60	51.27
R_5	48.51	50.32	48.41	48.62	50.68	55.03	46.65	49.86	48.79	47.24	48.46	48.40

6. Diskussion

Aus der Fülle der Befunde können hier nur die wichtigsten herausgegriffen und kommentiert werden. Es soll dies geschehen, indem wir zu den Ausgangsfragen zurückgehen:
Die *erste* Frage war: Wie haben sich die intellektuellen Unterschiede zwischen den Regionen in der 4jährigen Vergleichsperiode verändert und was kann aus der Art dieser Veränderungen geschlossen werden?
Wir können zunächst festhalten, daß das Untersuchungsresultat *Meilis* aus der Erstuntersuchung durch unsere Ergebnisse in dem Sinne bestätigt wird, daß sich 4 Jahre später bei den gleichen Vpn in den Gesamttest-Resultaten tendenziell die gleiche regionale Differenzierung feststellen läßt. Von unseren theoretischen Annahmen aus haben wir dies erwartet; aus unserer Betonung der „Stimulations-Hypothese" bezüglich des Zustandekommens der regionalen Intelligenz-Differenzen ergäbe sich aber, daß diese Unterschiede im späteren Zeitpunkt eher angewachsen wären. Dies ist nicht der Fall; vielmehr ergibt sich sowohl aus dem Mittelwert-Vergleich wie aus dem Vergleich der Diskriminanzanalysen-Ergebnisse, daß in der Zwischenzeit vor allem in den schulischen Tests und unter den Nicht-Stadt-Regionen eine gewisse Nivellierung erfolgt ist. Was sind die Gründe dafür?
Wir haben ja in unseren theoretischen Annahmen postuliert, daß entscheidende Umweltimpulse auf die intellektuelle Entwicklung bereits in einer *Frühphase* erfolgen[39]. Dies dürfte auch für das, was wir *allgemeine Stimulation* genannt und als maßgeblich zwischen den Regionen differenzierend postuliert haben, gelten. Entweder haben also unterschiedliche Umwelteinflüsse, welche zwischen 11 und 15 Jahren auf das Kind wirken, keine relevanten Effekte mehr, oder aber diese werden durch das Wirken anderer Faktoren kompensiert.
Einen wenigstens im schulischen Leistungsbereich teilweise ausgleichenden Einfluß dürfte unseres Erachtens die *Schulung* haben. Die differenzierte Direkterfassung schulischer Faktoren mußten wir in dieser Untersuchung leider ausklammern. Einen Hinweis auf diesen Ausgleichseffekt der Weiterschulung[40] haben wir immerhin darin, daß der spezifisch schulabhängige Rechentest bei der Zweituntersuchung gegenüber der Erstuntersuchung die stärkste Nivellierung zwischen den Regionen erbringt[41]. Daß in den schulischen Tests in der späteren Untersuchung nur mehr verstädterte und ländliche Gebiete unterschieden werden können (vgl. auch die erste Trennfunktion der Diskriminanzanalyse!) und R4 trotz Absinkens im AIT in den schulnahen Tests relativ besser abschneidet als 4 Jahre zuvor, paßt ebenfalls zu den möglichen Auswirkungen eines Schulsystems, das in den verstädterten Regionen R1 und R4 deutlich besser ausgebaut ist als in den ländlichen Regionen R2+3 und R5 (vgl. die Charakterisierung der Regionen).

Die qualitative Veränderung der regionalen Intelligenzunterschiede zeigt, vor allem wenn von der Bedeutung der 1. Diskriminanzfunktion in den beiden Analysen (auf der Ebene der 11- und 15jährigen) ausgegangen wird, noch etwas anderes: Wie in anderen gleichartigen Untersuchungen[42] zeigt sich bei der für die Zweituntersuchung erweiterten Testbatterie nun das Speed-Element als wichtigstes Differenzierungs-Kriterium. Daß es in der Erstuntersuchung nicht hervortritt, liegt einerseits daran, daß die Unterschiede im schulnahen Leistungsbereich noch zu sehr im Vordergrund stehen, andererseits ist dies sicher durch die Erweiterung der Testbatterie für die Zweituntersuchung bedingt. Eine Erklärung, weshalb gerade das Speed-Charakteristikum (neben dem verbalen) unter den Regionen differenziert, kann aufgrund unserer Resultate nicht schlüssig gegeben werden; nahe liegt, dies mit der gängigen Charakteristik der städtischen Umwelt als rasch wechselnd und dynamisch in Verbindung zu bringen[43]. Da der psychologisch wenig geklärte Speed-Begriff[44] unter anderem auch Tempo-Motivation miteinschließt, muß freilich (wie wir dies bei der Interpretation der 1. Diskriminanzfunktion bei den 15jährigen gemacht haben) die Möglichkeit des Hineinspielens motivationeller Unterschiede einbezogen werden.
Zu diesem Behuf lassen sich die Ergebnisse unserer *Leistungsmotivations*-Untersuchung beiziehen. Dort finden sich ja die höchsten Gesamtmotivations-Werte (= GM-Werte) in R_4, während diesbezüglich die übrigen Regionen ungefähr auf demselben Niveau liegen (wobei vom gefundenen methodenbedingten Zusammenhang zwischen GM und verbalen Faktoren, der die Interpretation der Befunde in diesem Bereich erschwert, zunächst abgesehen sei). Die Interpretation dieses Befundes kann allerdings mindestens mit zwei Akzenten geschehen: Einerseits kann man von der Leistungsmotivations-Theorie *Heckhausens* und seiner Schule her dieses Resultat als Hinweis darauf auffassen, daß die Lebensbedingungen in R_4 mehr als in anderen Regionen (inkl. Stadt) die Entwicklung hoher Leistungsmotivation begünstigt, daß im für R_4 charakteristischen Kontext also am ehesten optimale Herausforderung geschieht, d. h. sog. dosierte Diskrepanzerlebnisse möglich sind; anderseits muß von bei unserer Testaufnahme gemachten Beobachtungen her und vom – von der Theorie her beurteilt – „zu schlechten" Resultat von R_1 aus geschlossen werden, daß unsere Zweituntersuchung bei den Jugendlichen in der Stadt weniger Leistungsmotivation zu aktualisieren vermochte[45]. Beides zusammengenommen kann als Teilerklärung für das Zusammenrükken der Regionen in den schulischen Tests der Zweituntersuchung betrachtet werden – und damit als Antwort auf unsere *zweite* Ausgangsfrage.
Welchen Beitrag zur Interpretation der Ergebnisse unserer Intelligenzuntersuchung liefern nun die übrigen Variablengruppen? Damit sind im Rückblick auf die Ausgangsfragestellung nun eigens die Fragen 3 und 4 angesprochen.
Wie bereits oben erwähnt, können aufgrund unserer Resultate verschiedene Grade

von *Prüfungsängstlichkeit* für die Intelligenztest-Unterschiede zwischen den Sozialschichten, nicht aber für diejenigen zwischen den Regionen mitverantwortlich gemacht werden.
Unter den Prozeßvariablen hingegen finden sich mehrere, die sowohl mit den individuellen Intelligenztest-Resultaten als auch mit der Wohnregion (im Sinne der Regionen-Reihenfolge, die sich aufgrund der Gesamt-Intelligenztest-Mittelwerte ergibt) kovarieren. Und zwar sind dies in erster Linie *sprachliche* Anregungs- bzw. Interaktionsvariablen. Dies gilt im Grunde auch für die Handicap-Variable, die vor allem Präokkupation durch (nicht-verbale) manuelle Arbeit anzeigt. Von hier aus ergibt sich eine unmittelbare Beziehung zur Tatsache, daß sowohl mit 11 wie mit 15 Jahren das *sprachliche Element* maßgeblich die Intelligenzunterschiede zwischen den Regionen (in der Reihenfolge des Gesamttests) mitbestimmt. Ist damit die eingangs skizzierte Stimulations-Hypothese nachgewiesen und die Selektions-Hypothese widerlegt?
Es ist offensichtlich, daß auch unsere Variablen der allgemeinen Stimulation, die als primär vom Kinde unabhängig konzipiert waren, vom Verhalten des Kindes – und damit auch von seiner Anlage – mitbeeinflußt sind (so geschieht z. B. die direkte sprachliche Anregung (PV 3) nicht nur proaktiv, sondern auch reaktiv durch die Umwelt auf das Kind). Dies ist um so mehr der Fall, als ja die Angaben von den Kindern selbst stammen und damit z. T. auch ganz direkt von Person und Fähigkeit des Kindes mitbeeinflußt sind. Von da aus kann also zwischen der Wirkung von Umwelt und Anlage (bzw. Selektion) nicht gewichtet werden. Immerhin können – mit allen Vorbehalten – aufgrund unserer Resultate zu den Prozeßvariablen die für die Intelligenzentwicklung (mit den bisher herausgestellten Akzenten) relevanten unterschiedlichen „Umwelten" der Kinder aus verschiedenen Regionen skizziert werden[46]:

- Die *Stadtkinder* (und z. T. die Kinder aus R4) haben gegenübern den Kindern aus R2+3 und R5 teilweise bereits früh mehr Gelegenheit, andere (bzw. verschiedenartige) „Umwelten" zu erleben (PV 1). Sie haben mehr Möglichkeit zu verbalem Umgang, zu Hause und außer Haus, lesen mehr und verschiedenartigere Zeitungen und Bücher, finden aber auch zu Hause im Durchschnitt mehr Lesestoff. Sie betreiben mehr Hobbies, wozu sie von ihren Eltern häufiger animiert werden, und machen mehr Gebrauch vom Vorhandensein von Radio und vor allem von TV.
- Für die *Landkinder* gilt sinngemäß das Konträre, wobei die Kinder aus R2+3 eher noch weniger entsprechende Lerngelegenheiten haben und benützen als die Kinder aus R5. Sie – und mit ihnen die Kinder aus R5 – sind es auch, vor allem die Bauernkinder, die am stärksten belastet sind durch Mitarbeit zu Hause; hingegen kümmern sich die Eltern in R5 (und z. T. in R2+3) nicht weniger um den Schulerfolg ihrer Kinder[47]. Die Wertung und Aspiration gegenüber intellektuell-schulischer Leistung und Bildung ist denn auch nur bei den Stadtkindern et-

was höher als bei den Landkindern, differiert dort aber nicht wesentlich unter den Kindern aus R_{2+3}, R_4 und R_5.

Daß es diese unterschiedlichen „Umwelten" bzw. Interaktionsformen sind, die doch wohl überwiegend (wenn nicht gar ausschließlich) die regionalen Intelligenzdifferenzen verursachen, legt unseres Erachtens der Befund des stärkeren Zusammenhangs zwischen Intelligenz und Sozialschicht gegenüber dem Zusammenhang zwischen Intelligenz und Region nahe, und zwar wenn man ihn zusammensieht mit einem Hauptresultat aus der Analyse unserer Daten nach Sozialschicht: neben dem verbalen Element unterscheidet die Sozialschichten eine abstrakt-analysiernde Komponente, die nicht nur von *Cattell*[48] für vergleichsweise stark anlagebedingt gehalten wird; diese Komponente fehlt aber bei den Regionen als Unterscheidungskriterium völlig. Mit anderen Worten: Die Art der von uns gefundenen regionalen Intelligenzunterschiede weist auf Umweltwirkung hin. Bei den Sozialschichten hingegen lassen der Charakter der intellektuellen Unterschiede und die Tatsache von deren vergleichsweise stärkeren Ausgeprägtheit auf zusätzliche Verursachungsfaktoren schließen. Wiederum läßt sich fragen: Ist nun von hier aus im Blick auf die Intelligenzunterschiede zwischen Regionen die Selektionshypothese falsifiziert? Und wiederum müssen wir zugestehen, daß auch diese Befunde dafür nicht ausreichen. Denn wenn es auch durch unsere Resultate nicht nahegelegt wird; es bleibt immerhin denkbar, daß beim Zustandekommen der regionalen Intelligenzdifferenzen ein im Vergleich zu den Sozialschichten andersartiger und vielleicht auch weniger ausgeprägter Selektionsfaktor mitgewirkt hat[49].

7. Zusammenfassung und Ausblick

Die Hauptresultate unserer vergleichenden Untersuchung lassen sich kurz wie folgt zusammenfassen:
Bei einem Lebensalter-Intervall von 4 Jahren zwischen 11 und 15 haben sich längsschnittlich die festgestellten bedeutsamen Intelligenzunterschiede zwischen Kindern aus verschiedenen Regionen im großen ganzen als konstant erwiesen, jedenfalls unter dem quantitativen Aspekt; und zwar in der Reihenfolge: Stadt, verstädterte Bergregion mit Fremdenverkehr, ländliches Mittelland, Berggebiet ohne Fremdenverkehr.
Unter qualitativem Gesichtspunkt haben sich jedoch im untersuchten Zeitraum Änderungen ergeben: Bezüglich schulnaher Aspekte der intellektuellen Leistungsfähigkeit sind die Regionen in den 4 Jahren zusammengerückt, was auf ausgleichenden Schulungseinfluß schließen läßt. Je nachdem, welche intellektuellen

Funktionen hervorgehoben werden, ändert sich auch die Reihenfolge der Regionen, wobei allerdings in den erfaßten Intelligenzaspekten, insbesondere in verbalen und „speed"-Tests, die Kinder aus städtischem oder verstädterndem Gebiet denjenigen aus ländlichen Regionen doch generell überlegen bleiben.

Die festgestellten intellektuellen Unterschiede und die sich abzeichnenden Verlagerungen in der Art dieser Differenzen scheinen mitbedingt zu sein durch Leistungsmotivations-Unterschiede, deren Erfassung jedoch erschwert wurde durch das methodenbedingte Hineinspielen sprachlicher Faktoren. Ein Einfluß unterschiedlicher Prüfungsängstlichkeit auf die gefundenen regionalen Intelligenzdifferenzen läßt sich nicht nachweisen. Hingegen können aufgrund einiger empirisch/subjektivistisch erfaßter Interaktions-Variablen die „Anregungs-Umwelten" der Kinder aus den verschiedenen Regionen charakterisiert werden. Dabei bleiben allerdings bei dieser Art von Untersuchung Faktoren der Anlage, der Umwelt und der Eigenaktivität des Individuums verquickt.

Von da aus ergibt sich als erster Punkt eines „Quasi-Fazits" aus unserer Arbeit, daß bei ähnlichen Untersuchungsprojekten nach Möglichkeit der Anlagefaktor mitkontrolliert werden sollte; inwieweit dies allerdings tatsächlich möglich ist, dürfte höchst umstritten sein[50]. Ein weiterer Punkt betrifft das verwendete Intelligenzkonzept: trotz der Verwendung von Faktoren-Referenztests lassen sich die qualitativen Aspekte der von uns gefundenen Intelligenzunterschiede nicht in entsprechenden Begriffen beschreiben (was bei den als grundlegend postulierten *Meili*schen Faktoren eigentlich auch nicht zu erwarten ist); es fragt sich aber, ob nicht bei ähnlichen Untersuchungen mit Gewinn ein nicht nur unter dem Materialaspekt wesentlich breiterer kognitiver Bereich[51] erfaßt werden sollte, was Intelligenztests einschlösse, die ausdrücklich nicht nur auf schulische, sondern soziale Bewährung hin validiert sind, und zwar in einem klar umschriebenen sozialen (und regionalen) Bereich[52]. Als dritter Punkt festzuhalten wäre, daß es sich als problematisch erwiesen hat, einen wichtigen, mit Sicherheit kriteriumsbezogenen Umweltbereich wie die schulische Umwelt aus einer solchen Erhebung auszuklammern; ein totalphänomenologischer Ansatz bietet sich für solche Projekte an.

Im Rückblick auf die eingangs formulierten theoretischen Annahmen scheint uns, daß beim heutigen Stand des Wissens in der Umweltpsychologie[53] eine Theorie, die zu umfassend sein will und damit zuwenig explizit sein kann, wohl gleichsam zu weit vorprellt, um auch durch relativ breit angelegte Untersuchungen in wesentlichen Teilen verifiziert werden zu können. Nicht von ungefähr haben wir der diesem Artikel zugrunde liegenden Gesamtdarstellung unserer Untersuchung ein Motto von *James* vorangestellt: „Nasty little subjects – all one cares to know lies outside." Wahrscheinlich müssen wir uns vorläufig mit kleinen, aber präzisen Schritten begnügen.

Anmerkungen

1 Bei der hier referierten Untersuchung handelt es sich somit um eine Arbeit, die auf dem Kenntnisstand von 1966/67 konzipiert, 1968 durchgeführt, in den folgenden Jahren ausgewertet und 1975 als Dissertation eingereicht worden ist.
2 Die Gesamtergebnisse der Untersuchung sind ausführlich dargestellt in *Vatter* (1975).
3 Zur Intelligenztheorie *Meilis* vgl. etwa *Meili* (1978) und *Meili/Hürsch* (1973). In kritischer Wertung gegenüber *Meili* siehe auch *Jäger* (1967).
4 Vgl. *Vatter* (1975, 18ff.).
5 Zwei Extrembeispiele mögen das Gemeinte verdeutlichen: der konservative *Burt* (1958), der als Psychometriker, Populationsgenetiker und Zwillingsforscher Intelligenz für weitgehend (über 80 %) anlagebedingt hält und evtl. sogar Daten fälschte, um seine Theorien zu stützen; auf der andern Seite der progressive Behaviourist *Kamin* (1974), der sämtliche von ihm zusammengestellten Befunde zur Anlage-Umwelt-Forschung environmentalistisch interpretiert, um seine These, es gebe keine Beweise für Anlagewirkung in der Intelligenzentwicklung, zu stützen.
6 Dabei meinen wir weniger den Interaktionismus-Ansatz in der Ökopsychologie im engeren Sinne, wie ihn *Pawlik* (1976) anspricht, sondern Interaktionismus als grundsätzlich eigenständige, stark an *Piaget* orientierte Position in der Anlage-Umwelt-Debatte – eine Position, wie sie etwa programmatisch von *Furth* (1973) beschrieben worden ist.
7 Vgl. dazu *Jencks* (1973).
8 Diese Befunde haben wir andernorts zusammengefaßt (vgl. *Vatter* 1966); zu den intellektuellen Unterschieden zwischen regional verschiedenen Gruppen vgl. die umfassende Zusammenstellung bei *Eells* (1951).
9 Z. B. *Klineberg* (1957). Einen der stichhaltigsten Nachweise von Stimulationswirkung auf die Intelligenz der Kinder durch Urbanisierung einer Region stellt nach wie vor die Untersuchung von *Wheeler* (1942) dar.
10 Vgl. z. B. *Gist/Clark* (1938).
11 Diese unsere Einteilung in *allgemeine* und *spezifische* Umwelt, die stark vom Psychologischen her konzipiert ist, mag zunächst wenig glücklich und recht unklar anmuten; weiter unten wird sie indessen präzisiert. Im übrigen erscheint wohl wegen der Untrennbarkeit der verschiedenen Umweltaspekte jede Einteilung, eingeschlossen diejenige in natürliche, kulturelle und soziale Umwelt, problematisch. Vgl. hiezu die kritischen Ausführungen von *Graumann* (1976, 23f.).
12 Der Begriff ,,Prägung" wird hier weniger im Sinne der Verhaltensforschung, also im *Lorenz*schen Sinne, verwendet, sondern meint v. a. das Resultat von Modell- und Bekräftigungslernen (vgl. *Heckhausen* 1966).
13 Diese Aussagen stützen sich vor allem auf Resultate von Längsschnittstudien; vgl. dazu *Bloom* (1964) und *Kagan/Moss* (1962).
14 Angesprochen sind hiemit die Akkommodations- und Assimilationsprozeße im Sinne von *Piaget* (1966).
15 Vgl. z. B. *Studer* (1974), der das dialektische Prinzip sowohl bei Piaget wie in der marxistischen Entwicklungspsychologie herausgearbeitet hat.
16 Damit sind Gesetzmäßigkeiten des Lernens im symbolischen Bereich angesprochen, wie sie beispielsweise *Aebli* (1969) in stark von Piaget beeinflußter entwicklungspsychologischer Sicht dargestellt hat.
17 Vgl. die Referierung von unter diesem Aspekt relevanten Untersuchungen bei *Albrecht* (1972).

18 Was hier aus Platzgründen nicht dargestellt werden kann: Aus der Verquickung unserer allgemeinen theoretischen Annahmen mit Grundannahmen (und empirischen Ergebnissen) der Leistungsmotivations-Forschung (vgl. insbesondere *Vontobel* 1970, *Trudewind* 1975) erhielten wir die Grundlage, von der aus wir unsere diesbezüglichen Hypothesen formulierten.

19 Diese Fragestellung ergab sich aus von anderer Seite geäußerter Skepsis gegenüber den Erstbefunden *Meilis*.

20 Unterschiede zwischen den Regionen bezüglich Test-Sophistication dürften zur Zeit unserer Untersuchung kaum vorgelegen haben, denn die praktisch einzige Gelegenheit, bei der ein Teil der Kinder Tests absolvierte, ergab sich bei der individuellen Berufsberatung, welche in *allen* Regionen durchgeführt wird; wir beschränkten uns deshalb auf die Untersuchung der Prüfungsängstlichkeit.

21 Die obligatorische Schulzeit im Kanton Bern beträgt 9 Jahre. Nach 4 Jahren in der Primarschule (Volksschule) tritt ein Teil der Kinder (vgl. letzte Zeile der ersten Tabelle) in die weiterführende Schule (Sekundarschule) über; die restlichen absolvieren den Rest der Schulzeit in der Primarschule. Von den in die Sekundarschule Übergetretenen verbringt der Großteil den Rest der Pflichtschulzeit dort und hat danach die Möglichkeit, sich an Berufsschulen, Lehrerseminarien oder auch am Gymnasium weiterauszubilden; ein kleinerer Teil tritt nach der 6. Klasse aus der Sekundarschule ins Gymnasium über, um dort nach weiteren 6 1/2 Jahren Matura (Abitur) zu machen.

22 Als Datenquellen dienten: Die Gemeindespiegel des kantonalen Planungsamtes Bern, die eidgenössische Volkszählung 1960, die eidgenössische Betriebszählung 1965, die landwirtschaftlichen Produktionskataster, die Kopfquoten der Steuerjahre 1967/68 der eidgenössischen Wehrsteuer 14. Periode (hrg. von der eidgenössischen Steuerverwaltung 1971), unveröffentlichtes statistisches Material der Erziehungsdirektion des Kantons Bern über die Schuljahrgänge 1968.

23 Mit „Hauptstraßen"-Anschluß ist gemeint, daß das Gemeindegebiet (d. h. meist der Dorfkern bzw. der Hauptort) auf einer „Hauptstraße" (= zweitwichtigste Straßenkategorie auf der offiziellen Schweizerischen Landeskarte, heute als „Hauptverkehrsstraße" definiert) erreichbar ist.

24 Detaillierte Angaben über den Test finden sich in *Meili* (1971).

25 Wortschatz-, Rechen- und Referenztests stammen aus einer Batterie, die von *Hürsch* für eine eigene Untersuchung zusammengestellt worden war; nähere Angaben zu diesen Tests finden sich bei *Hürsch* (1970) und *Meili/Hürsch* (1973).

26 Das Verfahren in seiner originalen Form ist beschrieben bei *Alpert/Haber* (1960).

27 Die nötigen Angaben sowohl über die Methode *McClellands* wie auch von *Heckhausen* finden sich in *Heckhausen* (1963).
Die *Modifikation* gegenüber der *Heckhausen*schen Reihe bestand darin, daß einerseits den Mädchen eine neue Parallelserie von im übrigen der Standardreihe entsprechenden Bildern mit *weiblichen Identifikationspersonen* vorgegeben wurde, andererseits, daß in beiden Reihen das 5. Bild durch ein *Sportbild* (Skifahrer bzw. -fahrerin) ersetzt wurde. Die Auswertung erfolgte nach dem sinngemäß abgewandelten Schlüssel von *Heckhausen*.

28 Vgl. dazu *Wolf* (1964). Eine kurze Beschreibung der Arbeit *Wolfs* findet sich auch bei *Bloom* (1964).

29 Trotz der Einwände, die gegenüber einer solchen nachträglichen Erfassung von Entwicklungsbedingungen über das Subjekt gemacht werden können (Unzuverlässigkeit, Nichtvergleichbarkeit etc.), halten wir gerade aufgrund unserer *praktischen* Erfahrung Jugendliche dieses Alters durchaus für fähig, in dieser Hinsicht brauchbare Daten zu lie-

fern. Vgl. zu diesem Problem auch *Schneewind* (1966); vgl. auch die Diskussion ebenda.

30 Analoge Resultate, wenn auch weniger klar, fanden sich bereits in einer wesentlich früheren schottischen Untersuchung; vgl. *Duff/Thomson* (1923).

31 Dabei wurde im Rahmen des Spielraums, der sich aus den zu beachtenden Prozentsätzen ergab, mit Zufallszahlen operiert.

32 Die Ergebnisse der analog nach dem Sozialschicht-Kriterium durchgeführten Diskriminanzanalysen können hier nicht referiert werden.

33 Im folgenden wird die Testuntersuchung von *Meili* und Mitarbeitern, in welcher die Kinder im Alter von 11 Jahren erfaßt wurden, als *Erstuntersuchung*, unsere Untersuchung mit erweiterter Testbatterie, welche 4 Jahre später erfolgte, als *Zweituntersuchung* bezeichnet.

34 Da nur 4 Tests in beiden Untersuchungen in genau identischer Form verwendet worden waren (4 Untertests des AIT) mußten die Rohwerte in T-Werte transformiert werden (M = 50, s = 10). Wir wählten die T-Wert-Transformation, um den unmittelbaren Vergleich unserer Werte mit den Ergebnissen *Meilis* aus der schweizerischen Untersuchung von 1964 zu ermöglichen. Die Mittelwerte aus der Erst- und Zweituntersuchung sind also miteinander nur bedingt vergleichbar, da damit in der Erstuntersuchung 10 T-Werte der Streuung der Gesamtgruppe der 11jährigen, in der Zweituntersuchung aber der Streuung der 15jährigen gleichgesetzt worden sind.

35 Es handelt sich um skalierte und mit dem größten Koeffizienten normierte Regressionsgewichte; die Trennfunktionen der beiden Diskriminanzanalysen sind damit untereinander vergleichbar, allerdings nur in bezug auf die Verhältnisse der einzelnen Gewichte zueinander (die skalierten Werte sind noch mit der Anzahl Vpn gewichtet; da die Eigenvektoren in bezug auf eine multiplikative Konstante unbestimmt sind, können die Gewichtszahlen in verschiedenen Funktionen nicht direkt miteinander verglichen werden).

36 Die fehlenden Korrelationen zwischen PV 2 bzw. PV 7 und den Intelligenzresultaten sind wohl vor allem darauf zurückzuführen, daß wir durch konsequente Operationalisierung unserer theoretischen Annahmen hier in Gegensatz zu bestimmten empirischen Befunden kamen. So werten wir bei PV 2 mehr Geschwister als positiv, obschon bereits *Heuyer* et al. (1950) eine negative Korrelation zwischen Geschwisterzahl und sozioökonomischem Niveau bzw. dem entsprechenden Stimulationskontext nachgewiesen hatten. Bei PV 7 wurden auch nicht intellektuelle, z. B. sportliche Aktivitäten positiv bewertet, was – zusammen mit einem möglicherweise kompensatorischen Charakter dieser außerhäuslichen Hobbies – zur geringen Korrelation mit den Intelligenzmaßen geführt haben dürfte.

37 Vgl. Anmerkung 36. Von den einander theoretisch zugeordneten PV-„Paaren" der allgemeinen und spezifischen Stimulation korrelieren relativ eng unter sich lediglich die beiden „schriftsprachlichen" (r = .48) und die beiden „spezifisch intellektuellen" Anregungsvariablen (r = .33). Da die erstgenannte Korrelation gleichzeitig die höchste der ganzen Interkorrelationsmatrix ist, darf gesagt werden, daß in keinem Fall zwei Variablen praktisch dasselbe anpeilten. Um die Zusammenhänge zwischen den verschiedenen Prozeßvariablen faktorenanalytisch genauer zu ermitteln, fehlten die Voraussetzungen bei unserem Material.

38 PV 11 wurde als Einstellungsvariable nicht ins Total einbezogen, PV 6 sinngemäß negativ verrechnet.

39 Dies soll nicht heißen, daß wir uns uneingeschränkt den diesbezüglichen Thesen *Blooms* (1964) anschließen; insbesondere halten wir die Kritik an seinen (zu) weitgehenden Quantifizierungsmethoden für berechtigt (vgl. dazu etwa *Hopf* 1971).

40 Auch bei der Erstuntersuchung hatten die Kinder ja bereits mehr als 4 Jahre Schule hinter

sich. Per analogiam muß angenommen werden, daß diese ersten Schuljahre die regionalen Intelligenzdifferenzen ebenfalls bereits ein Stück weit ausgeglichen haben. Daß diese Annahme gemacht werden kann, legen etwa Vergleiche unserer Resultate mit denjenigen von *Schaerer* (1967) nahe, die eine analoge Untersuchung bei Erstkläßlern im Kanton Bern durchgeführt hat.

41 Dies mag allerdings mitbedingt sein dadurch, daß SR bei den 15jährigen einen schmäleren Leistungsbereich erfaßte als RE bei den 11jährigen; damit würde es sich bei RE um ein weniger stark schulabhängiges Resultat handeln und die Nivellierung in SR ließe sich damit erklären, daß hier der ausgleichende Schulungseinfluß eben stärker zum Zuge kam, da es sich mehr um einen Schul- und nicht so sehr um einen Intelligenztest handelt. Allerdings läßt sich allein damit der Nivellierungseffekt im Rechentest in der Zweit- gegenüber der Erstuntersuchung kaum erklären, da sich ja auch im ebenfalls schulabhängigen WS eine gleichsinnige Nivellierung zeigt.

42 Vgl. hiezu *Anastasi* (1965).

43 Vgl. dazu die Untersuchungen *Vontobel*s (1970) zum Zeiterleben an Vpn aus sozial verschiedenen Kontexten und seine Charakterisierungen ländlicher und städtischer Umwelt sowie die systematische Charakterisierung städtischer Umwelt in *Ittelson et al.* (1977, 314ff.).

44 Bekanntlich macht *Eysenck* ihn zum Herzstück seiner Intelligenzdefinition, wenn er „Intelligenz“ definiert als die „Schnelligkeit der psychischen Funktionsabläufe“; siehe *Eysenck* (1957).

45 Dabei gehen wir von der Unterscheidung zwischen überdauernder und aktualisierter Leistungsmotivation nach *Atkinson* (1965) aus.

46 Entsprechend den Ergebnissen der Diskriminanzanalyse bei den 15jährigen unterscheiden wir hier im wesentlichen nur noch zwischen „Stadt“ (R 1/R 4) und „Land“ (R 2+3/R 5).

47 Dieser Befund bezüglich der Arbeitsbelastung der Bauern-, vor allem Bergbauernkinder, und der hohen Bildungsmotivation in ländlichen Berggebieten der Schweiz stimmt mit Ergebnissen aus einer Untersuchung *Jaeggi*s (1965) überein.

48 Vgl. *Cattell* (1963).

49 Es versteht sich von selbst, daß mit derselben (Un-)Wahrscheinlichkeit ausschließlich von quantitativen und/oder qualitativen Stimulationsunterschieden her interpretiert werden kann; nämlich dann, wenn Unterschiede im abstrakt-analysierenden Denken als maßgeblich bestimmt durch qualitativ unterschiedliche verbale Stimulation betrachtet werden, wie es unter Übernahme der *Sapir-Whorf*-These die Schule *Bernstein*s (*Bernstein et al.* 1973) tut.

50 Vgl. z. B. einerseits die kritischen Stellungnahmen zu den Möglichkeiten der Zwillingsforschung im Gutachtenband des *Deutschen Bildungsrates* (1971), andererseits die Einschätzung dieser Forschung durch *Jensen* (1969) sowie die Argumentationen in der ganzen „Jensen-Debatte“; vgl. dazu z. B. *Skowronek* (1973).

51 Wir denken dabei in erster Linie an den Einbezug von Bereichen der „social intelligence“, aber auch von verschiedenartigeren „performance“-Tests sowie von Funktionen der Psychomotorik, der Raumwahrnehmung etc. Fruchtbar hat sich andererseits in der Untersuchung von *Marjoribanks* (1972) der Einsatz einer an *Thurstone* orientierten Intelligenztest-Batterie erwiesen.

52 Vgl. hiezu die bereits 1929 erfolgten Experimente von *Shimberg* (1929) mit der Konstruktion von stadtkind- und landkindadäquaten Tests sowie die grundsätzlichen Bemerkungen zur Umweltbezogenheit von Intelligenztests bei *Pawlik* (1976).

53 Vgl. beispielsweise die diesbezügliche Situationsanalyse von *Walter* (1975).

Literatur

Aebli, H.
1969. Die geistige Entwicklung als Funktion von Anlage, Reifung, Umwelt- und Erziehungsbedingungen. In H. Roth (Hrg.), Begabung und Lernen. Stuttgart: Klett, 151–192.

Albrecht, G.
1972. Soziologie der geographischen Mobilität. Stuttgart: Enke.

Alpert, R./Haber, R. N.
1960. Anxiety in Academic Achievement Situations. Journal of Abnormal and Social Psychology, 61, 207–215.

Anastasi, A.
1965. Differential Psychology. New York: Macmillan.

Bernstein, B./Brandis, W./Henderson, D.
1973. Soziale Schicht, Sprache und Kommunikation. Düsseldorf: Schwann.

Bloom, B. S.
1964. Stability and Change in Human Characteristics. New York: Wiley.

Burt, C.
1958. The Inheritance of Mental Ability. American Psychologist, 13, 1–15.

Cattell, R. B.
1963. Theory of Fluid and Crystallized Intelligence. Journal of Educational Psychology, 54, 1–22.

Cooley, W. W./Lohnes, P. R.
1971. Multivariate Data Analysis. New York: Wiley.

Deutscher Bildungsrat
1971. Begabung und Lernen. 4. Gutachtenband, hrg. von H. Roth, Stuttgart: Klett.

Eells, K./Davis, A./Havighurst, R. J./Herrick, V. E./Tyler, R. W.
1951. Intelligence and Cultural Differences. Chicago: University of Chicago Press.

Furth, H. G.
1973. Piaget, IQ and the Nature-Nurture-Controversy. Human Development, 16, 61-73.

Gist, N. P./Clark, C. D.
1938. Intelligence as a Selective Factor in Rural-Urban-Migration. American Journal of Sociology, 44, 36–58.

Graumann, C. F.
1976. Die ökologische Fragestellung – 50 Jahre nach Hellpachs ,,Psychologie der Umwelt". In G. Kaminski (Hrg.), Umweltpsychologie: Perspektiven-Probleme-Praxis. Stuttgart: Klett, 59–72.

Heckhausen, H.
1963. Hoffnung und Furcht in der Leistungsmotivation. Meisenheim/Glan: Hain.
1966. Einflüsse der Erziehung auf die Motivationsgenese. In T. Herrmann (Hrg.), Psychologie der Erziehungsstile. Göttingen: Hogrefe, 131–169.

Heuyer, G./Piéron, H./Sauvy, A.
1950. Le niveau intellectuel des enfants d'âge scolaire. Paris: Presses Universitaires de France.
Holzkamp, K.
1972. Kritische Psychologie. Frankfurt: Fischer.
Hürsch, L.
1970. Der Einfluß verschiedener Versuchssituationen auf die Faktorenstruktur von Intelligenzleistungen. Bern: Huber.
1975. Schülerbeurteilung der Ängstlichkeit in Proben und Prüfungen durch Lehrer. Universität Bern: Publikationen der Forschungsabteilung des Psychologischen Instituts.

Ittelson, W. H./Proshansky, H. M./Rivlin, L. G./Winkel, G. H.
1977. Einführung in die Umweltpsychologie. Stuttgart: Klett-Cotta.
Jaeggi, U.
1965. Berggemeinden im Wandel. Bern: Haupt.
Jäger, A. O.
1967. Dimensionen der Intelligenz. Göttingen: Hogrefe.
Jencks, C./Smith, M./Acland, H./Bane, M. J./Cohen, D./Gintis, H./Heyns, B./Michelson, S.
1973. Chancengleichheit. Reinbek: Rowohlt.
Jensen, A. R.
1969. How Much Can We Boost IQ and Scholastic Achievement? Harvard Educational Review, 39, 1–123.

Kagan, J./Moss, H.
1962. From Birth to Maturity. New York: Wiley.
Kamin, L. J.
1974. The Science and Politics of IQ. New York: Wiley.
Klineberg, O.
1931. A Study of Psychological Differences between ,,Racial" and National Groups in Europe. Archives of Psychology, 132.

Marjoribanks, K.
1972. Environment, Social Class and Mental Abilities. Journal of Educational Psychology, 63, 103–109.
Meili, R.
1971². Analytischer Intelligenztest (AIT). Bern: Huber.
1978⁶. Psychologische Diagnostik. Bern: Huber.
Meili, R./Hürsch, L.
1973. Faktorenmatrix und psychologische Bedingungen der Denkprozesse. Psychologische Forschung, 36, 39–57.
Meili, R./Steiner, H.
1965. Eine Untersuchung zum Intelligenzniveau Elfjähriger der deutschen Schweiz. Schweizerische Zeitschrift für Psychologie und ihre Anwendungen, 24, 1, 23–32.

Pawlik, K.
1976. Ökologische Validität: Ein Beispiel aus der Kulturvergleichsforschung. In G. Kaminski (Hrg.), Umweltpsychologie: Perspektiven-Probleme-Praxis. Stuttgart: Klett, 59–72.

Piaget, J.
1966². Psychologie der Intelligenz. Zürich: Rascher

Sarason, S. B./Mandler, G./Craighill, P. G.
1952. The Effect of Differential Instructions on Anxiety and Learning. Journal of Abnormal and Social Psychology, 47, 561–565.
Schaerer, M.
1967. Untersuchung über die Intelligenzstruktur von Stadt- und Landkindern. Universität Bern/Psychologisches Institut: unveröffentlichte Vorarbeit.
Schneewind, K. A.
1966. Systematische Retrospektion als Datenquelle zur Erfassung des Erziehungsverhaltens. In T. Herrmann (Hrg.), Psychologie der Erziehungsstile. Göttingen: Hogrefe, 44–48.
Shimberg, M. E.
1929. An Investigation into the Validity of Norms with Special Reference to Urban and Rural Groups. Archives of Psychology, 104.
Skowronek, H. (Hrg.)
1973. Umwelt und Begabung. Stuttgart: Klett.
Studer, H.
1974. Soziale Schicht und Entwicklung kognitiver Fähigkeiten. Universität Zürich/Psychologisches Institut: unveröffentlichte Diplomarbeit.

Trudewind, C.
1975. Häusliche Umwelt und Motiventwicklung. Göttingen: Hogrefe.

Vatter, M.
1966. Beitrag zur Interpretation der Resultate aus der „Untersuchung über das Intelligenzniveau von Schweizer Kindern 1963/64". Universität Bern/Psychologisches Institut: unveröffentlichte Diplomarbeit.
1975. Intelligenzunterschiede zwischen sozial und regional verschiedenen Gruppen und ihre Ursachen: eine vergleichende Untersuchung an Berner Kindern. Universität Bern/Psychologisches Institut: unveröffentlichte Dissertation.
Vontobel, J.
1970. Leistungsbedürfnis und soziale Umwelt. Bern: Huber.
Walter, H.
1975. Zu diesem Band. In H. Walter (Hrg.), Sozialökologie – neue Wege in der Sozialisationsforschung. Stuttgart: Frommann-Holzboog, XIII–XLII.
Wheeler, L. R.
1942. A Comparative Study of the Intelligence of East Tennessee Mountain Children. Journal of Educational Psychology, 33, 321–334.
Wolf, R. M.
1964. The Identification and Measurement of Environmental Process Variables Related to Intelligence. University of Chicago: Unpublished Dissertation.

Verhaltensstörungen bei Schulkindern im Zusammenhang mit Erziehungsstil-, ökologischen und sozialstrukturellen Variablen

Eine Untersuchung im Oberwallis

Meinrad Perrez, Jean-Luc Patry und Nivardo Ischi[1]

Es werden die Ergebnisse einer Untersuchung referiert, in der geprüft wurde, wie weit Zusammenhänge zwischen elterlichem Erziehungsstil und kindlichen Verhaltensstörungen identifizierbar seien. Entsprechende Vorhersagen wurden auf verhaltenstheoretischer Basis gemacht. Ebenso wurde untersucht, ob sich die Erziehungsstile der Eltern schichten-spezifisch und ökologie-spezifisch unterscheiden. Die Ergebnisse zeigen, daß wohl die kindlichen Verhaltensstörungen durch den Erziehungsstil ein Stück weit erklärt werden können (im Sinne der Varianzaufklärung), kaum aber der Erziehungsstil durch die sozial-strukturellen und ökologischen Variablen, wenngleich diese bei gewissen Verhaltensstörungen trennen.

1. Einleitung und Fragestellung

In den letzten Jahren sind eine Reihe von epidemiologischen Studien über die Verteilung von Verhaltensstörungen bei Schulkindern erschienen (*Thalmann* 1971, *Shepherd et al.* 1973, *Blackham* 1974). Einzelne Studien machten besonders auf die hohe (*Glidewell/Swallow* 1969) oder altersspezifische (*Heß et al.* 1977) Verbreitung von Störungen bei Kindern aufmerksam, andere sollten bestimmte theoretische Konzepte stützen (z. B. *Sarason et al.* 1971).
In der vorliegenden Untersuchung wird geprüft, ob sich erwartete Zusammenhänge von kindlichen Verhaltensstörungen mit Erziehungsstilvariablen bestätigen lassen und wie weit die Varianz in Erziehungsstilvariablen durch ökologische und sozialstrukturelle Variablen aufklärbar sei.
Darüber hinaus werden eine Reihe von sozialepidemiologischen Hypothesen geprüft. Die *Abhängigkeit* der *Verhaltensstörungen* von Schulkindern vom *Erzie-*

hungsstil der Eltern ist zur Zeit am stringentesten durch die lerntheoretischen Erklärungsansätze thematisiert. Verhalten – normkonformes wie normabweichendes – wird analysiert als Verhalten, das durch seine zu hohe (Verhaltensexzeß) oder zu niedrige Frequenz (Verhaltensdefizit) sozial und/oder individuell zum *Problemverhalten* wird. Das Frequenzniveau ist bedingt einerseits durch eine spezifische Lerngeschichte und andererseits durch aktuelle soziale Kontingenzen (Reaktionen des Sozialpartners auf das entsprechende Problemverhalten), die das Verhalten kontrollieren.

Abweichendes Verhalten wird demgemäß gefördert durch soziale Kontingenzen, die dieses Verhalten (gewollt oder ungewollt, entdeckt oder unentdeckt) operant bekräftigen, oder es wird aufrechterhalten durch konditionierte aversive Stimulationsbedingungen, die zu ängstlichem, emotional beeinträchtigtem Verhalten im Sinne des Aktivierungssyndroms disponieren, das seinerseits zum Auslöser für Vermeidungsverhalten wird (*Skinner* 1973). Dieser hypothetisch angenommene Sachverhalt wird empirisch am besten experimentell und in der idiographischen Einzelanalyse geprüft (*Perrez* 1980). Für Felduntersuchungen an größeren Stichproben gibt es zur Zeit nur sehr wenige deutschsprachige Versuche, das Erziehungsverhalten der Eltern über Fragebogen unter lernpsychologischen Aspekten zu systematisieren und zu erfassen (*Stapf et al.* 1972, *Lukesch/Tischler* 1975). Die Marburger Skalen (*Stapf et al.* 1972) versuchen, das von den Kindern wahrgenommene Ausmaß elterlicher Bekräftigung und Bestrafung zu messen. Diese beiden Parameter erlauben mindestens die Vorhersagen, daß Kinder mit Eltern von hoher Bestrafungstendenz eher Störungen im dysthymischen Bereich (*Eysenck/Rachman* 1968) (Ängstlichkeit, Zwangstendenzen, geringer Verhaltensausstoß) aufweisen und Kinder mit Eltern von hoher Bekräftigungstendenz eher als stabil und mit größerem Selbstwertgefühl zu erwarten sind (*Stapf et al.* 1972, *Stapf* 1975).

Die *experimentelle Neurosenforschung* legt darüber hinaus die Hypothese nahe, daß Organismen, die nonkontingente Kontigenzbedingungen erfahren, also einmal für den gleichen Verhaltenstyp positiv bekräftigt und dann wieder bestraft werden, zu Verhaltensstörungen tendieren (*Cosnier* 1966). Dieser Sachverhalt wird – wenn auch vage – operationalisiert durch die Diskrepanz zwischen dem Erziehungsstil des Vaters und der Mutter.

Eine weitere Variable, die für das Auftreten von Verhaltensstörungen als bedeutsam betrachtet wird, ist der *mikro-ökologische Faktor* der räumlichen Einengung, unter der ein Kind aufwächst. Nach *Ittelson et al.* (1974) und *Proshansky et al.* (1976 b) führt eine hohe Belegungsdichte (crowding) zu einer entscheidenden Erschwerung der Herstellung sozialer Absonderung (privacy) und der Aufrechterhaltung territorialer Ansprüche. Der Verhaltensspielraum für den einzelnen wird dadurch verkleinert. *Saegert* (1976) berichtet, daß derartige Umweltsmerkmale zu

Frustration und Streß führen. Diesen psychischen Streß erfahren die Eltern wie die Kinder (*Galle et al.* 1972, *Freedman* zit. nach *Ittelson et al.* 1974, *Calhoun* 1976).

Über den *Zusammenhang des Erziehungsstils* mit *sozialstrukturellen Variablen* besteht bereits ein umfangreiches Schrifttum, das trotz seiner theoretischen Fragwürdigkeit die stabile Meinung nährt, daß Eltern mit geringerem Bildungsgrad und niedrigerem sozio-ökonomischen Status mehr Bestrafung in der Erziehung anwenden als Eltern aus höheren sozialen Schichten. Theoretische Analysen (*Lukesch* 1976, 91–161) wie neuere empirische Ergebnisse (vgl. z. B. im Bereich der Erziehungsziele *Gillner/John* 1975) zeigen, daß die einschlägigen älteren Untersuchungen vermutlich eher historisches Faktenwissen zu Tage förderten als Gesetzeswissen; d. h. daß durch sie nicht gesetzesartige Zusammenhänge zwischen Variablen eruiert worden sind, sondern historische Tatbestände, die sich ändern.

Da es kaum theoretische Argumente dafür gibt, daß die Zugehörigkeit zu einer bestimmten sozialen Schicht per se einen einsichtigen Erklärungswert für die Varianz in bestimmten Verhaltensvariablen besitzt, bedarf die Beziehung dieser Variablen einer weiteren Klärung. Man kann annehmen, daß das Konstrukt „soziale Schicht" – wie immer es im einzelnen expliziert werden mag – einzelne Phänomene klassifiziert, die ihrerseits Elternverhalten fördern, das Verhaltensstörungen begünstigt. Verschiedene Autoren haben entsprechende Überlegungen angestellt (*Keupp* 1974, *Lukesch* 1976). Eine Möglichkeit, den Erklärungsabstand zwischen soziologischen und psychologischen Variablen zu vermindern, sieht *Lukesch* (1976, 158) darin, „daß Schichtkriterien in psychologischen Arbeiten als grobe Indikatoren für verschiedene ‚Lernumwelten' (*Ewert* 1966, 91) oder als ‚Bereichsangaben' (*Heckhausen* 1966, 93) für unterschiedliche Sozialisationsbedingungen verwendet werden". Unter den sozioökonomischen Merkmalen, die als Indikatoren für Schichtung verwendet werden und von denen man annimmt, daß sie die Variabilität von Lebensbedingungen erfassen, gibt es wahrscheinlich einzelne, die zu Unterschieden im Verhalten von Sozialisatoren führen. Diese bedingen dann ihrerseits wieder die Variabilität im Kindverhalten. Somit wird nicht das abstrakte und in verschiedenen Studien äußerst uneinheitliche Konstrukt „Schicht" als Erklärungsvariable interpretiert, sondern es wird erwartet, daß aus der Variabilität von Einzelmerkmalen, die das Konstrukt mitdefinieren, unterschiedliche Einflüsse auf die Sozialisatoren resultieren. In diesem Sinne wird das Konstrukt „Schicht" in der vorliegenden Untersuchung zu *heuristischen Zwecken* zu Erziehungsstilvariablen in Beziehung gesetzt, um die Interpretation der Schichtvariable als Lernumweltsvariable für die Sozialisatoren zu objektivieren.

Lukesch (1976) sieht als einen möglichen Grund für die gelegentlich uneinheitlichen Ergebnisse in den Untersuchungen über Zusammenhänge von Schichtvaria-

blen mit Erziehungsstilvariablen die beinahe konstante Außerachtlassung *makro-ökologischer* Variablen (*Lukesch* 1976, 156).
Bildungsgrad, Einkommen und andere für das Schichtkonstrukt typische Indikatoren besitzen vermutlich unter verschiedenen makroökologischen Bedingungen nicht die gleiche Bedeutung. Es ist vielmehr anzunehmen, daß eine interaktive Beziehung zwischen den beiden Variablen existiert, dergestalt, daß der Einfluß der beiden Variablen auf das Erziehungsverhalten durch Wechselwirkungen charakterisiert ist. Zudem ist anzunehmen, daß bestimmtes Erziehungsverhalten der Eltern unter verschiedenen makroökologischen Bedingungen verschiedene Sozialisationseffekte bewirkt. Diese komplexe Betrachtungsweise sozial-ökologischer Faktoren ist in den letzten Jahren unter dem Begriff eines ,,soziotopen Ansatzes" entwickelt worden (*Bargel et al.* 1973, *Bargel/Wunberg* 1975). Die ,,Arbeitsgruppe Umwelt-Taxonomie" versucht, die Lernumwelt nach sozialisationsrelevanten Merkmalen zu taxonomisieren.
In der vorliegenden Untersuchung soll als vorläufige Heuristik die folgende hypothetische Vernetzung analysiert werden (vgl. Abb. 1):

Abbildung 1: Hypothetische Vernetzung der berücksichtigten Variablen

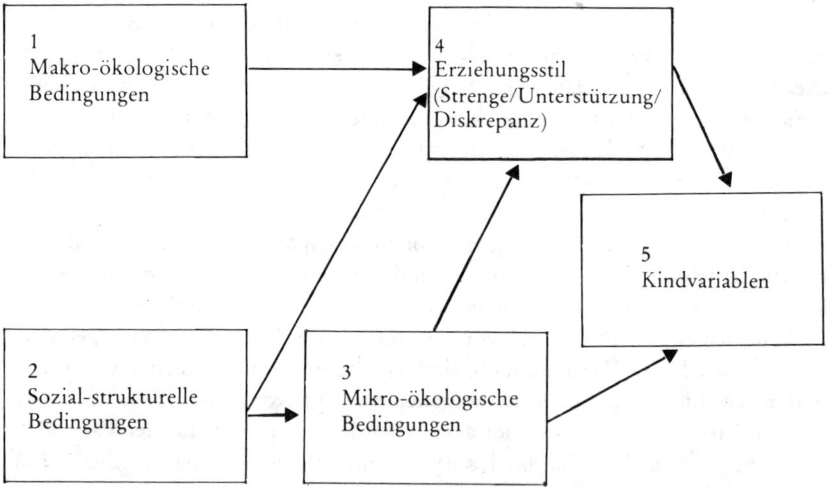

Es wird angenommen, daß das Erziehungsverhalten (4), das abweichendes Verhalten von Schulkindern (5) begünstigt, mitbedingt wird durch die *Lerngeschichte* der Erzieher (eigene Verhaltensmodelle usw.) und durch aktuelle *Lebensbedingungen.*

Die aktuellen Lebensbedingungen werden z. T. durch sozialstrukturelle Merkmale (2) beschrieben; Lebensstandard, Beruf usw. beeinflussen das Ausmaß des psychischen Stresses, die Art der Erwartungen an die Erzogenen und an das Erziehungsverhalten, das Ausmaß an Toleranz der Abweichung gegenüber und schließlich auch die mikroökologischen Bedingungen (Wohnraum pro Person etc.) (3). Neben den sozialstrukturellen Merkmalen, die als aktuelle Lebensbedingungen das Erziehungsverhalten beeinflussen, werden makroökologische Bedingungen als relevant betrachtet. Es wird erwartet, daß die Lebensbedingungen in einem Bergdorf eine größere soziale Kohäsion bewirken als das Leben unter städtischen Bedingungen. Die größere Kohäsion ihrerseits führt zu einem einheitlicheren Erziehungsverhalten der Eltern. Ferner wird erwartet, daß Eltern in entlegenen Berggegenden traditionsgebundener (d. h. strenger) erziehen als Stadt-Eltern. Ökologische wie sozialstrukturelle Faktoren wirken sich auch auf den Zugang und die Einstellung zu helfenden Institutionen aus (vgl. *Lagger* 1977).

2. Anlage und Durchführung der Untersuchung

2.1. *Beschreibung der Variablen und ihre Messung*

2.1.1. *Ökologische Variablen*

Von der Tatsache ausgehend, daß Verhalten notwendigerweise in einem spezifischen Kontext auftritt, kann man sich fragen, inwiefern dieser Kontext das Verhaltensrepertoire und die Verhaltensfrequenzen des Menschen beeinflußt. Als der Biologe *Ernst Haeckel* (1876) den Begriff „Ökologie" einführte, wollte er die Adaptationsmuster der am gleichen Ort lebenden Organismen beschreiben. Im letzten Jahrzehnt hat die Untersuchung der *Mensch-Umwelt-Beziehung* unter dem Etikett der Umweltpsychologie einen entscheidenden Aufschwung erfahren (*Ittelson et al.* 1974, *Proshansky et al.* 1976 a). Diese Entwicklung hat zu einer günstigen Klärung der verwendeten Begriffe (*Insel/Moos* 1974), zu einer Verdeutlichung der Determinationsprozesse zwischen physischer Umwelt und Verhalten (*Proshansky et al.* 1970) und zur Konzeptualisierung menschlicher Umwelten geführt (*Sonnenfeld* 1972, *Moos* 1973, *Bronfenbrenner* 1974, 1977, *Lang* 1974).
In dieser Untersuchung sollen – wie bereits erwähnt – sowohl makroökologische als auch mikroökologische Dimensionen berücksichtigt werden. Als *makroökologische Variable* wurde die geographisch-topographische Lage der Wohngemeinde der zu untersuchenden Population gewählt, nämlich die Unterscheidung zwischen Berg- und Talgemeinden. Ein wesentlicher Unterschied zwischen Tal- und

Berggemeinden besteht in deren unterschiedlichen Höhenlagen, die im spezifischen Untersuchungsgebiet (Oberwallis/Schweiz) mit entscheidenden topographischen Merkmalen kovariiert. Im Alpengebiet befinden sich Wohngemeinden in hoher Lage meist auf sonnigen Terrassen. Charakteristisch für ein derartiges Wohngebiet sind das härtere Klima sowie die Steilheit und die natürliche Zerschneidung der Hänge durch Felsen, Bäche und Geröll. Wegen der schwierigeren Lebensbedingungen und wegen der Knappheit der bewohnbaren und bebaubaren Landflächen weisen die meisten Berggemeinden eine wesentlich geringere Einwohnerzahl auf als die Talgemeinden. Da die Einwohnerzahl – besonders in Wohngemeinden bis maximal 10 000 Einwohner, wie sie im Untersuchungsgebiet vorliegen – u. a. die Struktur und Form des sozialen Austauschs mitbedingt, wurde dieser Faktor kontrolliert (siehe Abschnitt 2.2.). In diesem alpinen Gebiet, insbesondere in manchen Berggemeinden, sind je nach Saison zeitweise sehr viele Touristen untergebracht, was die Sozialstruktur und die bauliche Eigenart des Dorfes in einem beträchtlichen Ausmaß verändert. Dieser Faktor wurde ebenfalls berücksichtigt, indem die Grundgesamtheit der Berggemeinden auf diejenigen Dörfer beschränkt wurde, die vom Tourismus nur bis zu einem mittleren Grad tangiert werden. Als Indikator diente die für den Fremdenverkehr angemeldete Bettenzahl (*Inventar des Tourismus im Wallis* 1975), da nicht für jede Gemeinde die Anzahl der effektiven Übernachtungen vorlag. Durch die Berücksichtigung der erwähnten Kriterien (Höhenlage, Einwohnerzahl und Tourismus, vgl. Abschnitt 2.2.) wird gewährleistet, daß sich die Berggemeinden von den Talgemeinden nach im wesentlichen vom Menschen geschaffenen ökologischen Variablen unterscheiden (z. B. Bauart, topographischer Komplexitätsgrad, Verhaltensdichte, Verkehrsdichte, Lärmpegel u. a. m., vgl. *Preiser* 1973, *Mehrabian/Russel* 1974, *Michaelson* 1976).
Als *mikroökologische Variable* wurde die Belegungsdichte in den Wohnungen der untersuchten Population herangezogen, operationalisiert durch die Anzahl von Personen pro verfügbarem Raum (Küche und ähnliche Räume nicht eingerechnet.)

2.1.2. *Sozioökonomische Variablen*

Zur Bestimmung der sozialen Schichtzugehörigkeit der Familie im Sinne einer groben Bereichsangabe der Lebensbedingungen der Sozialisatoren (vgl. Abschnitt 1.) lehnten wir uns an die Kurzfassung des Schichtindex nach *Scheuch* (1961) an. Die Merkmale Beruf, Einkommen und Schulbildung des Haupternährers wurden mittels Fragebogen erhoben. Die Ausprägung der Merkmale wurde nach dem Punktesystem von *Scheuch* festgehalten (ebda.). Das Merkmal Einkommen des Haupternährers wurde jedoch den Verhältnissen des Oberwallis angepaßt. Zusätzlich wurde die allfällige politische Funktion des Befragten berücksichtigt

(Gemeinderat: + 1 Punkt, Gemeindepräsident: + 3 Punkte). Zum Zwecke der Untersuchung begnügten wir uns mit einer zweigliedrigen Aufteilung der sozialen Schichtzugehörigkeit der Familien. Wir unterschieden somit sogenannte Unterschichtsfamilien (US) von sogenannten Mittelschichtsfamilien (MS) (siehe Abschnitt 3.1.).

2.1.3. *Erziehungsstilvariablen*

Als für das Kindverhalten relevante elterliche Erziehungsstilvariablen wurden „elterliche Strenge" und „elterliche Unterstützung" nach *Stapf et al.* (1972) ausgewählt. Die nach dem Meßmodell von *Rasch* (1960) konstruierten Skalen zur Messung der beiden Variablen zeichnen sich durch ihre Orientierung an Bekräftigungs- und Bestrafungstheorien aus, aus denen hypothetisch Vorhersagen über „Wenn-dann-Beziehungen" zwischen Eltern- und Kindverhalten sinnvoll deduziert werden können (vgl. dazu die kritische Auseinandersetzung *Lukesch* 1977, *Herrmann/Stapf* 1977).

„Strenge" und „Unterstützung" werden von den Autoren folgendermaßen operational definiert:

„Das Maß für elterliche Strenge ist die relative Häufigkeit von Bestrafung (verschiedenen Intensitätsgrades) bei unerwünschtem Verhalten des Kindes, welche mit einem geeigneten Beobachtungsinstrument unter standardisierten Bedingungen erhoben wird."

„Das Maß für elterliche Unterstützung ist die relative Häufigkeit von Belohnungen (verschiedenen Intensitätsgrades) bei erwünschtem Verhalten des Kindes, welche mit einem geeigneten Beobachtungsinstrument unter standardisierten Bedingungen erhoben wird" (*Stapf et al.* 1972, 58).

Die Erhebungsinstrumente bestehen in für Vater und Mutter getrennten, je 15 Item umfassenden Skalen, von denen je eine die väterliche bzw. mütterliche Strenge und die väterliche bzw. mütterliche Unterstützung messen.

Die Messung erfolgt über die Kinder, die im Fragebogen ihre Wahrnehmung des elterlichen Erziehungsverhaltens objektivieren (fremdperzipierter Erziehungsstil).

2.1.4. *Die Variable „Verhaltensstörungen bei Schulkindern" und ihre Messung*

Für die epidemiologische Zielsetzung sollten bei der Erhebung alle bedeutsamen Störungsbereiche repräsentativ erfaßt werden. Zusätzlich sollten jene Verhaltensbereiche einbezogen werden, die Gegenstand spezifischer Hypothesen im Zusammenhang mit Erziehungsstilvariablen sind. Beide Bedingungen erfüllen die 32 Rang-Skalen zur Erfassung kindlicher Verhaltensstörungen von *Jonsson/Kälve-*

sten, deren deutsche Fassung *Thalmann* (1971) seiner Untersuchung über „Verhaltensstörungen bei Kindern im Grundschulalter" zugrunde gelegt hat.
Die 32 Skalen[2], die teils unipolar, teils bipolar konstruiert sind und jeweils einen Symptombereich erfassen, lassen sich in fünf Verhaltensbereiche gliedern (vgl. *Thalmann* 1971, 54):

1. Psychosomatische Funktion (Symptome 1–7)
2. Sexuelle Aktivität (8)
3. Motorik und Sprache (9–13)
4. Affektives Verhalten (14–18, 21–25)
5. Schul- und Sozialverhalten (15, 16, 19, 20, 26–32)

Die Erhebung der Störungen erfolgt durch halbstandardisierte Interviews, in denen die Störungsbereiche systematisch abgefragt werden. Der Interviewer ordnet dann den Ausprägungsgrad der Störung der entsprechenden Skalenstufe zu. Als Beispiel sei die Symptomskala „Enuresis" vorgestellt (Tab. 1).

Tabelle 1: Symptomskala „Enuresis" (*Thalmann* 1971, 289)

„1. Näßt jeden Tag und/oder jede Nacht ein
2. Näßt mehr als einmal in der Woche, aber weniger als jeden Tag (jede Nacht) ein
3. Näßt durchschnittlich einmal wöchentlich ein
4. Mehr als einmal während der letzten sechs Monate, aber weniger als einmal in der Woche. – Oder: ist zeitweise ganz trocken, näßt dann wieder durchschnittlich einmal wöchentlich ein
5. Näßt niemals ein (Ausnahme: während Krankheiten)"

Die rangskalierte Beschreibung kindlichen Verhaltens beantwortet nicht aus sich selbst heraus die Frage, ab welcher Skalenstufe Verhalten als auffällig zu bezeichnen sei. Die Abweichung von der statistischen Norm als Grundlage wurde nicht als sinnvoll erachtet, weil damit die Besonderheiten der untersuchten Population nicht sichtbar werden könnten und der Vergleich mit anderen Untersuchungen (z. B. *Thalmann* 1971) nicht möglich wäre.
Die 32 Symptomskalen wurden deshalb vier klinischen Psychologen vorgelegt, die jede Skalenstufe aller Skalen nach dem Ausmaß der Auffälligkeit zu beurteilen hatten[3].
Die Mittelwerte der Raster-Gruppe wurden als Auffälligkeitsmaß für die einzelnen Symptomstufen gewählt. Damit wurde das Expertenurteil als Kriterium für die Abweichung gesetzt. Jedem Kind wird ein Auffälligkeitswert pro Symptombereich zugeordnet. Die *Summe* dieser 32 Werte ergibt den *Auffälligkeitsgrad* des betreffenden Kindes.

2.2. *Selektion und Beschreibung der Stichprobe*

Das Oberwallis, wo die Untersuchung durchgeführt wurde, ist das deutschsprachige Gebiet des Kantons Wallis (Schweiz), das sich im Rhonetal von Sierre bis zu den Alpenpässen Simplon, Lötschberg, Grimsel, Furka und Nufenen erstreckt. Dieses alpine Gebiet von rund 2626 km² ist mit 61 180 Einwohnern spärlich und nur in der Talsohle und auf sonnigen Terrassen besiedelt.
Das Oberwallis umfaßt 86 Gemeinden. Zur Erfassung der oben beschriebenen makroökologischen Variablen (siehe Abschnitt 2.1.1.) galt es, aus dem Grundgesamt der 86 Gemeinden eine Stichprobe an charakteristischen Tal- und Berggemeinden zu ziehen.

Nur 3 Gemeinden entsprachen den gewählten Kriterien für Talgemeinden, d. h. sie weisen mehr als 5000 Einwohner auf und liegen unter 1000 m. ü. M. Davon wurden zum Zwecke der Untersuchung 2 Gemeinden gewählt[4]. Insgesamt machen sie 14 453 Einwohner aus, was 72 % der Grundgesamtheit der Bevölkerung der so abgegrenzten Talgemeinden darstellt.
Das Grundgesamt der zu berücksichtigenden Berg-Gemeinden umfaßt 18 Gemeinden, die folgenden Kriterien genügen: sie liegen über 1000 m. ü. M., sie weisen mehr als 250, jedoch weniger als 450 Einwohner auf, und sie haben weniger als 1800 registrierte Betten für den Tourismus zur Verfügung. Von den 18 angeschriebenen Gemeinden wurden für die Erhebungsstichprobe jene 8 berücksichtigt, die uns nach Aufforderung ihre Schülerliste zusandten[5]. Insgesamt machen diese 8 Gemeinden eine Population von 2821 Einwohnern aus, die 42 % des Grundgesamts unserer Berg-Gemeinden darstellen. Die Tatsache, daß nur jene Berg-Gemeinden berücksichtigt wurden, deren Amtsperson uns die angeforderte Schülerliste zusandte, kann u. E. die Repräsentativität der untersuchten Population der Berg-Gemeinden in bezug auf die zu erhebenden Variablen kaum beeinträchtigen.
Die Grundgesamtheit der untersuchten Population besteht aus allen 7- bis 10jährigen Knaben der 1. bis und mit 4. Primarklasse aller Tal- und Berg-Gemeinden, die unseren Kriterien entsprechen. Es handelt sich um 523 Schüler und deren Eltern. Bei Geschwistern wurde in den Berg-Gemeinden nur derjenige Knabe berücksichtigt, dessen Jahrgangsklasse in der entsprechenden Schule numerisch unterrepräsentiert ist. In den Talgemeinden konnten dagegen abwechselnd einmal der jüngere, das folgende Mal der ältere Knabe für die Erhebung berücksichtigt werden. Einige Schüler, die entweder zu früh oder zu spät eingeschult wurden, sowie alle diejenigen, die nicht ordentlich eingeschult werden konnten, wurden in dieser Untersuchung nicht erfaßt.
Die anvisierte Schülerstichprobe aus den 8 Berg-Gemeinden zählt 91 Knaben, von denen 81 einbezogen werden konnten. 6 Schüler bzw. deren Eltern verweigerten die Datenerhebung. Die restlichen Ausfälle sind auf Absenzen wegen Krankheit, Umzug, u. ä. zurückzuführen.
Im Unterschied zu den Berg-Gemeinden konnte in den Tal-Gemeinden wegen der großen Schülerzahl keine Totalerhebung vollzogen werden. Zur Gewährleistung der Vertretung von Knaben aus allen sozialen Schichten wurde eine geschichtete

Stichprobe gezogen. Alle 7- bis 10jährigen Knaben der beiden Tal-Gemeinden wurden einer ersten groben dreistufigen Schichteinteilung unterworfen, die lediglich auf dem Beruf des Vaters beruhte. Aus jeder der vier Altersklassen und für jede Schichtstufe wurden zufällig 5 Knaben gezogen, und zwar die gleiche Anzahl für beide Tal-Gemeinden. Die gezogene Tal-Population umfaßt somit 120 Schüler und deren Eltern. Tatsächlich konnten die Daten jedoch nur bei 100 Knaben bzw. deren Eltern erhoben werden, da in 19 Fällen die Mitarbeit verweigert wurde. Insgesamt konnten somit 181 7- bis 10jährige Knaben und deren Eltern in unsere Untersuchung einbezogen werden.

2.3. *Durchführung der Untersuchung*

Die Datenerhebung erfolgte im Juni 1976. Die ausgewählten Knaben bzw. deren Eltern und Lehrer baten wir schriftlich um ihre Mitarbeit. Den Eltern wurde der Besuch eines Interviewers angekündigt, der die Daten über die Verhaltensstörungen des Kindes durch ein halbstandardisiertes Interview mit den Müttern erhob. Zur Erhebung der mikroökologischen und der sozialstrukturellen Variablen diente ein Fragebogen, der zu einem späteren Zeitpunkt durch den Interviewer abgeholt wurde. Der kinderperzipierte elterliche Erziehungsstil (Marburger Fragebogen) wurde dagegen während einer Schulstunde im Klassenzimmer erhoben.

3. Resultate und erste Diskussion

3.1. *Deskriptive Analyse*

3.1.1. *Schichtverteilung in Berg und Tal*

In den Bergdörfern wohnen vor allem Landwirte, die zum Teil noch als Arbeiter in der Fabrik zusätzlich etwas Geld verdienen (die sog. ,,Arbeiterbauern"). Ihr Einkommen ist eher niedrig. Etwas besser gestellt sind die Hoteliers und Wirte (welche daneben z. T. ebenfalls in der Fabrik arbeiten), kleine Selbständige (Inhaber eines Lebensmittel-Geschäftes, einer Bäckerei, einer Schreinerei mit einigen Angestellten) und die Posthalter. In den untersuchten Talgemeinden gab es wenig Fabrikarbeiter oder Landwirte, hingegen einige höhere Angestellte, Selbständigerwerbende und Akademiker. Dementsprechend ist auch das Einkommen der Bergbewohner signifikant niedriger als dasjenige der Talbewohner (U-Test, $p < .001$), und der Schicht-Index unterscheidet sich ebenfalls signifikant ($p < .001$).

Die wesentlichen Aspekte, die für diesen Unterschied verantwortlich sind, werden durch die *ökologische* Variable erfaßt. Bei der *soziostrukturellen* Variable hingegen geht es primär darum, die Position eines Individuums *innerhalb der eigenen Bezugsgruppe* zu ermitteln. Es soll also nicht der Punktestand eines bestimmten Bergbewohners mit demjenigen eines Talbewohners verglichen werden, sondern ein Bergbewohner soll relativ zu anderen Bergbewohnern eingeschätzt werden. Für die weiteren Berechnungen wurde unterteilt in Unterschicht (US) und Mittelschicht (MS). Die Grenze für die Zugehörigkeit zur Unterschicht wurde für die Talbewohner auf bis und mit 24 Punkte festgestetzt, bei den Bergbewohnern bis und mit 12 Punkte. Dieser Unterschied zwischen Berg und Tal ist insofern vertretbar, als im weiteren der sozialstrukturelle Aspekt nur innerhalb der entsprechenden Bezugsgruppe betrachtet wird. Eine statistische Analyse, etwa eine Varianzanalyse, die sowohl die Ökologie als auch die sozialstrukturelle Variable erfaßt, soll im weiteren wegen der unterschiedlichen Bedeutung von „Schicht" in Berg und Tal vermieden werden.

3.1.2. *Fremdperzipierter Erziehungsstil*

Die Marburger Skalen von *Stapf et al.* (1972) wurden an Knaben im Alter von mindestens 10 Jahren geeicht und für dieses Alter konzipiert. Da einige der von uns untersuchten Knaben zu jung für diesen Fragebogen waren, mußte bei diesen auf die Erhebung des fremdperzipierten Erziehungsstiles verzichtet werden. Insgesamt konnten die Marburger Skalen bei 131 Jungen im Alter von 9 bis 11 Jahren erhoben werden. Die Resultate ergaben eine weitgehende Übereinstimmung der Mittelwerte und Streuungen der einzelnen Skalen mit den Angaben von *Stapf et al.* (1972, 104). Für die weitere Diskussion der Ergebnisse sei auf die folgenden Abschnitte verwiesen.

3.2. *Verteilung der Verhaltensstörungen*

In Tab. 2 sind links die Häufigkeiten der einzelnen Werte für die verschiedenen Verhaltensstörungen nach Angabe der Eltern aufgeführt. Es zeigt sich, daß bei den meisten Verhaltensstörungen hohe Werte selten sind. Einzig bei den Konzentrationsstörungen (Störung 20) erreichen weniger als die Hälfte der untersuchten Population, nämlich 34 %, einen Wert von 2 oder weniger; bei 16 der 23 Störungen erreichen höchstens 15 % der Versuchspersonen einen Wert von mehr als 2. Diese Verteilung entspricht der Verteilung, die *Thalmann* (1971) angibt. Einzig in den Variablen „Schlafstörungen" (1), „Psychomotorische Aktivität" (9), „Nägelkauen/Haarausreißen" (11) und „Phobien/Zwangsvorstellungen" (25) ergaben sich bei *Thalmann* signifikant mehr Kinder mit mehr als 2 Punkten (Chi-Quadrat, $p < 0.05$). Bei den Variablen „Selbstgefühl" (18), „Soziabilität" (19), „Konzentrationsfähigkeit" (20) und „Ängstlichkeit" (21) konnten die Angaben von *Thalmann* (1971) nicht in unsere Skala umgerechnet werden. In unserer Untersuchung trat kein einziger Fall von regelmäßigem Schulschwänzen auf (Variable 26), in der von *Thalmann* untersuchten Population hingegen gab es 9 solche Fälle. Nach dem dieser Untersuchung zugrunde gelegten Experten-Rating sind 36,7 % der Kinder in mindestens einem der Symptombereiche stark bzw. sehr stark auffällig. Diese relativ hohe Störungsrate ist mit der in anderen Ländern ermittelten (z. B. *Glidevell/Swallov* 1969) vergleichbar und zeigt die Dringlichkeit der Analyse der ätiologischen Bedingungen und der Optimierung der prophylaktischen und therapeutischen Möglichkeiten.

3.3. *Verteilung der Störungen im Berg-Tal-Vergleich*

In Tab. 2 Mitte sind die Verhaltensstörungen nach Schicht und Ökologie aufgeteilt, wobei nur unterschieden wird zwischen unauffälligen und auffälligen Kindern (definiert als Werte bis und mit 2 und Werte über 2).
Signifikante Unterschiede in der Häufigkeit (Chi-Quadrat) ergeben sich zwischen Berg- und Talkindern bei den Schlafstörungen, Eßstörungen und Allergien. Bergkinder weisen hier eine höhere Häufigkeit auf. Zusätzlich ergeben sich nach dem U-Test signifikante Unterschiede (mit größerer Häufigkeit auf dem Berg) bei den sexuellen Störungen, beim Stehlen (höchst signifikant) und in der Legasthenie, während mit diesem Test die Eßstörungen keine Signifikanzen zeigen.
Der Prozentsatz der in mindestens einem Symptombereich stark oder sehr stark auffälligen Bergkinder liegt bei 38,3 % im Vergleich zu 35,5 % Talkinder (nicht signifikant).

3.4. *Verhaltensauffälligkeit im Schichten-Vergleich*

Entsprechend Abschnitt 3.1.1. soll die Schichtabhängigkeit der Störungen jeweils gesondert für Berg und Tal ermittelt werden, da „Schicht" in Berg und Tal unterschiedlich zu interpretieren sind. Im Tal fallen schichtspezifische Unterschiede bei der Legasthenie auf (MS mehr Störungen). MS-Bergkinder weisen mehr Phobien ($p < .001$), Angst ($p < .05$) und psychomotorische Aktivität ($p < .05$) auf und stehlen häufiger ($p < .05$) als US-Bergkinder.
Die Bergkinder weisen in der MS in 41,7 % und in der US in 35,6 % starke bis sehr starke Auffälligkeiten in mindestens einem Symptombereich auf. Bei den Talkindern sind die entsprechenden Häufigkeiten für die MS 35,4 % und für die US 36,8 %. Keiner dieser Unterschiede ist signifikant.

Tabelle 2: Häufigkeiten auffälligen Verhaltens bei den verschiedenen Symptomen und signifikante Unterschiede

Nr.	Störung	Häufigkeit total % x>2	x>3	x>4	χ^2 vgl. mit Thalmann	% x>2 Tal	Berg	Tal US	Tal MS	Berg US	Berg MS	Differenz χ^2 Berg/Tal	Tal: US/MS	Berg: US/MS	Differenz U-Test Berg/Tal	Tal: US/MS	Berg: US/MS
1	Schlafstörungen	16,1	3,9	0,6	4,82* +)	11,1	22,2	13,2	9,8	15,6	30,6	**	–	–	*	–	–
2	Eßstörungen	10,0	—	1,7	–	6,1	14,8	7,9	4,9	15,6	13,9	*	–	–	–	–	–
3	Magenbeschw.	18,3	2,2	0,6	–	16,2	21,0	13,2	18,0	20,0	22,2	–	–	–	–	–	–
4	Kopfschmerzen	18,3	2,2	1,1	–	16,2	21,0	10,5	19,7	24,4	16,7	–	–	–	–	–	–
5	Allergie, Asthm.	13,3	—	2,2	3,11 –)	19,2	6,2	13,2	23,0	4,4	8,3	*	–	–	*	–	–
6	Enuresis n.	5,6	—	3,9	–	3,0	8,6	7,9	0	11,1	5,6	–	–	–	–	–	–
7	Enkopresis	0,0	0,0	0,0	–	0	0	0	0	0	0	–	–	–	–	–	–
8	Sex. Aktiv.	6,7	0,6	0,0	–	6,1	7,4	5,3	6,6	8,9	5,6	–	–	–	*	–	–
9	Psychomot. Akt.	—	16,1	3,3	11,55*** +)	14,1	18,5	10,5	16,4	11,1	27,8	–	–	*	–	–	–
10	Tics etc.	17,2	7,8	0,0	–	13,1	22,2	5,3	18,0	17,8	27,8	–	–	–	–	–	–
11	Nägelkauen	18,3	—	5,6	15,95*** +)	17,2	19,8	18,4	16,4	22,2	16,7	–	–	–	–	–	–
12	Daumenlutschen	11,1	3,9	1,1	–	13,1	8,6	2,6	16,4	8,9	8,3	–	–	–	–	–	–
13	Sprachstörung	8,3	1,7	0,0	–	9,1	7,4	10,5	8,2	4,4	11,1	–	–	–	–	–	–
14	Neg./Überang.	—	10,6	1,1	–	14,1	6,2	15,8	13,1	2,2	11,1	–	–	–	–	–	–
15	Aggress. Affekt.	—	22,2	3,9	–	22,2	22,2	15,8	26,2	20,0	25,0	–	–	–	–	–	–
16	Sadism/Masoch.	—	15,6	1,7	–	13,1	18,6	7,9	16,4	13,3	25,0	–	–	–	–	–	–
17	Exhib/Schücht.	—	10,0	3,9	–	11,1	8,6	7,9	13,1	8,9	8,3	–	–	–	–	–	–
18	Selbstgefühl	43,9°	18,9°	0,6°	&	44,9°	42,0	35,1°	50,8	44,4	38,9	–	–	–	–	–	–
19	Kontakt m. Kam.	2,2	—	1,1	&	4,0	0	2,6	4,9	0	0	–	–	–	–	–	–
20	Konzentration	65,6	2,8	2,8	&	68,7	61,7	71,0	67,2	55,6	69,4	–	–	–	–	–	–
21	Stimmungslage	—	6,7	0,0	–	7,1	6,2	10,5	4,9	8,9	2,8	–	–	–	–	–	–
22	Mutterfixierung	—	20,2°	2,2°	–	19,2°	21,3	10,5	25,0°	18,2	25,0	–	–	–	–	–	–
23	Sensitivität	—	42,8	6,7	–	44,4	40,7	34,2	50,8	37,8	44,4	–	–	–	–	–	–
24	Angst	38,9	6,1	0,0	&	39,4	38,3	42,1	37,7	28,9	50,0	–	–	*	–	–	–
25	Phobien	—	10,0	0,0	5,12* +)	11,1	19,8	13,2	9,8	6,7	36,1	–	–	***	–	–	–
26	Schulschwänzen	0,0	0,0	0,0	–	0	0	0	0	0	0	–	–	–	–	–	–
27	Vagabund. Ausr.	6,1	—	1,1	3,40 +)	5,1	7,4	5,3	4,9	8,9	5,6	–	–	–	–	–	–
28	Lügen, Fabul.	18,9	2,8	0,0	–	17,2	21,0	13,2	19,7	15,6	27,8	–	–	–	–	–	–
29	Stehlen, Klauen	—	5,0	0,0	–	3,0	7,4	2,6	3,3	2,2	13,9	–	–	*	***	–	–
30	Zerst./Überv.	—	7,2	0,6	–	6,1	8,6	7,9	4,9	4,4	13,9	–	–	–	–	–	–
31	Feueranl. Angst	23,3	13,3	13,3	–	22,2	24,7	18,4	24,6	20,0	30,6	–	–	–	–	–	–
32	Lese-R. Schr.	17,8	5,1	0,0	–	14,1	22,2	10,5	16,4	26,7	16,7	–	*	–	*	–	–
	n	180				99	81	38	61	45	36						

°: eine Vp weniger +): mehr Auffällige bei *Thalmann* –): mehr Auffällige bei uns

&: χ^2 kann nicht berechnet werden, weil zu wenige Angaben in *Thalmann*

*: $p<.05$; **: $p<.01$; ***: $p<.001$; —: diese Stufe kommt bei dieser Störung nicht vor.

Die deskriptive Analyse läßt demnach die in der Literatur häufig vorgefundene Benachteiligung von US-Kindern im Vergleich zu MS-Kindern *nicht* bestätigen.

3.5. *Erziehungsstil: Vergleich Berggemeinden – Talgemeinden*

Hypothese: Der Erziehungsstil der Eltern von Bergdörfern wird als strenger erwartet als derjenige von Eltern in den Talgemeinden.
Begründung: In entlegenen Gegenden sind die Einstellungen mehr an der Tradition orientiert, welche durch höhere Strenge in der Erziehung charakterisiert ist. Die durch die ökologischen Verhältnissen bedingte höhere physische und psychische Belastung wirkt sich auf die Erziehungspraktiken und -einstellungen in Richtung größerer Bestrafungstendenz aus (Strengetendenz) (vgl. dazu *Riessmann/Cohen/Pearl* 1964). In bezug auf die Variable mütterliche und väterliche Unterstützung wird zwischen Eltern in Berggemeinden und Eltern in Talgemeinden kein Unterschied erwartet.
Ergebnisse: Weder in der Variable „Strenge" noch in der Variable „Unterstützung" zeigen sich signifikante Unterschiede (U-Test). Unsere Annahme wird im Hinblick auf die traditionsgebundenere (operationalisiert als *strengere*) Erziehung durch die Ergebnisse kritisiert. Die makroökologischen Lebensverhältnisse, so wie sie in dieser Untersuchung definiert wurden, scheinen auf den Erziehungsstil *keinen* Einfluß auszuüben.
Hypothese: Die Varianz in den einzelnen Erziehungsstilvariablen ist bei den Eltern in den Berggemeinden geringer als bei den Eltern in den Talgemeinden.
Begründung: Die größere soziale Kohäsion in den Bergdörfern und der einheitlichere Lebensstil fördern einen homogeneren Erziehungsstil.
Ergebnisse: Die Homogenitäten werden mittels F-Test (Varianzvergleich) verglichen.

Mütterliche Unterstützung	$p = .06$ (nicht signifikant)
Mütterliche Strenge	nicht signifikant
Väterliche Unterstützung	nicht signifikant
Väterliche Strenge	nicht signifikant

Auch auf die Homogenität des Erziehungsstils zwischen Müttern der Berg- bzw. Talgemeinden und den Vätern der Berggemeinden und Talgemeinden üben die makroökologischen Bedingungen keinen Einfluß aus.
Die Vorstellung, daß die Umwelt eines entlegenen Bergdorfes (eng gruppierte Häuser, sehr kleine Siedlungen, klare Abgrenzungen des dörflichen Kulturraumes vom unwirtlichen, gebirgsmäßigen Naturraum) über die Stimulierung der sozialen Kohäsion einen einheitlicheren Erziehungsstil fördern würde, wird durch diese Ergebnisse korrigiert.

3.5.1. *Einfluß der Belegungsdichte auf den Erziehungsstil*

Hypothese: Je höher die Belegungsdichte, desto größer ist das Ausmaß an elterlicher Strenge.

Begründung: Die hohe Belegungsdichte führt sowohl bei den Eltern wie auch bei den Kindern zu höherem Streß (*Saegert* 1976). Es ist zu erwarten, daß unter Streßbedingungen die Eltern eher auf Verhaltensformen zurückgreifen, die sie in ihrer primären Sozialisation erfahren haben.

Ergebnisse: Für die Gesamtpopulation konnte die Hypothese nicht bestätigt werden (Korrelation und Extremgruppenvergleich mittels U-Test). Auch die Varianzanalyse mit Berg/Tal und Belegungsdichte als Faktoren und den Marburger Skalen als abhängige Variablen ergab keine Signifikanzen. Das Ergebnis, daß der Erziehungsstil der Eltern nicht mit der Belegungsdichte korreliert, mag wohl auch durch die relative Grobheit dieses mikroökologischen Parameters bedingt sein.

3.5.2. *Einfluß der Schichtzugehörigkeit auf den Erziehungsstil*

Hypothese: Die Strengetendenz ist bei Eltern aus höheren Schichten sowohl in Berg- als auch in Talgemeinden weniger ausgeprägt als bei Angehörigen tieferer Schichten.

Begründung: Hoffmann (1960) nimmt an, daß mit sinkender Berufsposition des Vaters entsprechend den Erfahrungen am Arbeitsplatz der elterliche Erziehungsstil autoritärer wird. Der psychische Streß, der aus der eher repetitiven Arbeit folgt, und der vorwiegende Umgang mit Dingen und Tieren (statt mit Symbolen und Menschen), die ökonomischen Unsicherheiten wie die mangelnde soziale Anerkennung begünstigen autoritärere Erziehungspraktiken und -einstellungen.

Ergebnisse: Bezogen auf die Strenge konnten keine Signifikanzen gefunden werden (je einzeln in Berg und Tal; U-Test).

In der vorliegenden Stichprobe üben somit die sozialstrukturellen Merkmale weder in der Umwelt Berg noch in der Umwelt Tal einen relevanten Einfluß aus auf die Erziehungsstilvariable „Strenge". Dieser Befund steht im Widerspruch zu den Ergebnissen und oft zitierten Arbeiten, die zur Erhärtung eines sozialpädagogischen Vorurteils wirksam beigetragen haben, daß die Erziehungseinstellungen und -praktiken sozialstrukturell determiniert seien (vgl. z. B. *Myers/Roberts* 1959, *Mc. Kinley* 1964). Bereits *Kohn* (1959) konnte diese Unterschiede nicht finden. Aus der historisch da oder dort vorfindbaren Korrelation von sozialstrukturellen und Erziehungsstilvariablen wurde voreilig auf einen kausalen Zusammenhang geschlossen. Dieser interpretative Schluß ist um so weniger gerechtfertigt, als er (der vermeintliche Variablenzusammenhang) durch keine stringenten theoretischen Konzepte gestützt werden konnte. In unserer Untersuchung konnte der Zusammenhang selbst bei einer Differenzierung der Ökologie nicht festgestellt werden.

3.6. *Verhaltensstörungen in Abhängigkeit vom perzipierten Erziehungsstil*

Hypothese: Kinder strenger Eltern haben einen höheren Auffälligkeitsgrad als Kinder von Eltern mit geringer Strenge.
Begründung: Ein durch das Primat der Bestrafung charakterisierter Erziehungsstil läßt beim Kind erhöhte Ängstlichkeit und psychischen Streß erwarten (*Stapf* 1975) und ist zugleich Modell für aggressives Verhalten (*Bandura* 1973).
Ergebnisse: Bei strengen Müttern weisen die Kinder einen höheren Auffälligkeitsgrad auf (Vierfeldertesttafel, Chi-Quadrat, $p = .054$). Bei strengen Vätern wurden hingegen keine Unterschiede festgestellt ($p = .11$). Die entsprechenden Korrelationen zwischen der mütterlichen Strenge und dem Auffälligkeitsgrad: $r = .154$; zwischen der väterlichen Strenge und dem Auffälligkeitsgrad: $r = .117$. Für die Unterstützung ergeben sich bei Vätern und Müttern negative Korrelationen (Mutter: $r = -.141$; Väter: $r = -.095$). Die entsprechenden Vierfelder-Chi-Quadrate waren nicht signifikant ($p = .08$). Der Unterschied zwischen den Korrelationskoeffizienten (Strenge bzw. Unterstützung vs. Auffälligkeitsgrad) ist signifikant bei der Mutter (F-Test nach *Sachs* 1974, 329, $p < .05$), nicht aber beim Vater ($p = .10$). Eine Varianzanalyse unter Berücksichtigung der Erziehungsstilvariablen konnte wegen der teilweise unbesetzten Zellen nicht durchgeführt werden. Unsere Erwartung wurde – bezogen auf den Erziehungsstil der Mutter – bestätigt. Da die mütterliche Erziehung insgesamt für Kinder dieses Alters durch die höhere Interaktionsdichte zwischen Mutter und Kind als einflußreicher postuliert werden darf, ist das Ergebnis als sinnvoll zu betrachten.

3.6.1. *Diskrepanz zwischen Vater und Mutter und deren Auswirkungen auf den Auffälligkeitsgrad*

Hypothese: Unterschiedliche Erziehungsstile (d. h. hohe Diskrepanz zwischen mütterlicher Unterstützung und väterlicher Unterstützung bzw. zwischen mütterlicher Strenge und väterlicher Strenge) führen zu höherer Auffälligkeit.
Begründung: Große Unterschiede im Erziehungsstil von Vater und Mutter schaffen ähnliche Bedingungen wie diejenigen, die zu „experimentellen Neurosen" und damit zu Verhaltensstörungen führen (vgl. *Cosnier* 1966).
Ergebnisse: Die Korrelation der Differenz zwischen Vater und Mutter mit dem Auffälligkeitsgrad ergab für die Strenge $r = .205$ ($p < .05$) und für die Unterstützung $r = .241$ ($p < .01$). Die Varianzanalyse mit den Faktoren Berg/Tal B, Belegungsdichte D, Differenz Mutter-Vater-Unterstützung (Extremgruppen) U und Differenz Mutter-Vater-Strenge (Extremgruppen) S ergab die in Tab. 3. dargestellten Ergebnisse.

Tabelle 3: Varianzanalyse mit den Faktoren B (Berg-Tal), D (Belegungsdichte), U (unterschiedliche Unterstützung) und S (unterschiedliche Strenge) und dem Auffälligkeitsgrad als AV. *: Signifikanzen.

Quelle	*Signifikanzniveau*
B	.52
D	.58
U	.77
S	.009*
B D	.95
B U	.21
B S	.022*
D U	.27
D S	.067
U S	.51
B D U	.61
B D S	.31
B U S	.17
D U S	.27
B D U S	.64

Bei Eltern der Berggemeinden machen Strenge-Unterschiede zwischen Mutter und Vater mehr aus als im Tal. Am höchsten ist der Auffälligkeitsgrad, wenn auf dem Berg eine hohe Belegungsdichte mit Strenge-Unterschieden kombiniert ist, unabhängig davon, wie unterschiedlich sich Vater und Mutter bezüglich der Unterstützung verhalten (bzw. von den Kindern diesbezüglich perzipiert werden). Andererseits führen auf dem Berg geringe Dichte und geringe Strenge-Unterschiede zu weniger Verhaltensstörungen (geringere Auffälligkeit), unabhängig von Unterstützungs-Unterschieden. Die Interaktion zwischen den Variablen „Strenge-Diskrepanz" und „Berg-Tal" mag bedingt sein durch den größeren erzieherischen Einfluß, den Eltern in den eher isolierten Berggemeinden auf Kinder ausüben im Vergleich zu den vielfältigeren Sozialisationserfahrungen von Talkindern (mehr erzieherische Verhaltensmodelle). Dieser Interpretation liegt die Annahme zugrunde, daß das Ausmaß des erzieherischen Einflusses sich umgekehrt proportional verhalte zur Anzahl der Erziehungsinstanzen, die auf das Kind einwirken.

3.7. *Beziehung von Erziehungsstil zu einzelnen Verhaltensstörungen*

Für einzelne Verhaltensstörungen ergaben sich statistische Beziehungen zu den Erziehungsstilvariablen, die theoretisch sinnvoll interpretierbar sind (Vierfeldertafel, Chi-Quadrat): So zeigt sich, daß Kinder, die *häufig lügen*, überwiegend

Mütter haben, die durch die Kinder als streng ($p = .059$) und wenig unterstützend ($p < .01$) beschrieben werden. *Sensible Kinder* beschreiben ihre Mütter ebenso als wenig unterstützend ($p = .08$) und die Väter als streng ($p = .10$). *Phobische Kinder* beschreiben ihre Väter überwiegend als streng ($p = .02$) und Kinder mit *Tics* die Väter als wenig unterstützend ($p < .005$). *Legasthenische Kinder* perzipieren ihre Mütter überwiegend als wenig unterstützend ($p = .08$) und die Väter als streng ($p = .05$). Kinder, die *stehlen*, beschreiben ihre Väter überwiegend als wenig unterstützend ($p = .10$). *Negativistische Kinder* beschreiben ihre Mütter überwiegend als streng ($p = .10$), und psychomotorisch *passive Kinder* perzipieren die Mütter eher als wenig unterstützend ($p = .08$), d.h. geringe Unterstützung vermindert der Erwartung entsprechend den Verhaltensausstoß, fördert die Passivität. Es ist auffallend, daß unter den einzelnen Störungen, bei denen sich signifikante Ergebnisse ergaben oder zumindest Tendenzen abzeichneten, mehrheitlich dysthymische Störungen mit hoher mütterlicher Strenge (gelegentlich gepaart mit geringer Unterstützung) einhergehen. Mit welcher spezifischen Störung ein Kind auf hohe Strenge reagiert, wird durch weitere, hier nicht erfaßte lerngeschichtliche Faktoren und vermutlich auch durch genetische Variablen mitdeterminiert. Dieser Sachverhalt ist aus der experimentellen Neurosenforschung bekannt, deren Ergebnisse deutlich auf interindividuelle Differenzen bei den Reaktionen auf pathogene Stimulation weisen (*Lundin* 1969, 314ff.). *Keine Signifikanzen* ergaben sich *erwartungswidrig* bei der Störung ,,Angst" (und Strenge). Ebenso bestätigte sich der erwartete Zusammenhang zwischen positivem Selbstgefühl und perzipierter Unterstützung *nicht*.

3.8. *Beziehung von Belegungsdichte zu Verhaltensstörungen*

Entgegen unserer Erwartung ergab sich *kein* Zusammenhang zwischen *Belegungsdichte D* – definiert als Quotient von Anzahl Personen und Anzahl Räumen – und dem Auffälligkeitsgrad. Dagegen zeigen sich folgende Unterschiede in der Häufigkeit *einzelner* Verhaltensstörungen zwischen Familien mit hoher Belegungsdichte ($D > 1.3$) und Familien mit niedriger Belegungsdichte ($D < 1.0$) (U-Test): es treten mehr Schlafstörungen bei höherer Dichte auf ($p < .05$), weniger Mutterfixierung ($p < .05$) und mehr Vagabundieren ($p < .01$).
Die Beziehung von hoher Belegungsdichte zu *Schlafstörungen* und zum *Vagabundieren* können als plausibel betrachtet werden. Die räumliche Enge bedingt mehr soziale, schlafstörende Reize (mehrere Kinder im Zimmer), und sie wird als sozialer und räumlicher Stressor Meide – oder Fluchtverhalten (Vagabundieren) fördern. Die Bedeutung der Belegungsdichte hat sich dennoch in der vorliegenden Untersuchung nur als begrenzt relevant erwiesen, zeigt sich doch der erwartete

Zusammenhang weder in bezug auf den Auffälligkeitsgrad noch in bezug auf den Erziehungsstil der Eltern (höhere Strenge).

4. Allgemeine Diskussion

Die Frage, ob die erhobenen Daten über die Verhaltensstörungen der Kinder nicht eher die *Toleranz* der Eltern der Abweichung gegenüber spiegeln als die *tatsächliche Abweichung*, wird mit Recht gestellt. Zwei Gegebenheiten sprechen gegen diese Annahme: Die Symptomskalen messen *nicht* die Einstellung der Eltern gegenüber Verhaltensstörungen; sie erfragen vielmehr *Häufigkeitsangaben* bestimmter Verhaltensstörungen (z. B. „kotet jeden Tag ein"); Intensitätsangaben (z. B. Nägelkauen: „kräftiges Abbeißen, soweit der Nagel frei ist oder weiter. Die Finger werden deformiert; auch beschädigte Nagelbetten werden bekaut", *Thalmann* 1971, 291) werden über relativ präzise Verhaltensbeschreibungen in den Skalen ermittelt.
Dies schließt allerdings nicht aus, daß eine selektive *Wahrnehmung* der Eltern als Beobachtungsbasis die Daten entstellt. Ebenso ist der Faktor der *sozialen Erwünschtheit* bei der Kindbeschreibung durch Eltern nicht zu unterschätzen. Aus diesem Grunde wurde für eine größere Stichprobe von Verhaltensbereichen auch der Lehrer zu den gleichen Kindern befragt (s. *Lagger* 1977).
Die bei gewissen Fragestellungen angebrachten *multivariaten statistischen Analysemethoden* mußten bis auf eine unterbleiben, weil jeweils unbesetzte Zellen auftraten. Auf der deskriptiven Ebene machten die Ergebnisse dieser Untersuchung auf eine erhebliche Verbreitung von Verhaltensstörungen bei Schulkindern aufmerksam. Ihre schicht- und ökologiespezifische Verteilung entspricht nicht den häufig berichteten Unterschieden. Die Verhaltensstörungen zeigen sich sowohl bezogen auf den Gesamtauffälligkeitsgrad als auch bezüglich einzelner Symptome in der erwarteten Beziehung zum elterlichen Erziehungsstil. Der mikroökologischen Variable „Belegungsdichte" scheint nur für einzelne Symptome eine Bedeutung zuzukommen.
Auf den Erziehungsstil üben nach den vorliegenden Ergebnissen weder die makroökologischen Variablen „Berg-Tal" noch die Schichtzugehörigkeit einen statistisch nachweisbaren Einfluß aus. Ebenso erweist sich die Belegungsdichte als irrelevant für den fremdperzipierten elterlichen Erziehungstil. Die Ergebnisse, die sich auf den Erziehungsstil als abhängige Variable beziehen, fügen sich nicht in die Reihe der verbreiteten empirischen Untersuchungsberichte ein, in denen Schicht und Ökologie als bedeutsame Determinanten des Erziehungsstils eruiert wurden.

Wir neigen dazu, die vorliegenden Ergebnisse dahingehend zu interpretieren, daß das Konstrukt „Schicht" nicht mehr ausreichend die Lernumwelt der Sozialisatoren beschreibt, dergestalt, daß von seiner Variation eine Kovariation des Erziehungsverhaltens der Sozialisatoren erwartet werden könnte. Mit dem sozialen Wandel haben sich Entwicklungen quer durch die Schichten vollzogen (z. B. Fernsehkonsum), die möglicherweise das Erziehungsverhalten bedeutsamer beeinflussen als die traditionellen Schichtkriterien.
Ebenso scheinen sich die unterschiedlichen Umwelten auf dem Berg und Tal nicht statistisch nachweisbar auf das Erziehungsverhalten auszuwirken. Die *Kulturhomogenität* (kulturelle Umwelt) in einem Kanton (oder einem Land?) scheint wichtiger zu sein als die ökologische Heterogenität, so wie sie in dieser Untersuchung stratifiziert war. Bestätigende Ergebnisse erzielte die Untersuchung bezeichnenderweise dort, wo die Hypothesen auf fundierteren Theorien beruhen, nämlich im Bereich der Verhaltensvorhersage durch den Erziehungsstil.
Dabei ist nicht zu übersehen, daß das Ausmaß der durch die Erziehungsstilvariablen aufgeklärten Varianz im Bereich der Verhaltensauffälligkeit relativ klein bleibt. Dieser Umstand wird sich unseres Erachtens verbessern lassen durch ein verhaltenstheoretisches Forschungskonzept, das konsequent idiographisch orientiert ist (vgl. *Perrez et al.* 1978).
Die eingangs beschriebene Heuristik, die für das *Kindverhalten* mikroökologische Variablen und das Erziehungsverhalten der Eltern als bedeutsame Variablen postuliert und für das *Erziehungsverhalten der Eltern* makroökologische, mikroökologische Variablen und Schichtzugehörigkeit als relevante Variablen annimmt, sollte nach den Ergebnissen dieser Untersuchung folgende Korrektur erfahren: Mit den in dieser Untersuchung gemessenen Variablen – beschrieben durch die Parameter „Schicht" und „Makroökologie" – wurden offensichtlich nicht in ausreichendem Maße sozialisationsrelevante Umwelten – bezogen auf die Erwachsenen-Sozialisation der Eltern – erfaßt.
Die mikroökologische Umwelt kann ohne Zweifel präziser konzeptualisiert werden als durch die Belegungsdichte. Künftige, theoretische begründetere *umweltspsychologische Konzeptionen* (*Kaminski* 1975, 265) werden helfen, sozialisationsrelevantere Variablen zu konzipieren und in ihrer Bedeutsamkeit zu prüfen. Das wird vermutlich den Abschied von einigen gut etablierten Vorurteilen der Sozialisationsforschung erfordern. Die Ergebnisse dieser Untersuchung sprechen einmal mehr dafür, daß wir immer noch „keine genaue Kenntnis von den Faktoren haben, die die Erziehungs- und Sozialisationsleistungen der Familie im einzelnen bestimmen" (*Hurrelmann* 1973, 25).

Anmerkungen

1 Kurt Lagger und Klaus Minnig, Lizentianden am Pädagogischen Institut der Universität Fribourg (Schweiz), waren an dieser Arbeit insofern wesentlich beteiligt, als durch ihre vom Hauptverfasser betreute Lizentiatsarbeit die Erhebung der Daten geleistet worden ist. Ihnen sei an dieser Stelle für die Mitarbeit und die Überlassung der Daten besonders gedankt. Unser nachdrücklicher Dank geht weiterhin an alle in die Untersuchung einbezogenen Schüler, Eltern, Lehrer und Schulpsychologen; insbesondere danken wir Herrn Dipl.-Psych. Philipp Schmid, Brig, für die wertvolle Mitarbeit.

2 Die erfaßten Symptome waren:

1. Schlafstörungen
2. Eßstörungen
3. Nervöse Magenbeschwerden
4. Nervöse Kopfschmerzen
5. Allergische Leiden
6. Enuresis
7. Enkopresis
8. Sexuelle Aktivität
9. Psychomotorische Aktivität
10. Stereotypien, Tics
11. Nägelkauen
12. Daumenlutschen
13. Sprachstörungen
14. Negativismus, Überangepaßtheit
15. Aggressive Affekte
16. Sadismus – Masochismus
17. Exhibitionismus – Schüchternheit
18. Selbstgefühl
19. Kontakt mit Kameraden
20. Konzentrationsfähigkeit
21. Stimmungslage
22. Mutterfixierung
23. Sensitivität
24. Angst
25. Phobien, Zwangshandlungen
26. Schulschwänzen
27. Vagabundieren
28. Lügen
29. Stehlen
30. Zerstörungslust – Übervorsichtigkeit
31. Feuer-Anlegen, Angst vor Feuer
32. Lese-Rechtschreib-Schwierigkeit

3 Stufe 1: normal, nicht auffällig
Stufe 2: normal, leicht auffällig, braucht keine Expertenhilfe
Stufe 3: deutlich auffällig, braucht Expertenhilfe
Stufe 4: stark auffällig, braucht dringend Expertenhilfe
Stufe 5: sehr stark auffällig, braucht dringend Expertenhilfe

4 Die Talgemeinde A hat 8756 Einwohner und liegt 681 m ü. M., und die Talgemeinde B hat 5698 Einwohner und liegt 663 m ü. M.

5 Die 8 gezogenen Berggemeinden weisen folgende Höhenlage, die über 1000 m ü. M. liegt, Einwohnerzahl und verfügbare Betten für Touristen auf:
Gemeinde a) 1388 m ü. M., 445 E., 798 B.; b) 1200 m ü. M., 330 E., 608 B.; c) 1160 m. ü. M., 251 E., 275 B.; d) 1479 m ü. M., 352 E., 1727 B. (dabei sind 772 Betten in Gruppenunterkünften); e) 1540 m ü. M., 343 E., 975 B.; f) 1389 m ü. M., 382 E., 138 B.; g) 1380 m ü. M., 437 E., 315 B.; h) 1274 m ü. M., 281 E., 507 B.

Literatur

Bandura A.
1973. Aggression, a Social Learning Analysis. New York: Holt.

Bargel, T./Bloy, K./Heinke, U./Presch, G./Walter, H.
1973. Bildungschancen und Umwelt. Teil I: Eine Studie zur sozialen Evaluation im Elementarbereich. Deutscher Bildungsrat, Materialien zur Bildungsplanung. 3. Braunschweig: Westermann.

Bargel, T./Wunberg, M.
1975. Was leistet die amtliche Statistik für die Sozialforschung? Eine Diskussion der Möglichkeiten und Probleme. In H. Walter (Hrg.): Sozialökologie – neue Wege in der Sozialisationsforschung. Stuttgart: Frommann-Holzboog, 229–270.

Blackham, G. J.
1973. Der auffällige Schüler. Weinheim: Beltz.

Bronfenbrenner, U.
1974. Experimental Human Ecology. Ithaca, New York: Cornell University, (mimeographed).

Bronfenbrenner, U.
1977. Toward an Experimental Ecology of Human Development. American Psychologist, 32, 7, 513–531.

Calhoun, J. B.
1976. The Role of Space in Animal Psychology. In H. M. Proshansky et al., 1976a, 181–189.

Cosnier, J.
1966. Les névroses expérimentales. Paris: Editions du Seuil.

Eysenck, H.-J./Rachman, S.
1968. Neurosen – Ursachen und Heilmethoden. Berlin: VEB Deutscher Verlag der Wissenschaften.

Galle, O. R./Gove, W. R./Mc Pherson, J. M.
1972. Population Density and Pathology: What are the Relations for Man? Science, 176, 23–30.

Gillner, H./John, J.
1975. Erhebung kognitiver Erziehungsziele in Unterschicht und Mittelschicht in Berlin (West). Berlin: Dipl. arbeit. Institut f. Psychologie FUB.

Glidewell, J. C./Swallow, C. S.
1969. The Prevalence of Maladjustment in Elementary Schools. Chicago: Universtity of Chicago Press.

Herrmann, Th./Stapf, K. H.
1977. Zum Marburger Zweikomponenten-Konzept des elterlichen Erziehungsstils: Anmerkungen zur Kritik von Lukesch. Zeitschrift f. Entwicklungspsychologie u. Pädagogische Psychologie, 9, 198–204.
Hess, E./Kern, B./Jörger, W.-R./Krucker, W.
1977. Auffälliges Verhalten bei Schulkindern. Liz. Arbeit, Psychologisches Institut der Universität Zürich.
Hoffman, M.
1960. Power Assertion by the Parents and its Impact on the Child. Child Development, 31, 129–143.
Hurrelmann, K.
1973. Familiale Sozialisation und soziale Ungleichheit. In H. Walter (Hrg.): Sozialisationsinstanzen, Sozialisationseffekte. Stuttgart: Frommann-Holzboog, 23–40.

Insel, P. M./Moos, R. H.
1974. Psychological Environments. Expanding the Scope of Human Ecology. American Psychologist, 29, 179–188.
Inventar des Tourismus im Wallis.
1975. Wallis: Departement des Innern.
Ittelson, W. H./Proshansky, H. M./Rivlin, L. G./Winkel, G. H.
1974. An Introduction to Environmental Psychology. New York: Holt.

Kaminski, G.
1975. Umweltpsychologie. Bericht über ein Symposion. In W. H. Tack (Hrg.): Bericht über den 29. Kongreß der Deutschen Gesellschaft für Psychologie, 2, Göttingen: Hogrefe, 263–280.
Keupp, H. (Hrg.)
1975. Verhaltensstörungen und Sozialstruktur, München: Urban.
Kohn, M. L.
1959. Social Class and the Exercise of Parental Authority. American Sociological Review, 24, 352–366.

Lagger, K.
1977. Verhaltensstörungen bei Schulkindern im Kt. Wallis – eine epidemiologische Studie. Lizentiatsarbeit am Pädagogischen Institut der Universität Fribourg. In Vorbereitung.
Lang, A.
1974. Versuch einer Systematik der Umweltspsychologie. Bern: Psychologisches Institut der Universität Bern (mimeo).
Lukesch, H./Tischler, A.
1975. Überprüfung und Revision des Fragebogens zur Diagnostik elterlicher Erziehungseinstellungen von E. Littmann und E. Kasielke. Probleme und Ergebnisse der Psychologie, 51, 19–54.
Lukesch, H.
1976. Elterliche Erziehungsstile. Psychologische und soziologische Bedingungen. Stuttgart: Kohlhammer.

Lukesch, H.
1977. Das Marburger Zweikomponenten-Konzept des elterlichen Erziehungsstils. Vier kritische Anmerkungen. Zeitschrift f. Entwicklungspsychologie und Pädagogische Psychologie, 9, 192–197.
Lundin, R. W.
1969. Personality – A Behavioral Analysis. London: Collier-Macmillian

Mc Kincley, D.
1964. Social Class and Family Life. Glencoe, Illinois.
Mehrabian, A./Russel, J.
1974. An Approach to Environmental Psychology. Cambridge: MIT Press.
Michaelson, W. H.
1970. Man and his Urban Environment. Reading, Mass: Addison-Wesley, 2nd ed (1976).
Moos, R. H.
1973. Conceptualizations of Human Environments. American Psychologist, 28, 8, 652–665. (Auch in: Proshansky et al.: 1976a, 37 ff.)
Myers, J. K./Roberts, B. H.
1959. Family and Class Dynamics in Mental Illness. New York.

Perrez, M.
1980. Implementierung neuen Erziehungsverhaltens: Interventionsforschung im Erziehungsstil-Bereich. In: T. Herrmann, K. Schneewind (Hrg.): Erziehungsstilforschung. Bern: Huber, in Vorbereitung
Perrez, M./Ischi, N./Patry, J.-L./Preisig, E.
1978. Idiographische Analyse des Erziehungsverhaltens. Referat gehalten am 31. Kongreß der Deutschen Gesellschaft für Psychologie. Mannheim.
Preiser, W. F. E.(Ed.)
1973. Environmental Design Research. Fourth International EDRA conference. Vol. 1 E. Stroudsburg, Pennsylvania: Dowden.
Proshansky, H. M./Ittelson, W. H./Rivlin, L. G.
1970. The influence of the Physical Environment on Behavior: Some Basic Assumptions. In H. M. Proshansky et al. (Eds.): Environmental Psychology. New York: Holt, 27–37.
Proshansky, H. M./Ittelson, W. H./Rivlin, L. G.
1976a. Environmental Psychology: Man and his Physical Setting. New York: Holt (2nd ed.).
Proshansky, H. M./Ittelson, W. H./Rivlin, L. G.
1976b. Freedom of Choice and Behavior in a Physical Setting. In H. M. Proshansky et al., 1976a, 170–181.

Rasch, G.
1960. Prohabilistic Models for some Intelligence and Attainment Tests. Kopenhagen: Nielsen.
Riessman, F./Cohen, J./Pearl, A. (Eds.)
1964. Mental Health of the Poor. Glencoe, Illinois.

Sachs, L.
1974. Angewandte Statistik. Berlin: Springer.
Saegert, S.

1976. Stress-Inducing and Reducing Qualities of Environments. In H. M. Proshansky et al. 1976 a, 218–223.

Sarason, S. B./Davidson, K. S./Lighthall, F. F./Waite, R. R./Ruebush, B. K.
1971. Angst bei Schulkindern. Stuttgart: Klett.

Scheuch, E. K.
1961. Sozialprestige und soziale Schichtung. In: Zeitschrift für Soziologie und Sozialpsychologie, Sonderheft 5, 65–103.

Shepherd, M./Oppenheim, B./Mitchell, S.
1973. Auffälliges Verhalten bei Kindern. Verbreitung und Verlauf. Eine epidemiologische Untersuchung. Göttingen: Vandenhoeck.

Skinner, B. F.
1973. Wissenschaft und menschliches Verhalten. München: Kindler.

Sonnenfeld, J.
1972. Geography, Perception, and the Behavioral Environment. In P. W. English, R. C. Mayfield (Eds.): Man, Space, and Environment. New York: Oxford Univ. Press, 244–251.

Stapf, K.-H./Herrmann, Th./Stapf, A./Staecker, K.-H.
1972. Psychologie des elterlichen Erziehungsstils. Stuttgart: Klett.

Stapf, A.
1975. Neuere Untersuchungen zur elterlichen Strenge und Unterstützung. In H. Lukesch (Hrg.): Auswirkungen elterlicher Erziehungsstile. Göttingen: Hogrefe, 28–39.

Thalmann, H.-C.
1971. Verhaltensstörungen bei Kindern im Grundschulalter. Stuttgart: Klett.

Winkelmann, K./Eller, Fr./Schultze, J.
1977. Berliner Projekte zur Identifizierung kontrollierender Reize in Eltern-Kind-Interaktionen. In: Tack, W. H. (Hrsg.), Bericht über den 30. Kongreß der Deutschen Gesellschaft für Psychologie, Göttingen: Hogrefe.

Zur innerstädtischen Verteilung sozialer Devianz in Mannheim

Günther Moschel, Heide Häberle und Rainer Welz

In der vorliegenden epidemiologischen Studie werden Verteilungsmuster sozialer Devianz einer Großstadt ermittelt. Der Begriff Devianz wird dabei ohne theoretische Implikationen, lediglich als gemeinsamer Oberbegriff für behandelte psychische Störungen, offiziell registrierte Suizide und Jugenddelinquenz verwendet. Diese Formen sozialer Devianz werden mit gebietsbezogenen Indikatoren für sozialen Rang, für Wohndichte, für soziale Isolation und für familiale Desorganisation in Beziehung gebracht. Dabei soll gezeigt werden, daß die verschiedenen Devianzformen mit unterschiedlichen Indikatoren in unterschiedlich engem Zusammenhang stehen.
Die Arbeit ist im Sonderforschungsbereich 116 Psychiatrische Epidemiologie der Universität Heidelberg am Zentralinstitut für Seelische Gesundheit, Mannheim, entstanden.

1. Historische und theoretische Bezüge

Die ersten systematischen Untersuchungen über die sozialräumliche Verteilung von psychischen Störungen und Jugenddelinquenz – sieht man einmal von den Ansätzen bei den Moralstatistikern und den Versuchen der kartographischen Schule ab[1] – wurden von *Shaw et al.* (1929) und *Faris/Dunham* (1939) in Chicago durchgeführt. Die beiden Untersuchungen brachten im wesentlichen zwei Ergebnisse: 1. Die höchsten Raten für psychische Störungen und Jugenddelinquenz lassen sich für das Stadtzentrum errechnen, während zum Stadtrand hin die Raten graduell absinken. 2. Die Ungleichverteilung der sozialen Devianz erklärte man sich aus der „Natur" der städtischen Gebiete.
Die Wissenschaftler der Chicago-Schule betrachteten das graduelle Absinken der Devianzraten vom Stadtzentrum zum Stadtrand als eine Folge der städtischen Expansion, die man sich nach *Park et al.* (1925) so vorstellte, daß sich eine Stadt im Rahmen vorgegebener geographischer Bedingungen vom Stadtkern aus nach außen entwickelt, indem sie sukzessiv fünf ringförmige „Zonen" bildet. Auf-

grund der unterschiedlichen Art der Bodennutzung in den Zonen besitzen diese verschiedenartige Funktionen im Hinblick auf die Gesamtorganisation der Stadt.

Burgess (1925) hat die Zonen folgendermaßen beschrieben:
Zone 1 ist das Stadtzentrum, der Geschäftsbezirk;
Zone 2 ist die sog. Übergangszone, das Gebiet der Logierhäuser, der Bordelle, das Getto, Klein-Sizilien;
Zone 3 ist das Gebiet der Arbeiterwohnungen;
Zone 4 ist das Wohnviertel der Apartment- und Einfamilienhäuser;
Zone 5 ist das Gebiet der Pendler, der respektablen Vorstädte.

Diese Gebiete oder Zonen spezifischen Aufbaus und innerer Homogenität nannte man „natural areas". Als „natürlich" wurden sie bezeichnet, weil sie sich im Laufe der städtischen Expansion ohne äußere Absicht und Plan allein aufgrund ökologischer Prozesse gebildet haben sollen. Implizit und in Analogie zur Pflanzen- und Tierökologie wurde angenommen, daß die speziellen physischen Umweltbedingungen (z. B. die Art der Bodennutzung) die demographischen und sozialen Strukturen der Gebiete bestimmen und die Bevölkerung segregieren und differenzieren (*Quinn* 1940, *Wirth 1928*, *Zorbaugh* 1929). Das wesentliche Anliegen des ökologischen Ansatzes der Chicago-Schule und der sich an ihm orientierenden Arbeiten der psychiatrischen Epidemiologie und der Kriminalsoziologie bestand darin, die Zonenhypothese zu verifizieren, also den Nachweis des graduellen Absinkens der Devianzraten vom Stadtkern zum Stadtrand zu anbringen und Gebietsmerkmale zur Erklärung der Ungleichverteilung sozialer Devianz in Städten zu ermitteln.
So fand *Cavan* (1928) im Stadtzentrum und in der Übergangszone von Chicago Gebiete hoher Suizidraten. *Lind* (1930) bestätigte für Honolulu das in Chicago gefundene Verteilungsmuster für Kriminalität. *Mowrer* (1942) errechnete für die zentralen Stadtteile Chicagos etwa zehnfach höhere Suizidraten als für das Stadtrandgebiet. *Lapouse et al.* (1956) errechneten erhöhte Schizophrenieraten für die zentralen Gebiete mit niedrigem sozio-ökonomischen Status in Buffalo. *Hare* (1956) fand in Bristol die Aufnahmeraten für Schizophrenie im Stadtkern konzentriert. *Häfner et al.* (1969) errechnete in Mannheim für die Stadtkern-, aber auch für einige Nebengebiete erhöhte Raten psychischer Morbidität.
In der wissenschaftsgeschichtlichen Entwicklung blieb die Zonenhypothese jedoch nicht unwidersprochen; es wurden mehrere Einwände erhoben, die sich auf die empirische Überprüfbarkeit und die theoretischen Implikationen (zonale Ausdehnung der Städte) beziehen (vgl. z. B. *Opp* 1968). Diese Einwände lassen es heute geraten sein, in der Zonenhypothese nicht mehr als ein mögliches Denkmodell städtischer Expansion zu sehen, andere Modelle sind vorstellbar[2].

Es scheint sinnvoller, die Frage nach der „Natur" der städtischen Gebiete hoher und niedriger Devianzraten voraussetzungsfreier zu stellen, also die demographische Struktur und die soziale Organisation bzw. Desorganisation, mit der die Devianz im Zusammenhang steht, ohne Rückgriff auf ein möglicherweise zonales Wachstum zu analysieren[3]. Zurückgehend auf *Durkheim* (1893) läßt sich zeigen, daß soziale Differenzierung wiederum soziale Segregation bedingt.

Innerhalb von Städten variiert die Bodennutzung (industrielle Bebauung, Wohngegend usw.), die Gebietsausstattung (Versorgung mit Einrichtungen), die Trennung von Wohn- und Arbeitsplatz usw. Diese räumliche Differenzierung drückt sich in Bevölkerungsdichte, Mobilität, Sozialstatus usw. aus. In der Tradition dieser Denkweise versuchen *Gibbs/Martin* (1959) den Zusammenhang zwischen räumlichen und sozialen Strukturmerkmalen im Begriff der „sustenance organization" auszudrücken. In räumlich segregierten Gebieten sind unterschiedliche Organisationen der Lebensfristung (ökonomische Produktion und biologische Reproduktion) zu gewährleisten. Es ist dieser Sachverhalt, der hinter dem von *Gibbs/Martin* geprägten Begriff steht und worunter „the constellation of its (the population, d. Verf.) activities which provide its livelihood" (*Sly* 1972, 616) zu verstehen ist. Er soll zum Ausdruck bringen, daß die zur Lebensfristung und -erhaltung notwendigen „organisatorischen Maßnahmen" (strukturelle Settings), z. B. in Städten, aber auch in großen Gebietseinheiten (Stadt – Land), sozialräumlich verteilt sind; wobei die Spezialisierung von Tätigkeiten, die Art der Bodennutzung, die ethnische Segregation, die infrastrukturelle Ausstattung usw. als äußere Kriterien sozialräumlicher Trennung dienen. In diesem Sinn ist Ökologie um den Begriff der sozialen Organisation zentriert[4]: „Organization represents an adaption to the unavoidable circumstance that individuals are interdependent and that the collectivity of individuals must cope with concrete environmental conditions . . . . " *(Duncan 1959, 686)*.

Der umrissene Erklärungsansatz wurde unter der Bezeichnung „ecological complex" differenziert, nach den Hauptkomponenten population-organization-environment-technology (abgekürzt POET) in den verschiedenen Arbeiten von *Hawley* (1950), *Duncan* (1959, 1961) *Duncan/Schnore* (1959) und *Schnore* (1965) entwickelt (vgl. Abb. 1). Jede dieser Komponenten umfaßt mehrere Variablen; die Komponenten stehen zueinander in funktionalen Interdependenzrelationen.

Abbildung 1: Der ökologische Komplex (Quelle: *Duncan* 1959, 683)

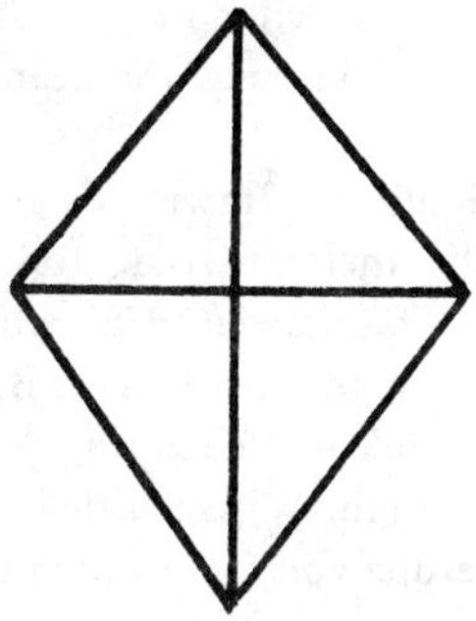

Die *Bevölkerung* ökologischer Einheiten als Hauptbezugspunkt humanökologischer Analysen kann beschrieben werden hinsichtlich ihrer Lage, Größe, Dichte, Zusammensetzung, territorialen Verteilung usw.
Die *Organisation* als die Menge aller Aktivitäten, die sich auf den Lebensunterhalt beziehen, kann erfaßt und beschrieben werden durch die Klasse der merkmalsgleichen Berufs-, Ausbildungs- und Einkommenspositionen, die die ökologische Überprüfung der sozialen Ungleichheit ermöglichen. Demgegenüber bezieht sich die Position im Lebenszyklus auf Aktivitäten der biologischen Reproduktion. Einheiten der Analyse sind auch hier nicht Individuen, sondern Aktivitäten bzw. die Art ihrer Organisation.
Umwelt oder *Umgebung* als alle externen Kräfte und Faktoren, auf die ein Organismus oder Aggregate von Organismen aktuell oder potentiell reagieren, wird in ökologischen Untersuchungen meistens erfaßt durch Merkmale der Ausstattung von Gebieten. Darunter fallen einerseits die Art der Bodennutzung, andererseits die infrastrukturelle Ausstattung der Gebiete.
Technologie ist diejenige der vier Komponenten, die am wenigsten klar konzipiert wurde. Sie beschreibt diejenigen technologischen Werkzeuge einer Population, mit denen diese sich ihre Umwelt aneignet, z. B. Informationswege und Kommunikationskanäle.

Im Unterschied zu den umrissenen makrosoziologischen Konzipierungen der Humanökologie (die Beziehungen zwischen Kollektivmerkmalen herstellen, also Aussagen über Kollektive machen) bestehen für Untersuchungen, die individuelles Verhalten zum Erkenntnisgegenstand haben (also Aussagen über Individuen machen), zwei Möglichkeiten der Konzeptualisierung: Sie können zur Erklärung des individuellen sozialen Verhaltens makrosoziologische bzw. kontextuelle Bedingungen heranziehen (Assoziationen zwischen Kollektivmerkmalen und Individualmerkmalen) oder aber die Bedingtheit des individuellen Sozialverhaltens aus den individuenbezogenen sozialen Merkmalen zu erklären versuchen (Individualkorrelationen). Im Rahmen ökologischer Fragestellungen ist die Verknüpfung makro- und mikrosoziologischer Erklärungsanteile individuellen Sozialverhaltens entscheidend.

Untersuchungen, die sozialräumliche Umwelt als gemeinsames Setting bzw. als Kontext von Verhaltensabläufen thematisieren, stoßen erst in den letzten Jahren auf vermehrtes Interesse (vgl. *Trute/Segal* 1976), obwohl es an Anregungen zu solchen Fragestellungen nicht mangelt. So weist z. B. *König* (1958) in seiner Gemeindesoziologie ausdrücklich auf die Bedeutung der Gemeinde als Determinationssystem sozialen Verhaltens hin. Wirtschaftliche und soziale Strukturmerkmale dienen dabei zur Typisierung von Gemeinden und kommunalen Teilbereichen zur Erlangung eines gemeinsamen Kontextes. Region, Gemeinde, Stadtteil, Nachbarschaft werden als Gebietseinheiten verstanden, die für die individuellen Einstellungen und Verhaltensweisen der in den Gebieten lebenden Individuen von Bedeutung sind. – Es ist diese Forschungsrichtung, die *Festinger* vorschwebt, wenn er beklagt, „Little attention has been devoted to the possible effects of the spatial arrangement of smaller areas such as neighbourhoods, nor has attention been focused on the relation between ecological factors and the formation of friendship and face-to-face-groups.“ (*Festinger et al.* 1950, 268)

Gemeinde wird zum Determinationssystem sozialen Verhaltens, von dem *König* sagt, daß dem Menschen in seiner Entwicklung von der Kindheit über die Jugend zum Erwachsenenalter alle sozialen Zusammenhänge, die über den engsten Kreis der Familie hinausgehen, zuerst in der Gemeinde begegnen (*König* 1958, 9). Sie stellt sich dar als sekundäre Sozialisationsinstanz, als erste Erlebnisinstanz außerhalb der Familie. Auf diese Art erweisen sich Ökologie und Sozialisationstheorie als integrationsfähig. Hier sei besonders auf die Arbeiten von *Meulemann/Weishaupt* (1975), *Walter* (1975) und *Bronfenbrenner* (1976) hingewiesen.

2. Eigene Vorgehensweise

2.1. Ökologie als Methode

Im vorangegangenen Abschnitt wurden drei mögliche Ansätze des ökologischen Forschungsverständnisses dargestellt: Ökologie in dem traditionellen Verständnis der Chicago-Schule ist zentriert um die Zonenhypothese; Ökologie im Sinne einer theoretischen Orientierung zur Erklärung räumlicher und sozialer Organisation innerhalb von Städten; in der Weiterentwicklung gemeindesoziologischer Untersuchungen dient die ökologische Vorgehensweise der Beschreibung von Kontexten individuellen Verhaltens. Allen drei Vorgehensweisen gemeinsam ist ihr Bezug auf die Verwendung von Daten, die sich auf räumlich abgegrenzte Gebiete beziehen.

Ökologische Aussagen beziehen sich demnach auf die Beschreibung und Analyse des Zusammenhangs zwischen räumlich bezogenen Merkmalen der sozialen Umwelt und den Aktivitäten der in ihr lebenden Bevölkerung. Die Umweltmerkmale können – je nach Untersuchungsgegenstand – auf verschiedenen Ebenen aggregiert sein, d. h. sie können sich auf ganze Nationen, auf Regionen, Städte oder städtische Teileinheiten beziehen; und die Aktivitäten der Bevölkerung können kollektive oder individuelle Verhaltensweisen darstellen. Die meisten vorliegenden ökologischen Untersuchungen sind makrosoziologischer Art: Sie verwenden Kollektivdaten, d. h. Daten, die sich auf räumlich voneinander abgehobene Lebensbedingungen bzw. Handlungen von Bevölkerungsgruppen als Ganze beziehen[5]. Bei den dafür zur Verfügung stehenden Daten handelt es sich meist um Häufigkeiten verschiedener Zensuskategorien aus den Volks-, Berufs- und Wohnungszählungen.

Ausgehend von den Daten der Volkszählung 1970 und der Gebäude- und Wohnungszählung von 1968 sollen in der vorliegenden Untersuchung die gebietsbezogenen Milieus bestimmt werden, in denen ausgewählte Formen sozialer Devianz häufig bzw. selten sind.

2.2. *Interessierende Erscheinungsformen sozialer Devianz, Stichproben*

An Erscheinungsformen sozialer Devianz wurden ausgewählt: psychische Störungen, Suizide und Jugenddelinquenz.

Grundlage zur Berechnung der Raten psychischer Störungen ist die Zahl der sich in den Jahren 1973/74 in stationärer, teilstationärer und ambulanter psychiatrischer Behandlung (unter Ausschluß der niedergelassenen Nervenärzte) befindlichen Mannheimer Patienten, die uns vom kumulativen psychiatrischen Fallregister von Mannheim zur Verfügung gestellt wurden[6]. Da in der entsprechenden Erhebung keine kinder- und jugendpsychiatrischen Behandlungseinrichtungen berücksichtigt werden, beziehen sich auch die errechneten Behandlungsprävalenzraten auf die Wohnbevölkerung von 15 und mehr Jahren.

$$\text{Prävalenzrate: } \frac{\text{behandelte Patienten der Jahre 1973/74}}{\text{Wohnbevölkerung über 15 Jahre}} \times 1000$$

Von den insgesamt 4101 Patienten waren etwas mehr als die Hälfte Frauen, nämlich 52,6 %. Die Fälle verteilten sich wie folgt auf drei Altersgruppen: bis 30 Jahre waren 31 %, 31 bis 65 Jahre waren 51 % und der Anteil der über 65jährigen beträgt 18 %. Sie rekrutierten sich zu 50,8 % aus stationären Einrichtungen, zu 3,8 % aus komplementären psychiatrischen Einrichtungen und zu 45,4 % aus ambulanten Einrichtungen. Die Verteilung nach Diagnosehäufigkeiten gibt Tabelle 1 wieder.

Tabelle 1: Verteilung der behandelten psychisch gestörten Patienten nach Diagnosegruppen *)

Alkoholismus, Alkoholpsychosen, Suchten (291, 303, 304)	19,13 %
körperliche Psychosen, psychische Auffälligkeiten (290, 292, 293, 294, 309)	15,20 %
Schizophrenie und paranoides Syndrom (295, 297)	23,17 %
affektive Psychosen und andere nicht näher bezeichnete Psychosen (296, 298, 299)	9,54 %
Neurosen, Persönlichkeitsstörungen, psychosomatische Störungen (300, 301, 302, 305, 306, 307, 308)	27,33 %
Schwachsinn (310)	5,63 %

*) Die Zuordnung der Diagnosen (in Klammer den Diagnosen folgende Zahlen) erfolgte in Anlehnung an die Internationale Standardklassifikation der Diagnosen, Weltgesundheitsorganisation, 1971

In Anlehnung an *Moore/Kleining* (1960) errechnen sich für die Oberschicht 1,8 %, für die Mittelschicht 37 % und für die Unterschicht 61,2 % der Fälle. Die Verteilung dieser drei Gruppen auf die verschiedenen Behandlungseinrichtungen geht aus Tabelle 2 hervor.

Tabelle 2: Behandelte psychisch gestörte Patienten nach Sozialschichtzugehörigkeit und Behandlungseinrichtung

	Oberschicht	Mittelschicht	Unterschicht
Stationäre Einrichtungen	38,7	44,9	54,7
komplementäre Einrichtungen	–,–	3,6	4,0
ambulante Einrichtungen	61,3	51,5	41,3

Den berechneten Suizidraten liegen alle polizeilich registrierten Selbsttötungen Mannheimer Bürger der Jahre 1968 bis 1972 zugrunde. Insgesamt wurden in den fünf Jahren des Erhebungszeitraums 393 Selbsttötungen registriert. Der errechneten Suizidrate wurde der Mittelwert der Suizide der fünf Jahre zugrundegelegt, um von den jährlichen Schwankungen unabhängige Aussagen zu erhalten.

$$\text{Suizidrate: } \frac{\text{Suizide}}{\text{Wohnbevölkerung über 15 Jahre}} \times 100\,000$$

Das Geschlechtsverhältnis der Suizidenten beträgt 1:0,6, d. h. auf einen suizidalen Mann entfallen 0,6 Frauen, die Selbstmord begehen. Auch die Altersverteilung entspricht derjenigen anderer internationaler Untersuchungen: keiner der Suizidenten war unter 15 Jahre alt, das mittlere Alter liegt bei 50 Jahren; dieser Wert entspricht in etwa dem von *Castairs/Brown* (1958) erwähnten Durchschnittsalter von über 45 Jahren oder dem von *Stengel* (1964) für die städtische Bevölkerung ermittelten Durchschnittsalter von ca. 50 Jahren. Für beide Geschlechter gilt, daß die Selbstmordziffer um die Lebensmitte stark ansteigt.
An weiteren Informationen über die Untersuchungsgruppe lagen noch die Daten über den Familienstand und die Berufsausübung vor: Ledige 20,1 %, Verheiratete 49,9 %, Verwitwete 16,8 %, Geschiedene 13,2 %. Im Vergleich zur Mannheimer Gesamtbevölkerung ist vor allem hervorzuheben, daß unter den Verheirateten die Selbstmordneigung am geringsten ist, sie ist höher unter den Verwitweten und Geschiedenen, wobei unter letzteren geschiedene Männer häufiger vertreten sind; über vergleichbare Ergebnisse berichten *Sainsbury* (1955) und *Dotzauer et al.* (1965).
Aus den registrierten Berufsangaben wurden 8 Kategorien gebildet, auf die sich die Suizidenten folgendermaßen verteilen: Arbeiter 26,8 %, Angestellte und Beamte 21,9 %, Selbständige 1,8 %, Schüler und Studenten 3,8 %, Lehrlinge 1 %, Hausfrauen 18,8 %, Rentner und Pensionäre 25,2 %, o. A. 0,8 %.

Unter Jugenddelinquenz wird in der vorliegenden Untersuchung das kriminelle Handeln Jugendlicher und Heranwachsender verstanden. Nach § 1 des Jugendgerichtsgesetzes ist Jugendlicher, wer z. Z. der Tat vierzehn, aber noch nicht achtzehn, Heranwachsender, wer z. Z. der Tat achtzehn, aber noch nicht einundzwanzig Jahre alt ist. In der durchgeführten Erhebung wurden alle Jugendlichen und Heranwachsenden zwischen 14 und 21 Jahren erfaßt, die nach den Aktenunterlagen der Jugendgerichtshilfe der Stadt Mannheim in der Zeit zwischen dem 1. 1. 1968 und dem 31. 12. 1972 wegen einer Übertretung, eines Vergehens oder Verbrechens erstmals strafrechtlich verurteilt wurden.

$$\text{Delinquenzrate: } \frac{\text{Delinquente}}{\text{Wohnbevölkerung zw. 14 und 21 Jahren}} \times 1000$$

Die Anzahl der im Untersuchungszeitraum erhobenen Jugendlichen, die wegen eines Vergehens oder Verbrechens strafrechtlich verurteilt wurden, belief sich auf 3627 Personen. Rund 82 % davon waren männlichen Geschlechts, d. h. Jugendde-

linquenz ist auch in Mannheim überwiegend eine männliche Erscheinung, allerdings ist der Anteil männlicher Täter etwas niedriger als die von *Kaiser* angegebenen Häufigkeiten[7]. Verteilt auf die beiden Altersgruppen errechnen sich für die Jugendlichen 48 %, für die Heranwachsenden 52 %. Dies entspricht etwa den Anteilen der altersentsprechenden Wohnbevölkerung. Von den Delinquenten kommen 57 % aus vollständigen, 30 % aus unvollständigen Familien, bei einer Ausfallquote von 13 %, über die keine Angaben vorlagen. Ein vergleichbares Ergebnis errechnet z. B. *Pongratz* (1975), wonach 29,4 % der Delinquenten aus unvollständigen Familien kommen.
Eine Sozialschichtzuordnung der Delinquenten ist nur unter großen Vorbehalten möglich, da in den Karteien der Jugendgerichtshilfe von knapp 20 % der Jugendlichen keine Angaben über die Berufe der Väter bzw. Mütter vorlagen. Unter Berücksichtigung dieser fehlenden Informationen bei der Interpretation bestätigen die errechneten Ergebnisse andere Untersuchungen, wonach offiziell registrierte Jugenddelinquenz vorwiegend Unterschichtsdelinquenz ist.
Unter dem Begriff „Verurteilung" werden alle Arten von Sanktionen der Strafverfolgung zusammengefaßt. Die 3627 im Untersuchungszeitraum erstmals als „verurteilt" registrierten Jugendlichen setzen sich zusammen aus solchen, die einmal (67 %) und solchen, die mehrmals während des Untersuchungszeitraums registriert wurden. Unter Verwendung der in dieser Zeit ersten registrierten Deliktsart lassen sich die folgenden Hauptdeliktsgruppen gewinnen: Eigentumsdelikte 54,8 %; Personendelikte 7,2 %; Delikte gegen Staat und öffentliche Ordnung 11,0 %; Straßenverkehrsdelikte 26,6 %.

2.3. Indikatoren zur Beschreibung der Regionen

Zur Beschreibung städtischer Strukturen ist die Herausarbeitung einzelner Dimensionen sozialer Organisation erforderlich. Hinsichtlich dieser Dimensionen besteht in stadtsoziologischen Untersuchungen weitgehend Übereinstimmung.

Ausgehend von *Redick et al.* (1971) und neuerdings *Friedrichs* (1977) kann man sagen, daß sich städtische Gebiete durch folgende Dimensionen unterscheiden lassen:
„*Sozialer Rang*": Diese Dimension bezieht sich letztlich auf organisierte Aktivitäten des Bereichs der ökonomischen Lebenserhaltung und auf die in ihnen zum Ausdruck kommende soziale Ungleichheit. Sie wird gemessen durch Ausbildungs-, Berufs- und Einkommensmerkmale.
„*Lebensstil*" umfaßt Aktivitäten des Bereichs biologische Lebenserhaltung. Meist werden folgende drei Subdimensionen erfaßt: „Familialer Status" (gemessen durch die Variablen „Anteil Lediger", „Verheirateter", „Verwitweter" und „Geschiedener"); „Familienzyklus" als Größe zur Beschreibung der Interdependenz zwischen Alters- und familialer Position (gemessen durch die Variablen „Anteil kinderloser Familien", „Anteil Kinder oder Jugendliche", „Anteil alter Menschen", „Anteil kinderreicher Familien", „Anteil unvollständiger Familien"); „Gebietsspezifische Lebensweise" (gemessen über die wohnspezifische Ausstattung (Ein- oder Mehrfamilienhäuser) oder die Wohndichte (Personen pro Wohnung und Wohnraum).

Eine mögliche andere Dimension ist der „*ethnische Status*" (Anteil von Minoritäten), der in der Analyse amerikanischer Städte jedoch größere Bedeutung besitzt als in europäischen Studien. Ungeklärt ist die Bedeutung der Dimension „*Instabilität*", die meist durch die Variable Bevölkerungsmobilität gemessen wird.

In Anlehnung an diese Bezugspunkte stadtsoziologischer Untersuchungen wählen wir zur Beschreibung der städtischen Regionen (statistischen Bezirke) Mannheims konkret die folgenden Aspekte: sozialer Rang, soziale Isolation, familiale Desorganisation, Wohndichte[8]. Zu ihrer Operationalisierung wurden geeignet erscheinende *gebietsbezogene* demographische Variablen anhand von deren Interkorrelationen zu Merkmalsgruppen zusammengefaßt. Die Verwendung der korrelativen Zusammenhänge soll gewährleisten, daß ähnliche oder komplementäre Sachverhalte messende (somit gemeinsam auftretende) Variablen gruppiert werden, die sich in erster Annäherung zur Erklärung der Ungleichverteilung der psychisch Gestörten, Suizidenten und delinquenten Jugendlichen anbieten könnten.

Zur Gewinnung von Merkmalen, die „*sozialen Rang*" messen, wurde zunächst die Variable „Arbeiter" herausgegriffen, weil sie plausiblerweise als Indikator für niedrigen sozialen Rang bezeichnet werden kann. Sodann wurden diejenigen Variablen ausgesucht, die hoch mit dieser Variable korrelieren: das sind die Merkmale Angestellte, Wohnbevölkerung mit Volksschul- bzw. Hochschulabschluß (vgl. Tab. 3).

Ein Merkmal, das plausiblerweise „*soziale Isolation*" mißt, ist die Variable „Anteil der weiblichen Einpersonenhaushalte". Eng mit diesem Merkmal korrelieren die Variablen „Verwitwete", „über 65jährige" und auch noch „Geschiedene". Alle Beziehungen sind positiv (vgl. Tab. 3).

Die Merkmalsgruppe „*familiale Desorganisation*" sollte um die Variable „unvollständige Familien" gebildet werden. Sie korreliert eng mit dem Merkmal „Frauen, die sich und andere ernähren", und noch hinreichend gut mit der Variable „Geschiedene"; während die Assoziation mit der Variable „Mehrpersonenhaushalte mit fünf und mehr Kindern" schwächer ist (vgl. Tab. 3). (Der Entschluß, das Merkmal „Geschiedene" in zwei Merkmalsgruppen zu verwenden, beruht auf der Vermutung, daß diese Variable sowohl Phänomene der sozialen Isolation als auch der familialen Desorganisation mißt.)

Die vierte und letzte Merkmalsgruppe, die sich als „*Wohndichte*" begreifen läßt, konzentriert sich um die Variable „Personen pro Wohnraum". Sie korreliert eng mit der pro Person verfügbaren Wohnfläche. Ferner besteht eine schwächere Assoziation mit dem Merkmal „Räume pro Wohnung" (vgl. Tab. 3).

Da zwischen den Merkmalen „Räume pro Wohnung" und „Wohnungen pro Gebäude" ebenfalls eine Assoziation besteht, lassen sich Gebiete hoher Wohndichte

Tabelle 3: Interkorrelationen zwischen Indikatoren für sozialen Rang, Desorganisation, Isolation und Wohndichte

	Sozialer Rang				Isolation/Überalterung				Familiale Desorganisation				Verdichtung			
	Arbeiter	Angestellte	Volksschule	Hochschule	über 65jährige	Verwitwete	Geschiedene	weibl. Einpersonenhaushalte	Geschiedene	unvollständige Familien	weibliche Haushaltsvorstände	Mehrpersonenhaush. m. 5 und mehr Kindern	Personen/Wohnraum	Wohnfläche/Person	Räume/Wohnung	Wohnungen/Gebäude
	1	2	3	4	5	6	7	8	9	10	11	12	13	14	15	16
1		-.83	.88	-.73	-.54	-.37	-.14	-.40	-.14	.04	.12	.46	.60	-.54	-.01	-.05
2			-.81	.76	.63	.51	.29	.53	.29	.11	.04	-.37	-.42	.41	-.04	.25
3				-.85	-.46	-.25	-.19	-.39	-.19	.15	.17	.60	.64	-.67	-.07	-.11
4					51	.31	.27	.43	.27	.01	-.03	-.52	-.52	.53	.06	.18
5						.93	.53	.83	.53	.23	.13	-.34	-.34	-.20	-.26	.26
6							.51	.82	.51	.29	.17	-.23	-.19	.02	-.36	.31
7								.61	1.00	.55	.50	.03	-.01	-.03	-.57	.50
8									.61	.30	.19	-.34	-.36	.24	-.40	.44
9										.55	.50	.03	-.01	-.03	-.57	.50
10											.87	.34	.31	-.32	-.49	.37
11												.32	.28	-.26	-.41	.32
12													.71	-.74	-.07	-.07
13														-.86	-.24	.09
14															.23	-.09
15																-.53

Signifikanzgrenzen (gelten auch für Tab. 6. 7 und 8): $r \geqq .19$, $p < 0.05$; $r \geqq .27$, $p < 0.01$; $r \geqq .33$, $p < 0.001$

verstehen als Gebiete mit vielen Personen pro Wohnraum, geringer Wohnfläche pro Person, in denen die Zahl der Wohnungen pro Gebäude mit vielen Räumen pro Wohnung gering ist.
Die drei in diesem Abschnitt beschriebenen Formen sozialer Devianz sollen im folgenden überprüft werden hinsichtlich ihrer ökologischen Verteilung über das Stadtgebiet von Mannheim. Neben der Frage, wie Suizide, Jugenddelinquenz und psychische Störungen sich über die 78 statistischen Bezirke verteilen (Abschn. 3), soll mit Hilfe der Indikatoren sozialer Rang, Wohndichte, soziale Isolation und familiale Desorganisation das Milieu bestimmt werden, in dem sie häufig oder selten sind (Abschn. 4).

3. Innerstädtische Verteilungsmuster von drei Formen sozialer Devianz

Für die Berechnung der Verteilung der drei interessierenden Devianzgruppen wurden die 78 statistischen Bezirke Mannheims in 4 Intervalle eingeteilt. Dabei wurden jeweils die 20 Bezirke mit den höchsten Werten und die 20 Bezirke mit den niedrigsten Werten zusammengefaßt, die beiden mittleren Gebietsgruppen umfassen beide je 19 statistische Bezirke. (Eine leichte Abweichung lag bei der Berechnung der ökologischen Verteilung von Suiziden nahe: hier wurden die 18 Bezirke mit Nullraten in einem Intervall zusammengefaßt.)
Als Orientierungsrahmen für die Beschreibung der ökologischen Verteilungsmuster der Devianzraten wird die von *Nellner* (1969) für den Stadtkreis Mannheim vorgeschlagene strukturelle Gliederung in Innenstadt, Zwischenzone und Außenzone verwendet (vgl. Abb. 2).
Die Innenstadt umfaßt dabei den Bereich um den historischen Altstadtkern mit dem Verwaltungs- und Einkaufszentrum, mit vielen Einzelhandelsgeschäften und hohen Dichtewerten. Zur Innenstadt gehören weiterhin die sich im Verlauf des letzten Jahrhunderts entwickelnden innerstädtischen Randgebiete.
Als Kriterium für die Zuordnung von städtischen Bezirken zu der Zwischenzone wird einmal die unmittelbare Nachbarschaft zur Innenstadt betrachtet. Die Zwischenzone ist weiterhin gekennzeichnet durch das Vorhandensein kommunaler, flächenintensiver Einrichtungen (Krankenanstalten, Friedhof, Strafanstalt, Bildungseinrichtungen, Müllverbrennungsanlage). Bei den der Zwischenzone zugeordneten Bezirken handelt es sich vorwiegend um ursprüngliche Wohngebiete, in denen im Laufe der Entwicklung Industriegebiete angesiedelt wurden.

Abbildung 2

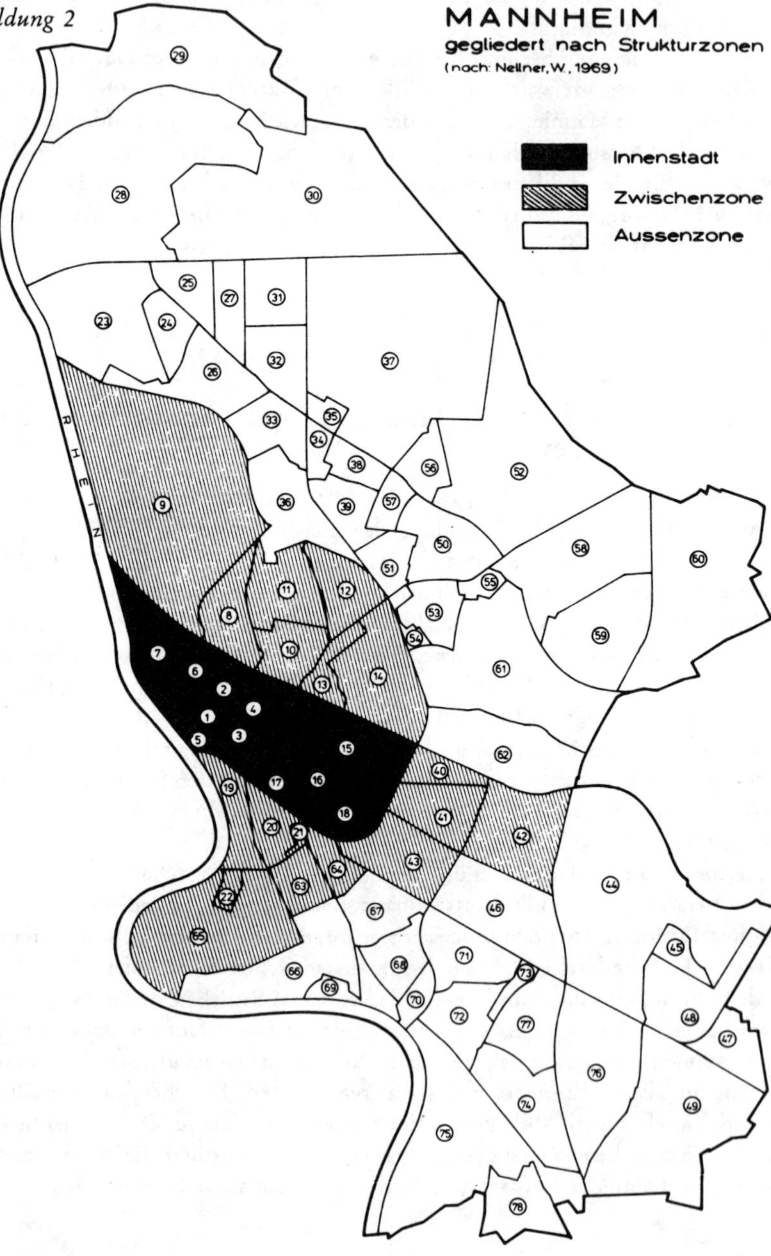
MANNHEIM
gegliedert nach Strukturzonen
(nach: Nellner, W., 1969)
Innenstadt
Zwischenzone
Aussenzone
RHEIN

Der Bereich der Außenzone nimmt in Mannheim fast dreiviertel des Stadtgebiets ein. Durch die Eingemeindungspolitik der Stadt Mannheim im Verlaufe der letzten 100 Jahre weist die Außenzone selbst eine starke Differenzierung aus. *Nellner* unterscheidet in diesem Zusammenhang vier Strukturtypen: noch stärker landwirtschaftlich geprägte Viertel, verstädterte Dörfer, jüngere Wohnsiedlungen und Mischgebiete von Industrieansiedlungen und Wohngebieten.

3.1. *Die ökologische Verteilung der Morbiditätsraten*

Die Morbiditätsraten verteilen sich über alle drei Strukturbereiche. Fünf der Bezirke mit hohen Raten zählen zum innerstädtischen Bereich, fünf zur Zwischenzone und zehn sind den Stadtrandgebieten zuzuordnen. D. h., 45,5% der Innenstadtbezirke, 27,8% der Bezirke der Zwischenzone und 20,4% der Bezirke der Außenzone haben hohe Morbiditätsraten. Von den Bezirken mit niedrigen Raten psychischer Störungen fällt einer in den Innenstadtbereich, es findet sich aber die Mehrzahl der Gebiete mit niedrigen Raten in der Außenzone.
Bei dem dargestellten Verteilungsmuster läßt sich also höchstens von einer Tendenz zur Häufung von Gebieten hoher psychischer Morbidität im erweiterten innerstädtischen Bereich sprechen.

3.2. *Die ökologische Verteilung von Suiziden*

Sowohl für den innerstädtischen Bereich als auch für die Zwischenzone und Außenzone lassen sich Gebiete mit hohen Suizidraten bestimmen. Von den Gebieten mit hohen Suizidraten – Werten über dem dritten Quartil – sind sechs dem innerstädtischen Bereich, fünf der Zwischenzone und neun dem Stadtrandgebiet zuzuschreiben. Das bedeutet: hohe Suizidraten haben 54% der Innenstadtbezirke, 28% der Bezirke der Zwischenzone und 19% der Bezirke der Außenzone. Von den Gebieten mit Nullwerten findet man keine in der Innenstadt, drei in der Zwischenzone und 15 in der Außenzone. Von den neun Stadtrandgebieten mit hohen Suizidraten zählen fünf in den Bereich der jüngeren Wohnsiedlungen, drei zu den Mischgebieten aus Industriesiedlungen, ein Gebiet zählt in die Kategorie der verstädterten Dörfer. Die 15 Gebiete der Außenzone mit Nullwerten verteilen sich folgendermaßen: neun entfallen auf die noch landwirtschaftlich bestimmten Wohnplätze und verstädterten Dörfer, vier auf die jüngeren Wohnsiedlungen und zwei auf Mischgebiete.

3.3. *Die ökologische Verteilung der Jugenddelinquenz*

Die statistischen Bezirke mit Delinquenzwerten über dem dritten Quartil bilden fünf zusammenhängende, teilweise verschiedenen Strukturbereichen angehörende Gebietsgruppen; hinzu kommen zwei einzelne Bezirke (vgl. Abb. 3). Von den Bezirken der Innenstadt haben nur zwei (18,2%) hohe Delinquenzraten. Von

Abbildung 3

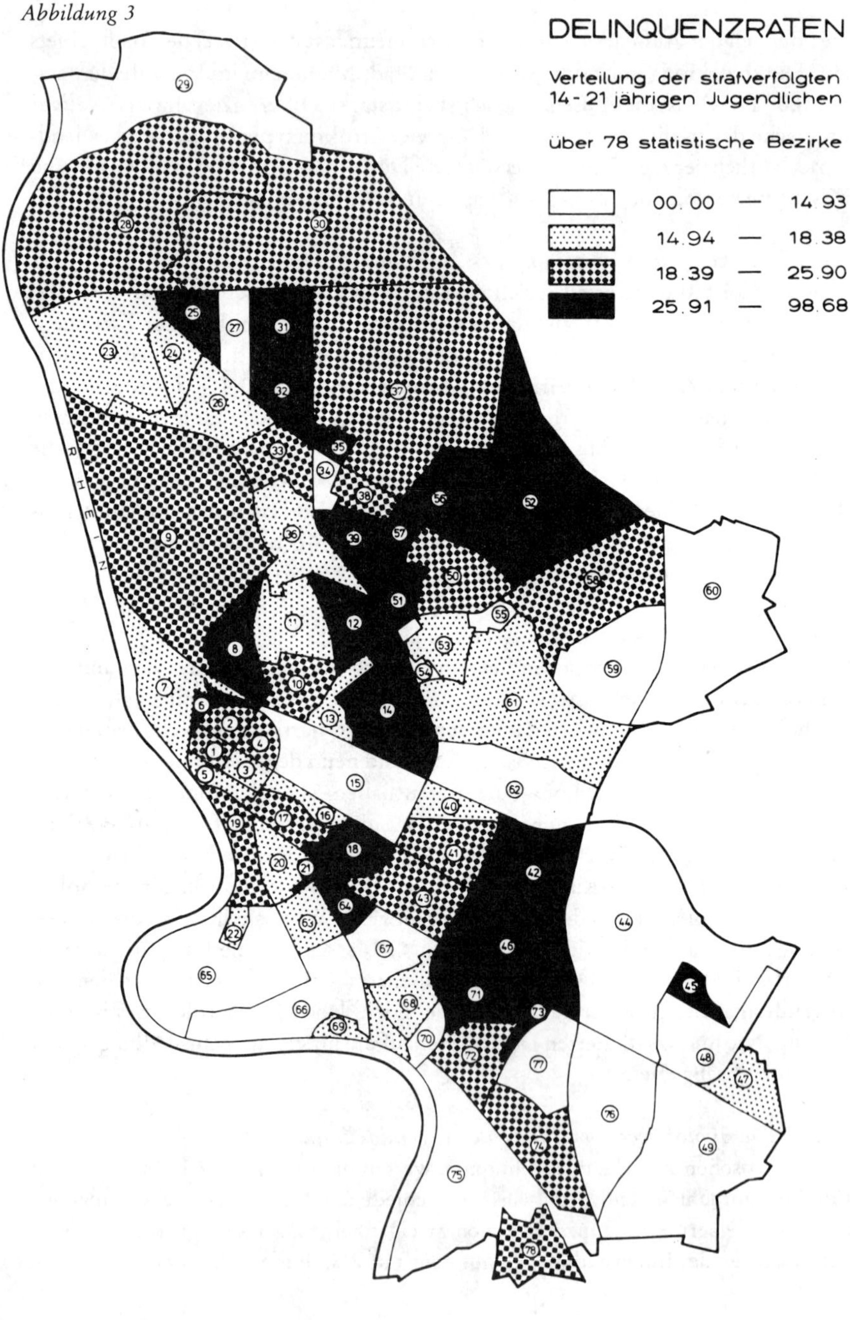
DELINQUENZRATEN
Verteilung der strafverfolgten 14-21 jährigen Jugendlichen
über 78 statistische Bezirke
00.00 — 14.93
14.94 — 18.38
18.39 — 25.90
25.91 — 98.68
RHEIN

denjenigen der Zwischenzone sind es 33,3%, von denen der Außenzone 24,5%. Die städtische Verteilung von Jugenddelinquenz entspricht nach diesem Kriterium von den von uns geprüften drei Verteilungsmustern am wenigsten der klassischen Annahme einer Abnahme abweichenden Verhaltens zum Stadtrand hin. Dem steht jedoch gegenüber, daß von den 19 Gebieten mit niedrigen oder Nullwerten nur je ein Gebiet im Bereich der Innenstadt und der Zwischenzone liegt, alle übrigen Bezirke der Außenzone zugehören. Insgesamt läßt sich tentativ formulieren, daß die Delinquenz am höchsten in den relativ dicht bebauten Kernrandlagen der Zwischenzone und den sich anschließenden jüngeren Wohnsiedlungen ist.

Die städtische Verteilung der Morbiditäts-, der Suizid- sowie der Jugenddelinquenzraten folgen demnach keinem einheitlichen Muster. Bezirke mit besonders hohen bzw. besonders niedrigen Morbiditäts-, Suizid- bzw. Delinquenzraten lassen sich sowohl in der Innenstadt, in der Zwischenzone als auch in der Außenzone finden.
Zudem macht Tabelle 4 deutlich, wie gering ausgeprägt die Interkorrelationen für Morbiditäts-, Suizid- und Delinquenzraten sind.

Tabelle 4: Rangkorrelationskoeffizienten für Suizid-, Morbiditäts- und Delinquenzraten der 78 Mannheimer statistischen Bezirke

	1	2	3
1 Suizidraten	–		
2 Morbiditätsraten	.30	–	
3 Delinquenzraten	.18	.32	–

Über den Zusammenhang der Auftretenshäufigkeit von sozialer Devianz in verschiedenen Bezirken bzw. der sozialen Zusammensetzung ihrer Bewohner gibt Tabelle 5 erste Auskunft. Ihm ist u. a. im nächsten Abschnitt weiter nachzugehen.

Tabelle 5: Arbeiteranteile (in %) in Bezirken sehr hoher bzw. sehr niedriger Devianzausprägung (4. bzw. 1. Quartil), gruppiert nach den drei Mannheimer Strukturzonen

Strukturzonen	Morbidität	Arbeiter	Suizidalität	Arbeiter	Delinquenz	Arbeiter
Innenstadt	hoch (5 Bezirke)	29.3%	hoch (6 Bezirke)	36.16	hoch (2 Bezirke)	60.88%
	niedrig (1 Bezirk)	32.4%	niedrig (kein Bezirk)	-.-	niedrig (1 Bezirk)	17.67%
Zwischenzone	hoch (5 Bezirke)	40.4%	hoch (5 Bezirke)	27.17%	hoch (6 Bezirke)	47.93%
	niedrig (5 Bezirke)	52.1%	niedrig (3 Bezirke)	48.42%	niedrig (1 Bezirk)	26.36%
Außenzone	hoch (10 Bezirke)	56.4%	hoch (9 Bezirke)	50.28%	hoch (12 Bezirke)	60.68%
	niedrig (14 Bezirke)	55.6%	niedrig (15 Bezirke)	63.41%	niedrig (17 Bezirke)	49.29%

4. Ökologische Bedingungen von psychischen Störungen, Suiziden und Jugenddelinquenz

4.1. *Gebietsmerkmale und psychische Morbidität*

Vor der Darstellung der Zusammenhänge zwischen unterschiedlicher Ausprägung gebietsspezifischer psychischer Morbidität und gebietsbezogenen sozialen und demographischen Merkmalen ist auf einige Grenzen der Untersuchung hinzuweisen. Sie ergeben sich daraus, daß der Studie nur Angaben über den Gesamtbestand an Behandlungen (Behandlungsprävalenz) zur Verfügung standen; daß Informationen über Neuerkrankungen (Inzidenzraten), die einen geeigneteren Morbiditätsindikator darstellten, nicht verfügbar waren. Denn Behandlungs*prävalenzraten* umfassen sehr verschiedene Muster der Inanspruchnahme psychiatrischer Dienste, wie Abbildung 4 deutlich macht.

Abbildung 4: Muster der in einer Prävalenzperiode enthaltenen Inanspruchnahmen psychiatrischer Einrichtungen (nach: *Bahn et al.* 1965)

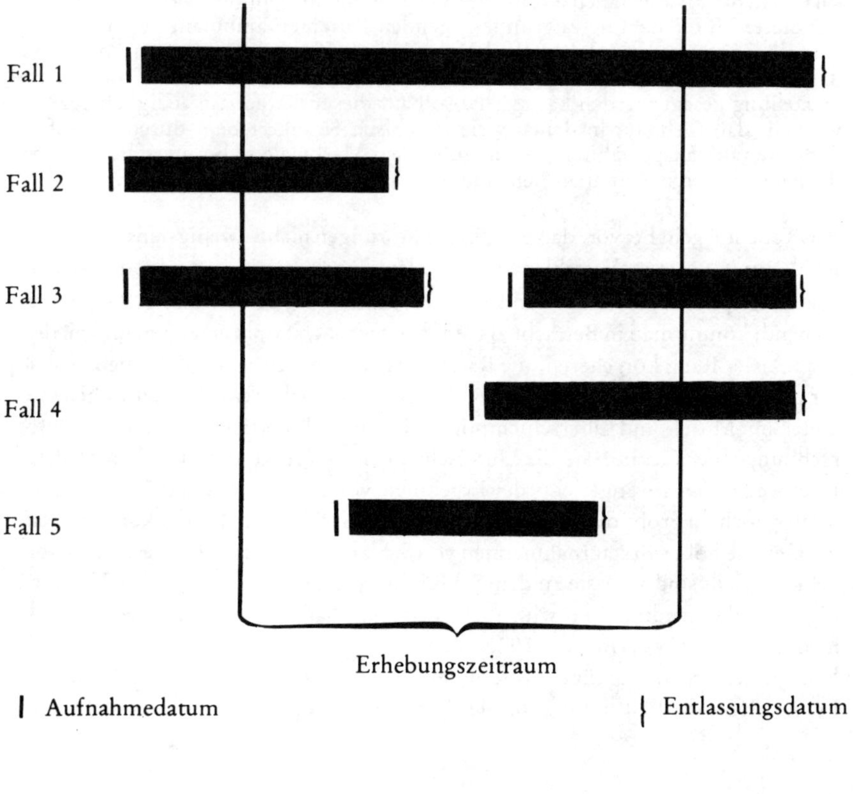

Weiterhin müssen bei der Interpretation der Ergebnisse Variablen der Inanspruchnahme psychiatrischer Dienste berücksichtigt werden. Der Entschluß, einen psychiatrischen Dienst zu konsultieren, ist immer das Ergebnis eines Entscheidungsfindungsprozesses, auf den mehrere Faktoren Einfluß nehmen[9]. Die beiden ersten von fünf Stadien des Krankheitsverhaltens, die *Suchman* (1965) unterscheidet[10], und die meist als Hilfesuchverhalten beschrieben werden, sind bei psychischen Störungen von besonderer Komplexität hinsichtlich Symptomwahrnehmung und -interpretation; hinzu kommen andere soziale Bedingungen, z. B. das Ausmaß der sozialen Sichtbarkeit der Behinderung, die Verfügbarkeit der Behandlungseinrichtungen[11]. Auch muß man berücksichtigen, daß die Hospitalisation immer noch als eine schwerwiegende Maßnahme sozialer Kontrolle empfunden wird.
An dritter Stelle ist an Selektionsbedingungen aufgrund der einbezogenen Behandlungseinrichtungen zu denken; z. B. an in spezifischen Einrichtungen behandelte psychische Störungen.
Aufgrund der Patienten, die sich in Behandlung niedergelassener Nervenärzte befinden, wäre zudem eine Überrepräsentation von stationär behandelten Patienten zu erwarten. Im konkreten Fall jedoch, d. h. durch die große Poliklinik der Psychiatrischen Klinik des Zentralinstituts für Seelische Gesundheit, Mannheim (ehemals Sozialpsychiatrische Klinik der Universität Heidelberg), die neben konsiliarischen Aufgaben auch ambulante Versorgung übernimmt, waren 42 Prozent der dieser Untersuchung zugrunde liegenden Patienten ambulant versorgt.
Aus all diesen Einschränkungen folgt, daß bei der Interpretation der nachfolgend dargestellten Ergebnisse nichts über den ökologischen Kontext der Krankheitsentstehung gesagt werden kann[12]. Es soll auf dieser Datenbasis lediglich gezeigt werden, daß Gebiete, in denen viele psychisch Kranke leben, durch gehäuftes Auftreten der ausgewählten demographischen Merkmale sich unterscheiden von denjenigen, deren Anteil an behandelten Kranken klein ist.

Aus Tabelle 6 geht hervor, daß psychische Störungen nicht – wenigstens nicht pauschal – mit unseren Variablen des *sozialen Rangs* korrelieren. In die gleiche Richtung weisende Befunde von *Sundby/Nyhus* (1963) bzw. *Walsh* (1969) einbeziehend, könnte man in Betracht ziehen, daß zwar Schizophrenieraten und niedriger sozialer Rang korrelieren, die Raten für manisch-depressive Störungen sowie für psychoneurotische und Persönlichkeitsstörungen aber eher in städtischen Gebieten mit Mittel- und Oberschichtpopulationen hoch sind; und daß durch die Berechnung einer Gesamtrate die Unterschiede nivelliert werden. Doch auch diese Interpretation wäre angesichts der Ergebnisse von *Levy/Rowitz* (1970) allerdings immer noch zu grob, die für die Stadtgebiete Chicagos u. a. zeigen konnten, daß die Gebiete hoher Erstaufnahmeraten von Schizophrenen über das gesamte Stadtgebiet verteilt sind; was sie zu dem Schluß führt: ,,Thus, community areas with a high rate of first admissions with a schizophrenic diagnosis are not necessarily low income areas" (*Levy/Rowitz* 1970, 6).
Von großer Bedeutung für die Interpretation der Ergebnisse ist sicherlich auch die Frage, ob bei der Fallfindung soziale Dienste einbezogen wurden oder nicht. An-

Tabelle 6: Rangkorrelationskoeffizienten für Behandlungsprävalenzraten und Gebietsmerkmale

Sozialer Rang

Arbeiter	Angestellte	Volksschulabsolventen	Hochschulabsolventen
-.03	.04	-.06	.05

Dichtemaße

Personen/ Wohnraum	Wohnfläche/ Person	Räume/ Wohnung	Wohnungen/ Gebäude
.15	-.18	-.38	.23

Soziale Isolierung

über 65jährige	Verwitwete	Geschiedene	Weibliche Einpersonenhaushalte
.22	.18	.51	.24

Familiale Desorganisation

Geschiedene	Mehrpersonenhaushalte mit 5 und mehr Kindern	unvollständige Familien	überlastete Sozialbeziehungen
.51	.05	.23	.22

hand einer Übersicht der für 1965 in Mannheim ermittelten Erstkonsultationen wegen psychischer Störungen, die neben psychiatrischen Versorgungseinrichtungen auch soziale Dienste (Beratungsstellen etc.) mit einbezog, läßt sich zeigen, daß aus städtischen Gebieten niedrigen sozialen Rangs gehäuft Erstkontakte wegen psychischer Störungen bei sozialen Einrichtungen erfolgten (*Häfner et al.* 1969).
Für die *Dichtemaße* läßt sich eindeutig feststellen, daß sich Gebiete mit hohen Behandlungsprävalenzraten durch hohe Anteile von Wohngebäuden mit mehreren Wohnungen und hohe Anteile von Wohnungen mit wenig Räumen und geringer Wohnfläche pro Person auszeichnen, d. h. die Morbiditätsrate ist in denjenigen Gebieten hoch, in denen die Innendichte innerhalb von Gebäuden und innerhalb von Wohnungen groß ist. Von der Tendenz her vergleichbare Zusammenhänge zwischen Dichtemaßen und psychischer Morbidität wurden z. B. auch von *Galle et al.* (1972), *Bagley et al.* (1973) und neuerdings von *Bain*[13] ermittelt.
Es ließe sich daher die Annahme formulieren, daß erzwungene Kontakte als belastend empfunden werden und darum zu psychischen Erkrankungen führen. Möglich wäre aber auch, daß die Vielzahl mehr oder weniger erzwungener Kontakte formal und anonym ist und daß solche Kontakte zu personaler Desintegration und sozialer Pathologie führen. Für die letzte Annahme sprechen z. B. die bereits von *Faris/Dunham* (1939) gefundenen Ergebnisse, wonach sich das gehäufte Auftreten psychischer Störungen in den dicht besiedelten Innenstadtbezirken durch Phänomene *sozialer Isolierung* erklärt. Wie der Tabelle zu entnehmen ist, bestehen solche Zusammenhänge auch in Mannheim. Ein besonders enger Zusammenhang erscheint zwischen dem Anteil der Geschiedenen an der Wohnbevölkerung und der Morbidität; es folgen in der Rangfolge die Korrelationskoeffizienten für alleinlebende Frauen, alte Menschen und Verwitwete; wobei im letzten Fall besonders die enge Beziehung zwischen Lebensalter und Verwitwung (r = .93) nicht übersehen werden darf.
Obwohl sich kein Zusammenhang zwischen sozialem Rang und psychischer Morbidität ermitteln ließ, bestehen enge Beziehungen zwischen sozialem Rang und Wohndichte (vgl. Tab. 3), die selbst wiederum mit der gebietsbezogenen Morbidität assoziiert ist. Dies läßt die Deutung zu, daß Dichte unabhängig vom sozialen Rang der Wohnbevölkerung einen bestimmenden Einfluß auf die Verteilung der Morbidität hat.
Bezüglich der Zusammenhänge zwischen *Familienstrukturdaten* und Morbidität zeigen die Korrelationskoeffizienten recht unterschiedliche Zusammenhänge zwischen gebietsbezogenen defizitären Familienstrukturen und Krankheitsraten. Erhöhte Anteile an unvollständigen Familien und an Frauen, die sich und andere ernähren, besonders an Geschiedenen, korrelieren mit der Prävalenzrate.

4.2. *Gebietsmerkmale und Suizidalität*

Wie Tabelle 7 zeigt, tendiert die Suizidrate in denjenigen Gebieten hoch zu sein, in denen die Anteile von Arbeitern und Volksschulabsolventen niedrig, diejenigen von Angestellten und Hochschulabsolventen an der Wohnbevölkerung hoch ist.

Die Richtung dieses Zusammenhangs wird durch andere Untersuchungen bestätigt. So kam z. B. *Sainsbury* (1955) in seiner Londoner Untersuchung zu vergleichbaren Resultaten. Er fand eine niedrige Korrelation mit dem Konstrukt „Armut"; der Zusammenhang zwischen Suizidraten und Gebieten mit Mittelschichtbevölkerung (gemessen durch die Variable „Familieneinkommen über 5 Pfund wöchentlich") war jedoch nicht mehr so deutlich ausgeprägt. Im Gegensatz zur Londoner Studie gibt es in unseren Daten keinen klaren Bezug zu den Dichtemaßen.

Stärkere Zusammenhänge bestehen dagegen mit den Merkmalen der sozialen Isolierung: Suizide treten häufiger auf in Gebieten mit höheren Anteilen an alten Menschen, an Verwitweten, Geschiedenen und alleinlebenden Frauen. Bei der Interpretation dieses Zusammenhangs ist sicherlich zu berücksichtigen, daß der Sachverhalt der sozialen Isolierung nicht schichtunabhängig ist. Wie aus Tabelle 3 ersichtlich, korrelieren die Variablen niederen sozialen Rangs deutlich negativ, diejenigen hohen sozialen Rangs deutlich positiv mit allen Merkmalen sozialer Isolierung.

Ein Vergleich dieses Ergebnisses mit anderen ökologischen Studien wird durch deren jeweils spezifisches Vorgehen erschwert. Es soll dennoch kurz auf sie verwiesen werden. *McCulloch et al.* (1967), die sich mit der ökologischen Verteilung von Suiziden in Edinburgh befaßten, unterschieden zwei Arten von Selbstmord: Suizide in Gebieten mit hoher sozialer Isolierung (hohe Anteile an Alten, Geschiedenen, Verwitweten und allein Lebenden) und Suizide in Gebieten sozialer Desorganisation (hohe Anteile an Jugenddelinquenz, große Bevölkerungsdichte usw.) (vgl. auch *Lester* 1970). *Maris* (1969) zeigte in einem Extremgruppenvergleich hoher und niedriger Suizidgebiete, daß Gebiete mit hohen Selbstmordraten gekennzeichnet sind durch höhere Anteile an alten Menschen, höheren sozialen Rang (bessere Schulbildung, höheres Einkommen), geringe Anteile an Negern, wenig Arbeitslose, kleine Haushalte im Unterschied zu Gebieten mit wenigen Suiziden. Durch eine Neugruppierung der diskriminierenden Gebietsmerkmale war es ihm dann in einem zweiten Schritt möglich, innerhalb der Gebietskategorie mit hohen Suizidraten zwei Untergruppen zu unterscheiden: Die „anomischen Suizidgebiete" sind durch einen höheren sozialen Rang und geringere „externe Zwänge" gekennzeichnet, während in den „egoistischen Selbstmordgebieten" der soziale Status niedriger ist, die „externen Zwänge" stärker sind, Entfremdungs- und Rückzugsphänomene stärker hervortreten.

Tabelle 7: Rangkorrelationskoeffizienten für Suizidraten und Gebietsmerkmale

Sozialer Rang

Arbeiter	Angestellte	Volksschul-absolventen	Hochschul-absolventen
-.30	.43	-.31	.27

Dichtemaße

Personen/ Wohnraum	Wohnfläche/ Person	Räume/ Wohnung	Wohnungen/ Gebäude
-.03	-.03	-.06	-.16

Soziale Isolierung

über 65jährige	Verwitwete	Geschiedene	Weibliche Einpersonen-haushalte
.36	.33	.31	.23

Familiale Desorganisation

Geschiedene	Mehrpersonen-haushalte mit 5 und mehr Kindern	unvollständige Familien	überlastete Sozialbezie-hungen
.31	-.04	.12	.14

Frühere Untersuchungen von *Cavan* (1928) und *Schmid* (1928, 1933/34) wiesen nach, daß in Gebieten mit hohen Suizidraten defizitäre Familienstrukturen stark verbreitet sind. Die Überprüfung dieses Zusammenhangs sollte in Mannheim mit Hilfe des Merkmals ,,familiale Desorganisation" erfolgen. Die Ergebnisse zeigen, daß sich eine solche Beziehung mit unseren vier Variablen nicht nachweisen läßt. Lediglich das Merkmal ,,Geschiedene" erklärt einen Teil der Varianz der ökologischen Verteilung von Suiziden. Sie leistet diesen Erklärungsanteil aber offensichtlich besser im Kontext des Sachverhalts sozialer Isolierung. Demnach sind Phänomene der Vereinsamung, die auch mit dem Nichteingebundensein in die familiale Struktur zu tun haben, mit der Suizidhäufigkeit assoziiert, nicht aber überlastete Sozialbeziehungen, wie sie aus der Unvollständigkeit der Familie, aus der Position der Frau als Haupternährer der Familie oder gar aus der Überlastung durch einen großen Mehrpersonenhaushalt resultieren mögen.

4.3. Gebietsmerkmale und Jugenddelinquenz

Eines der konsistentesten Ergebnisse der ökologischen Delinquenzforschung ist das gehäufte Auftreten von Delinquenz in Gebieten mit niedrigem Sozialstatus, auch wenn in den verschiedenen Untersuchungen die sozio-ökonomische Struktur eines Wohngebiets unterschiedlich operationalisiert wird.
Wie Tabelle 8 zeigt, lassen sich mit steigendem Anteil von Arbeitern an der erwerbstätigen Bevölkerung bzw. von Volksschulabsolventen an der Bevölkerung mit abgeschlossener Schulausbildung für Mannheim auch steigende Jugenddelinquenzraten errechnen. Die Delinquenzraten sind niedriger in Gebieten mit erhöhten Anteilen an Angestellten und Wohnbevölkerung mit Hochschulabschluß.
Für den deutschen Sprachraum hat *Opp* (1968) die Verteilung von Kinder- und Jugenddelinquenz in Köln für die Jahre 1961–1963 untersucht. Da *Opp* in Köln ebenfalls von statistischen Bezirken als Zähleinheit ausging und als unabhängige Variable Zensuskategorien der Volkszählung 1960 verwendete, lassen sich seine Erkenntnisse sehr gut mit den Ergebnissen der Mannheimer Studie vegleichen. Er wählte als Indikator zur Beschreibung des sozio-ökonomischen Status von Gebieten die Variable ,,Arbeiteranteil". Damit fand er auch die von uns für Mannheim festgestellte Assoziation zwischen Jugenddelinquenz und sozialem Rang.

Ähnlich zeigte *Morris* (1958) für die englische Stadt Croydon, daß Mittelschichtgebiete niedrige Delinquenzraten aufweisen. *Wallis/Maliphant* (1967) haben anhand von Zahlen für Londoner Stadtgebiete nachgewiesen, daß in Delinquenzgebieten manuelle Arbeiter in der Wohnbevölkerung vorherrschend sind.

Reiss/Rhodes (1961) berichten in ihrer Untersuchung in Davidson County, Tennessee, über einen deutlichen Zusammenhang zwischen niedriger gebietsbezogener Sozialschicht und erhöhter Delinquenzrate in städtischen Gebieten. Die Auto-

Tabelle 8: Rangkorrelationskoeffizienten für Delinquenzraten und Gebietsmerkmale

Sozialer Rang

Arbeiter	Angestellte	Volksschulabsolventen	Hochschulabsolventen
.20	-.20	.25	-.24

Dichtemaße

Personen/ Wohnraum	Wohnfläche/ Person	Räume/ Wohnung	Wohnungen/ Gebäude
.48	-.47	-.38	.12

Soziale Isolierung

über 65jährige	Verwitwete	Geschiedene	Weibliche Einpersonenhaushalte
-.08	-.02	.20	-.16

Familiale Desorganisation

Geschiedene	Mehrpersonenhaushalte mit 5 und mehr Kindern	unvollständige Familien	überlastete Sozialbeziehungen
.20	.32	.48	.47

ren machen jedoch darauf aufmerksam, daß der Zusammenhang zwischen sozialem Status und Delinquenz eine vielseitige Beziehung darstellt.
Recht deutliche Zusammenhänge ergeben sich in unseren Daten zwischen der städtischen Verteilung der Jugenddelinquenz und den Merkmalen der Dichte innerhalb der Wohnungen. Die Delinquenzrate korreliert mit r = .48 mit dem Anteil von Personen pro Wohnraum. Konsistent mit diesem Ergebnis ist die inverse Assoziation zwischen der Verurteiltenrate und dem Anteil der Wohnfläche je Person (r = -.47) und dem Anteil der Räume je Wohnung (r = -.38). Korrelationsstatistische Studien in verschiedenen Städten kommen zu vergleichbaren Ergebnissen (*Watts* 1931, *Chilton* 1964, *Wallis/Maliphant* 1967, *Galle et al.* 1972).
Eine Erklärung für die Zusammenhänge zwischen Wohndichte und sozialer Pathologie bietet *Mitchell* (1971) anhand seiner in Hongkong gefundenen Ergebnisse an. Er führt die zwischen Dichte innerhalb von Wohneinheiten und kindlichen Verhaltensstörungen ermittelten Beziehungen darauf zurück, daß sich Kinder aus beengten Wohnverhältnissen weitgehend außerhalb des familialen Wohnbereichs aufhalten. Infolge der beengten Wohnverhältnisse sind Nachbarschaftskontakte weit seltener, so daß sich in solchen Wohnquartieren auch kaum ein Nachbarschaftsbewußtsein entwickeln kann, wodurch eine zusätzliche Minderung der sozialen Kontrolle der Kinder erfolgt. Nach dieser Interpretation führt Wohndichte zu vermehrten unkontrollierten Außenkontakten, die die Übernahme delinquenter Verhaltensmuster begünstigen. Diese Argumentation darf aber nicht darüber hinwegtäuschen, daß Wohndichte selbst sozial ungleich verteilt ist, wie bereits im Zusammenhang mit der Morbidität gezeigt wurde. Es ist daher anzunehmen, daß sowohl ein direkter als auch ein durch die Schichtzugehörigkeit vermittelter Zusammenhang zwischen Wohndichte und Delinquenz besteht.
Ebenfalls deutliche Zusammenhänge lassen sich anhand unserer Daten zwischen Jugenddelinquenz und Merkmalen „familialer Desorganisation" aufzeigen. Jugenddelinquenz ist hoch in Gebieten mit einem relativ hohen Anteil von unvollständigen Familien, einem hohen Anteil überlasteter Sozialbeziehungen, einem hohen Anteil von Mehrpersonenhaushalten mit 5 und mehr Kindern und einem hohen Anteil an Geschiedenen. *Toby* (1957) erbrachte den analogen Beweis mit Hilfe von Individualkorrelationen. *Feger* fand 1969, daß in strukturell unvollständigen Familien soziale Kontrolle verringert ist und Jugenddelinquenz häufig auftritt.
Im Gegensatz zu der städtischen Verteilung der Suizidraten finden wir keine Beziehungen zwischen Merkmalen sozialer Isolation und Überalterung mit der Verteilung von Jugenddelinquenz. Der Indikator soziale Isolation grenzt am schärfsten die Gebiete mit hoher Suizid- und hoher Verurteiltenrate voneinander ab.
Der soziale Kontext von Jugenddelinquenz bietet demnach ein recht konsistentes

Bild: Die Delinquenz ist in solchen städtischen Gebieten hoher Wohndichte häufig, in denen vorwiegend Unterschichtbevölkerung lebt und vermehrt strukturell unvollständige sowie kinderreiche Familien wohnen, bzw. Haushalte, in denen die Frauen Hauptern ährer sind.
Diese Widerspruchslosigkeit der mit Delinquenz auf der Aggregatebene kovariierenden Sachverhalte, für die auch auf der Individualebene Analogien bestehen, darf aber nicht über die Problematik der Zusammenhangserklärung hinwegtäuschen. Gilt der Zusammenhang nur für offiziell registrierte Delinquenz, die immer selegierte Delinquenz ist? Über den Bedingungszusammenhang zwischen polizeilichem Handeln und aktenkundigen Straftaten etwa (z. B. Zulassen von Delikten, um Täter überführen zu können; Einleitung eines Verfahrens vs. Rücksprache mit den Eltern) liegen zu wenige systematisch gesammelte Informationen vor[14].

Anmerkungen

1 Im Jahr 1833 veröffentlichte *Guerry* seinen ,,Essay sur la Statistique Morale de la France", in dem er die Verteilung von Kriminalitätsraten über die französischen Departments analysierte. Mit Hilfe der kartographischen Darstellung der unterschiedlichen Verbrechenshäufigkeiten verglich er die gebietsbezogenen Variationen verschiedener Verbrechensraten. Ähnlich verfuhr *Quetelet* 1835, der allerdings nicht bei der kartographischen Gegenüberstellung stehenblieb, sondern die Ungleichverteilung der Verbrechenshäufigkeit aus gewissen Naturgesetzen erklärte (vgl. *Mannheim* 1973). An deutschen Moralstatistikern sei hier vor allem *von Mayr* (1867, 1917) erwähnt.

2 In neueren Darstellungen (z. B. *Friedrichs* 1975) wird vermehrt betont, daß städtisches Wachstum keinen zufälligen und regellosen Prozeß darstellt, sondern einem typischen Ablauf folgt. Neben dem Modell der sukzessiven Ausdehnung sei hier noch auf das Modell von *Hoyt* 1939, der ökologischen Theorie zonalen Wachstums, verwiesen.

3 Der überzogene Anspruch, die Verteilung von psychischen Störungen und Delinquenz auf mehreren Ebenen soziologischen Denkens gleichzeitig zu erklären, trug dem ökologischen Ansatz viel Kritik ein. Wie *Bordua* (1957) ausführte, impliziert er nämlich, daß die spezifischen *ökologischen* Bedingungen (die für jede städtische Zone typische Art der Bodennutzung), die *demographische* Zusammensetzung der Gebiete (den Grad der Bevölkerungsdichte, den Anteil frisch eingewanderter Personen, den Anteil Unterschichtangehöriger usw.), die *soziale Organisation* der Gebiete (die Disparität der Wertorientierungen und Normen, die fehlenden, Konformität gewährleistenden Führungs- und Kontrollorgane usw.) und die *pathologische Organisation* der Gebiete (Entstehung einer Tradition und Kultur sozialer Devianz) beeinflussen. *Shaw/McKay* gingen so weit, auch die Entstehung des delinquenten *Individualverhaltens* aus den ökologischen Bedingungen der Wohngebiete abzuleiten.
Psychologisch und psychiatrisch orientierte Forscher verwarfen die ökologische Delinquenzerklärung. Z. B. wiesen *Healy/Bronner* (1936) darauf hin, daß auch in Gebieten mit hohen Delinquenzraten die meisten der dort lebenden Kinder nicht delinquent werden und daß andererseits viele Delinquenten aus Gebieten kommen, die keineswegs den Charakter sozialer Desorganisation tragen.

Argumentationen dieser Art sind an einem Umweltbegriff orientiert, wie er sich für die Verhaltensforschung als sinnvoll erweisen mag. Doch läßt sich soziale Umwelt des Menschen als eines geschichtlichen Wesens umfassend nicht durch die einfache Verknüpfung von auslösenden Umweltelementen mit Elementen des Verhaltensinventars konzipieren (*Walter* 1975, XXV).
Auf die statistische Problematik des Schließens von ökologisch gewonnenen Ergebnissen auf individuelles Verhalten hat dann *Robinson* (1950) hingewiesen. Inzwischen besteht weitgehend Einigkeit darüber, daß Kollektivkorrelationen ihren eigenen Stellenwert besitzen und keine Ersatzfunktion für nicht zu ermittelnde Individualkorrelationen übernehmen können (*Lazarsfeld/Menzel* 1961). Die sich am ,,ökologischen Fehlschluß" entzündende Diskussion hat zur Entwicklung eines eigenen Methodenbereichs ,,Mehrebenenanalyse" geführt (*Hummell* 1972).
Der nächste Einwand, der erhoben wurde, folgt einer mehr psychologischen Argumentationsweise. Während *Shaw et al.* (1929) und *Faris/Dunham* (1939) die Delinquenz und Morbiditätsraten der Bevölkerung als Funktion städtischer Gebiete interpretieren, wurde ihnen entgegengehalten, das gehäufte Auftreten von Devianz stelle eher die Folge von Segregationsprozessen dar. So hat z. B. *Taft* (1933) Ergebnisse veröffentlicht, wonach sich die Wohnsitze erwachsener Krimineller zwar im Stadtzentrum konzentrieren, aber nur wenige Kriminelle in diesen Gebieten aufgewachsen sind.
Mit diesen Ergebnissen wurde der Annahme einer ökologischen Verursachung das Konzept der sozialen Selektion gegenübergestellt, wonach nicht das Leben in bestimmten städtischen Gebieten zur Übernahme devianter Verhaltensmuster führt, sondern Menschen mit einer gewissen Risikobereitschaft bestimmte städtische Gebiete als Wohnsitz bevorzugen. Auf dem Gebiet der psychiatrischen Epidemiologie wurde diese Annahme durch die Ergebnisse von Studien zum Zusammenhang zwischen Migration und Schizophrenie gestützt, wie sie *Ødegard* (1932), *Malzberg* (1936), *Malzberg/Lee* (1956) durchführten.
Dunham (1965) hat dann in seiner Untersuchung der ökologischen Verteilung von Schizophrenie in Chicago die Relevanz der Selektionshypothese für die Manifestation schizophrener Erkrankung betont; trotz zahlreicher weiterer Ergebnisse läßt sich jedoch weder die Selektionshypothese noch die Kausalitätshypothese als empirisch abgesichert betrachten.
Sutherland hat bereits 1939 in der 3. Auflage seines Lehrbuches ,,Principles of Criminology" auf die falschen Assoziationen hingewiesen, die die Verwendung des Begriffs ,,soziale Desorganisation" zur Erklärung der sozialstrukturellen Bedingungen in den Devianzgebieten wecken. Sie verleiten zur Annahme, Gebiete mit hohen Raten devianten Verhaltens seien weniger geordnet und geregelt als Gebiete mit niederen Raten. In Anlehnung an *Cooley's* Konzeption der sozialen Organisation, wonach die Einheit der modernen Gesellschaft nicht notwendigerweise eine solche der allgemeinen Übereinstimmung ist, sondern eher eine solche reziproker Beeinflussung verschiedener gesellschaftlicher Segmente, schlägt er statt dessen den Begriff der ,,differentiellen Assoziation" vor. Die Untersuchungen von *Whyte* (1943) und *Mays* (1954) konnten dann empirisch nachweisen, daß die soziale Organisation in Elendsvierteln soziale Desorganisation nur von einem ethischen oder anderen besonderen Gesichtspunkt aus ist.
Neben den spezifischen Einwänden gegenüber dem ökologischen Erklärungsanspruch ist ein grundsätzlicher Vorbehalt bezüglich der Fallfindung zu erheben, der für alle Sekundäranalysen gilt. Es wurde mit Recht die Frage gestellt, inwieweit die von *Shaw/McKay* verwendeten Gerichtsakten und die von *Faris/Dunham* herangezogenen Krankenhaus-Erstaufnahmeraten ein Bild der wahren Delinquenz und psychischen Er-

krankung bieten, bzw. inwieweit Armut, Sozialprestige, die Zugehörigkeit zu bestimmten ethnischen und nationalen Gruppen das ökologische Verteilungsmuster verzerren (*Robinson* 1936, *Jonassen* 1949, *Short/Nye* 1957, *Toby* 1957) und somit alle gebietsbezogenen Interpretationen hinfällig werden.

Diese Einwände betreffen das Verhältnis von tatsächlicher zu offizieller Delinquenz, die Bedeutung sozialer Kontrolle für das Sichtbarwerden delinquenten Handelns, wie es heute noch in der sog. Dunkelfeldforschung (*Opp* 1968, *Remschmidt et al.* 1975) diskutiert wird, sowie die Relation zwischen wahrer und behandelter Prävalenz bzw. Inzidenz, also die Bedeutung der „societal reactions" für sozial auffälliges Verhalten, deren Einfluß auf das Krankheitsverhalten bzw. die „paths to the mental hospital" (*Spitzer/Denzer* 1968, *Suchman* 1965, *Mechanic* 1968).

4 Der Begriff der „sozialen Organisation" wird als Element ökologischer Analysen zwar allgemein verwendet, es bestehen aber hinsichtlich Definition und Umfang bedeutende Divergenzen, wie *Kunkel* (1967/68) zeigte.

Hawley folgend, für den „human ecology, then, is concerned with the general problem of organization conceived as an attribute of a population . . ."(International Encyclopedia of the Social Sciences: „Human Ecology", S. 329), hat Organisation drei Hauptmerkmale: Organisation entsteht aus der Interaktion von Bevölkerung und Umwelt; Organisation ist ausschließlich die Eigenschaft einer Population als Ganzes und nicht als Menge von Individuen; Organisation wird als mehr oder weniger vollständig und sich selbst erhaltendes Ganzes betrachtet.

Zur weiteren Diskussion des Begriffs „soziale Organisation" in ökologischen und gemeindesoziologischen Untersuchungen sei auf *Scott* (1970, 431 ff.) verwiesen.

5 Kollektivdaten können entweder globale Merkmale oder aggregierte Merkmale von Kollektiven darstellen. So unterscheiden sich aggregierte von globalen Merkmalen dadurch, daß erstere gebildet sind durch Aggregation von Merkmalen von Individuen, die Mitglieder des Kollektivs sind. Globale Merkmale basieren nicht auf Merkmalen von Individuen, wie beispielsweise: Art der Bodennutzung (Industriegebiet, Wohngebiet etc.).

6 Dieses Register erfaßte 1973/74 Patienten, die in folgenden psychiatrischen Einrichtungen behandelt wurden:

Stationäre Einrichtungen

- Ehemalige Sozialpsychiatrische Klinik der Universität Heidelberg (jetzt Psychiatrische Klinik des Zentralinstituts für Seelische Gesundheit, Mannheim)
- Psychiatrische Klinik der Universität Heidelberg
- Psychiatrisches Landeskrankenhaus Wiesloch
- Kreispflegeheim Weinheim
- Kreispflegeheim Sinsheim
- Psychosomatische Klinik Herrenalb
- Psychosomatische Klinik Gengenbach
- Neurologische Klinik der Städtischen Krankenanstalten Mannheim
- Neurologisch-Psychiatrische Abteilung im Heinrich-Lanz-Krankenhaus
- Neurologische Klinik der Städtischen Krankenanstalten Ludwigshafen
- Privates Pflegeheim Rot

Komplementäre Psychiatrische Einrichtungen

- Nachtklinik der damaligen Sozialpsychiatrischen Klinik
- Tagesklinik der Sozialpsychiatrischen Klinik in Heidelberg
- Arbeitstherapeutische Werkstätte Mannheim
- Werkstätte für Behinderte, Mannheim-Neckarau

Ambulante Einrichtungen

- Ambulanz der damaligen Sozialpsychiatrischen Klinik (jetzt Psychiatrische Klinik des Zentralinstituts für Seelische Gesundheit, Mannheim) einschließlich der Konsiliarischen Tagesambulanz und des psychiatrischen Bereitschaftsdienstes und der Notfallabteilung an den Städtischen Krankenanstalten in Mannheim
- Poliklinik der Psychiatrischen Klinik der Universität Heidelberg
- Gesundheitsamt der Stadt Mannheim
- Außenfürsorge Wiesloch

7 Nach *Kaiser* (1973, 265) sind polizeilichen Angaben folgend 88,5 %, nach Angaben der Strafrechtspflege 88,6 % der Täter männlichen Geschlechts. Es ist anzunehmen, daß in Großstädten wie Mannheim der Anteil straffälliger Mädchen über dem bundesweiten durchschnittlichen Anteil von 11 % liegt.

8 Die exakte Bezeichnung der einzelnen Variablen muß lauten:
Sozialer Rang:
- Anteil der Arbeiter an der erwerbstätigen Bevölkerung;
- Anteil der Angestellten an der erwerbstätigen Bevölkerung;
- Anteil der Wohnbevölkerung mit Volksschulabschluß an der Wohnbevölkerung mit Schulabschluß;
- Anteil der Wohnbevölkerung mit Hochschulabschluß an der Wohnbevölkerung mit Schulabschluß.

Soziale Isolation – Überalterung
- Anteil der über 65jährigen an der Wohnbevölkerung;
- Anteil der Verwitweten an der Wohnbevölkerung;
- Anteil der Geschiedenen an der Wohnbevölkerung;
- Anteil der weiblichen Einpersonenhaushalte an den Privathaushalten.

Familiale Desorganisation
- Anteil der Geschiedenen an der Wohnbevölkerung;
- Anteil verwitweter oder geschiedener oder lediger Personen oder verheirateter Personen, die keine Angaben über ihren Ehepartner gemacht haben, mit ledigen Kindern bzw. Enkeln, sofern deren Eltern oder ein Elternteil nicht in der Familie leben;
- Anteil der Frauen, die sich und andere ernähren, an der Wohnbevölkerung;
- Anteil der Mehrpersonenhaushalte mit 5 und mehr Kindern unter 18 Jahren an den Mehrpersonenhaushalten.

Verdichtung
- Personen pro Wohnraum;
- Wohnfläche pro Person;
- Räume pro Wohnung;
- Wohnungen pro Gebäude.

9 Mit Entschluß und Entscheidungsfindungsprozeß soll hier nicht auf den kognitiven Aspekt der Entscheidung abgehoben werden; gemeint sind vielmehr die Phasen des Vorgangs, der letztlich zum Kontakt mit psychiatrischen Versorgungseinrichtungen führt, der von zahlreichen sozialen Bedingungen abhängig ist und an dem relevante Bezugsgruppen (Familie, Arbeitskollegen, Bekannte etc.) beteiligt sind. Diese Bedingungen sind Voraussetzung für den Zeitpunkt der Kontaktaufnahme mit psychiatrischen Versorgungseinrichtungen, und sie bilden Selektionsbedingungen dafür, wer (z. B. Ober- oder Unterschichtsangehörige) wann (bei früher Symptomwahrnehmung oder übermächtigem Leidensdruck) welche Behandlungseinrichtung (Psychotherapeut, Universitätsklinik, psychiatrisches Krankenhaus) in Anspruch nimmt.

10 *Suchman* unterscheidet: Das Stadium der Symptomwahrnehmung, das Stadium der Annahme der Krankenrolle (Auswahl des Experten, bei dem professionelle Hilfe gesucht

wird; Legitimation für deviantes Verhalten wegen Erkrankung); das Stadium des Kontaktes mit der Behandlungseinrichtung (Suche nach Symptomerklärung, Akzeptierung der Pflichten und Rechte des Patienten); das Stadium der abhängigen Patientenrolle (Problematik der Arzt-Patienten-Beziehung); das Stadium der Genesung und Rehabilitation (Aufgabe der Krankenrolle und Neuübernahme ,,normaler" Rollen).

11 Vgl. hierzu *Mechanic* (1968, bes. Kap. 4), *Siegrist* (1974), *Moeller* (1974).

12 Da die der Untersuchung zugrundeliegenden Prävalenzraten nur über die Bestände psychisch Kranker und nicht über die Ersterkrankungen informieren, sind sie zur Beantwortung von Fragen der Krankheitsentstehung ungeeignet. Mit der Prävalenzrate korrelierende Merkmale können Bedingungen der Krankheitsentstehung, des Krankheitsausbruchs, der Art und Dauer der Behandlung oder der Neuerkrankung darstellen, die sich nicht mehr verläßlich trennen lassen. Insofern lassen sich auf der Basis der Prävalenzraten nur Aussagen über Gebiete, in denen viele Kranke leben, machen, nicht aber über Gebiete, die krankmachend sind.

13 Informationen im Zusammenhang eines Vortrags am 14. 10. 1977 im Zentralinstitut für Seelische Gesundheit über ,,Epidemiology of Mental Disorders in the North East of Scotland".

14 *McEachern/Bauzer* (1967) zeigten, daß polizeiliches Verhalten nicht nur eine Funktion der Straftat ist, sondern daß Polizei einerseits auf Charakteristika der Individuen (z. B. familiale Herkunft) reagiert, andererseits, daß deren Dispositionen auch eine Funktion davon sind, wer ,,die Polizei" ist.
Nach *Wenninger/Clark* (1967) ist polizeiliches Verhalten einerseits an universalistischen (überregionalen, der Erhaltung der Gesellschaft dienenden), andererseits an partikularistischen (regionalen, die Kohäsion der Gemeinde erhaltenden) Erwartungen orientiert. Im Gegensatz zu Abweichungen von ersteren und Abweichungen von partikularistischen Orientierungen häufig nicht strafrechtlich negativ sanktioniert, so daß polizeiliche Kontrolle hier über einen gewissen Spielraum verfügt.
Aus einer Studie von *Goldman* (1963) geht hervor, wie kommunale Belange faktische Berücksichtigung finden: in homogenen Oberschichtgemeinden errechnet sich eine hohe Kontaktrate zwischen Polizei und Jugendlichen, aber die Rate der an die Gerichte überwiesenen Fälle ist niedrig. In Gemeinden größerer sozialer Heterogenität sind die Kontakte mit der Polizei geringer, die Zahl der Überstellungen an die Jugendgerichte nimmt zu.
An deutschen Veröffentlichungen sei die Übersichtsarbeit von *Feest/Blankenburg* (1972) erwähnt.

Literatur

Bagley, C./Jacobson, S./Palmer, C.
1973. Social structure and the ecological distribution of mental illness, suicide, and delinquency. Psychological Medicine, 3, 177–187.

Bahn, A. K./Gorwitz, K./Klee, G. D./Kramer, M./Tuerk, I.

1965. Services received by Maryland residents in facilities directed by a psychiatrist. Public Health Reports 80, Nr. 5, 405–416.
Bordua, D. J.
1957. Hauptrichtungen in Theorie und Erforschung der Jugendkriminalität in den USA seit 1930. In: Heintz, P./König, R. (Hrg.), Soziologie der Jugendkriminalität. Sonderheft 2 der Kölner Zeitschrift für Soziologie und Sozialpsychologie, 156–188.
Bronfenbrenner, U.
1976. Ökologische Sozialisationsforschung. Stuttgart: Klett.
Burgess, E. W.
1925. The growth of the city. In: Park, R. E./Burgess, E. W./McKenzie, R. D., The city. Chicago: University of Chicago Press.

Carstairs, G. M./Brown, G. W.
1958. A census of psychiatric cases in two contrasting communities. Journal of mental science, 104, 72–81.
Cavan, R. S.
1928. Suicide. Chicago: University of Chicago Press.
Chilton, R. J.
1964. Continuity in delinquency area research: A comparison of studies for Baltimore, Detroit and Indianapolis. American Sociological Review, 29, 71–83.
Cooley, C. H.
1902. Human nature and the social order. New York: Scribner's.

Dotzauer, G./Goebels, H./Legewie, H.
1965. Selbstmord und Selbstmordversuch. In: Zwingmann, C. (Hrg.), Selbstvernichtung. Frankfurt: Akademische Verlagsgesellschaft, 110–122;
Duncan, O. D.
1959. Human ecology and population studies. In: Hauser, P. M./Duncan, O. D. (eds.), The study of population. Chicago: University of Chicago Press, 678–716.
Duncan, O. D.
1961. From social system to ecosystem. Social Inqiry, 31, 140–149.
Duncan, O. D./Schnore, L. F.
1959. Cultural, behavioral and ecological perspectives in the study of social organization. American Journal of Sociology, 65, 132–146.
Dunham, H. W.
1965. Community and schizophrenia. Detroit: Wayne State University Press.
Durkheim, E.
1893. De la Division du Travail Social. Paris: Presses Universitaires de France.

Faris, R. E. L./Dunham, W. H.
1939. Mental disorders in urban areas. New York: Hafner.
Feest, J./Blankenburg, E.
1972. Die Definitionsmacht der Polizei. Düsseldorf: Bertelsmann Universitätsverlag.
Feger, G.
1969. Die unvollständige Familie und ihr Einfluß auf die Jugendkriminalität. Familie und Jugendkriminalität, Bd. 1. Stuttgart: Enke.
Festinger, L./Schater, S./Back, K.
1950. Social pressures in informal groups. A study of human factors in housing. New York: Stanford University Press.

Friedrichs, J.
1975. Soziologische Analyse der Bevölkerungs-Suburbanisierung. Hannover: Schroedel.
Friedrichs, J.
1977. Stadtanalyse. Reinbek: Rowohlt.

Galle, O. R./Gove, W. R./McPherson. J. M.
1972. Population density and pathology. Science, 176, 23–30.
Gibbs, J. P./Martin, W. T.
1959. Toward a theoretical system of human ecology. Pacific Sociological Review, 2, 29–36.
Goldman, N.
1963. The differential selection of juvenile offenders for court appearance. National Research and Information Center, National Council on Crime and Delinquency.
Guerry, A. M.
1833. Essai sur la Statistique Morale de la France. Paris: Crochard.

Häfner, H./Reimann, H./Immich, H./Martini, H.
1969. Inzidenz seelischer Erkrankungen in Mannheim 1965. Social Psychiatry, 4, 126–135.
Hare, E. H.
1956. Mental illness and social conditions in Bristol. Journal of Mental Science, 102, 349–357.
Hawley, A. H.
1950. Human ecology. New York: The Ronald Press.
Healy, W./Bronner, A. F.
1936. New light on delinquency and its treatment. New Haven: Yale University Press.
Hoyt, H.
1939. The structure and growth of residential neighborhoods in American cities. Washington: Federal Housing Administration.
Hummell, H. J.
1972. Probleme der Mehrebenenanalyse. Stuttgart: Täubner.

Jonassen, C. T.
1949. A re-evaluation and critique of the logic and some methods of Shaw and McKay. American Sociological Review, 14, 608–617.

Kaiser, G.
1973. Jugendrecht und Jugendkriminalität. Weinheim und Basel: Beltz.
König, R.
1958. Grundformen der Gesellschaft. Die Gemeinde. Reinbek: Rowohlt.
Kunkel, J. H.
1967. Some behavioral aspects of the ecological approach to social organization. American Journal of Sociology, 73, 12–29.

Lapouse, R./Monk, M. A./Terris, M.
1956. The drift hypothesis and socio-economic differentials in schizophrenia. American Journal of Public Health, 46, 978–986.
Lazarsfeld, P. F./Menzel, H.
1961. On the relation between individual and collective properties. In: Etzioni, A. (ed.), A

sociological reader on complex organizations. New York-London: Holt-Rinehart & Winston.
Lester, D.
1970. Social disorganization and completed suicide. Social Psychiatry, 5, 175–176.
Levy, L./Rowitz, L.
1970. The spatial distribution of treated mental disorders in Chicago. Social Psychiatry, 5, 1–11.
Lind, A. W.
1930. Some ecological patterns of community disorganization in Honolulu. American Journal of Sociology, 36, 206–220.

Malzberg, B.
1936. Mental disease among native and foreign-born whites in New York State. American Journal of Psychiatry, 9, 127–137.
Malzberg, B./Lee, E. S.
1956. Migration and mental disease. Social science Research Council, New York.
Mannheim, H.
1973. Vergleichende Kriminologie. Ein Lehrbuch in zwei Bänden. Stuttgart: Deutscher Taschenbuchverlag und Ferd. Enke Verlag.
Maris, R. W.
1969. Social forces in urban suicide. Homewood, Ill.: The Dorsey Press.
Mays, J. B.
1954. Growing up in the city. Liverpool: University Press.
McCulloch, J. W./Philip, A. E./Carstairs, G. M.
1967. The ecology of suicidal behavior. British Journal of Psychiatry, 113, 313–319.
McEachern, A. W./Bauzer, R.
1967. Factors related to disposition in juvenile police contacts. In: Klein, M. W. (ed.) Juvenile gangs in context. Englewood Cliffs, N. J.: Prentice-Hall.
Mechanic, D.
1968. Medical sociology. A selective view. New York: The Free Press.
Meulemann, H./Weishaupt, H.
1975. Stadt und Bildungschance. Unveröffentlichte Gutachten für die Arbeitsgruppe V ,,Integration/Desintegration“ der Bildungskommission des Deutschen Bildungsrates Bad Godesberg.
Mitchell, R. E.
1971. Some social implications of high density housing. American Sociological Review, 36, 18–29.
Moeller, M. L.
1974. Krankenverhalten und Krankenversorgung in der psychosozialen Medizin. In: Volkholz, V./Elsner, G./Geissler, B./Kriescher-Fauchs, M./Thoma. P. (Hrg.), Analyse des Gesundheitssystems. Frankfurt/M.: Athenäum Fischer Taschenbuch Verlag.
Moore, H./Kleining, G.
1960. Das soziale Selbstbild der Gesellschaftsschichten in Deutschland. Kölner Zeitschrift für Soziologie und Sozialpsychologie, 12, 86–119.,
Morris, T.
1958. The criminal area. A study in social ecology. London: Routledge and Kegan Paul.
Mowrer, E. R.
1942. Disorganization, personal and social. Philadelphia: Lippincott.

Nellner, W.
1969. Die Entwicklung der inneren Struktur und Verflechtung in Ballungsgebieten – dargestellt am Beispiel der Rhein-Neckar-Agglomeration. Hannover: Gebr. Jänecke Verlag.

Ødegaard, Ø.
1932. Emigration and insanity. Acta psychiatrica scandinavia (Suppl. IV), 11–206.

Opp, K.-D.
1968. Zur Erklärung delinquenten Verhaltens von Kindern und Jugendlichen. Forschungsbericht 03. München: Deutsches Jugendinstitut.

Park, R. E./Burgess, E. W./McKenzie, R. D.
1925. The city. Chicago: University of Chicago Press.

Pongratz, L./Schäfer, M./Jürgensen, P./Weiße, D.
1975. Kinderdelinquenz, Daten, Hintergründe und Entwicklungen. München: Juventa Verlag.

Quételet, A.
1835 Physique sociale ou Essai sur le developpement des facultés de l'homme. Dtsch.: Soziale Physik oder Abhandlung über die Entwicklung der Fähigkeiten des Menschen, 2 Bde. Jena, 1921.

Quinn, J.
1940. The Burgess zonal hypothesis and its critiques. American Sociological Review, 5, 210–218.

Redick, R. W./Goldsmith, H. F./Unger, E. L.
1971. 1970 census data used to indicate areas with different potential for mental health and related problems. National Institute of Mental Health Statistical Series C Nr. 3.

Reiss Jr., A. J./Rhodes, A. L.
1961. The distribution of juvenile delinquency in the social class strûcture. American Sociological Review, 26, 1–6, 720 ff.

Remschmidt, H./Merschmann, W./Walter, R.
1975. Zum Dunkelfeld kindlicher Delinquenz. Eine Erhebung an 483 Probanden. Monatsschrift für Kriminologie und Strafrechtsreform 58, 133–153.

Robinson, W. S.
1950. Ecological correlations and the behavior of individuals. American Sociological Review, 15, 351–357.

Robison, S. M.
1936. Can delinquency be measured? New York: Columbia University Press.

Sainsbury, P.
1955. Suicide in London. London: Chapman and Hall.

Scott, W. R.
1970. Social processes and social structures. New York: Holt, Rinehart and Winston. Inc.

Schmid, C. F.
1928. Suicide in Seattle 1914 to 1925. An ecological and behavioristic study. Seattle/Wash.: University of Washington Publications in the Social Sciences.

Schmidt, C. F.
1933–34. Suicide in Minneapolis. Minnesota: 1928–1932. American Journal of Sociology, 39, 30–48.

Schnore, L. F.
1965. On the special structure of cities in the two Americas. In: Hauser, P. M./Schnore, L. F. (eds.), The study of urbanization. New York: John Wiley.
Shaw, C. R./Zorbaugh, H. W./McKay, H. D./Cotrell, L. S.
1929. Delinquency areas. Chicago: University of Chicago Press.
Short Jr., J. F./Nye, J. F.
1957. Reported behavior as a criterion of deviant behavior. Social Problems, 5, 205–213.
Siegrist, J.
1974. Lehrbuch der medizinischen Soziologie. München-Berlin-Wien: Urban und Schwarzenberg.
Sly, D. F.
1972. Migration and the ecological complex. American Sociological Review, 37, 615–628.
Spitzer, S. P./Denzer, N. K.
1968. The mental patient. Studies in the sociology of deviance. New York: McGraw-Hill.
Stengel, E.
1964. Suicide and attempted suicide. Hamondsworth: Penguin Books Ltd. Dtsch.: Selbstmord und Selbstmordversuch. Frankfurt/M.: S. Fischer Verlag, 1969.
Suchman, E. A.
1965. Stages of illness and medical care. Journal of Health and Human Behavior 6, 114–128.
Sundby, P./Nyhus, P.
1963. Major and minor psychiatric disorders in males in Oslo. Acta Psychiatrica Scandinavia, 39, 519–547.
Sutherland, E. H./Cressey, D. R.
1960. Principles of criminology. Chicago-Philadelphia-New York: J. B. Lippincott Comp., 6. Aufl.

Taft, D. R.
1933. Testing the selected influence of areas of delinquency. American Journal of Sociology, 38, 699–712.
Toby, J.
1957. The differential impact of family desorganization. American Sociological Review, 22, 505–512.
Trute, B./Segal, St. P.
1976. Census tract predictors and the social integration of sheltered care residents. Social Psychiatry, 11, 153–161.

Von Mayr, G.
1867. Statistik der gerichtlichen Polizei im Königreich Bayern und in anderen Ländern. München: Fleichmann's Buchhandlung.
Von Mayr, G.
1917. Statistik und Gesellschaftslehre Bd. 3: Moralstatistik mit Einschluß der Kriminalstatistik. Tübingen: Mohr-Verlag.

Wallis, C. P./Mapliphant, R.
1967. Delinquent areas in the county of London: Ecological factors. British Journal of Criminology VII, 250–284.
Walsh, D.
1969. Mental illness in Dublin – First admissions. British Journal of Psychiatry, 115, 449–456.

Walter, H. (Hrg.).
1975. Sozialisationsforschung Bd. III. Sozialökologie – neue Wege der Sozialisationsforschung –. Stuttgart: Fromman-Holzboog. problemata.
Watts, R. E.
1931. Influence of population density on crime. Journal of the American Statistical Association, 26, 11–21.
Wenninger, E. P./Clark, J. P.
1967. A theoretical orientation for police studies. In: Klein, M. W. (ed.), Juvenile gangs in context. Englewood Cliffs, N. J.: Prentice-Hall.
Whyte, W. F.
1943. Street corner society. Chicago: University of Chicago Press.
Wirth, L.
1928. The Ghetto. Chicago: University of Chicago Press.

Zorbaugh, H. W.
1929. The coast and the slum. Chicago: The University of Chicago Press.

Stadtstruktur und Kriminalität

Zur Konstruktion von Jugendkriminalität am Beispiel eines Wiener Stadtgebietes

Mechthild Rotter und Heinz Steinert

Es ist unsicher, ob wir hier einen Beitrag zum Thema „Region und Sozialisation“ leisten werden, es sei denn, in einem negativen Sinn: Ein Überblick über die Literatur zur Ökologie abweichenden Verhaltens macht nämlich sehr rasch den unzureichenden und ideologischen Charakter der Erklärungsansätze deutlich, die die räumliche Verteilung „abweichender“ Verhaltensweisen aus der Verteilung von Sozialisationsbedingungen verstehen wollen. Der rohe Befund ist doch schlicht der: Wo immer sich bestimmte Kategorien von Personen in einer benachteiligten Lage befinden, bestimmte Handlungsgelegenheiten auftreten und eine bestimmte Art von Kontrolle eingesetzt wird, läßt sich eine Häufung des entsprechenden „abweichenden Verhaltens“ feststellen. Diese drei Dimensionen, so meinen wir, genügen zur Erklärung völlig. „Sozialisation“, „subkulturelle Normen“, „broken home“, u. ä. sind allenfalls als intervenierende Variablen brauchbar. Ihre Gefährlichkeit liegt aber in ihrer Attraktivität als „letzte Antworten“, womöglich noch gleich mit Politikimplikationen à la Vorschulerziehung zur Aufhebung sozialer Ungleichheit oder Förderung des Daheimbleibens von Müttern zur Verringerung von Jugendkriminalität. Erklärungen und Maßnahmen dieser Größenordnung heißen generell, daß die Kosten bestimmter wirtschaftlicher, gesellschaftlicher und politischer Entwicklungen und Maßnahmen den von eben diesen Entwicklungen und Maßnahmen Betroffenen zu ihrem Nachteil aufgelastet werden. Diesem Rezept (Bist du benachteiligt? – Dann mußt Du Dich mehr anstrengen!) wird man einen gewissen Zynismus schwer absprechen können.
Die Absicht wird besonders merkbar (und dementsprechend die Verstimmung intensiviert), wo es um die „Erklärung“ von Phantomen geht. Häufig werden „soziale Probleme“ behauptet, die in dieser Form gar nicht bestehen. Häufig sind die Gründe dafür banal: Wenn Autoren von Büchern über Kriminalität einleitend so gern die „zunehmende Brutalisierung der Welt“ (so z. B. *Hacker* 1971) beschwören, so wollen sie damit ihr Thema und sich wichtig machen und dem Verlag bei der Verkaufsförderung helfen. In anderen Fällen soll damit die Unfähigkeit einer Regierung oder Verwaltung demonstriert und der Abbau von bürgerlichen Rechtsgarantien legimitiert werden. Zwischen diesen Extremen gibt es eine Reihe

von Varianten des politischen Einsatzes behaupteter „sozialer Probleme". Häufig stehen hinter solchen Behauptungen auch höchst reale Schwierigkeiten, die nur nicht so spektakulär sind, gelegentlich auch solche – so hat man den Eindruck –, von denen abgelenkt werden soll (gerade bei der Kriminalität als „Problem" drängt sich das auf).

Aus dieser Vorwarnung erklärt sich der Aufbau des Artikels: In einem ersten Abschnitt werden von der Chicago-Schule ausgehend die traditionellen Probleme der Ökologie abweichenden Verhaltens skizziert. Der zweite Abschnitt behandelt und kritisiert das Konzept der „Subkultur". Im dritten Abschnitt geht es um die Politik und Verwaltung sozialer Probleme. Der vierte Abschnitt analysiert im Detail, wie die Prozesse der „Produktion eines Delinquenzgebietes" aus bestimmten sozioökonomischen Konstellationen und verschiedenen politischen Interessenlagen entstehen bzw. welche Auswirkungen sie haben; diese Zusammenhänge werden am Beispiel einer Fallstudie in einer neuen Stadtrandsiedlung Wiens dargestellt.

1. Zur Ökologie der Kriminalität

Kriminalökologie und Subkulturthese gehen auf die Forschungstätigkeit der Chicago Schule zurück, in der sich das Interesse an Problemen der Stadt mit dem an abweichendem Verhalten verknüpfte. Die frühen Untersuchungen der 20er und 30er Jahre erhielten einen wesentlichen Anstoß durch die rasch fortschreitende Urbanisierung in den USA seit der Jahrhundertwende, einer Entwicklung von Großstädten zu Kristallisationszentren verschiedener ethnischer und sozioökonomischer Bevölkerungsschichten. Die Vertreter der Chicago Schule, denen diese Urbanisierungstendenz gleichzeitig als eine Entwicklung zu neuen gesellschaftlichen Wertmustern und Lebensstilen galt, richteten ihr Forschungsinteresse insbesondere auf marginale Kulturen und deren Anpassungsprobleme in der modernen amerikanischen Gesellschaft. Sie perzipierten Abweichung nicht als individuelles, persönlichkeitsgebundenes Phänomen, sondern als Merkmal der Stadtentwicklung und als kollektive Lösungsmöglichkeit für ebensolche Anpassungsprobleme. Die Zusammenschau von regionalen Variationen der Kriminalitätsrate mit den Variationen sozialer und ökonomischer Merkmale der Stadtstruktur ließ eine qualitativ neue Interpretation der Entwicklung und Verteilung von Kriminalität und Abweichung zu: Kriminalität wird teils direkt auf die materiellen Bedingungen in Slums oder Arbeiterwohngegenden zurückgeführt, teils als Merkmal oder Folge einer eigenständigen Unterschicht-, Slum- oder auch Gegenkultur beschrieben.

Durch Zuwanderung Farbiger aus den Landgebieten sowie durch eine Serie von Einwandererströmen aus verschiedenen Teilen Europas hatten sich in den amerikanischen Großstädten der 20er Jahre ethnische Viertel gebildet, die durch Überbevölkerung, eine weit unter den Mindeststandards liegende Wohnsituation, kinderreiche Familien und soziales Elend gekennzeichnet waren. Die Versorgung dieser Gebiete mit Schulen, mit medizinischen und Sozialdiensten befand sich in einem denkbar schlechten Zustand; der Großteil der Familien lebte knapp am Existenzminimum. Diese Situation in den Slums sowie die Diskriminierung ethnischer Minderheiten und die in der Öffentlichkeit vorherrschenden Vorurteile veranlaßten die Soziologen der Chicago Schule zu sozialarbeiterischer Tätigkeit und Forschung. Ihre ersten Aktivitäten bestanden in Öffentlichkeitsarbeit, dem Zurechtrücken des falschen Bildes, das über ethnische Minderheiten in den Massenmedien verbreitet wurde, Appellen an Toleranz und Verständnis der Bevölkerung sowie einer Gegendarstellung zum schlechten Ruf ethnischer Slums.
Im Programm der ökologischen Forschung mit dem Titel „The City as a Sociological Laboratory" war die Auffassung zentral, daß die Stadt eine eigene von Landgemeinden unterschiedliche Lebensweise und Organisation entwickelt, wobei die segregierten „natural areas", aus denen sie besteht, je spezifische Funktionen für die Aufrechterhaltung der ökonomischen Struktur der Stadt erfüllen. In einer ersten Untersuchungsphase wurde die räumliche Verteilung all dessen, das sich in Form von Stadtkarten darstellen läßt, erhoben. Karten über Jugenddelinquenz, soziale Einrichtungen der Stadt, Wirtschaftbetriebe, Freizeiteinrichtungen u. a. sollten die „Physiographie" der Stadt abbilden.
Zur Erklärung der bestehenden Unterschiede zwischen den einzelnen „areas" und Bevölkerungsschichten wurden jedoch nicht nur räumliche, im eigentlichen Sinn ökologische Gegebenheiten herangezogen, sondern auch die Dimension ihrer kulturellen Lebensweisen, Gebräuche und Verhaltensstandards. In diesen Zeitraum fallen auch die ersten bedeutenden Untersuchungen, die mit der Methode der teilnehmenden Beobachtung durchgeführt wurden: *Anderson*'s „Hobo" (1923) und *Trasher*'s „The Gang" (1927). Diese Ursprünge der Subkultur- und Bandenforschung sind aus dem Bestreben entstanden, die Verhaltensweisen ethnischer Minderheiten aus ihrem Selbstverständnis, ihrer inneren Organisation und Kultur heraus zu erklären.

Neben einer generellen Analyse der Urbanisierungstendenz sind ökologische Forschungen insbesondere mit Fragen der Prozesse des städtischen Wachstums befaßt. Im wesentlichen auf amerikanische Großstädte zutreffend und daher nicht generalisierbar ist die These, daß sich die Stadt in konzentrischen Zonen entwikkelt, wobei diese Expansion dem Muster der Wanderungstendenz früherer Bevölkerungsschichten und -generationen folgt, ausgehend von inneren Zonen der Stadt zur Peripherie hin. Es ist dies gewissermaßen eine Theorie des sozialen Aufstiegs in räumlicher Dimension, insofern sich der steigende Sozialstatus in den Wohnzonen der expandierten Stadt niederschlägt: Um das zentrale Geschäfts- und Büroviertel schließen sich Slum- und Obdachlosengegenden, gefolgt von Arbeiterwohnbezirken, Mittelschichtgegenden und schließlich der Vorstadtzone der Oberschichten. *Park et al.* (1925) haben erstmals versucht, in der Stadtforschung

eine Beziehung zwischen ökonomischer Entwicklung, sozialer Veränderung und der räumlichen Komponente (Bodenpreise, Miethöhen) herzustellen. Sie erklären die geographische Distanz sozial und ethnisch segregierter Gruppen als Folge des Wettbewerbs um Arbeits- und Wohnmöglichkeiten, ein Prozeß, dessen Resultat sich in regionalen Unterschieden der Wohnverhältnisse, des sozioökonomischen Status der Wohnbevölkerung und des Auftretens oder Nichtvorhandenseins von sozialen Problemen abzeichnet. *Shaw* (1929) stellte fest, daß die der Stadtmitte zunächstgelegenen abgewohnten Zonen die höchste Jugenddelinquenz aufweisen, während die Delinquenz zur Peripherie der Stadt hin abnimmt und in den Randgebieten ihr Minimum erreicht. Dieser Analyse liegen Daten über den Wohnort der von der Polizei ermittelten Täter zu Grunde, die auf die Zahl aller in den entsprechenden Zonen wohnhaften Jugendlichen bezogen wurden.
Neben der Zonenhypothese entwickelten die Soziologen der Chicago Schule den generellen Ansatz des „area-approach", in dem Stadtregionen und die Segregation der sozialen Schichten und Subkulturen als Produkt der ökonomischen Verhältnisse, der Miethöhen und der offiziellen Wohnpolitik verstanden werden. In Anbetracht des besonderen Forschungsinteresses der Soziologen an marginalen Kulturen überrascht es wenig, daß aus der Vielzahl ökologischer Untersuchungen fast ausschließlich Charakterisierungen von Slums und Unterschichtwohngegenden vorliegen. Stadtgebiete mit einer marginalen Situation, Armut, Arbeitslosigkeit, Krankheit etc. sind zugleich auch durch besonders hohe Jugenddelinquenz gekennzeichnet und werden als „delinquency areas" einer Stadt bezeichnet. Die älteren ökologichen Untersuchungen über Jugendkriminalität beziehen sich ausschließlich auf Material über Wohnortdelinquenz.
Erst in späteren Forschungsansätzen wurde darauf hingewiesen, daß bei der Bestimmung von typischen Verbrechensgebieten nicht nur Daten über Gebiete, in denen die Delinquenten wohnen, berücksichtigt werden müssen, sondern ebenso Daten über Gebiete, in denen Verbrechen begangen werden. Daten der Täterstatistik werden auf den Wohnort bezogen, Daten der Straftatenstatistik auf den Tatort. *Morris* (1957) hat diesen Gesichtspunkt in Zusammenhang mit Überlegungen zur „opportunity structure", den Gelegenheiten zu abweichendem Verhalten, eingebracht. Durch seine Unterscheidung zwischen „breeding areas" (Wohnortviertel von Delinquenten) und „attracting areas" (Tatortgegenden der Stadt) werden neben materiellen Situationsmerkmalen von Gebieten, in denen eine große Anzahl von Delinquenten wohnt, auch jene Faktoren berücksichtigt, die verstärkt aktuelle Situationen und Gelegenheiten für das Begehen von Eigentums- und Körperverletzungsdelikten schaffen.

Es ist durchaus erklärlich, daß sich die frühen ökologischen Forschungen vor allem deshalb allein auf „Wohnortkriminalität" bezogen haben, weil in den von ihnen untersuchten Gebieten der 20er Jahre Wohn- und Tatorte noch weitgehend identisch waren. Aus Untersuchungen über die „street-corner-society", Jugendbanden der Arbeitslosenzeit, gibt es Hinweise, daß Jugendliche selten aus ihrer unmittelbaren Wohngegend herausgekommen sind. In den US-amerikanischen Städten fallen vielfach auch Arbeitsplatz, Wohngegend und Orte der Freizeitbeschäftigungen in den schlechten Wohngegenden zusammen. Wo eine starke Segregation von Bevölkerungsschichten hinsichtlich aller wesentlichen Lebensbereiche vorliegt und die geographische Mobilität fast gänzlich eingeschränkt ist, erscheint eine Unterscheidung nach Wohn- und Tatort auch tatsächlich überflüssig.

Die Struktur vieler europäischer Städte der heutigen Zeit ist durch die räumliche Trennung der Lebensbereiche Arbeit, Wohnen und Freizeit gekennzeichnet. Der Besitz von Autos oder Mopeds schafft zusätzlich eine Tendenz zu stärkerer räumlicher Mobilität. Entsprechend ist auch die Einführung der Dimension von Tatortgebieten der Stadt zur Erklärung der Kriminalitätsverteilung erforderlich. Unter „attracting areas" sind Gegenden der Stadt zu verstehen, die durch reichliches Vorhandensein von Sach- und Vermögenswerten gekennzeichnet sind – etwa Geschäftsviertel oder Orte, an denen leicht interpersonelle Konflikte auftreten können (Vergnügungszentren, Wirtshäuser).

Auch in der Analyse der Urbanisierungstendenz wurde der Aspekt einer sich verändernden Gelegenheitsstruktur ursprünglich nicht entsprechend berücksichtigt. In den älteren ökologischen Forschungen wird zunehmende Urbanisierung mit Entwicklung einer eigenen Lebensweise (*Wirth* 1938), Verringerung der Möglichkeiten sozialer Kontrolle, sowie Entstehung krimineller Kulturen und Tradierung krimineller Wertmuster gleichgesetzt (*Clinard* 1942). Erst in den späteren Untersuchungen der 60er Jahre wird eine stärkere Betonung auf den Zusammenhang zwischen Wirtschaftsentwicklung, Urbanisierung und Anstieg in der (Vermögens-)Kriminalität gelegt, indem die quantitativ und qualitativ neuen Versuchungen und Gelegenheiten zu kriminellen Handlungen (Orte, Gegenstände und Situationen) als wesentliche Faktoren der Kriminalitätserklärung herangezogen werden. Die in der Kriminalstatistik ausgewiesene Rate der Eigentumskriminalität variiert zwischen Stadt und Land, aber auch innerhalb der Stadt. Generell am größten ist sie in attraktiven Gegenden mit hohem Freizeitwert und stark konzentrierten Konsummöglichkeiten. Man kann daher sagen, daß die Kriminalität eine Form der Nebenkosten von sozialer Attraktivität ist. Eine andere praktisch vollkommen außer acht gelassene Dimension der frühen ökologischen Untersuchungen ist die Überlegung, daß in Städten zwar die informelle Kontrolle geringer wirksam sein wird als auf dem Land, daß aber an deren Stelle andere Mechanismen treten, nämlich vermehrte Anzeigetätigkeit oder verstärkter Einsatz von institutionalisierten Kontroll- und Sanktionsinstanzen.

Was die Stadt-Ökologie der Chicago Schule und ihrer Nachfolger im Nettoeffekt festgestellt hat, ist also das: Gesellschaftliche Benachteiligungen dokumentieren sich in Städten auch räumlich. Voraussetzung dafür ist die Aufspaltung der Gesellschaft in getrennte Funktionsbereiche, die auch räumlich abgegrenzt sind; auf deutsch: soziale Segregation. Die eingeführte Unterscheidung von „breeding areas" und „attracting areas" zeigt, daß die Art dieser Aufspaltung sich ändert: In der frühen Chicago Schule hat man offenbar spezialisierte, aber doch relativ „autarke" Viertel beobachtet, heute sieht man eine zunehmende Aufspaltung der Stadt nach Funktionen, nicht nur nach Schichtzugehörigkeit. Folge davon und zugleich Voraussetzung dafür ist die innerstädtische Mobilität (mit allen ihren Folgeproblemen).

Nun sind solche räumlichen Entwicklungen ebenso wie die Tatsache der Segregation überhaupt keine ganz losgelösten, autonomen Sachverhalte. Sie ergeben sich vielmehr aus dem Charakter der Stadt als Wirtschaftszentrum und der damit verbundenen Logik, nach der Entscheidungen über Stadtstruktur und -entwicklung fallen. Diese Logik ist die der individuellen Rendite und Kostensenkung. Sie führt dazu, daß die Stadt Kapital wie Arbeitskraft anzieht, die beide von den Vorteilen des „zentralen Orts" zu profitieren versuchen und damit die Wachstumsdynamik der Städte aufrechterhalten. Da aber auch der Standort eine käufliche Ware ist, resultiert auch die diesbezügliche Differenzierung je nach Kaufkraft und in der Folge der übliche Konzentrationsprozeß der Privilegien einerseits und der Benachteiligungen andererseits. Vor allem kann das Wohnen mit der betrieblichen Nutzung der Flächen nicht konkurrieren, was zur Abdrängung des Wohnbereichs in „Randlagen" führt. Dieser Differenzierung folgt gewöhnlich auch die der Infrastrukturleistungen. Öffentliche Leistungen sind häufig nicht in der Lage, kompensierend zu wirken. Das liegt einerseits daran, daß sie zwar nicht unbedingt profitabel, aber doch kostenbedacht zu organisieren sind, und andererseits daran, daß die öffentlichen Finanzen vom Wirtschaftserfolg der Stadt abhängen, an dessen Stützung und Förderung sie sich daher in erster Linie orientieren müssen. Das aber hat wiederum sehr leicht zur Folge, daß mit der „Lösung" eines Folgeproblems, das die Wirtschaft und ihre Entwicklung produziert, und das öffentliche Leistungen aufzufangen versuchen, bereits das nächste solche Folgeproblem angelegt wird. Dabei setzt solche Kompensation durch öffentliche Leistungen ohnehin nicht bei der Beseitigung der Ursachen an, sondern bei der Milderung der Symptome. Öffentliche Leistungen können daher schon als erfolgreich eingeschätzt werden, wenn sie den Problempegel konstant halten und die Schwierigkeiten nicht kumulieren lassen.

Sack (1972) demonstriert an der historischen Analyse eines „Kriminalitätsviertels" von Köln den Einfluß dieser Politik der Stadtentwicklung. Unter Bewältigung erheblicher methodischer Schwierigkeiten kann er nachweisen, daß das Stadtviertel Kölns mit der höchsten Delinquenzrate schon immer ein Gebiet war, in dem die Menschen am Rande oder außerhalb der Gesellschaft lebten – im Mittelalter ein Bettlerproletariat, im 19. Jahrhundert ein „modernes Industrieproletariat". Für den Fortbestand der sozioökonomischen Charakteristika dieses Stadtteils waren in der Folge eine Serie von politischen Entscheidungen und wirtschaftlichen Interessen ausschlaggebend. Einige Merkmale der Struktur dieses Stadtgebietes sollen zur Illustration angeführt werden: etwa die Erklärung dieses Gebietes zum Güterumschlagplatz der Stadt, die Ausbreitung eines Hafenviertels, die Errichtung von Markthallen, Militäranlagen, Fabriken, Wasser- und Elektrizitätswerken sowie die Ansiedlung von Betrieben der Müllabfuhr. Aus dieser schlagwortartigen Beschreibung des Delinquenzgebietes ist bereits zu erkennen, daß die Arbeitsmarktsituation in dieser Gegend fast ausschließlich auf ungelernte Arbeiter und Taglöhner abgestellt war: „Hohe Arbeitsplatzfluktuation, ein flexibler Arbeitsmarkt, hohes Beschäftigungsrisiko bzw. große Arbeitsplatzunsicherheit waren Merkmale, die für das Delinquenzgebiet und seine Nachbarschaft sowie für die dort lebenden Menschen besonders zutrafen" (*Sack* 1972, 376). Dazu kommt noch, daß zwar Kapital in wirtschaftliche Unternehmen und Fabriken, nicht aber in Wohnbauten investiert wurde, und daher im Delinquenzgebiet eine extrem schlechte Wohnqualität vorlag. Dem unter der Grenze von Mindeststandards liegenden Wohnbaubestand aus älterer Zeit wurden später ausschließlich „Arbeitermietkasernen" hinzugefügt, die ein bereits verselbständigtes Symbol für „soziales Milieu" darstellen.

Am Beispiel der bis vor kurzem bei uns völlig ungebrochen dominanten Form der Stadtentwicklung, nämlich der des Aufbaus von Stadtrandsiedlungen und Satellitenstädten, ist diese ökonomische und politische Dimension ebenfalls sehr deutlich sichtbar: in der Schaffung primär von Wohnraum*quantitäten*, möglichst noch in der Nähe der Industrieansiedlungsgebiete an den Stadträndern, auf möglichst billigen Gründen und zumindest in der ersten Phase gewöhnlich mit harten Infrastrukturmängeln. Die gravierenden Folgeprobleme (übrigens auch finanzieller Art, denn die Infrastruktur und der Stadtanschluß müssen ja schließlich, unter anderem unter Druck aus der Bevölkerung, doch geschaffen werden) sind dabei für eine auf kurzfristige quantitative Erfolge zielende Politik offenbar nicht so entscheidend. Speziell sind offenbar die *sozialen* Folgekosten nicht so entscheidend, die sich aus den Problemen des Zusammenlebens großer Zahlen örtlich Entwurzelter ohne informelle Organisation unter meist persönlich angespannten finanziellen Bedingungen ergeben, da sie ja von der Bevölkerung aufgefangen werden müssen. (Wir werden diesen letzten Aspekt am Beispiel der von uns untersuchten Großfeld-Siedlung in Wien noch genauer behandeln.) Inzwischen macht sich in der Stadtplanungspolitik eine gewisse Abkehr von diesem Modell zugunsten von Versuchen der „Revitalisierung" und teilweise inneren Sanierung bemerkbar, was zu einem geringen Teil einen gewissen Lerneffekt aus diesen Erfahrungen, ansonsten aber eine veränderte Interessenlage aufgrund nicht mehr so drückender Wohnungsnot und einsetzender „Stadtflucht" (mit allen Folgeproblemen) darstellt – und sich im übrigen weitgehend an ein anderes (nämlich zahlungskräftigeres) Publikum wendet.

Es kann auch wenig Zweifel darüber sein, auf wen die Kosten dieser Vorgänge in erster Linie fallen. Die räumliche Segregation belastet zuerst die, die auf die benachteiligten öffentlichen Verkehrsmittel angewiesen sind. Die erhöhten Vorteile der Differenzierung können nur von den Mobilen wahrgenommen werden, während die Nachteile der Konzentration voll bei den ohnehin schon Benachteiligten hängenbleiben – bis zu dem absurden Extrem, daß die Nahversorgung mit dem täglichen Bedarf heute in manchen Gegenden fraglich wird.
Daß sich solche Konzentration der Vorteile (ist gleich Gelegenheiten) und Nachteile (ist gleich Schwierigkeiten der Lebensführung) in einer ebensolchen der Kriminalitätsverteilung spiegelt, kann nicht verwundern.

2. Theorie und Ideologie der „Subkultur"

Eines der bedeutendsten Ergebnisse der Chicagoer Forschungen ist der Nachweis, daß Delinquenzgebiete (Slums, Wohnorte von Delinquenten) gegenüber Ab- und Zuwanderung immun sind. Auch wenn Slumbewohnern der Aufstieg in die „nächsthöhere" soziale Schicht gelingt, bleibt das Slumgebiet als schlechtestes Stadtgebiet bestehen, weil soziale mit räumlicher Mobilität einhergeht. Die ursprünglichen Bewohner wandern in das „zweitschlechteste" Stadtgebiet ab, während wieder andere ethnische und soziale Randgruppen in das Slumgebiet nachströmen. Dieses Forschungsergebnis wurde jedoch nicht in Richtung auf politische Entscheidungen und ökonomische Interessen weiterverfolgt, welche für die Konsistenz der sozioökonomischen Bedingungen eines Delinquenzgebietes ausschlaggebend sein können. Vielmehr wird zur Erklärung der Perpetuierung delinquenter Verhaltensmuster die kulturelle Dimension herangezogen. Es wird angenommen, daß sich aufgrund der materiellen Bedingungen in Slums und Unterschichtwohngegenden Subkulturen herausbilden, deren Lebensweisen, Traditionen und Verhaltensformen eine Reaktion auf die marginale Lebenssituation darstellen; und insbesondere als Lösungsversuche von Anpassungsproblemen zu verstehen sind, die allerdings aus den Forderungen und Wertmustern der „dominanten Kultur" resultieren. Somit mischen sich in die Beschreibungen der Charakteristika der Delinquenzgebiete verschiedene Annahmen aus der Subkulturtheorie und der Anomietheorie (vgl. dazu die Überblicke in *Arnold* 1970 und *Bohle* 1975): Vorherrschen einer fatalistischen Einstellung zum Leben; Fehlen von konventionellen Freizeitmöglichkeiten; Abwesenheit von sozialer Kontrolle durch Institutionen, die den Kontakt zu dominanten Normen der Gesellschaft herstellen würden; subkulturelle Sozialisation; lokale kriminelle Tradition; Entstehung von „peer-groups" als Alternative zu niedrigem gesellschaftlichen Status; Bildung einer Gegenkultur zur herrschenden gesellschaftlichen Ordnung.

Die Subkultur- und Bandenforschung wurde durch die Tatsache angeregt, daß in den ethnischen Slums Kinder und Jugendliche in einer (Konflikt-)Situation zwischen zwei Kulturen aufwuchsen und street-corner-groups bildeten. In der Subkulturforschung wird den Primärgruppen der Kinder und den Banden der Jugendlichen eine Reihe von Funktionen der Problemlösung zugeschrieben. So z. B. die, daß Jugendliche in solchen Gruppen die Normen der ,,dominanten" Gesellschaft umgehen (oder zurückweisen, dagegen opponieren) können, deren Forderungen und Zielsetzungen sie aufgrund ihrer marginalen Lage und Chancenlosigkeit ohnehin nicht nachkommen könnten. Vielfach wird auch angenommen, daß diese Subkulturbildung eine wesentliche Sozialisationsfunktion, die der Geschlechtsrollenidentifikation und der Ablösung des Kindheitsstatus durch den Erwachsenenstatus erfüllt. Die Erwachsenenrollen, die der Jugendliche in der Primärgruppe oder Bande lernt, werden mitunter als eine Überidentifikation mit den Inhalten der Unterschicht- oder Slumkultur verstanden (Männlichkeitsideal, Unabhängigkeit, Schicksalsgläubigkeit etc.), die letztlich eine Konsequenz der Vergesellschaftungsbedingungen in solchen Wohngegenden darstellen (vgl. dazu: *Miller* 1958, *Trotha* 1974).

Nun kann dem Konzept der ,,Subkultur" immerhin eine bedeutsame Funktion nicht abgesprochen werden: Es relativiert die in der bürokratischen Bearbeitung von Abweichung übliche Individualisierung des Problems. Wenn gezeigt wird, daß ein bestimmter Jugendlicher mit der ihm angelasteten Handlung nur durchführt, was in seiner ,,Kultur" von ihm verlangt wird, dann hat man es nicht mehr primär mit persönlicher Pathologie und/oder ,,Schuld" zu tun, sondern mit einem Beispiel für ,,Kulturkonflikt". Speziell die Schuldzuschreibung durch das Strafrecht arbeitet ja mit der Unterstellung der Willensfreiheit, mit der Umdefinition, daß der Rechtsbrecher zumindest mit einem Zusatz von Bosheit und Auflehnung gegen das Gesetz handelt. Es kann nicht zugelassen werden, daß er z. B. nach Gruppennormen handelt, in denen das betreffende Gesetz schlicht keine Rolle spielt oder unter einer der ,,entschuldigenden" Definitionen, die es außer Anwendung setzen (vgl. *Sykes/Matza* 1957). Die Handlung muß an derPerson festgemacht werden, nicht an ihrer Situation. Aus der Sicht des Rechtsbrechers ist das nicht unbedingt so: Er agiert innerhalb einer Lebensweise, die dem Strafrecht gegenüber neutralisiert ist, in der Situationen bewältigt und Chancen genützt werden, in der man aber nicht in erster Linie ,,das Recht bricht". (Das spielt nur in Sonderfällen eine Rolle, in denen es um die Provokation von Autorität geht, und wird eventuell auch sekundär, im Umgang mit dem Strafrecht, gelernt.) Der größte Teil der (Jugend-)Kriminalität besteht in mehr oder weniger geschickten oder hilflosen Versuchen der Leute, mit ihrer Situation fertig zu werden. Die Wahl der verbotenen Mittel ergibt sich aus der Einengung des in der Situation Möglichen. Die Bedeutung abweichenden Verhaltens für das Individuum hat mit den Normen des Strafrechts wenig zu tun (vgl. dazu *Steinert* 1973 b).

Im Begriff der ,,Subkultur" wird das immerhin zugestanden. Er hält die bedeutsame Entdeckung fest, daß das Leben z. B. in Slums und Banden von Jugendlichen nicht mit regelloser Anarchie gleichzusetzen ist, sondern daß auch dort außerhalb des Handelnden liegende Kräfte und Handlungsmuster bestehen, die einer eigenen Logik und Organisation entsprechen. Die nur negative Beschreibung abweichenden Verhaltens (es entspricht bestimmten Normen nicht) wird immerhin ersetzt durch eine positive (es entspricht bestimmten – anderen – Normen). Wie *Sack* (1971) gezeigt hat, ist der Begriff der ,,Subkultur" als Übertragung des Kulturbegriffs der Anthropologie auf innergesellschaftliche Unterschiede zu verstehen. Er hat innerhalb einer Gesellschaft dieselben erkenntnismäßigen Funktionen wie die Idee der ,,Kultur" zwischen den Gesellschaften: Dem andersartigen Verhalten soll das Bedrohliche und Unberechenbare genommen werden. Es gilt in beiden Fällen der Grundsatz der kulturellen Relativität, wonach verschiedene Kulturen als in sich geschlossene Systeme zu betrachten und nach ihren eigenen Organisationsprinzipien zu analysieren und zu behandeln sind. Die seltsamen Sitten und Gebräuche der Eingeborenen sind damit nicht mehr *nur* seltsam, sondern sie haben – in ihrem eigenen Bezugsrahmen – doch einen Sinn.
Allerdings bleiben sie damit schon *auch* seltsam. Die Subkultur ist zwar ein System von Regeln und Normen, aber doch eine Art Wahnsystem. Das Handeln des einzelnen ist zwar aus diesem System zu erklären, aber jetzt hat das ganze System etwas Pathologisches. Deutlich wird das an den Versuchen, jetzt allen Angehörigen der betreffenden Subkultur einen bestimmten psychischen Defekt zuzuschreiben, z. B. die Unfähigkeit, Befriedigung aufzuschieben, die kurze Zukunftsperspektive. (An diesem Punkt angelangt ist es dann sehr üblich, diesen Persönlichkeitszug mit bestimmten Sozialisationserfahrungen erklären zu wollen.) Man kann auch dazu wieder die Parallele in der Anthropologie finden. *Harris* (1974) zeigt das unter anderem am Beispiel der heiligen Kühe Indiens. Besagte heilige Kühe gelten nach der bei uns gehandelten öffentlichen Meinung als eines der Standardbeispiele für die Irrationalität der ,,Unterentwickelten", vielleicht auch als Beispiel für den unheilvollen Einfluß abergläubischer ,,Primitivreligionen". (Harris nennt auch einige ,,ernsthafte" wissenschaftliche Arbeiten, die denselben Ausgangspunkt haben.) Die genauere Analyse macht dann allerdings die zentrale Bedeutung der Kühe für die Kleinlandwirtschaft deutlich: Sie produzieren Zugochsen, Dünger und Brennmaterial – und ihre Erhaltung ist für den Kleinbauern praktisch gratis, die Kuh erhält sich für ihn als ,,heiliger Bettler", was sie freilich auch nur aufgrund ihrer besonderen Anspruchslosigkeit kann. Harris macht damit klar, daß man nur dann zu dem ,,Eindruck der Seltsamkeit" kommt, wenn man ,,isolierte Teile dieses ‚Ökosystems' unter Gesichtspunkten betrachtet, die für das amerikanische ‚Agribusiness' relevant sind" (S. 18). ,,From an agricultural point of view, a dry and barren cow is an economic abomination. But from the view-

point of the peasant farmer, the same dry and barren cow may be a last desperate defence against the moneylenders" (S. 20). Man sieht also: Es genügt nicht, das System mit freundlichem Kopfschütteln in seiner Seltsamkeit zu tolerieren, man muß vielmehr seine Leistungen für die betroffenen Menschen in ihrer Situation sich klarmachen. Der Kampf um die heiligen Kühe ist ein Kampf um die wirtschaftliche Subsistenzgrundlage einer gesellschaftlichen Klasse, und durchaus nicht nur ein „Kulturkampf".

Ähnlich machen etwa *Kasakos* (1972) in ihrem Literaturüberblick und *Liebow* (1967) in seiner Fallstudie einer „Slum-Subkultur" deutlich, daß die kurze Zeitperspektive in der unteren Unterschicht nicht auf einem psychischen Defizit beruht, sondern auf einer sehr realen äußeren Situation, in der es aufgrund der geringen verfügbaren Mittel und der Instabilität des Lebens sinnlos wäre, langfristige Investitionen irgendeiner Art zu tätigen.

Der Subkultur-Ansatz ist also in Gefahr, bei allen Verdiensten seinen Gegenstand auf zweierlei Arten zu verfehlen: Er übersieht leicht die wirtschaftlichen Grundlagen des Verhaltens innerhalb der „Subkultur", und er übersieht leicht die wirtschaftlichen Grundlagen dafür, daß eine solche „Subkultur" überhaupt existiert. Mit anderen Worten: Die Romantisierung und Verniedlichung einer benachteiligten Lage zu einer „Kultur" (*Young* 1970, spricht hier sehr zutreffend von den „zookeepers of deviancy") schärft nicht gerade den Blick für die imperialistischen und Ausbeutungsverhältnisse, die mit Hilfe einer solchen „Kultur" mehr oder weniger notdürftig bewältigt werden. Wenn Theorien der individuellen Pathologie und Schuld die wissenschaftlichen Ideologien einer „harten" Kontrolle sind, dann sind Subkultur-Theorien die Ideologien einer „weichen", liberalen Kontrolle, sicher aber nicht Theorien, die den Betroffenen ihre Lage gültig interpretieren und Ansätze zu einer Aufhebung ihrer Benachteiligung angeben können.

Die Beschränkung der Kriminalitätserklärung früher Studien auf Unterschicht, Jugendbanden sowie ethnische Slums und die nur peripher behandelte Frage abweichender Verhaltensformen der Mittel- und Oberschichten gibt den Anschein, als wäre die einseitige Kriminalitätsverteilung einzig und allein auf die grundlegenden kulturellen Unterschiede zwischen dominanter Gesellschaft und Subkulturen zurückzuführen. Im Kriminalitätskonzept der ökologischen und der Subkulturforschung fehlt weitgehend der Einbezug von Dimensionen der Gesetzgebungs- und Kriminalisierungsprozesse.

Die Subkulturtheorie der Delinquenz verzichtete lange Zeit hindurch auf eine explizite Darstellung des Machtgefälles zwischen den am Gesetzgebungsprozeß beteiligten Gesellschaftsgruppen und jenen, auf die diese Gesetze angewendet werden. Ein wesentlicher Gesichtspunkt in diesem Zusammenhang ist das (Miß-)Verhältnis von „positionalen" Normen der Gesellschaft zu den Normen des Gesetzes. Klassenlage, Geschlecht, Alter, Gesundheitszustand, ethnische Herkunft sind u. a. Kriterien, nach denen Gesellschaftsmitgliedern verschiedene Rechte, Pflichten und Statuspositionen zugeschrieben werden. Während normative Verhaltenserwartungen und Chancen in der Gesellschaft also u. a. je nach sozioökonomischer Lebenssituation unterschiedlich verteilt sind, läßt das Strafrecht keine derartigen Differenzierungen zu. Die Normen des Gesetzes entsprechen zum größten Teil den positionalen Normen von statushöheren Bevölkerungsschichten, sind aber formal als universelle Regeln festgelegt, die von allen Mitgliedern der Gesellschaft gleichermaßen befolgt werden müssen. *Cressey* (1970) bezeichnet dieses Phänomen als „system of creating our own deviants". Randgruppen der Gesellschaft haben aufgrund ihrer Stellung in der Sozialstruktur keine Möglichkeit, in irgendeiner Form am Prozeß der Gesetzgebung teilzuhaben, weshalb auch die Normgeltung im Bereich solcher Subkulturen herabgesetzt ist.

Die in Kriminalökologie und Subkulturforschung festgestellte Delinquenzverteilung – höhere Jugendkriminalität in der Unterschicht, höhere Delinquenzraten in schlechten Wohngegenden der Stadt – macht ferner eine Analyse der unterschiedlichen Reaktionen der Kontrollinstanzen auf abweichendes Verhalten erforderlich. Denn die Verteilung der offiziell ausgewiesenen Kriminalität, etwa der angezeigten Delikte oder polizeilich ermittelten Täter, ist zugleich auch das Resultat verschiedener Prozesse der Kriminalisierung. Die Verbrechensraten der einzelnen Stadtgebiete können zum Beispiel dadurch beeinflußt sein, daß die Anzeigetätigkeit der Bevölkerung von einem Stadtgebiet zum anderen variiert. Die Anzeigehäufigkeit ist auch vom Delikttypus abhängig: manche Delikte werden oft, andere nur selten gemeldet. Darüber hinaus kann die Polizei Verbrechensmeldungen unterdrücken oder zumindest verändern, um einen guten Eindruck zu machen oder den Ruf einer Stadtgegend zu schützen. Auch kann die Kriminalpolitik der Polizei z. B. durch Entsenden einer größeren Anzahl von Beamten in ein bestimmtes Gebiet die Verbrechensstatistik beeinflussen (*Schmid* 1960; vgl. dazu auch *Fischer-Kowalski et al.* 1975, *Pilgram* 1980).

Schließlich ist es vom Sozialstatus Jugendlicher abhängig, welche Formen abweichenden Verhaltens sie mit welchem Geschick praktizieren und unter welchen Bedingungen Kriminalisierungsprozesse einsetzen. *Chambliss* (1975) zeigt am Beispiel einer längerfristigen Beobachtung zweier jugendlicher Gruppen verschiedener Schichtzugehörigkeit, daß sich die abweichenden Verhaltensformen von Mittel- und Unterschichtjugendlichen in ihrem Schweregrad (Schaden, Häufigkeit abweichender Handlungen) nur geringfügig voneinander unterscheiden, in der Konsequenz aber Mittelschichtjugendliche nicht, Unterschichtjugendliche hingegen sehr wohl offiziell kriminalisiert wurden. Wesentlich dafür, daß die Gruppe der Mittelschichtjugendlichen trotz häufiger abweichender Handlungen bei Lehrern, Polizei sowie in der Nachbarschaft gar nicht erst in Verdacht geraten, ist ihre Fähigkeit, solche Handlungen zu verheimlichen und in ihrem übrigen Verhalten

den braven, angepaßten Mittelschichtjugendlichen hervorzukehren, von dem man nichts derartiges erwartet. Finanzielle Ressourcen und die Mobilität durch Besitz eines eigenen Autos helfen dem Mittelschichtjugendlichen, diese Scheinwelt in der unmittelbaren Wohn- und Schulumgebung aufrechtzuerhalten; wenn er zu Abenteuern und Amüsements aufgelegt ist, sucht er andere Stadtviertel auf, in welchen er seiner Anonymität sicher sein kann. Keiner der Mittelschichtjugendlichen wurde im Beobachtungszeitraum je angezeigt, obwohl Schuleschwänzen, Trunkenheit am Steuer, Diebstahl öffentlichen Eigentums, Vandalismus sowie Gefährdung der körperlichen Sicherheit an der Tagesordnung waren. Im Gegensatz zu der Gruppe der „Saints" gerieten die „Roughnecks" ständig mit Polizei und Gemeindebewohnern in Konflikt.
Dieser Fall der „Saints" und „Roughnecks"ist übrigens theoretisch erstaunlich schwer zu verarbeiten. Anomietheoretisch haben die „Saints" keinerlei Recht, sich so aufzuführen wie sie es tun. Kontrolltheoretisch ist der Fall soweit klar, nur bleibt, wie üblich, die Ursache des Handelns dunkel. Immerhin ist er ein Beispiel für die von dieser letzten Theorierichtung immer angenommene, wenn auch unerklärte Ubiquität von Abweichung, die nur je nach Gelegenheitsstruktur unterschiedlich auffällig und kontrollanfällig wird. Wichtig für uns ist auch, daß die Verfügbarkeit von Raum und Mobilität ein wichtiges Stück der Abschirmbarkeit von Abweichung ist. Wichtig ist ferner, daß Abweichung (verschiedener Art) immer dann zum Problem wird, wenn sie mit Mittellosigkeit verbunden ist. Diese letzte Formulierung ist übrigens eine Umkehrung der Anomietheorie: Das Fehlen legitimer Mittel erklärt nicht unbedingt die Abweichung, aber es setzt einen verstärkter Kontrolle aus – und macht damit die gegebene Abweichung rascher auffällig. Der von Chambliss berichtete Fall ist ein weiteres Beispiel für das Ungenügen der Anomie-Theorie, die unter anderem viel zu statisch und schematisch mit ihrer Erklärung ansetzt (vergl. dazu den interessanten Versuch von *Young* 1973a, in einem Prozeßmodell Kontroll- und Anomietheorie zu integrieren).

3. Über Politik und Verwaltung sozialer Probleme

Soziale Probleme entstehen nicht von selbst. Sie werden gemacht. Und das in zweifacher Hinsicht: Erstens entsteht der Zustand, um den es dabei geht (z. B. Konzentrationen von Armut, Kriminalität, Selbstmordversuchen, bestimmten Krankheiten, etc.) durch gesellschaftliche Mechanismen, durch eine bestimmte Organisation der gesellschaftlichen Arbeit, wozu auch gehört die des Konsums und der Reproduktion der Arbeitskraft. Zweitens wird der Zustand nur dadurch zum Problem, daß ihn jemand als Problem wahrnimmt und die Macht hat, diese

Definition auch durchzusetzen, einen politischen Prozeß einzuleiten, in dem Veränderungen des Zustands, eine bestimmte Lösung des Problems gefordert werden[1].

Daß etwas ein ,,soziales Problem" ist, ist ein Werturteil, dessen Gültigkeit und soziale Wirksamkeit politisch ausgehandelt wird. Es können sehr unerfreuliche Zustände sehr lange völlig selbstverständlich bestehen, ohne daß jemand daran Anstoß nimmt, und es können aus bestimmten Interessenlagen ,,Probleme" aufgebaut werden, ohne daß wirkliches Interesse daran besteht, den aufgezeigten Zustand auch zu verändern. Meistens findet man eine Mischform: Diejenigen, die ein Problem ,,machen", wollen den Zustand verändern, haben dabei aber auch noch ihre eigenen Nebeninteressen. Das gilt besonders dort – und bei ,,sozialen Problemen" ist das häufig der Fall – wo die unmittelbar Betroffenen selbst nicht sehr durchsetzungsfähig sind und daher von der Vertretung durch politische ,,Advokaten" abhängen (vgl. dazu unsere Darstellungen in *Leirer et al.* 1974, *Pilgram/Steinert* 1977, *Steinert* 1976).

Die Definitionsleistungen, die ein ,,soziales Problem" erst zu einem politischen Problem machen, erfolgen also keineswegs interessenfrei. Und unabhängig von der Grundlage, die sie in einer ,,objektiv feststellbaren" Realität haben, erfolgen sie auch nicht folgenlos. Es macht einen Unterschied, ob eine infrastrukturell benachteiligte Region das Problem hat, daß eben jene Infrastruktur fehlt, oder ob sie das Problem macht, daß es dort viel Kriminalität gibt. Dabei erweist sich die ,,Kriminalitäts"-Definition als erstaunlich vielseitig in der politischen Verwendung: Sie kann eingesetzt werden, um jene fehlende Infrastruktur einzufordern (,,Hier fehlt es derart an allem Nötigen, daß unsere Kinder verwahrlosen"), sie kann aber auch dazu dienen, daß als einzige ,,Infrastruktureinrichtung" mehr Kontrolle aufgeboten wird. Sie kann, als Symptom verstanden, die Funktion haben, die im Drama Mord und Selbstmord zukommt: eine sinnfällige Form von Kritik darzustellen, oder sie kann der Verurteilung dienen, die das Elend als selbstverschuldet definiert und damit die Probleme eskaliert. In jedem Fall wird das Problem durch die Definition für administrative Intervention aufbereitet. Daher erfolgt die Definition gewöhnlich nach den Bedürfnissen und Möglichkeiten dieser Verwaltung und Politik.

Der Fall der Problemeskalation ist, obwohl wahrscheinlich der gewöhnlichere, der weniger selbstverständliche. Er ist in einer Reihe von Arbeiten dokumentiert, von denen hier einige kurz referiert werden sollen: die Entwicklung der ,,Halbstarken", die Entwicklung des ,,Drogenproblems" bei Jugendlichen und ein Fallbeispiel der Entwicklung einer übel beleumundeten Neubaugegend in einer englischen Stadt.

Stan Cohen (1972) berichtet eine Untersuchung des Phänomens der ,,Mods and Rockers" in England, Nachfolger der etwas früher aufgetretenen ,,Teddy Boys"

(die unseren „Halbstarken" entsprechen). Er vergleicht dabei das, was tatsächlich geschah, mit dem, was sich in der „öffentlichen Meinung", d. h. speziell in den Medien, darstellte, und versucht, den Wechselwirkungsprozeß zwischen den beiden zu klären. Die Mods und Rockers waren in der Hauptsache eine Erscheinung der Seebäder an der englischen Südküste. Sie bestand zunächst hauptsächlich darin, daß sich an Wochenenden und Feiertagen große Mengen von Jugendlichen an diesen Orten versammelten, eine nicht ganz neue, aber gegenüber früheren Jahren (vor 1960) vielleicht quantitativ verstärkte Erscheinung. Dabei kam es zu gewissen Unregelmäßigkeiten, die aber völlig im Rahmen dessen blieben, was man erwarten kann, wenn größere Zahlen von Leuten, speziell von Jugendlichen, auf beschränktem Raum und mit beschränkten Betätigungsmöglichkeiten miteinander auszukommen haben. Es gab einige Sachbeschädigungen, einige Raufereien und einige Reibereien mit der Polizei. Der tatsächliche Schaden war gering: Pfingsten 1964 betrug er in Bournemouth 100 Pfund (bei 54 Festnahmen), in Brighton 400 Pfund (bei 76 Festnahmen), in Margate 250 Pfund (bei 64 Festnahmen). Auch das Ausmaß von Gewalttätigkeit hielt sich in den Grenzen von jeweils an einer Hand abzählbaren Verletzten. Gewisse Zufälle, wie die Tatsache, daß Pfingsten 1964 sehr schlechtes Wetter und daher Baden unmöglich war, scheinen eine Rolle dabei gespielt zu haben, daß die Jugendlichen auffällig wurden.
Aus dem offenbar minimalen Anlaß entwickelte sich in den Medien eine nationale Katastrophe und eine neue Kategorie von abweichenden Jugendlichen: die Mods und Rockers. Es entstand ein generalisiertes Bild von Jugendlichenbanden, die miteinander und der Umwelt auf Kriegsfuß stehen, Gewalttaten und Sachbeschädigungen machen, über eine Menge Geld verfügen und sich aus allen sozialen Schichten rekrutieren (auch die beiden letzten Elemente trafen nicht zu: die auffällig gewordenen Jugendlichen waren in der Mehrzahl Hilfs- oder angelernte Arbeiter mit dem entsprechenden Einkommen). Solche Typisierungen setzen abweichendem Verhalten gegenüber sehr leicht ein, teils aus der Eigendynamik der Medienberichterstattung, teils vom Bedürfnis getragen, sich einen fixen Raster zur Einordnung nicht routinemäßig verständlicher Ereignisse zu schaffen, wobei es in jener Zeit noch zusätzlich darum ging, die anstehende Jugendmode und -kultur zu verarbeiten.
Wie wenig solche Typisierungen auch immer mit der Realität zu tun haben mögen, sie haben doch sehr regelmäßig auftretende Folgen: Neue Ereignisse werden im Licht der einmal bestehenden Typisierung verstanden („schon wieder diese Halbstarken" – auch wenn es sich nur um eine ganz gewöhnliche Samstagabendrauferei handelt), sie legitimieren und fordern harte repressive Maßnahmen gegen das Verhalten – und sie verstärken damit in einem allgemeinen Eskalationsprozeß das Verhalten, indem sie den Konflikt verhärten. Nächste „Generationen" von Jugendlichen, die den Anlaßfall gar nicht kennen, sondern nur seine (schiefe) Dar-

stellung, verhalten sich dieser Darstellung entsprechend – z. B. im Sinn einer angeblichen Feindschaft zwischen ,,Mods" und ,,Rockers" (zwischen denen der Unterschied ursprünglich vor allem im Modebewußtsein bestand und die ansonsten viel mehr gemeinsam hatten als sie trennte). Dasselbe gilt natürlich – weil mit mehr Macht ausgerüstet wesentlich folgenreicher – für lokale Polizeichefs.
Ein anderes Beispiel solcher Eskalation ist die ,,jugendliche Drogenszene", die bis vor kurzem die Erwachsenenwelt so überaus beunruhigte[1a]. Hier bietet vor allem *Jock Young* (1971, 1973b) eine anschauliche Beschreibung. (Ein eingeschränkteres, dafür aber ,,einheimisches" Beispiel berichtet *Springer* 1975.) Haschischrauchen war, bevor die ,,Moralpanik" darüber ausbrach, eine eher periphere Aktivität der Bohemien-Kultur, ein gelegentliches Vergnügen psychologisch stabiler und (in ihrer Subkultur) sozial integrierter Leute. Handel mit der Droge war keine spezialisierte Tätigkeit, und ,,echt Süchtige" (Heroinabhängige wie Alkoholiker) wurden eher verachtet. Das Bild, das in der Öffentlichkeit entstand, war eher das des isolierten, psychisch gestörten Süchtigen, und vor allem wurde in der Verfolgungspraxis eine scharfe Unterscheidung zwischen Händler und Konsument gemacht. Es läßt sich nun zeigen, wie durch eine verschärfte Verfolgung genau der Zustand entsteht, der im Stereotyp vorausgesetzt wurde: Der Haschischraucher wird dadurch sozial isoliert, er gewinnt aus der gemeinsamen Verfolgungssituation Nähe zu anderen Typen von Süchtigen, er muß sich in seiner Verteidigung dem Bild vom durch den Händler Verführten anpassen, um noch halbwegs davonzukommen; gleichzeitig wird die Marktsituation schwieriger, so daß sich spezialisierter Handel zu lohnen beginnt. Im übrigen wird durch größere Verfolgungsintensität mehr des vorher verborgenen Verhaltens sichtbar, wodurch die ,,Moralpanik" wächst.
Auch hier wird also durch die Versuche, ein falsch wahrgenommenes Übel unter Kontrolle zu bekommen, dieses ,,Übel" erst hergestellt oder zumindest fixiert und verstärkt. Es wird in dem Beispiel wohl auch klar, daß die offiziellen ,,Kriminalitätsziffern" hier weniger über die tatsächliche Häufigkeit des Verhaltens als etwas über die Emsigkeit der Polizei aussagen.
Das dritte Beispiel bezieht sich am direktesten auf unser Thema. *Armstrong/Wilson* (1973) berichten über die Entwicklung des Verhaltens von Jugendlichen in Easterhouse, der größten Stadtrandsiedlung von Glasgow. Die Siedlung entstand in den 50er Jahren, hatte vorwiegend Unterschicht-Bevölkerung, und ca. die Hälfte ihrer Bewohner waren unter zwanzig Jahre alt. Von der Gemeindeverwaltung selbst und der Presse wurde diese Siedlung zu einer ,,Verbrechergegend" hochstilisiert, wobei dem wenig mehr entsprach als das übliche Unterschichtverhalten und das, was Jugendliche in einer Gegend ohne Infrastruktur zwangsläufig tun werden: Eckenstehen. Die Untersuchung zeigte, daß z. B. dem in der Presse beschworenen ,,Bandenunwesen" wenig bis nichts entsprach. Bekanntschafts-

und Freundschaftsgeflechte erwiesen sich als relativ lose organisiert, zum Teil ließen sich darin nicht einmal Führerpositionen lokalisieren.
Die Aufnahme des Themas der Gewalttätigkeit Jugendlicher in Easterhouse, gemeinsam mit der Schaffung einer lokalen Polizeidienststelle, schufen erst das soziale Problem. Die Beziehungen zwischen Jugendlichen und Polizei verschlechterten sich, mehr Jugendliche wurden als delinquent abgestempelt (wozu bloßes Eckenstehen mit der Provokation und Gegenprovokation zwischen Polizei und Jugendlichen häufig schon genügte). Die Jugendlichen reagierten auf diese Stigmatisierung auf zwei Arten: Es gab welche, die ihren Wohnort zu verleugnen anfingen (was auch vernünftig war, weil der Ruf der Gegend etwa Schwierigkeiten bei der Arbeitssuche mit sich brachte); es gab auf der anderen Seite jetzt auch tatsächlich die Organisation in Banden, die auch immer weniger ,,harmlos" wurden. Es entwickelten sich Rivalitätskämpfe zwischen den Gangs, und auch Waffengebrauch wird üblich. Was als Mythos begonnen hatte, endete als wirkliches soziales Problem.
Diese Beispiele demonstrieren, wie sich soziale Probleme in einem Wechselspiel von (geplanten und ungeplanten) physischen und sozialen Umweltgegebenheiten, den Reaktionen der betroffenen Bevölkerung (die mehr oder weniger politisch artikuliert sein können) darauf und den Kontroll- und Bewältigungsversuchen dieser Reaktionen durch andere Schichten der Bevölkerung und offizielle Instanzen entwickeln. Soziale Probleme sind also nicht statische Zustände, sondern soziale und politische Prozesse mit einer eigenen historischen Dynamik. Planung und Verwaltung haben die Möglichkeit, unter Berücksichtigung dieser historischen Dimension regulierend einzugreifen, tragen dabei aber auch das Risiko, den Prozeß und damit das Problem eventuell gerade durch gut gemeinte Eingriffe ihrerseits zu eskalieren.

4. Fallstudie einer neuen Stadtrandsiedlung in Wien

Am Beispiel der Großfeldsiedlung läßt sich im Detail illustrieren, wie und in welcher Hinsicht diese Stadtrandsiedlung zum ,,Problem" wurde und welche Rolle dabei die Situation der Kinder und Jugendlichen, speziell die Delinquenz derselben spielte.
Zunächst zur ,,Naturgeschichte" des sozialen Problems: Für das Gebiet der Großfeldsiedlung im 21. Wiener Gemeindebezirk, ursprünglich eine Nebenerwerbssiedlung mit weniger als 500 Bewohnern, wurden in den 50er Jahren erste

Vorschläge zu einer dichteren Verbauung gemacht. Zu Beginn war nur daran gedacht, durch eine Verdichtung des Gebietes die Kosten für die notwendige Erschließung mit Wasser und Kanälen in vertretbaren Grenzen zu halten. Dazu kommt, daß der Boom der Satellitenstädte damals eine internationale Entwicklung darstellte, sicher von der ökonomischen Rationalität einer Bauweise, die nicht von bestehenden Strukturen gehemmt wird, der erhöhten Mobilität infolge der Ausbreitung des Automobils, dem Drang, aus den engen alten Städten hinauszukommen, und nicht zuletzt sicher von der Faszination, die es für den Planer und Architekten haben muß, im freien Feld großzügig „etwas Neues" hinstellen zu können, beeinflußt. Daß die Reihenfolge der Aufzählung wahrscheinlich der Gewichtigkeit der Einflüsse entspricht – Grundstückspreise und relativ billige Bauweise sind sicher die bei weitem wichtigsten – zeigt die folgende Entwicklung der Großfeldsiedlung.

Ein erster Teilbebauungsplan, der vom Gemeinderat genehmigt wurde, sah die Errichtung von 2000 Wohnungen vor. Bei der Planung dieser Wohnbauten wurde jedoch von der „Montagebau" die nicht ausreichende Wirtschaftlichkeit 3- bis 6-geschossiger Objekte festgestellt, so daß schließlich einem Bebauungsvorschlag der Vorzug gegeben wurde, der die Schaffung eines Zentrums sowie eine sehr hohe Bebauung des übrigen Teiles vorsah. Die geplante hohe Verbauung des Gebietes der Großfeldsiedlung veranlaßte eine Reihe von Siedlern dazu, ihre Grundstücke der Gemeinde zurückzugeben, womit wieder neue Grundstücke vorhanden waren und der Bebauungsplan neuerlich überprüft werden mußte. Mit dem Bebauungsplan 1966, der 6000 Wohnungen für mehr als 20 000 Einwohner vorsah, war das größte Projekt einer Stadtrandsiedlung in Wien im Entstehen begriffen, und sicherlich schon seiner Größe wegen umstritten.

In der Anfangsphase der Besiedlung traten tatsächlich eine Reihe struktureller Eigenheiten und Mängel in Erscheinung, so vor allem im Bereich der Versorgung. Hauptsächlich führten wohl planerische Kurzsichtigkeit, übergroßes Vertrauen auf die Selbstregulation des Marktes und finanzielle Schwäche dazu, daß die Infrastruktur (Einkaufsmöglichkeiten, Schulen, Kindergärten, Versorgung durch öffentliche Verkehrsmittel) zunächst große Lücken aufwies. Es gab beispielsweise vor der Eröffnung des Einkaufszentrums im Herbst 1971 für die Bewohner der Großfeldsiedlung nur ein einziges Kaufhaus. Nach Aussagen damaliger Bewohner waren die Preise entsprechend hoch. Aus einer Bestandsaufnahme aller Handels- und Dienstleistungsbetriebe sowie öffentlicher Einrichtungen im Bereich der Großfeldsiedlung (*IFES* 1968) ist festzustellen, daß das Angebot der wenigen vorhandenen Betriebe und Versorgungseinrichtungen für die schlagartig zunehmende Bevölkerung bei weitem nicht mehr ausreichte. Es gab keine einzige Befragungsperson, die nicht das Fehlen einer ausreichenden Lebensmittelversorgung angegeben hätte. In derselben Untersuchung wurde festgestellt, daß es damals keine ein-

zige Kinderkrippe und keinen einzigen Kindergarten gab, obwohl 35 % der Befragten Kinder im Vorkindergartenalter und 30 % Kinder im Kindergartenalter hatten. Besonders nachteilig wurde von der Bevölkerung die schlechte Versorgung der Siedlung mit öffentlichen Verkehrsmitteln empfunden, die zur Folge hatte, daß sich die Wegzeit zum Arbeitsplatz gegenüber jener vor der Übersiedlung generell verlängerte, wobei ein Viertel der berufstätigen Männer nun sogar mehr als 45 Minuten auf sich nehmen mußten (*IFES* 1972).
Abgesehen von jenen infrastrukturellen Mangelerscheinungen führte eine spezielle Art der Besiedlung, die Vergabe von Wohnungen nach dem Maßstab Sozialbedürftigkeit und große Kinderzahl, zu einem Altersaufbau der Bevölkerung in der Großfeldsiedlung, der für Wien extrem ist. 1971 waren 45 % der Wohnbevölkerung Kinder und Jugendliche unter 20 Jahren. Der entsprechende Anteil der Kinder und Jugendlichen im gesamten Bereich von Wien betrug hingegen nur 20 %. Ebenso wie bei der Altersstruktur zeigte sich auch bei der Feststellung des Berufes eine starke Abweichung vom gesamten Wiener Durchschnitt. Ca. 50 % der berufstätigen Bevölkerung in der Großfeldsiedlung waren Arbeiter, im Vergleich dazu in ganz Wien nur 37 %.
In einer Untersuchung der Einstellung der Bevölkerung zur neuen im Vergleich zur früheren Wohnung wurde in der Großfeldsiedlung eine große Zufriedenheit mit der neuen Wohnung selbst, jedoch eine schlechte Beurteilung des gesamten Wohngebietes festgestellt. Ein Vergleich des Mietenaufwandes für die Wohnung in der Großfeldsiedlung und für die frühere Wohnung zeigt die große finanzielle Belastung, der die Mieter plötzlich ausgesetzt waren. Während für die frühere Wohnung 73 % weniger als 500 Schilling monatliche Miete bezahlen mußten, müssen für die jetzige Wohnung 58 % 500 bis 799 Schilling und 26 % sogar 800 Schilling und mehr bezahlen (*IFES* 1968).
Die aufgezeigten Mängel wie fehlende Einkaufsmöglichkeiten, Kindergärten, unzureichender Anschluß an öffentliche Verkehrsmittel sowie finanzielle Belastungen wurden jedoch kaum artikuliert – wahrscheinlich vor allem aufgrund der Isolation des einzelnen in der neuen Wohngegend (geringe Nachbarschaftskontakte, Verlust des bisherigen Bekannten- und Freundeskreises).
Erst durch die Entstehung von Initiativgruppen in der Siedlung selbst wurden die anstehenden Probleme von den Bewohnern diskutiert und wurde zum Teil auch zur Selbsthilfe gegriffen. Im Jahr 1969 begannen die ersten Initiativen – vorerst – innerhalb der bestehenden SP-Sektionen. Es wurden ein Kinderkunstclub errichtet sowie kulturelle Veranstaltungen (wie Theateraufführungen, Filmvorführungen) abgehalten. Eine Bewohnerzeitung unter dem Titel „Format" wurde als Sektionsblatt herausgegeben. Als Schwierigkeiten im Zuge des Aufgreifens der Heizkostenprobleme auftraten, entschlossen sich die Herausgeber der Zeitung, eine unabhängigere Basis für Initiativgruppen zu schaffen.

Nach einer Phase informeller Zusammenkünfte von interessierten Bewohnern der Großfeldsiedlung entstand im August 1971 die Zeitschrift „Großfeldjournal“. Sie sollte einerseits Bewohnerinitativen vorbereiten und andererseits dann später eben diesen Initiativgruppen als Sprachrohr dienen.
Als erster Schwerpunkt wurde in der Zeitung die Spielsituation der Kinder aufgegriffen. Es wurde ein Vorschlag für ein Projekt Abenteuerspielplatz unter Hinweis auf ein deutsches Modell im Märkischen Viertel in Berlin gemacht. Träger dieses Projektes sollte ein neugegründeter Verein „Elterninitiative Großfeld“ sein. Nach langwierigen Vorarbeiten wurde dieser Spielplatz schließlich am 6. Mai 1972 eröffnet.
Als zweiter Schwerpunkt der damaligen Initiativgruppen ist der Kontakt zu Jugendlichen, die sich öfters am Spielplatz aufhielten, zu werten. Die Jugendlichen organisierten am 29. 9. 1972 eine Demonstration, um ihrer Forderung nach einem Clubraum Nachdruck zu verleihen. An der Demonstration nahmen ca. 350 Jugendliche teil. Schließlich wurde ein Jugendclub (J.C.G. – Jugendclub Großfeldsiedlung) gegründet, dessen Vorstand ausschließlich aus Lehrlingen, Mittelschülern und Jungarbeitern im Alter von 16 bis 21 Jahren bestand.
Es wurden verschiedentlich Stimmen aus Medien und Politik laut, die an die Struktureigenheiten der Großfeldsiedlung anknüpften und aus durchaus heterogenen Interessenlagen dennoch recht einheitlich vom zugkräftigen Argument „drohender Jugendkriminalität“ Gebrauch machten. Nach der Richtung der politischen Intention lassen sich im wesentlichen zwei Gruppen unterscheiden: Die eine Gruppe, die Gemeindebauten, speziell solche am Stadtrand, aus Opposition ablehnte, wie z. B. Volkspartei-Politiker und manche Journalisten. Die andere Gruppe war daran interessiert, unter Hinweis auf die Gefahr drohender Jugendkriminalität auf infrastrukturelle Mängel in der Großfeldsiedlung aufmerksam zu machen, wie etwa Initiativgruppen, Sozialarbeiter, die lokale Bezirkszeitung und eine IFES-Studie im Auftrag der Gemeinde Wien. Dazu gibt es noch eine Spezialgruppe der Geschäftsleute, die einen Kampf gegen Ladendiebstähle und Einbrüche führen und denen es nicht unbedingt um Strukturverbesserungen, sondern in der Tat um verstärkten Polizeieinsatz in der Großfeldsiedlung geht.

In einer vom J.C.G. herausgegebenen Informationsschrift heißt es: „Wir wollen mit dem Jugendclub Großfeld der Jugend dieser Siedlung die Möglichkeit sinnvoller Freizeitgestaltung schaffen, um der sinnlosen Herumsitzerei auf öffentlichen Plätzen ein Ende zu bereiten. Es ist auch unser erklärtes Ziel, der *Kriminalisierung der Jugend der Großfeldsiedlung* zu begegnen. Diese entsteht wohl nur dadurch, daß keine Möglichkeiten der sinnvollen Beschäftigung vorhanden sind und einzelne Jugendliche auf den Gedanken kommen, sich mit Einbrüchen und dergleichen die Zeit zu vertreiben. Alles, was bisher von öffentlichen Stellen getan wurde, war Polizisten zu schicken. Aber jeder vernünftig Denkende kennt die weiteren

Folgen solcher Polizeiaktionen. Die Verurteilten kommen mit den Profis des Verbrechens zusammen oder sie werden in ein Erziehungsheim eingewiesen, aus dem sie dann erst als echt Kriminelle wieder zurückkommen. Und durch die mangelnde Aufklärung der Bevölkerung wird ihnen auch das Einordnen in die Gesellschaft beinahe völlig verunmöglicht."

Das *IFES* (1970, 15) stellt zur Altersstruktur in der Großfeldsiedlung fest:

„Eine derartige kraß von jeder Normalbevölkerung länger besiedelter Gebiete abweichende Altersstruktur hat nicht nur spezifische Folgen für die Bedarfsstruktur an Folgeeinrichtungen, sondern muß auch weitgehend das *soziale Klima des Gebietes* prägen. Die größer werdenden Kinder werden nicht in eine bestehende Jugend-Subkultur hineinwachsen können. *Es stellt sich die Frage, wie sie darauf reagieren werden* ... jene Familien, die sich in ihrem ganzen Erlebnisfeld sehr stark auf die Wohnsiedlung beschränken oder beschränken müssen, weisen oft deutliche *Erscheinungen verzerrter sozialer Wahrnehmung* auf und leiden auch darunter (Suburb-Syndrom). *Gewisse Mangelgefühle* und eine *partielle Unzufriedenheit* mit dem Wohngebiet sind aber insbesondere bei den stärker betroffenen Gruppen, wie heranwachsenden Jugendlichen und nicht berufstätigen Hausfrauen, schon zu erwarten ..."

Zur Großfeldsiedlung sagte Gemeinderat Dkfm. Dr. Ebert (ÖVP) in der Sitzung des Wiener Gemeinderates vom 11. Dezember 1974 (Stenografischer Bericht, S. 144/145):

„Warum ist in diesen Gebieten die Jugend so unruhig, viel unruhiger als im innerstädtischen Raum? Weil sie keine Möglichkeit hat, sich wirklich zu betätigen. Wir wissen alle: Wenn man sonst keine Möglichkeit hat, sich abzureagieren, reagiert man sich dort ab, wo es nicht erfreulich ist.

Wir haben die Schulen in der Großfeldsiedlung besucht. Ich habe mit dem Portier gesprochen. Ich führe viele Schulen in Wien, ich weiß, daß die Erhaltung der Pulte, daß die Pflege der Klassenräume heute nicht besonders gut ist. Aber was dort der Portier erzählt hat, wie dort von den Schülern mit den Mitteln, die ihnen zur Verfügung stehen, umgegangen wird, mit den Schreibpulten, mit den Tafeln, mit den Wänden! Was dort alles passiert, darüber informieren Sie sich einmal."

Elfriede Hammerl schrieb am 1. Mai 1974 unter dem Titel „Jugend in der Betonwüste" im Kurier:

„Wie Schwammerln nach dem Regen wachsen am Rand der großen Städte riesige Betonblocks aus dem Boden. Mit den Bewohnerzahlen solcher Schlaf- und Trabantenstädte steigt auch die Rate der Jugendkriminalität. 85 Prozent der 2000 Jugendlichen, die in der Wiener Großfeldsiedlung leben, sind nach einer offiziellen Schätzung schon einmal wegen kleinerer oder größerer Vergehen mit der Polizei in Berührung gekommen."

Nach einer Erhebung des Jugendamtes XXI waren es im Jahre 1971 11 Jugendliche der Großfeldsiedlung, die vor dem Jugendgericht verurteilt wurden (2,6 % aller jugendlichen Bewohner der Großfeldsiedlung). Die Verurteiltenrate Jugendlicher lag damit unter der des gesamten 21. Bezirks. 1974 waren es in der Großfeldsiedlung 3,7 % der jugendlichen Bevölkerung, die verurteilt wurden.

Tabelle 1: Prozentsatz jugendlicher Verurteilter (an der jugendlichen Bevölkerung): Vergleich Großfeldsiedlung – 21. Bezirk[2]

	Großfeldsiedlung			21. Bezirk insges.		
	Anzahl der 14–18jähr.	Verurteilte 14–18jähr.	%	Anzahl der 14–18jähr.	Verurteilte 14–18jähr.	%
1971	418	11	2,6	4063	143	3,5
1974	1033	38	3,7	5216	200	3,8

Das Beispiel „Großfeldsiedlung" demonstriert zwei Momente, die für Prozesse der Produktion sozialer Probleme charakteristisch sein dürften.

1. Aufgrund einseitig ökonomischer Planungsrationalität entstand eine Situation, die tatsächlich in vieler Hinsicht nicht optimal war. Die vorhandenen Agenturen der Konfliktregelung waren ebenfalls überfordert, zumindest hatten sie nicht die Kapazität, sich schnell genug auf den sich entwickelnden Zustand einzustellen.

Dazu einige Auszüge aus unseren Interviewprotokollen (Äußerungen von Jugendfürsorgern):

„Es wurde mit dem Bau der Großfeldsiedlung versäumt, die Folgeeinrichtungen zu schaffen. Wir haben am Anfang Schwierigkeiten bei der Unterbringung von Kindern in Kindergärten und Horten gehabt. Die Schwierigkeiten auf dem Gebiet der Kindergärten sind heute größtenteils behoben, jetzt macht sich der Mangel an Horten bemerkbar. In der Großfeldsiedlung gibt es sehr viele Kinder, die unbeaufsichtigt sind."

„Familien aus Lagern, Familienherbergen bzw. Familien, die schon anderswo delogiert wurden, sind in der Regel auf bestimmten Stiegen konzentriert. Die anderen Hausparteien beschweren sich ständig bei der Hausverwaltung und beim Hausbesorger. (Gründe: Lärmbelästigung, Schmutz, Läuse, Kinder steigen bei ihren Balkons ein.)

Gründe für die Delogierung sind Nichtbezahlung der Miete oder Unleidlichkeit und Geruchsbildung.

Der Mietzuschuß von seiten der Fürsorge ist ein Problem, weil den Leuten das Geld in die Hand gegeben wird. Man will sie nicht als Unmündige behandeln – die Schande soll ihnen erspart werden, daß sie beim Hausbesorger weniger zahlen. Die Leute gehen aber zum Teil mit dem Geld etwas einkaufen, was sie sich sonst nicht leisten könnten."

„In meinem Sprengel sind sehr viele Auhoffamilien. Der Großteil schafft die Integration ganz gut. Es ist die Minderheit, die sich nicht integrieren; nicht nur sie belästigen die Umgebung, sondern auf ihnen wird herumgehackt. Es gibt Stiegen mit 2 bis 3 solcher Familien, die besonders viele Kinder haben – da sind dann insgesamt 70 Kinder auf einer Stiege."

„Wohnungen können die Leute nicht verändern, sie werden in kürzester Zeit in einen Hasenstall verwandelt – es ist derselbe Geruch, dasselbe Klumpert wie in den alten Zimmer-Küche-Wohnungen. Die Umstellung vom Obdachlosenheim auf moderne Wohnungen ist zum Teil nicht möglich."

2. Gleichzeitig fanden sich politisch konfliktfähige Gruppen, die die Situation aufgriffen und (mit durchaus unterschiedlicher politischer Motivation) zum ,,Problem" machten. Erst dadurch, so scheint es, wurde ein neuer ,,Planungsschub" in Gang gesetzt, der tatsächlich einiges an der Situation verbesserte. Bemerkenswert ist, daß in der Argumentation die Drohung mit der Jugenddelinquenz immer wieder eine Rolle spielte. Man kann sich daher fragen, welche strategischen Vorteile eine solche Argumentationsfigur in der politischen Auseinandersetzung hat. Anzumerken ist hier noch einmal, daß dem schlechten Ruf der Großfeldsiedlung diesbezüglich wenig an Realität entspricht, daß es sich bis heute eher um eine Erwartungsangst handelt, in der Stadtplanung selbst auch durch internationale Erfahrungen (z. B. Berlin – Märkisches Viertel) genährt.

Die Drohung mit der Jugenddelinquenz hat mehrere politische Vorteile: Man muß davon ausgehen, daß die einfache Aussage, einer Gruppe oder Kategorie von Leuten gehe es schlecht, auch im Wohlfahrtsstaat noch lange keine Durchsetzungsgarantie gibt. Benachteiligt sind und fühlen sich viele. Politische Durchsetzungsfähigkeit bekommt ein solches Interesse erst, wenn es sich konfliktfähig organisiert[3].

Die Strategie, die hier in der heutigen Situation realistisch ist, ist offenbar die über die Kanäle der politischen Parteien, also über ,,institutionelle Umsetzer" (*Treiber* 1973, 57ff.), die ihrerseits Zugang zur Administration haben und dort Druck ausüben können. Dieser Weg war in der Großfeldsiedlung sicher sehr gangbar, möglicherweise auch verstärkt durch die Tatsache, daß einige höhere Funktionäre der Stadtverwaltung und -politik Bewohner der Großfeldsiedlung waren (und sind). Aber auch diese ,,Umsetzer" brauchen Argumente, müssen ihrerseits, selbst wenn sie aus eigener Betroffenheit, Profilierungszwängen oder Oppositionsgelegenheit mobilisierbar sind, eine Sanktion androhen können. Die ,,drohende Verwahrlosung unserer Jugend" mit der damit verbundenen ,,Gefährdung der Sicherheit unserer respektablen Mitbürger" ist eine solche Sanktionsdrohung, die daher ein Stück Konfliktfähigkeit gibt. Man kann damit auf einem bei uns offenbar gegebenen Konsens aufbauen, daß der Staat (,,die Stadt") verpflichtet ist, diese Art von Belästigung hintanzuhalten. Um diese Verpflichtung zu mobilisieren, ist es freilich nötig, die Belästigung zur Kriminalität hochzustilisieren, denn nur dann fällt sie in staatliche Kompetenz. Was darunter bleibt, kann sehr viel leichter zurückgewiesen werden.

Interessant sind die impliziten Theorien, die hinter einem solchen Argument stehen. Das eine Theoriestück ist offenbar, daß man Jugendlichen ,,harmlose" Betätigungsmöglichkeiten anbieten muß, damit sie nicht ,,auf dumme Ideen kommen". Delinquenz stellt sich hier als Funktion der Langeweile und des Mangels an bestimmten Einrichtungen dar. Nur mit diesem Hintergrundverständnis ist es sinnvoll, das Argument in der Forderung nach mehr Infrastruktur zu verwenden. Sehr in der Nachbarschaft lauert aber ein zweites Theoriestück: Die Jugendlichen haben zu wenig Beaufsichtigung und Kontrolle. Die Infrastruktur, die man damit fordert, heißt wohl „Polizei" (im weitesten Sinn). Tatsächlich war (und ist) es in der Großfeldsiedlung zum Teil auch dieses Hintergrundverständnis, auf dem das Argument aufbaut.

Dazu ein Jugendbetreuer: „Es gibt hier sehr viele Schlüsselkinder und einfach zu wenig Plätze im Hort oder im Kindertagesheim. Viele Kinder von berufstätigen Müttern sind am Nachmittag sich selbst überlassen. – Bei Schulschwänzen und Arbeitslosigkeit kommen die Jugendlichen auf schlechte Gedanken."
Eine Geschäftsfrau: „Schuld sind nicht die Kinder – was fehlt, sind Kindergärten. Das ist meine Meinung – die Gemeinde sollte lieber Kindergärten bauen und Horte. Die Kinder treiben sich auf der Straße und in den Höfen herum und verwüsten alles – man braucht sich nur die Stiegenhäuser anschauen, wie die aussehen. Es gibt viel zu wenig Spielplätze für die Kinder, wo sie sich austoben können . . . Die jungen Leute sollen Sport betreiben, sonst kommen sie auf dumme Gedanken (z. B. Automateneinbrüche, Haschisch rauchen in der Gstetten)."
Serviererinnen in verschiedenen Lokalen der Großfeldsiedlung: „Es ist alles so aggressiv, so, als ob sich die Jugendlichen gegen irgend etwas wehren wollten. Früher hat es noch mehr Möglichkeiten (Beschäftigung) gegeben. Man kann einem Jugendlichen nicht sagen, du mußt das oder das machen – weil er es nicht gelernt hat als Kind, seine Freizeit sinnvoll zu gestalten. Man müßte schon bei den Kindern anfangen, dann kann man später die Jugendlichen auch leiten." – „Es ist nicht notwendig, daß 20 bis 30 Jugendliche sich hier herumtreiben. Es wird zum Beispiel nichts unternommen gegen das Radfahren im Ekazent, obwohl es verboten ist. Von der Straße aus muß die Polizei was tun, vom Jugendzentrum aus die Leitung des Jugendzentrums – es sind scheinbar nicht die richtigen Leute dort, die die Jugendlichen führen. – Es liegt schon an der Betreuung. Es ist undenkbar, daß – wenn richtige Erzieher da sind – das Lokal zusammengehaut wird. Wir Frauen, die wir hier Dienst haben, können dem Einhalt gebieten – und die nicht?"
Ein Geschäftsmann im Ekazent: „Die Polizeiverlegung ist positiv; die Polizisten kommen schneller. Aber es müßte ein Polizist dauernd hier (im Ekazent) sein. – Auch im Jugendzentrum wird nichts gemacht – es müßte intensivere Arbeit geleistet werden. Eine bessere Beaufsichtigung müßte her."

Hier sind in der Analyse des politischen Prozesses noch die Machtverhältnisse innerhalb der Siedlung zu bedenken. In einem (sehr lose) lokal organisierten Interesse gibt es noch Spezialinteressen, die unterschiedlich durchsetzungsfähig sind. So sind z. B. die Interessen der dort ansässigen Betriebe viel leichter durchzusetzen als die der „einfachen Bewohner". Möglicherweise müssen dazu gar keine organisierten Anstrengungen unternommen werden, weil diese Interessen von vornherein viel einsichtiger, überschaubarer und zwingender sind (solange man Betriebe anziehen will). Im Zweifelsfall sind die Betriebe aber auch organisationsfähiger, schon weil ihre Zahl geringer ist und weil Ansätze zur Organisation (z. B.

in Form des Einkaufszentrums) von vornherein gegeben sind. Es ergibt sich aus innerbetrieblichen Gründen, daß das Interesse dieser Gruppe in erster Linie auf direkten (polizeilichen) Schutz vor Jugenddelinquenz und Kriminalität gerichtet ist, und weniger auf indirekte Maßnahmen wie Infrastrukturverbesserungen. Das heißt: Das durchsetzungsfähigere wirtschaftliche Interesse wird eher darauf gerichtet sein, polizeiliche Maßnahmen zum unmittelbaren Schutz zu erhalten.

In unseren Interviews mit den Geschäftsleuten in der Großfeldsiedlung wurde wiederholt erwähnt, daß es anfangs (1971) eine Reihe von Einbrüchen und Einbruchsversuchen gegeben hätte. Darauf wurde im Einkaufszentrum ein Nachtwächter angestellt, der sich aber nach allgemeiner Aussage nicht als Erfolg erwies. Er wurde bald wieder entlassen. Inzwischen ist die Situation diesbezüglich unproblematisch geworden. Manche Geschäftsleute führen das auf die Verlegung der Polizeidienststelle in größere Nähe des Zentrums zurück (obwohl die Meinungen zu diesem Punkt sehr geteilt sind). In der Hauptsache dürfte der Rückgang der Einbrüche damit zu tun haben, daß inzwischen die Umgebung des Zentrums stärker besiedelt und belebt ist.

Ansonsten haben vor allem zwei Kategorien von Betrieben mit Delinquenz zu tun: die Lokale mit Raufereien und generell auffälligem Benehmen ihrer Kunden und die Supermärkte mit dem Ladendiebstahl. Für die Lokale ist die Hilfe der Polizei eine zwiespältige Angelegenheit, daher werden die einschlägigen Probleme lieber durch Selbsthilfe und Lokalverbot erledigt. Gelegentlich wird auch ,,Selektion des Publikums über die Preise" berichtet. Diese informellen Regelungen mögen zwar für die unmittelbar Betroffenen auch eine Einschränkung der Betätigungsmöglichkeiten mit sich bringen, sie scheinen aber als angemessen akzeptiert zu werden, und immerhin wird Kriminalisierung damit zunächst umgangen.

Anders beim Ladendiebstahl. In allen fünf Lebensmittelmärkten wird berichtet, daß Erwachsene grundsätzlich angezeigt würden. Kindern gegenüber versucht man es eher durch ,,Zusammenarbeit mit den Eltern und der Schule". Dabei gibt es eine gewisse Streuung der Taktiken: Ein Betrieb tut sich durch besondere Rigidität hervor. Es wird grundsätzlich und unabhängig vom Wert der Ware und vom Alter des Täters angezeigt. Ferner berichtet der Leiter des Betriebs von einem Abkommen mit dem Stadthauptmann, daß bei Erwachsenen möglichst eine Hausdurchsuchung gemacht wird, weil es sich hier oft um Wiederholungstäter handle. Das andere Extrem ist ein Geschäft, das in der Hauptsache wieder ,,Selektion des Publikums über die Preise" betreibt und in dem auch erwachsene Ladendiebe nur widerwillig angezeigt werden, weil das ,,gegen die generelle Politik der Firma" sei. Im speziellen Fall doch angezeigt werden sie, weil ,,nicht anzeigen unfair gegenüber den anderen Geschäftsleuten wäre" (was zeigt, daß es im Zentrum so etwas wie eine gemeinsame ,,Kriminalpolitik" gibt).

Aus der bestimmten Interessenlage ergibt sich also aus dem Argument mit der Kriminalität auch die Forderung nach dem Infrastrukturstück ,,Polizei". Dementsprechend bekam die Großfeldsiedlung auch beide Arten von Infrastruktur: Kindergärten, ein Jugendzentrum und eine (vom damaligen Innenminister in einer öffentlichen Diskussionsveranstaltung angekündigte) Verstärkung der Polizei.

Dazu muß man allerdings – und das macht das Riskante an der Argumentationsfigur „drohende Kriminalität" aus – den oben (Abschnitt 3) dargestellten Mechanismus der „Devianzverstärkung" (durch soziale Kontrolle) beachten.
Wenn aufgrund ihrer Brauchbarkeit als Argument drohende oder vorhandene Kriminalität und Delinquenz als (entscheidender Teil der) Definition einer schwierigen Situation gewählt wurden, kann das Folgen haben, die das Problem erst schaffen, von dem bis dahin nur geredet wurde. Der Ruf einer Gegend etwa, der dabei entsteht, kann mehrere Reaktionen nach sich ziehen: verschärfte formelle Kontrolle etwa, durch die der Handlungsspielraum Jugendlicher weiter eingeschränkt wird, durch die bis dahin toleriert oder unbeachtet gebliebene Verhaltensweisen jetzt auch sichtbar und sanktioniert werden, wodurch ein gewisser Unmut entstehen kann, der seinerseits wieder zu störend erlebtem Verhalten führen mag; oder die Entstehung von Erwartungen Jugendlichen aus diesem Gebiet gegenüber, die von den Jugendlichen entweder als ungerechtfertigt erlebt und mit Unmut beantwortet werden oder aber von ihnen akzeptiert und dann zu erfüllen versucht werden; schließlich kann ein solcher Ruf die Gegend für Jugendliche attraktiv machen, die „einmal was erleben" wollen.
Daß die Großfeldsiedlung einen schlechten Ruf hat, ist in der Siedlung unbestritten. Äußerungen wie die folgende finden sich in vielen Interviewprotokollen:

„Die Großfeldsiedlung wird als Chicago bei Wien bezeichnet; man traut sich nicht zu sagen, daß man hier wohnt."

Alle, die mit Jugendlichen zu tun haben (Fürsorger, Betreuer im Jugendzentrum) und ein guter Teil der Geschäftsleute halten diesen schlechten Ruf für zumindest übertrieben:

„Der schlechte Ruf der Großfeldsiedlung ist nicht gerechtfertigt. Die Presse ist daran schuld, sie macht eine ungute Situation für die Leute. Zum Beispiel ist die Polizei-Aktion Planquadrat in ganz Wien durchgeführt worden. Bilder wurden aber vor allem nur von der Großfeldsiedlung gezeigt, von sonst keinen Bezirksteilen wurde das so aufgebauscht."
„Der Ruf der Großfeldsiedlung ist nicht gerechtfertigt. Bei den letzten Razzien wurde festgestellt, daß der Großteil derer, die festgenommen wurden, von anderen Bezirken sind."

Trotzdem ist dieser schlechte Ruf selbst in der Siedlung nicht zu widerlegen. Er pflanzt sich auch ohne eigene erlebnismäßige Basis als Gerücht fort.

Ein Geschäftsmann, der angibt, daß sie im Geschäft selbst keine Schwierigkeiten haben („Ich kenne schon viele Geschäfte in den verschiedensten Bezirken, es ist kein Unterschied zu bemerken"), meint zum schlechten Ruf der Großfeldsiedlung: „Das ist teilweise schon richtig. Ich habe einen guten Kontakt mit den Kunden, die haben mir ihr Leid geklagt. Ich glaube schon, daß hier etwas dran ist." Eine Geschäftsführerin, die die Auffassung vertritt, daß der schlechte Ruf der Großfeldsiedlung gerechtfertigt sei, begründet dies folgendermaßen: „aufgrund des Benehmens der Leute – auch der Jugendlichen. Es ist kein schöner Anblick, wenn sich die Jugendlichen abknutschen." Obwohl sie Kriminalität nur vom Hörensagen kennt, fühlt sie sich bedroht: „Man traut sich nicht auf die Straße, wenn es 1/2 9 Uhr abends ist."

Ein Beispiel für einen der oben genannten Mechanismen von „Devianzverstärkung" (nämlich durch verstärkte Kontrolle und selektive Aufmerksamkeit) findet sich im folgenden Protokollausschnitt (Geschäftsführer eines Supermarkts):

Auf die Frage nach der Anzahl der Ladendiebstähle, sagt der Geschäftsführer „5 bis 6 pro Tag, wenn man sich intensiv damit beschäftigt. Ich habe einen internen Überwachungsplan, bei dem jeweils ein Mitarbeiter stundenweise für diese Tätigkeit abgestellt wird." Nach den Maßnahmen befragt, gibt der Geschäftsführer an, daß er grundsätzlich alles der Polizei übergibt, auch Jugendliche und Kinder, bei allen Summen, selbst bei Diebstahl einer Tafel Schokolade. „Man erwischt Jugendliche wesentlich leichter als Erwachsene, weil die (letztere) mehr Routine haben. Dazu kommt unbewußt der Moment, daß man von den Mitarbeitern her den Kindern mehr Augenmerk schenkt als den Erwachsenen. Wenn zum Beispiel ein Erwachsener längere Zeit vor einem bestimmten Regal steht, nimmt man an, er überlegt, ob er die Ware kaufen soll. Wenn ein Kind immer wieder zu einem Regal zurückgeht und in die Tasche greift, ist man schon mißtrauisch." (Andererseits sagt der Filialleiter, daß es bezüglich der Ladendiebstähle nicht schlimmer als anderswo ist.)

Wir würden meinen, daß die Großfeldsiedlung Ansätze zu Eskalationsvorgängen durchgemacht hat und wieder durchmachen kann. Der schlechte Ruf, in dem sie noch heute steht (und der objektiv wenig gerechtfertigt ist), ist zumindest ein Potential, aus dem sich dergleichen entwickeln kann. Dabei war in unseren Gesprächen der Eindruck zu gewinnen, daß zumindest die Polizei in der Großfeldsiedlung kein besonders auffallendes Problem sieht:

„Woanders gibt es unter Umständen ärgere Probleme als in der Großfeldsiedlung. Viel von dem, was dort geschieht, ist eigentlich nichts Kriminelles, aber man subsumiert das unter einen Paragraphen und die Anzeige wird entgegengenommen."

Es ist eher die Bevölkerung selbst, die hier ein Problem hat (und macht):

„Von den Leuten in der Großfeldsiedlung sagen manche, es ist eh schön hier. Andere fühlen sich im Sog des schlechten Rufs verpflichtet, die Anzeige zu machen."
„Die Eltern sind sehr anzeigefreudig. Wehe, die Kinder werden von anderen angegriffen, dann laufen sie gleich und machen die Anzeige."
„Dort wohnen zu viele Leute auf einem kleinen Raum beisammen. Dadurch

kommt es zu dieser Leichtfertigkeit mit Polizeianzeigen. Die Leute wohnen mit einem Angstgefühl dort draußen und sind daher anzeigefreudiger als woanders."

Wir haben hier also den glücklichen Fall, daß die „Kriminalitätspanik", für die gute Ansätze gegeben waren, von der Polizei nicht mitgemacht wurde, so daß die aus anderen Fällen (s. o., Abschnitt 3) bekannte Eskalation nicht auftrat. Trotz des Drucks aus der Wohnbevölkerung und von verschiedenen Geschäftsinhabern konnte die Polizei offenbar deshalb „kühl" reagieren, weil die Beschwerden häufig Kinder und allzu offensichtlich Bagatellen betrafen. Dazu fanden wir in unseren Interviews bei der Polizei eine immunisierende Theorie, die die Probleme klar als „Anfangsschwierigkeit" definierte und damit die Erwartung enthielt, daß sich „das schon legen" wird. Die Probleme, die auftraten, hatten außerdem Alltagscharakter, da war nichts Unheimliches, halb und halb Unverständliches wie im Fall der seinerzeitigen Halbstarken oder des verstärkten Wahrnehmens der Drogensubkultur, nichts also, das sich zu einer gefährlichen Bedrohung des Gewohnten hochstilisieren ließ. Vielmehr hörten wir in diesen Interviews wiederholt den Hinweis auf die großen Gemeindebauten Wiens (von denen einige im Bezirk liegen), die einzelne Beamte aus eigenem Kindheits- und Jugenderleben kannten und in denen sich „seinerzeit auch einiges abgespielt" hatte. So Vertrautes treibt einen in keine Panik. Da bleibt die Realitätswahrnehmung bei unmittelbarer Erfahrung intakt. Gestört wird sie nur bei Akteuren, denen diese unmittelbare Erfahrung abgeht, wie Politikern, Zeitungsleuten und Geschäftsleuten, die nicht in der Siedlung wohnen und (damit) einen einseitigen Zugang zu den Fragen haben. Auch den Einfluß der Arbeitserleichterung für die Polizei, die sich aus dem Vermeiden einer Kriminalitätspanik ergibt, soll man als Grundlage der erwähnten „kühlen" Einstellung nicht unterschätzen.

5. Schluß

Wir haben versucht, hier einen Ansatz zur Frage der regionalen Verteilung abweichenden Verhaltens darzustellen und am Beispiel zu veranschaulichen, in dem in der Soziologie gängige idealistische oder psychologisch verkürzte Zugänge „aufgehoben" sind. Die Prozesse, aus denen solche Verteilungen zu erklären sind (wobei wir uns übrigens auf die Verteilung innerhalb der Stadt beschränkt haben und auf die ehrwürdige Stadt-Land-Gegenüberstellung verzichten mußten), sind die wirtschaftlichen und politischen der Stadtentwicklung. Diese Vorgänge schaffen regional unterschiedlich verteilte, erschwerte oder erleichterte Lebensbedingungen und unterschiedliche Möglichkeiten, damit fertigzuwerden. Diese so hergestellten Lebensbedingungen werden einerseits wieder politisch beantwortet, wobei eine der Antworten die staatliche Kontrolle ist, die von verschiedenen Interessen in den Dienst zu nehmen versucht wird. Wie wir am Beispiel gesehen haben, erfolgt diese In-Dienst-Nahme nicht nur direkt (über Anzeigen), sondern auch indirekt, indem eine Gegend als „kriminalitätsgefährdet" verschrien wird. Hinter dieser letzten Reaktion steht nicht selten die Intention einer Verbesserung der lokalen Lebensbedingungen; „Kriminalität" dient dabei nur als unmittelbar überzeugendes Argument, man ist nicht unbedingt auf mehr Kriminalisierung aus. Vielmehr geht es um Infrastruktur, Freizeitmöglichkeiten, verbesserte Verkehrsverhältnisse, bessere Nahversorgung. Die Gefahr ist nur groß, daß die „Verbesserung" der Infrastruktur doch in mehr Polizei besteht. In unserem Beispiel war das nicht der Fall, und die zu befürchtende Kriminalitätseskalation blieb daher erspart.

Das Beispiel und dieser Ansatz sind uns deshalb wichtig, weil sich damit zeigt, daß die Vorgänge, die von der Labeling-Theorie beschrieben werden, und die in dieser Theorie so idealistisch aussehen, ihre ökonomische und politische Grundlage haben. Die Interessen, die hinter Etikettierungs-Vorgängen stehen, lassen sich im Einzelfall sehr genau identifizieren. Dabei wird auch deutlich, daß das Interesse häufig nicht Kriminalisierung ist, sondern andere Leistungen, daß aber staatlicherseits häufig nur Kriminalisierung geboten wird. Es zeigt sich aber auch, daß es innerhalb des Verwaltungsapparats sehr wohl Gegenkräfte gibt, die einer solchen „Lösung" entgegenwirken können. Wir sehen also keinerlei Notwendigkeit, die Labeling-Theorie zu verdammen, wie es nach der ersten Freude an ihr zunehmend zu geschehen scheint, sondern nur die Notwendigkeit, ihr den geeigneten ökonomischen und politischen Rahmen zu geben.

In diesem Rahmen ist sie von entscheidender Bedeutung, weil sie auf die Kontrollprozesse hinweist, die offizielle Kriminalität wie informelle Abweichung in der Tat erst konstituieren. Der Ökonomismus, der Abweichung direkt aus wirtschaftlichen Gegebenheiten erklärt, geht damit jedenfalls nicht mehr. Die Politik der Kontrolle ist dazwischengeschaltet. Und die ist, wie sich zeigt, manchmal gar nicht auf das abweichende Verhalten gerichtet, das in Rede steht. Kriminalität ist ein Nebenprodukt – nicht nur der Ökonomie, die Lebenslagen herstellt, sondern auch der Politik, die die Schwierigkeiten dieser Lebenslagen (mehr oder weniger zielführend und immer im Konflikt der Interessen) zu bewältigen versucht.

Anmerkungen

1 Dieser Ansatzpunkt zur Beschreibung sozialer Probleme als politische Phänomene wurde in der soziologischen Theorie des „Symbolischen Interaktionismus" entwickelt. *C. Wright Mills* hat schon 1943 in einem berühmt gewordenen Aufsatz zu zeigen versucht, daß die „Sozialpathologen" seiner Zeit aufgrund ihrer Herkunft und professionellen Interessenlage ganz bestimmte „soziale Probleme" aus einer ganz bestimmten Perspektive wahrnahmen und auch dementsprechende Lösungsvorschläge fanden. An neueren Arbeiten dazu vgl. etwa *Douglas* (1974) und *Rubington/Weinberg* (1971), zum Symbolischen Interaktionismus generell *Steinert* (1973a).

1a An dieser Stelle wird auffällig, daß das Manuskript dieses Beitrags 1977, als die Planung des Bandes einsetzte, geschrieben wurde. Heute (1980) können wir eine neue Welle solcher Eskalation des „Drogenproblems" beobachten, unserer Einschätzung nach mit ein Folgeproblem der damaligen von Young beschriebenen Fehlreaktionen. Die „Drogenpolitik" hat übrigens aus jener Entwicklung am Anfang der 70er Jahre offenbar nichts gelernt.

2 Die Zahlen jugendlicher Verurteilter stammen aus Unterlagen des Jugendamtes XXI. Die entsprechenden Bevölkerungszahlen für 1971 sind der Volkszählung 1971 entnommen (Großfeldsiedlung = Zählbezirk XXI/5). Die Bevölkerungszahlen für 1974 stammen für die Großfeldsiedlung aus einer Erhebung des Jugendamtes XXI im Mai 1974; für den gesamten 21. Bezirk aus einer eigenen Schätzung (14- bis 18jährige 1974 = 11- bis 15jährige 1971).

3 „Konfliktfähig" heißt dabei, daß man eine Sanktion androhen kann, etwa die Verweigerung einer benötigten Leistung (wie im Streik). Eine solche Organisation auf lokaler Ebene herzustellen, ist relativ schwierig. Eine Leistungsverweigerung ist hier schwer vorstellbar. Denkbar wäre allenfalls die Weigerung, dort zu wohnen oder einen Betrieb einzurichten, nur sind die Kosten dafür, wenn man einmal dort ist, für die meisten prohibitiv. Denkbar wäre auch die Verweigerung von Steuer- oder Arbeitsleistungen, aber das sind alles sehr kostspielige Strategien, die ein ungeheures Maß an Organisation und Solidarität voraussetzen würden – und daher offenbar unrealistisch sind. An Überlegungen zu Organisations- und Konfliktfähigkeit vgl. etwa *Offe* (1972), *Olson* (1973), *Treiber* (1973).

Literatur

Anderson, N.
1923. The Hobo: The Sociology of the Homeless Man. Chicago: University of Chicago Press.

Armstrong, G./Wilson, M.
1973. City Politics and Deviancy Amplification. In J. Taylor/L. Taylor (Eds.), Politics and Deviance. Harmondsworth: Penguin, 61ff.

Arnold, D. O. (Ed.)
1970. The Sociology of Subcultures. Berkeley: Glendessary Press.

Bohle, H. H.
1975. Soziale Abweichung und Erfolgschancen. Neuwied: Luchterhand.

Chambliss, W. J.
1975. The Saints and the Roughnecks. In W. J. Chambliss/Ryther (Eds.), Sociology: The Discipline and its Direction. New York: McGraw-Hill, 338–346.
Clinard, M. B.
1942. The Process of Urbanization and Criminal Behavior. American Journal of Sociology, 48, 202–213.
Cohen, St.
1972. Folk Devils and Moral Panics. London: McGibbon.
Cressey, D. R.
1970. Vorwort zu Arnold, D. O. (Ed.), III–V.

Douglas, J. D.
1974. Defining America's Social Problems. Englewood: Prentice-Hall.

Fischer-Kowalski, M./Leitner, H./Steinert, H.
1975. Statusprobleme zwischen Polizei und Bevölkerung und ihre Bewältigung in der Produktion einer unteren Unterschicht. In Arbeitskreis Junger Kriminologen (Hrg.), Die Polizei – eine Institution öffentlicher Gewalt. Neuwied: Luchterhand.

Hacker, F.
1971. Aggression. Die Brutalisierung der modernen Welt. Reinbek: Rowohlt.
Harris, M.
1974. Cows, Pigs, Wars and Witches. London: Hutchinson.

IFES
1968. Untersuchung Großfeld-Siedlung (1). Probleme einer rezent bezogenen Stadtrandsiedlung. Forschungsbericht. Wien.
1970. Lebensgewohnheiten, Einstellungen und Erwartungen von Wohnungswechslern zu ihrem neuen Wohnstandort am Beispiel einer Großwohnhausanlage am Stadtrand von Wien (Großfeld-Siedlung). Forschungsbericht. Wien.
1972. Integrationsstudie in einer neuen Stadtrandsiedlung (Großfeld-Siedlung). Forschungsbericht. Wien.

Kasakos, G.
1972. Zeitperspektive, Planungsverhalten und Sozialisation. München: Juventa.

Leirer, H./Stangl, W./Steinert, H./Treiber, H.
1974. Über die „aktive Öffentlichkeit" als Instrument der Interessenartikulation. Am Beispiel der österreichischen Jugendgerichtsbarkeit. Österreichische Zeitschrift für Politikwissenschaft, 3, 217–231.
Liebow, E.
1967. Tally's Corner. A Study of Negroe Streetcorner Men. Boston: Little.

Miller, W. B.
1958. Lower Class Culture as a Generating Milieu of Gang Delinquency. The Journal of Social Issues, 14, 5–19.
Mills, C. W.
1943. The Professional Ideology of Social Pathologists. American Journal of Sociology, 49, 165–180.

Morris, T.
1957. The Criminal Area. A Study in Social Ecology. London: Routledge.

Offe, C.
1972. Politische Herrschaft und Klassenstrukturen. Zur Analyse spätkapitalistischer Gesellschaftssysteme. In G. Kress/D. Senghaas (Hrg.), Politikwissenschaft. Frankfurt: Fischer, 155–189.

Olson, M.
1973. The Logic of Collective Action. Cambridge, Mass.: Harvard University Press.

Park, R. E./Burgess, E. W./McKenzie, R. D.
1925. The City. Chicago: University of Chicago Press.

Pilgram, A.
1980. Kriminalität in Österreich. Studien zur Soziologie der Kriminalitätsentwicklung. Wien: Verlag für Gesellschaftskritik.

Pilgram, A./Steinert, H.
1977. Randgruppenstrategie: Möglichkeiten einer Politik der sozialen Probleme. In W. Hollstein/M. Meinhold (Hrg.), Sozialpädagogische Modelle. Frankfurt: Campus.

Rubington, E./Weinberg, M. S.
1971. The Study of Social Problems: Five Perspectives. New York: Oxford University Press.

Sack, F.
1971. Die Idee der Subkultur: Eine Berührung zwischen Anthropologie und Soziologie. Kölner Zeitschrift für Soziologie und Sozialpsychologie, 23, 261–282.
1972. Stadtgeschichte und Kriminalsoziologie. Kölner Zeitschrift für Soziologie und Sozialpsychologie, Sonderheft 16, 357–385.

Schmid, C. F.
1960. Urban Crime Areas. American Sociological Review, 25, 527–542 (Part I), 655–678 (Part II).

Shaw, C. R. et al.
1929. Delinquency Areas. Chicago: University of Chicago Press.

Springer, A.
1975. Soziale Interaktion und Drogenabhängigkeit. Kriminalsoziologische Bibliographie, Heft 5, 2–13.

Steinert, H. (Hrg.).
1973a. Symbolische Interaktion. Arbeiten zu einer reflexiven Soziologie. Stuttgart: Klett.

Steinert, H.
1973b. Der Prozeß der Kriminalisierung. München: Juventa.
1976. Über die Funktionen des Strafrechts. In M. Neider (Hrg.), Festschrift für Christian Broda. Wien: Europaverlag, 335–371.

Sykes, G. M./Matza, D.
1970. Techniques of Delinquency. In Wolfgang/Savitz/Johnston (Eds.), The Sociology of Crime and Delinquency. New York: Wiley, 292–300.

Trasher, F. M.
1927. The Gang. Chicago: University of Chicago Press.

Treiber, H.
1973. Widerstand gegen Reformpolitik. Institutionelle Opposition im Politikfeld Strafvollzug. Düsseldorf: Bertelsmann.

Trotha, T. v.
1974. Jugendliche Bandendelinquenz. Über Vergesellschaftungsbedingungen von Jugendlichen in den Elendsvierteln der Großstädte. Stuttgart: Enke.

Wirth, L.
1938. Urbanism as a Way of Life. American Journal of Sociology, 44, 1–23.

Young, J.
1970. The Zookeepers of Deviancy. Catalyst, 5, 38–46.
1971. The Drugtakers. London: Paladin.
1973a. New Directions in Subcultural Theory. In J. Rex (Ed.), Contributions to Sociology. London: Routledge.
1973b. Die Rolle der Polizei als Verstärker von Abweichung, Konstrukteur von Wirklichkeit und Übersetzer von Fantasien. In H. Steinert 1973a (Hrg.), 162–174.

Soziale und räumliche Bedingungen der Sozialisation von Kindern in verschiedenen Soziotopen

Ergebnisse einer Befragung von Eltern in Landgemeinden und Stadtvierteln Nordhessens

Tino Bargel, Richard Fauser, Jörn W. Mundt
unter Mitarbeit von Wilhelm Henze, Jochen Hölle, Manfred Kuthe

1. Bestimmung der Analyseebenen und Erfassung von Umwelten als Aufgaben sozial-ökologischer Ansätze

1.1. *Die charakteristischen Besonderheiten sozial-ökologischer Ansätze*

Was in der Soziologie aus der Kritik an einer allzu schlichten „schichtspezifischen Sozialisationsforschung" (vgl. *Bargel* 1973; *Bertram* 1976b) und vorhandenen Mängeln regionaler Bildungsforschung (vgl. *Eirmbter* 1977) hervorging, was in der Psychologie als Unbehagen an künstlichen Labor- und Testsituationen sowie der „Umweltvergessenheit" der Fachdisziplin sich artikulierte (vgl. *Walter* 1973a; *Graumann* 1976), was schließlich aus den Defiziten der Evaluation pädagogischer Programme und ihrer Praxis abgeleitet wurde (vgl. *Bronfenbrenner* 1976; *Kreppner* 1973), das konvergierte weithin auf eine sozial-ökologische Sozialisationsforschung, die als „neuer Weg" etikettiert wurde (vgl. *Walter* 1975)[1]. Wodurch der „sozial-ökologische Ansatz" charakterisiert sei, ist bereits mehrfach von Psychologen, Soziologen, Erziehungswissenschaftlern zu bestimmen versucht worden (*Bronfenbrenner* 1973; *Walter* 1975; *Kaminski* 1976; *Engfer* 1976).
Als charakteristische Besonderheiten sind zwei Paradigmen hervorzuheben. Der eine Grundgedanke besteht darin, daß man die Sozialisation von Kindern und Jugendlichen nicht angemessen aufarbeiten kann, wenn man sie aus der Einbettung in ihre natürliche und soziale Umwelt analytisch oder praktisch herausreißt. Dabei reicht es nicht hin, die Umwelt über unspezifische Bereichsangaben (z. B. Mittel- vs. Unterschicht, Stadt vs. Land) zu berücksichtigen, vielmehr gilt es, sie als viel-

schichtige Erfahrungs- und Problemwelten in ihren spezifischen Konfigurationen aufzunehmen. Das verlangt, auf die Lebenssituation in ihrer Komplexität einzugehen und dabei die räumlichen Komponenten dieser Lebenssituationen in die Untersuchung einzubringen. Impliziert ist dabei eine unmittelbare Verschränkung von Räumlichem und Sozialem, wie es etwa *Bahrdt* beschrieb: „Eine konkrete Umwelt, verstanden als ein in seiner Relevanz für typisches Verhalten strukturierter Ausschnitt aus der Wirklichkeit, besteht immer auch aus räumlichen Elementen mit sozialer Bedeutung und sozialen Elementen, die sich auch räumlich strukturieren" (1974, 20)[2].

Der andere Grundgedanke bezieht sich auf Forderungen hinsichtlich der methodischen Strategie. Seine zwei Aspekte hat *Scheuch* (1969) gleichermaßen kurz und anschaulich formuliert:

– Erstens: „Merely adding atoms of course does not make for molecules" (S. 141).

– Zweitens: „. . . that explanations are more interesting, when they connect phenomena on different levels" (S. 143).

Alle Forderungen und Überlegungen zu Mehrebenen- und Kontextanalysen als den entscheidenden methodischen Strategien gehen im Grunde von diesen Gedanken aus und entfalten sie (vgl. *Hummell* 1972; *Bargel/Wunberg* 1975; *Bertram* 1976a; *Eirmbter* 1977). Als Ebenen höherer Ordnung, die das Individuum als „Atom" in „molekulare Verbindungen" einbetten und die in „erklärende Beziehungen" zu setzen sind, können etwa Cliquen, Gruppen, Nachbarschaften, Organisationen (wie Schulen, Betriebe), Familien, Gemeinden, Gesamtgesellschaften angesehen werden (vgl. *Hummell* 1972, 12). Das Charakteristikum der Mehrebenenanalyse besteht darin, „daß Objekte verschiedener Ordnung gleichzeitig zum Gegenstand der Untersuchung werden" (*Hummell* 1972, 13)[3]. Um jedoch der Intention zu entsprechen, molekulare Strukturen zu erkennen, sind nicht einzelne Merkmale der Einheiten verschiedener Ordnung nur isoliert und korrelativ zusammenzubringen, vielmehr sind Modelle „typischer Konstellationen" zu entwickeln. Dies beinhaltet eine multivariate Betrachtungsweise unter Zugrundlegung „profilanalytischer Konzeptionen" (vgl. *Schlosser* 1976)[4].

1.2. *Zur Bestimmung der Analyseebenen*

Eine Diskussion dessen, wie die verschiedenen „Ebenen" der sozial-ökologischen Sozialisationsforschung zu bestimmen seien, ist bisher nicht in der nötigen Intensität aufgenommen worden. Dies liegt zum einen wohl daran, daß Forscher durchaus schon recht zufrieden sein konnten, wenn sie „Zwei-Ebenen-Analysen" durchführten. Zumeist wurden dabei Individuen (als Einheiten 1. Ordnung) mit

Gegebenheiten und Merkmalen irgendeiner höheren Ordnung in Beziehung gesetzt, „ohne daß die letztere immer genau spezifiziert wird" (*Hummell* 1972, 14). Zum anderen liegt es auch daran, daß man nicht selten meinte, mit Hinweisen auf die „Mikro- und Makroebene" oder auch die „Mikro-, Meso- und Makroebene" weiterer theoretischer Überlegungen enthoben zu sein. Damit ist dem Theoriedefizit aber nicht beizukommen, solange die Ebenen nicht inhaltlich bestimmt und ihr Stellenwert im Sinne ihrer Bedeutung für den Sozialisationsprozeß geklärt ist. Die entscheidende Frage, die zu klären ist, hat *Bronfenbrenner* (1976) gestellt: „Welches sind die Parameter der sozialen Ökologie menschlicher Entwicklung?" (S. 203).

Ansetzen ließe sich zur Klärung dieser Frage bei Klassifikationen von Sozialisationsvariablen, wonach drei Ebenen zu unterscheiden sind[5]:

1. Sozio-ökonomische, sozio-kulturelle, sozio-ökologische Kontextbedingungen (Status, Milieu, Region).
2. Institutionen, etwa Familie oder Schule, wobei Struktur- und Interaktionsmerkmale interessieren, Systemvariablen und Persönlichkeitsvariablen herangezogen werden.
3. Kind: seine Dispositionen und Verhaltensweisen.

Diese noch recht einfache „Dreiteilung", die etwa auch *Bertram* (1976b) anbietet, indem er die Aggregatsebene (1), die Gruppenebene (2) und die Individualebene (3) unterscheidet, wird von *Bronfenbrenner* (1976, 203f.) in Beantwortung seiner selbstgestellten Frage nach den „Parametern einer sozialen Ökologie" weiter differenziert und in eine gerade für die regional ansetzende Sozialisationsforschung angemessenere Gliederung gebracht. Er unterscheidet drei sich überlagernde Schichten:

A: Die *unmittelbare Umgebung.* Dazu zählt er etwa Haus, Schule, Straße, Spielplatz etc. Dabei ist bei der Betrachtung dieser Ebene – wie auch bei der nächsten – die physische, die soziale und die Handlungsdimension zu beachten.

B. Als zweite, daran anschließende Schicht sieht er zwei Systeme allgemeiner Art:
   1. *Soziale Netzwerke,* womit er informelle soziale Strukturen meint, wie Kontakte mit Alterskameraden, Cliquen und Bekanntenkreise etc.
   2. *Institutionen:* formelle Einrichtungen oder Organisationen mit festgelegten Zielen, Strukturen und Regeln.

C. Die alltägliche Umgebung wie die übergreifende soziale Struktur sieht er umschlossen von einem *ideologischen System,* „das die sozialen Netzwerke, Institutionen, Rollen, Tätigkeiten und ihre Verbindungen mit Bedeutungen und Motiven ausstattet" (S. 204).

Folgen wir, wenn auch mit einigen Vorbehalten[6], der Unterscheidung Bronfenbrenners, so bezieht sich unsere vorliegende Untersuchung zentral auf die Klärung von Wechselwirkungen der Ebenen A und B, ermittelt für die im Untersuchungsgebiet ausgewiesenen Soziotope. Ein bedeutsamer Teil davon sind die „sozialen Netzwerke“ der dort lebenden Familien und ihrer Kinder, ihre Kontakte, Kommunikation und Partizipation. Ein besonderer Aspekt ist dabei das Verhältnis der beiden „Institutionen“ Familie und Kindergarten zueinander sowie die dabei sichtbar werdenden Momente „ideologischer Systeme“ (z.B. die Zuweisung sozialisatorischer Funktionen an Familie und Kindergarten).

1.3. *Zur Konzeptualisierung regionaler Umwelt*

Eine theoriegeleitete und zugleich detaillierte Umwelt-Erfassung ist bislang am häufigsten – und naheliegenderweise – für einzelne Institutionen versucht worden. In erster Linie für die Schule oder die Hochschule als Umwelt (vgl. *Walter* 1971; *Schreiner* 1973; *Dann et al.* 1975; *Fend* 1977) sowie für unterschiedliche Familienwelten und -konstellationen und schließlich auch für die Arbeitswelt, den Betrieb (vgl. *Lempert* 1977)[7]. Wo noch ein erhebliches Manko liegt, darauf hat bereits *Bronfenbrenner* (1976, 208) verwiesen: „. . . sind die derzeitigen theoretischen Überlegungen meist auf die ökologischen Systeme begrenzt, in denen sich das Kind selbst gerade aufhält (Familie, Vorschule, Schulklasse, Kameradengruppe usw.). Nur selten berücksichtigen sie die benachbarten oder übergreifenden Systeme, von denen faktisch abhängen kann, was sich in dem engeren unmittelbaren Rahmen abspielt und nicht abspielt.“

Diese Feststellung gilt insbesondere für den räumlich-regionalen Aspekt. Weder für die „Nachbarschaft“ gibt es Konzepte für „Typologien spezifischer Konstellationen“, noch sind solche für größere Regionen entwickelt worden[8]. Für jenen „Umweltausschnitt“, der zwischen der unmittelbaren Nachbarschaft und der umfassenden Stadt oder Region liegt, was also als Quartier, Viertel oder Kleingemeinde bezeichnet wird, dafür wurde, in Weiterführung amerikanischer Social-Area-Analysen, das Konzept der Soziotope entwickelt (vgl. *Arbeitsgruppe Umwelt-Taxonomie* 1973a; *Arbeitsgruppe Soziale Evaluation* 1973; *Bargel* 1976). Unter der Perspektive von Erfahrungs- und Problemsituationen, von Handlungsmöglichkeiten und Lebenschancen werden Wohngebiete nach ihrer Qualität für die Sozialisation von Kindern typisiert. Die einzelnen Soziotope (man denke an traditionelle Bauerndörfer, an städtische Mietwohnsiedlungen, an Villenviertel der Besitzenden und Gebildeten oder an die traditionellen Industriearbeiterviertel mit ihren Mietwohnblöcken) stellen Modelle dar, mittels derer sich konkrete Areale in den theoretischen Dimensionen von Lebenschancen (z. B. Bildungschancen) und Lebensstilen (z. B. Urbanität) verorten lassen. Damit sollen Lebenswelten unterschiedlicher sozialisatorischer Relevanz bestimmt und abgegrenzt werden.

1.4. *Themen und Aspekte des Beitrages*

Der Beitrag kann keinen Anspruch auf Vollständigkeit anstreben, sowohl was die Aufarbeitung des erhobenen eigenen empirischen Materials[9] als auch die Vertiefung der einzelnen Analyseansätze und die Abdeckung der komplexen Problemfelder betrifft. Es geht ihm um theoretische Überlegungen, analytische Konzepte und empirische Befunde zu ausgewählten, aber wichtigen Elementen einer sozial-ökologisch orientierten Sozialisationsforschung, die die bisherigen Diskussionen weiterführen und in gewissen Teilen empirisch fundieren können. Im Zentrum steht die Ausfüllung des Konzeptes der Soziotope als jeweils typische Konstellationen von räumlich abgegrenzten Lebensverhältnissen. Mit der Charakterisierung des Konzepts der Soziotope befaßt sich der zweite Abschnitt. Dem schließt sich im dritten Abschnitt eine erste Prüfung der Kennzeichnung der Soziotope anhand zweier Indikatoren aus den eigenen Befragungsdaten an: zum einen über den Bildungsaufstieg zwischen den Generationen, zum anderen über die Wohndauer (Seßhaftigkeit). Diesen Abschnitt abschließend wird dargestellt, wie die befragten Eltern die baulich-räumlichen Gegebenheiten ihres Wohngebietes und die soziale Zusammensetzung der Wohnbevölkerung nach ,,familienzyklischen Phasen" wahrnehmen.

In den nächsten beiden Abschnitten werden Momente der Lebensverhältnisse in den Soziotopen erkundet, die für die Sozialisation in unterschiedlichem Grade Gewicht erlangen können. Der vierte Abschnitt wendet sich den Lebensverhältnissen in der unmittelbaren Umgebung unter der Perspektive sozialer Disparitäten zu – eine theoretische Dimension, die in der Sozialisationsforschung intensiver aufgenommen werden sollte. Dabei wird erstens die infrastrukturelle Ausstattung im Bildungs- und Beratungsbereich nach ihrer Erreichbarkeit und Wichtigkeit im Urteil der Eltern behandelt, um darüber die familiale Situation beeinträchtigende Versorgungsdefizite zu bestimmen. Zweitens wird die Bewertung von Charakteristiken der Spielmöglichkeiten der Kinder (z. B. Sicherheit, Abwechslungsreichtum, nachbarliches Verständnis) herangezogen, weil damit ein weiterer wichtiger Teil ihrer Lebensqualität beleuchtet wird.

Im fünften Abschnitt werden Lebensverhältnisse in den Soziotopen unter der Perspektive ,,sozialer Netzwerke" aufgearbeitet. Ausgehend von Feststellungen über das Ausmaß der Kontakte zu Nachbarn, Verwandten, Bekannten, wird – bisherige Ansätze weiterführend – zudem der Stellenwert einzelner Gesprächsthemen (eigene Kinder, Kindergarten, Schule) in den jeweiligen Kontaktkreisen untersucht.

Um der Klärung der Qualität solcher Kontakte für die ,,Sozialisationsleistungen der Familie" einen Schritt näherzukommen, interessiert, an wen sich Eltern bei problematischen Situationen um Unterstützung wenden. Über den privaten Kontaktbereich hinaus ist die Teilnahme an öffentlichen Angelegenheiten für die Einbettung der Familie in ,,soziale Netzwerke" von großer Bedeutung; daher wird – diesen Abschnitt abschließend – untersucht, wie stark die Mütter und Väter in den einzelnen Soziotopen am lokalpolitischen Geschehen partizipieren.

Im sechsten Abschnitt beschäftigen wir uns mit der ,,Bildungsbeteiligung" und den ,,Bildungsaspirationen" in den Soziotopen[10]. Sie sind nicht nur wichtige Teile des Sozialisationsgeschehens, sondern zugleich bedeutsame Determinanten der zukünftigen Lebenschancen der Kinder. Freilich meint bei uns Bildungsbeteiligung nicht – wie meist üblich – ,,Besuch einer weiterführenden Schule", sondern ,,Besuch des Kindergartens"; und die Bildungsaspirationen der Eltern werden nicht anläßlich der Entscheidung für oder gegen eine weiterführende Schule erfaßt, sondern, vor aller schulischen Erfahrung mit ihrem Kind, ist das Maß dafür der Schulabschluß, den sie sich für ihr Kind wünschen.

Im Zuge unserer Darstellungen, die auf eine empirische Ausfüllung des Konzeptes der Soziotope unter Gesichtspunkten ihrer Beschreibung und ihrer analytischen Tragfähigkeit zentrieren, werden in den einzelnen Abschnitten zugleich Befunde versammelt, die zu einer differenzierten Aufklärung weithin kontrovers behandelter Fragestellungen beitragen können, wie

- die Frage nach der Verschränkung von vertikaler Ungleichheit und horizontaler Disparität in den Lebensverhältnissen der Einwohner verschiedener Gebiete (vgl. *Herlyn* 1974a; *Korte* 1978);
- die Frage nach der ,,Isolation der modernen Kernfamilie" und ihrer fehlenden Einbindung in Nachbarschaft und soziale Netzwerke (vgl. *Zweiter Familienbericht* 1975; *Fauser* 1978);
- die Frage nach den Einflüssen der Schichtzugehörigkeit und des Charakters von Wohngebieten auf Bildungsbeteiligung und Bildungsaspirationen, verbunden mit der Frage, bei welchen Sozialgruppen Kontexteffekte wirksam werden (vgl. *Eirmbter* 1977; *Fröhlich* 1978).

Damit der Charakter unserer Untersuchungen als ,,*Erkundungsarbeiten*" deutlich bleibt, damit nicht in Vergessenheit gerät, daß es sich um Untersuchungen an *ausgewählten Fallbeispielen* handelt, haben wir auf die Raffinesse besonderer statistischer Maße (z. B. für Zusammenhänge, Varianzen, Signifikanzen) verzichtet[11]. Das ist zugleich in gewissem Sinne demonstrativ gemeint: Die sozial-ökologisch orientierte Sozialisationsforschung bedarf für ihre weitere Entwicklung weniger statistischer Raffinessen, sie bedarf eher eines gründlicheren Nachdenkens, das zu besseren Konzepten führt, und einer genaueren und differenzierteren Beobachtung, die ihr zu einer besseren Empirie verhilft.

2. Das Konzept der Soziotope als Modell der Bestimmung sozialisationsrelevanter Areale

2.1. *Sozialräumliches Alltagswissen und sozial-ökologische Analyse*

Alltags-Erfahrungen und -Beobachtungen enthalten Beschreibungen und Bestimmungen sozial-räumlicher Strukturen und auch Behauptungen über ihre Wirkungen und Ursachen. Wer etwa mit der Bahn oder dem Auto durch die Bundesrepublik fährt, dem zeigen sich ganz verschiedene räumliche Bilder, die er gedanklich auch voneinander abhebt und anders benennt. Er sieht ,,ländliche Gebiete" mit ,,kleinen Dörfern" und ,,verstreuten Gehöften"; er kommt durch dichtbebaute ,,Ballungszentren der Industrie" mit ,,großen Fabrikanlagen"; er sieht jene ,,Neubauviertel" mit ,,mehrgeschossigen Betonmiethäusern" an den ,,Stadträndern". Auch wer einige Zeit an einem Ort wohnt, der weiß meist, wo das ,,vornehme Viertel" der ,,Villen und Bungalows" liegt, wo die ,,Mietkasernen" aus früheren Zeiten sind, wo die ,,Neubauten" des ,,sozialen Wohnungsbaues" hochgezogen wurden, und wo jene hausen, die ,,gescheitert, verarmt und verachtet" sind. Nicht selten haben diese verschiedenen Gegenden und Viertel ihre besonderen Namen. Aus der Alltagssprache sind etwa ,,rückständiges Kaff", ,,Arbeiterecke", ,,Proletenviertel", ,,Wohnblocksiedlung", aber auch ,,Villenviertel" oder ,,Honoratiorenhügel" anzuführen. In diesen Begriffen, die oft auch abschätzig gebraucht werden, drückt sich das Bewußtsein über soziale Segregation deutlich aus.

Ebenso ist es Bestandteil von Alltags-Vermutungen und -Überlegungen, daß es etwas ausmache, in welchem Ort oder Ortsteil man lebt. So werden Neubauviertel häufig als Hochburgen der ,,Vereinsamung" und der ,,grünen Witwen" gehalten, Kleinstädte gelten vielen als ,,provinziell" und Dörfer als ,,langweilig, wo nichts los sei". Handeln Alltagsgespräche von Kindern und ihrer Erziehung, so finden sich nicht selten Bezüge zu sozial-ökologischen Elementen von Vierteln und Wohngegenden: so wenn das Fehlen von Spielplätzen beklagt wird; wenn Eltern besorgt sind, weil der Weg zum Kindergarten über eine verkehrsreiche Straße führt; oder wenn sie bedauern, daß im Haus bzw. der Nachbarschaft kaum gleichaltrige Spielkameraden wohnen.

Diese Wahrnehmungen und Überlegungen zur Gestaltung und Organisation der sozialen und bebauten Umwelt haben Folgen für die dort jeweils Wohnenden und ihr soziales Handeln. Das zeigt sich, wenn Eltern darauf achten, daß ihre Kinder nicht mit Kindern aus einer schlechter angesehenen Siedlung spielen; wenn Lehrer ihre Schüler von vorneherein danach einschätzen, woher sie kommen; oder die Bewohner einer bestimmten Siedlung beim Umgang mit Behörden auf eine Ab-

lehnung wegen ihres Wohnortes stoßen (vgl. u. a. *Vaskovics* 1976). Diese Reaktionen weisen darauf hin, daß die Lebenslagen, die Entfaltungs- und Entwicklungschancen in Arealen jeweils ganz unterschiedlich sein können, und daß sie beachtet werden müssen, will man die Bedingungen, unter denen die Sozialisation von Kindern stattfindet, beschreiben und analysieren.
Die wissenschaftliche Analyse hat das, worauf solche Alltagserfahrungen, -einsichten und -reaktionen abzielen, systematisch zu bearbeiten. Die systematische Bearbeitung bezieht sich dabei auf mehrere Ebenen: auf die Begriffsbildung, auf die Gliederung des Raumes nach festgelegten Kriterien, auf die Theorien über Ursachen und Folgen räumlicher Strukturen und auf die empirischen Untersuchungen von Wirkungen und Wechselbeziehungen in räumlichen Einheiten. In ihrer Sprache heißt es dann, Viertel, Quartiere, Gemeinden und Regionen als sozial-ökologische Kontexte sozialen Verhaltens zu beschreiben, zu klassifizieren und zu untersuchen.
Sozial-ökologische Ansätze haben demnach als eine ihrer Hauptaufgaben die Gliederung des Raumes zu leisten; die zweite Hauptaufgabe besteht darin, nach den Folgen verschiedener sozial-ökologischer Kontexte für die Erfahrungen, das Verhalten und die sozialen Chancen der dort Lebenden – seien es Erwachsene oder Kinder – zu forschen. Es wird etwa nach den regionalen Bildungschancen von Kindern gefragt (vgl. *Peisert* 1967, *Kämpfe/Wunberg* 1973), es werden die sozial-ökologischen Bedingungen hoher Kriminalitätsraten untersucht (vgl. *Sack* 1972), den räumlichen Umweltbezügen der Förderung von Leistungsmotivation und Lernbereitschaft wird nachgegangen (vgl. *Heckhausen* 1968; *Vontobel* 1970; *Trudewind* 1975), oder es werden die Zusammenhänge zwischen Gemeindetypen und dem politischen Verhalten der Einwohner geklärt (vgl. *Pappi* 1970). In praktischer Anwendung können derartige Untersuchungsansätze die Wirkungen verschiedener sozialpolitischer Maßnahmen in Arealen und Quartieren analysieren (vgl. *Bronfenbrenner* 1973; *Herlth et al.* 1976).

2.2. *Die Bestimmung der Soziotope als Modelle und ihre Verortung in den Dimensionen von Lebenschancen und Lebensstil*

Klassifikationen von Sozialisationsvariablen – etwa bei *Hoffman/Lippitt* (1960), *Herrmann* (1969), *Lüdtke* (1971) – führen auf der Ebene der Kontextbedingungen des Sozialisationsgeschehens stets auch das „Wohnareal (Bauten)“ oder die „Wohngegend (Region)“ an. Deren Bedeutung für das Sozialisationsgeschehen wurde freilich jeweils nur punktuell und eher assoziativ beleuchtet. Offen blieb, wie denn Wohnumwelten – nenne man sie nun Areale, Quartiere, Wohngegend – zu bestimmen, von welchen Typmodellen auszugehen und wie Abgrenzungen festzulegen seien.

Die sozial-ökologische Sozialisationsforschung setzt aber die Bestimmung von Gebietseinheiten voraus, für die die interessierenden Bedingungen, Verläufe, Effekte und Folgen der Sozialisation erfaßt und analysiert werden sollen. Unbefriedigend bleiben Vorgehensweisen, die anhand „informierter Willkür“ oder „educated guesses“ aus der amtlichen Statistik einige Merkmale über Cluster-Analysen zu regionalen Gruppierungen zusammenfassen. Ebenso unangemessen erscheint es, nur bestehende Verwaltungseinheiten wie Länder, Regierungsbezirke, Kreise und Städte heranzuziehen, wenn die „alltägliche Umwelt“ klassifiziert und beschrieben werden soll. Schließlich ist auch die Heranziehung nur eines Merkmals unzureichend, es müssen vielmehr Typologien über mehrere Merkmale entwikkelt werden, die zunehmend aussagekräftiger werden (vgl. die Forderung von *Mollenhauer* 1968, 278).

Für großräumige Gebietseinheiten gibt es eine Vielzahl von Angeboten für die räumliche Rasterbildung, jedoch durchweg unter den Perspektiven der Raumplanung (*Bundesforschungsanstalt für Landeskunde und Raumordnung* 1976). Es mangelt noch an entsprechenden Anstrengungen hinsichtlich kleinräumiger Gebietseinheiten, die als „Areale“ bezeichnet werden sollen. Selbst dort, wo Gemeinden die kleinste Untersuchungseinheit bilden, sind sie für eine ganze Reihe von Fragestellungen und praktischen Interessen gerade zur Sozialisation und Bildung (z. B. innerstädtische Disparitäten, familiale Isolation, Bildungsbeteiligung an Kindergärten und Schulen, Verflechtung von Schule und Umfeld/Einzugsgebiet) ein zu grobes Raster, als daß von daher genaue und zutreffende Analysen, Prognosen und Programme zu erwarten wären.

Zur Bestimmung von Arealen, d. h. ihrer sozial-ökologischen Struktur unter sozialisatorischer Perspektive, ist das Konzept der Soziotope entwickelt worden. Unter Soziotopen sind abgrenzbare Gebietseinheiten (Areale, Quartiere, Kleingemeinden) zu verstehen, in denen jeweils spezifische Bündel von Bedingungen jeweils andersartige Grundmuster sozialer Situationen und Probleme erzeugen. Sie sind damit besondere Kontexte des sozialen Geschehens, insbesondere für Sozialisationsverläufe, Erziehungsprobleme und Bildungschancen. Sie liegen in der Größenordnung zwischen den unmittelbaren Nachbarschaften (vgl. *Hamm* 1973) und der übergreifenden Region/Stadt (vgl. *Peisert* 1967; *Thoss* 1976).

Ausgangspunkt für die Bildung der Soziotope ist die Frage: Konvergieren die Befunde sozialwissenschaftlicher Forschungen, die einen regionalen oder ökologischen Bezug aufweisen, überhaupt auf relativ eindeutige Modelle von Arealen (Soziotopen), und gestatten sie die Herstellung eines räumlichen Rasters verschiedener Erfahrungs- und Sozialisationskontexte?

Statt vorliegende Ausführungen zur Konzeptualisierung, Bestimmung und Operationalisierung der Soziotope hier wiederholend auszubreiten (vgl. dazu *Arbeitsgruppe Umwelt-Taxonomie* 1973a und 1973b; 1974; *Arbeitsgruppe Soziale Eva-*

luation 1973; *Bargel/Wunberg* 1975; *Bargel* 1976; *Bargel/Kuthe/Mundt* 1977 und 1978), mag es für das Verständnis im Zusammenhang dieses Beitrages hinreichen, sich auf einige kürzere Hinweise zu beschränken[12]. Ausgangspunkt der Konzeptualisierung waren Untersuchungen zur sozialen Schichtung in verschiedenen Gemeinden (vgl. *Bolte* 1963), zur regionalen Struktur der Bildungsbeteiligung (*Peisert* 1967), zur sozial-ökologischen Abhängigkeit der Genese des Lern- und Leistungsmotivs (vgl. *Heckhausen* 1966 und 1968), zum Verhältnis von Elternhaus und Schule (vgl. *Kob* 1963), zur politischen Kultur in Gemeinden verschiedener Größe (vgl. *Pappi* 1970) sowie auch jene vielen Erhebungen und Berichte zur „schichtspezifischen Sozialisation" (vgl. *Oevermann* 1968; *Gottschalch et al.* 1971). Andere wichtige Grundlagen waren Versuche der Typisierung von Gemeinden und Städten mit Hilfe statistischer Daten (vgl. *Braun* 1968) und Befunde von Untersuchungen zur sozialen Situation von Familien in der Stadt und auf dem Lande (vgl. *Pfeil* 1970; *Planck* 1970). Schließlich wurden Anregungen und Hinweise auch entnommen aus jenen Beiträgen, die sich mit dem Verhältnis von räumlicher Umwelt und sozialem Handeln auseinandersetzten (vgl. *Bahrdt* 1974).
Die Zusammensetzung der Befunde und Hinweise aus der sozialwissenschaftlichen Literatur – bei ihrem damaligen Forschungsstand in durchaus vorläufiger Form – ergab zehn solcher Soziotope, für die angenommen wurde, daß sie jeweils spezifische „Sozialisationswelten" auf der kleinräumlichen Ebene darstellen. Sie wurden folgendermaßen benannt:

- Traditionelle Bauerngemeinde,
- Arbeiterpendlergemeinde,
- Industrialisierte Landgemeinde,
- Verstädterndes Wohndorf,
- Kleinstadt; städtischer Vorortkern,
- Areal sozialer Randgruppen (z. B. Ausländer),
- Traditionelles Industriearbeiterviertel,
- Wohnviertel „moderner" Arbeiterschaft,
- Städtische Mietwohn-/Trabantensiedlung,
- Viertel von Besitz und Bildung.

Aufgrund der eigenen empirischen Arbeiten zur Typisierung von Gebieten (Landkreis Konstanz, Stadt Berlin, Region Nordhessen) wurde diese Reihe der Soziotope um fünf weitere ergänzt[13]:

- Ländliche Pendlergemeinde,
- Gewerbliche Landgemeinde,
- Kleinbürgerliches Angestellten-/Arbeiterviertel,
- Wohnviertel der gehobenen Mittelklasse,
- Innerstädtischer Cityring.

Die Reihenfolge dieses Rasters der Soziotope orientiert sich an mehreren Aspekten. Erstens am Ausmaß der allgemeinen Privilegierung und Nicht-Privilegierung in ihnen lebender Familien und Kinder. Unterprivilegierte Kinder sind vor allem in den Arealen sozialer Randgruppen, traditioneller Industriearbeiterschaft und in traditionellen ländlichen Bauerngemeinden zu finden, während aufgrund ihrer sozialen Herkunft privilegierte Kinder vor allem im städtischen Viertel von Besitz und Bildung, zu großen Teilen auch im verstädternden Wohndorf leben. Zweitens im besonderen an der Bildungsbeteiligung und den Bildungschancen, die für Kinder solcher Areale festgestellt werden: Dabei ist die Bildungsbeteiligung weit unter dem Durchschnitt in den traditionellen ländlichen Bauerngemeinden, den ländlichen Pendlergemeinden, den städtischen traditionellen Industriearbeitervierteln; relativ gering zudem in den industrialisierten Landgemeinden sowie den Wohnvierteln „moderner" Arbeiterschaft. Drittens an der Distanz oder Nähe zu den Normen und Bedingungen der gegenwärtigen Schule, in der Kinder dieser Areale stehen, sei es in bezug auf Sprach- und Kommunikationsverhalten, sei es in bezug auf Leistungsbereitschaft und Lernmotivationen oder sei es in bezug auf erwartete Verkehrsformen und das Rollenhandeln als „Schüler". Hinsichtlich aller drei genannten Aspekte handelt es sich bei der Reihe der Soziotope um jeweils „ordinale" Rangstufen. Das gilt auch für den vierten wichtigen Aspekt, jenem ihrer Verstädterung bzw. Urbanität. In Anknüpfung an die traditionelle Gemeindeforschung, die Stadt und Land gegenüberstellte, wurde zwar nach wie vor von einer „Stadt-Land-Dichotomie" ausgegangen, doch mit der Ausdifferenzierung der Soziotope von der traditionellen Bauerngemeinde über die industrialisierte Landgemeinde und das verstädternde Wohndorf zur Kleinstadt und den verschiedenen städtischen Soziotopen hin wurde der These vom „Stadt-Land-Kontinuum" (vgl. *Aschenbrenner/Kappe* 1965) in ebenfalls ordinaler Weise Rechnung getragen.
Damit ist jedoch nicht impliziert, daß über die genannten Aspekte hinaus auch immer eine entsprechende Reihenfolge für die allgemeine Problematik der Lebenssituation der Kinder angezeigt ist. Sicherlich ist sie im Areal sozialer Randgruppen (jener von der Gesellschaft „sozial Verachteten"), wo – dadurch selbst mitbedingt – ein desorientierender und desintegrativer Sozialisationstyp vorherrscht (vgl. *Gottschalch et al.* 1971, 162), insgesamt besonders problematisch. Aber die Problematik der Lebenssituation ist gerade in jedem Areal anders in seiner Qualität, d. h. es handelt sich für die Kinder und Jugendlichen um jeweils „kategorial" andere Bedingungskontexte und Situationsmuster. So können in den städtischen kleinbürgerlichen Mietwohnsiedlungen die vorherrschenden Normen der Anpassung, Ordnung und des formalen Leistungsdrucks gerade für Kinder bedeutsame Schwierigkeiten für ihre autonome Entwicklung verursachen. In großstädtischen Arbeitervierteln kann der Anregungsgehalt der Sachumwelt wie der familialen Kommunikation wenig förderlich sein, sie sogar in ihrer Ent-

faltung hemmen. Bei Landkindern wiederum kann die Ferne zu modernen, zivilen Dienstleistungen wie Schulen, Krankenhäusern, Behörden ein langfristig wirksames Defizit in den Umgangsmöglichkeiten mit solchen Institutionen bewirken.

Die beiden Grundkoordinaten, in denen sich die Lage der Soziotope verorten läßt, sind die theoretischen Dimensionen der Lebenschancen (speziell: Bildungschancen) und der Lebensstile (speziell: Urbanität). Die Wahl dieser Grundkoordinaten wird nicht nur aus theoretischen Ableitungen nahegelegt (vgl. *Shevky/Bell* 1955; *Herlyn* 1974a), sondern auch die verschiedensten faktor-ökologischen Studien über Städte, Stadtteile und Landgebiete legen dies nahe (vgl. die Übersicht bei *Friedrichs* 1977, 186f.; neuere einzelne Arbeiten *Nake-Mann/Neumann* 1976; *Mischke* 1976; *Bargel/Bongers/Günther/Kuthe/Nagl* 1978). Die Begrifflichkeit und das Verständnis ihrer analytischen Trennung wie ihres empirischen Zusammenspiels geht auf M. Weber zurück (vgl. *Weber* 1964). Der Begriff der Lebenschance verweist dabei auf das materiale und situative Substrat der Lebenslage und der Kultur; er umfaßt die Begrenzungen und Möglichkeiten sozialen Handelns aufgrund dieser Lage. Zentrales Moment dafür sind die gesellschaftlichen Machtverteilungen und Herrschaftsstrukturen. Unmittelbar verknüpft mit dieser theoretischen Dimension der Lebenschancen sind daher die Kategorien der Macht, der Privilegierung und – auf der Ebene sozialen Handelns – des Interesses (Habermas nennt entsprechendes Handeln „strategisches Handeln"; vgl. *Habermas/Luhmann* 1971). Unterhalb des sehr abstrakten Konzepts der Lebenschancen sind konkretere Bereiche festzuhalten wie der Bereich der Partizipationschancen, der Bildungschancen, der Gratifikationschancen etc. Der Begriff des Lebensstils verweist demgegenüber auf jene Momente der „Ordnung" bzw. „Strukturierung" einer Situation und des sozialen Handelns, die durch kulturelle und ideologische Vorstellungen, normative Regeln und Systeme („Systeme der Lebensführung") bestimmt sind. In der neueren Soziologie kommt die Kategorie der „sozialen Rolle" dem Gemeinten am nächsten. Unmittelbar verknüpft mit dieser theoretischen Dimension sind die Kategorien der Kultur, der Werte und – auf der Ebene sozialen Handelns – der Normen. Auch der sehr abstrakte Begriff des Lebensstils bleibt inhaltlich auszufüllen: z. B. Stile hinsichtlich Kontakt und Kommunikation, hinsichtlich personaler und familialer Selbstdarstellung, hinsichtlich religiöser Motive und Ziele und auch hinsichtlich städtischer und ländlicher Kulturen. Im Begriff der „Ideologie" schließlich, verstanden als die explizite oder implizite Rechtfertigung der eigenen Lebenschancen und Interessen im Medium des Lebensstils, der Werte und Normen, wird die Verbindung dieser beiden Dimensionen geleistet.

Die Lage der Soziotope in den beiden Grundkoordinaten der Lebenschancen (zentral: Bildungschancen) und des Lebensstils (zentral: Urbanität) zeigt die Ab-

Abbildung 1: Die Soziotope in den theoretischen Koordinaten von Lebenschancen und Lebensstil

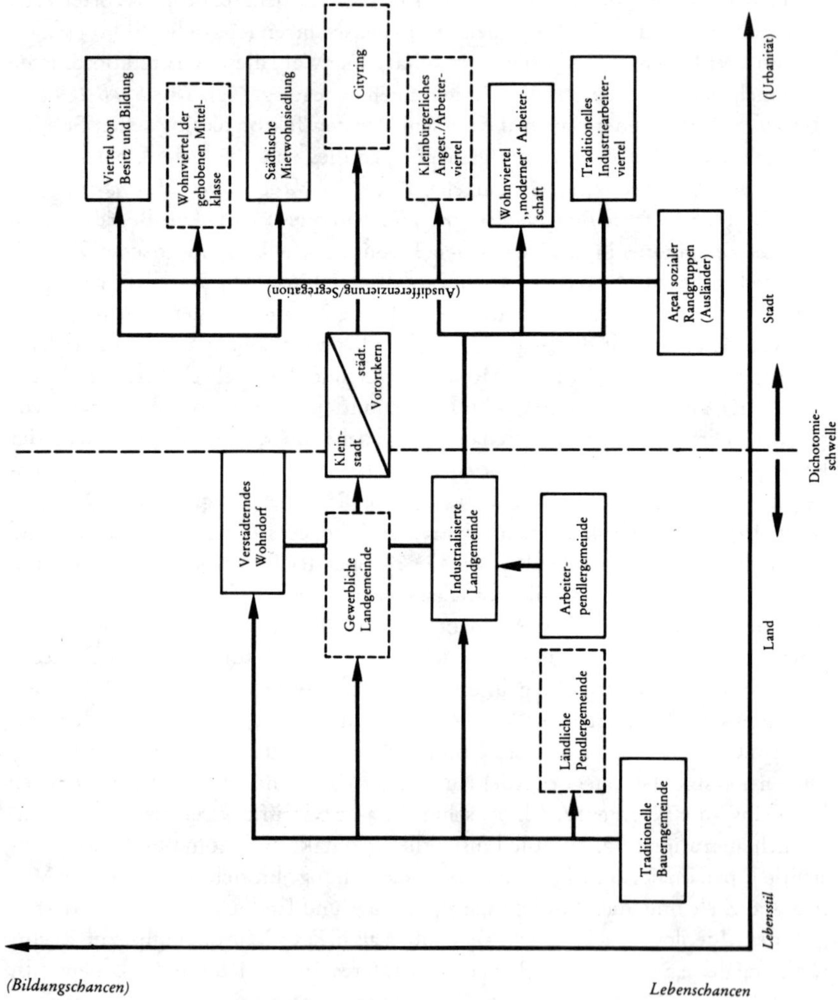

bildung 1 (entnommen aus *Bargel/Kuthe/Mundt* 1978, 47; vgl. auch *Bargel* 1976, 24). Festzuhalten ist, daß die Soziotope als hypothetische Modelle „reiner Fälle“ zu gelten haben (vgl. *Galtung* 1967, 16 und 505). Damit ist gerade nicht ein „Idealtyp“ im Sinne von konstruierter Überzeichnung gemeint, der in der Realität so gar nicht vorkommt. Verbunden sind damit auch nicht irgendwelche Vorstellungen von der Einmaligkeit oder Besonderheit des Gegenstandes. Vielmehr sind reine Fälle in der Wirklichkeit vorhandene Gegenstände oder Vorkommnisse. Galtung beklagt zu Recht, daß der Sozialwissenschaftler (im Unterschied zu Biologen und Chemikern) „often does not have a pure case concept in mind, not to mention any method to approximate it operationally“ (S. 505).
Soziotope dienen der Bestimmung und Typisierung vorfindlicher Einheiten (z. B. schulische Einzugsbereiche, Stadtteile) oder zu bildender Einheiten (z. B. über die Aggregierung von Wohnblock- oder Individualdaten). Sie sollen anhand von bestimmten Mustern von Merkmalsausprägungen, die theoretisch zu gewinnen sind, auszumachen sein. Das Konzept der Soziotope ist nicht statisch zu verstehen: die einzelnen Modelle halten charakteristische Stufen in einer dynamischen Entwicklung fest, sie sind nicht bloße „Merkmalskombinationen“. Sie berücksichtigen – zum Teil ist das bereits in die Benennung eingegangen –, daß bei wirtschaftlicher Entwicklung (z. B. Industrialisierung), bei sozialen Trends und Mobilitäten (z. B. Berufsaufgabe der bäuerlichen Bevölkerung, Umzug städtischer Bevölkerung in stadtnahe Dörfer; Immigration ausländischer Bevölkerungsgruppen) Veränderungen vor sich gehen. Die Achsen der Veränderung sind die beiden zentralen theoretischen Dimensionen von Lebenschancen (Bildungschancen) und Lebensstilen (Urbanität). Die mögliche Entwicklung von Gemeinden oder Arealen, die dazu führen kann, daß sie einen anderen Soziotop repräsentieren, ist in der Abbildung 1 durch die eingetragenen Pfeile angedeutet: diese meinen die größte normale Transformationschance für ein Areal. Die Soziotope sind im Zuge dieser ständigen Entwicklung charakteristische sozialökologische Zustände von sozialisatorischer Relevanz: die Modelle sollen diese abbilden. Es wird davon ausgegangen, daß in der Realität eine Vielzahl von Arealen und Kleingemeinden diesen Modellen entspricht oder gleiche Strukturen aufweist. Weil aber der Übergang von einem Soziotop zu einem anderen fließend ist und die Phase der Transformation nur selten abrupt erfolgt, ist auch zu erwarten, daß es für manche Areale schwierig sein wird, sie einem Soziotop zuzuordnen. Die spezielle Abweichung vom „reinen Fall“ bleibt dann festzuhalten. Unabhängig ob das gelingt, wird es aber stets möglich sein, das Areal in den Koordinaten von Bildungschancen und Urbanität zu verorten. Damit kann das Verhältnis von „Modell-Arealen“ und „Nicht-Modell-Arealen“ selbst etwas über die Realität in einer Region oder Stadt aussagen, freilich auch etwas über die Qualität der Modellbildung und die Auswahl der Indikatoren. Auf den „Umschlagplatz“ der Kleinstadt/dem städtischen Vorort in diesem

Koordinatensystem ist noch hinzuweisen. In ihm münden die von der ländlichen Tradition ausgehenden Entwicklungen, obwohl auch eine direkte Transformation in städtische Soziotope vorkommt (wie die Pfeile signalisieren sollen). Wächst nun eine Kleinstadt in ihrem Umfang zu einer Stadt, treten bereits angelegte soziale Ausdifferenzierungen in größerem Umfang auf. Sie gehen mit der sozialen Segregation verschiedener sozialer Bevölkerungskreise einher. Die dann entstehenden Areale sind zwar alle als städtische Soziotope zu qualifizieren, aber die Lebenschancen ihrer jeweiligen Einwohner sind sehr unterschiedlich. Dies begründet theoretisch, warum in der Stadt zur Bestimmung der Areale als Soziotope andere Indikatorenreihen herangezogen werden müssen: Indikatoren, die relativ leicht Verortungen auf der Achse der Urbanität anzeigen, können entfallen; dafür sind Indikatoren für die Lage auf der Dimension der Lebenschancen differenzierter zu benutzen, damit zwischen den verschiedenen sozialisationsrelevanten Arealtypen diskriminiert werden kann.

2.3. *Die Indizierung der Soziotope über Mehrkmalsprofile statistischer Daten*

Um für die Auswahl von Untersuchungsgebieten, die Standortbestimmung von Bildungseinrichtungen und für Aufgaben der Evaluation pädagogischer Programme anwendbar zu sein, war zu prüfen, inwieweit die Soziotope über einfache Merkmalssyndrome zu indizieren sind. Dazu sind möglichst tragfähige Merkmale aus der amtlichen Statistik auszuwählen und zu theoretischen Merkmalsprofilen für die einzelnen Soziotope zusammenzustellen (vgl. *Bargel* 1976; *Bargel/Kuthe/Mundt* 1978).

Neben der Indizierung eines allgemeinen ,,Mehr oder Weniger" an Urbanität (etwa über den Indikator der nicht-landwirtschaftlichen Bevölkerungsanteile) oder unterschiedlich hoher Bildungschancen (z. B. über den Indikator des weiterführenden Schulbesuchs der 16- bis 19jährigen oder auch des Anteils von Einwohnern mit höheren Schulabschlüssen), mußte es darauf ankommen, jene charakteristischen Zustände der Entwicklung von Arealen festzuhalten, die für die Sozialisation in ihnen lebender Kinder bedeutungsvoll sind. Deshalb müssen die Soziotope in ihrer inhaltlichen Bestimmung komplexer sein, d. h. auf der Ebene der Indikatoren: sie müssen durch umfassendere ,,molekulare" Merkmalssyndrome indiziert werden.

Aus der Gegenüberstellung von Forschungsergebnissen über Merkmale von Arealen und Regionen, die für die Sozialisation relevant sind, und jenen Daten, welche die amtliche Statistik hervorbringt und veröffentlicht, wurde ein Aufbau der Merkmalselemente für die Indizierung sozial-ökologischer Gebietseinheiten hergestellt. Dabei ist der Wert der einzelnen Variablen für die Indizierung differenter

Sozialisationsverhältnisse unterschiedlich zu veranschlagen: von zentraler Bedeutung sind Variablen des „sozio-ökonomischen Bereichs“ (z. B. Betriebsformen; Arbeitsstätten; berufliche Stellung; Pendlerzahlen; Einkommen/Löhne) und des „sozio-kulturellen Bereichs“ (z. B. Haushaltstypen; Bildungsqualifikationen; Bildungsbeteiligung; Konfession).

Drei Erläuterungen zur Variablenauswahl und der damit zu leistenden Indizierung von Soziotopen sind zu geben:

1. Die Soziotope sind jeweils durch das Muster der interessierenden Merkmalsausprägungen indiziert. Nicht nur der Wert einer oder aller Variablen ist das Entscheidende, sondern das Profil über diese Variablen. Wichtigkeit und Vorteile solcher Bestimmungen und Analyseansätze hat *Schlosser* (1976) herausgehoben. Daher können die Soziotope in einzelnen Indikatoren durchaus übereinstimmen, d. h. sie müssen sich nicht unbedingt in allen Merkmalen unterscheiden. Aber ihr Merkmalsprofil muß einen charakteristisch anderen Verlauf haben. Das kann sowohl eine reine Parallelverschiebung sein als auch – was wahrscheinlich ist – zu einem mehr oder weniger stark abgewandelten Profilverlauf führen.

2. Es ist nicht nötig, einen Soziotop immer mit dem ganzen Satz der Merkmale zu bestimmen, wie es ebenso nicht nötig ist, alle Soziotope durch die gleichen Merkmale zu charakterisieren. So ist das Merkmal der Pendler für die Kennzeichnung der städtischen Soziotope irrelevant, während es zur Differenzierung der ländlichen Areale wichtig wird. Deshalb sind es in Teilen jeweils unterschiedliche Merkmalsgruppen, die für die Bestimmung ländlicher und städtischer Soziotope herangezogen wurden. Übergreifend sind es Merkmale zur Kennzeichnung der Größe (Bevölkerungszahl, Dichte) und der Sozialstruktur der Areale (Anteile von Arbeitern, Angestellten, Beamten und Selbständigen an den Erwerbstätigen). Zur Typisierung ländlicher Gemeinden kommen die Anteile der landwirtschaftlich Erwerbstätigen, der Ein- und Auspendler sowie die Quoten der Bevölkerungsentwicklung hinzu. Bei städtischen Gebieten ist der Ausländeranteil und zur Differenzierung unterschiedlicher Statusgruppen, insbesondere unter den Beamten und Angestellten sowie der Arbeiterschaft, die Anteile von allgemein oder fachlich besser Qualifizierten an diesen Merkmalsgruppen auszuweisen. Über diese Verfeinerung der Merkmale anhand von Merkmalskombinationen können die Gebiete genauer bestimmt und im Schema der Soziotope verortet werden. Allerdings sind nicht immer alle Daten für die zu untersuchenden Gebietseinheiten erhältlich, so daß oft nicht mit allen ausgewählten Merkmalen oder dem optimalen Merkmalssatz gearbeitet werden kann (auf die Merkmalsauswahl und Probleme der Datenbeschaffung sind wir ausführlicher eingegangen in *Bargel/Kuthe/Mundt* 1977, 1978).

3. Bei der Typisierung von Stadtvierteln oder Kleingemeinden können nicht stets – wie bereits ausgeführt – „reine Fälle“ unterstellt werden; sondern es ist mit einer

Reihe von Arealen zu rechnen, die sich in der Transformationsphase von einem Soziotop in einen anderen befinden. Dies kann in ländlichen Gebieten durch Prozesse der Verstädterung, in städtischen Gebieten durch Prozesse einer neuen „sozialen Sortierung" der Bevölkerung (vgl. *Humpert/Oehm* 1974) geschehen. Bei der Indizierung über Merkmalsmuster statistischer Daten schlägt sich das in einzelnen Abweichungen vom „reinen Fall" nieder (z. B. überhöhter Akademikeranteil in einer ländlichen Gemeinde; überhöhte Anteile landwirtschaftlicher Bevölkerung in einem städtischen Arbeiterviertel; überhöhter Ausländeranteil in einem kleinbürgerlichen Angestellten-/Arbeiterviertel).

Welche Merkmale der Bestimmung der Soziotope im Untersuchungsgebiet, über das in diesem Beitrag berichtet wird, zugrunde gelegt wurden, das wird im 3. Abschnitt, insbesondere in der Abbildung 2 zum Merkmalsprofil der Soziotope, dargelegt. Die Bestimmung der in einer Untersuchung berücksichtigten Gebiete erfolgt dann in drei Schritten:

1. Die ausgewählten Merkmale werden einer Faktorenanalyse unterzogen, um vorhandene Redundanzen zu eliminieren; die weitere Gruppierung kann sich dann auf die Hauptkomponenten-Scores oder auf jene Variablen mit den höchsten Ladungen bei den gewonnenen Faktoren stützen.
2. Die Feststellung der Ähnlichkeit der Gebietseinheiten untereinander über alle Merkmale erfolgt durch Verfahren der Clusteranalyse. Für die entstandenen Gruppierungen werden die Mittelwertsprofile für die Ursprungswerte gebildet.
3. Anhand der Mittelwertsprofile wird die Typisierung vorgenommen, indem deren Verlauf nach der Übereinstimmung mit dem theoretischen Profilverlauf der Soziotope als Modelle verglichen wird. Je nach Übereinstimmung oder Abweichung im einzelnen erfolgt die Klassifizierung.

Ist die Zahl der berücksichtigten Gebietseinheiten nicht allzu groß (n kleiner 200) und liegen keine Datenverarbeitungsprogramme vor, dann ist es durchaus möglich, mittels der Modell-Schablone für die theoretischen Merkmalsprofile die Zuordnung vorzunehmen, indem man den Profilverlauf der Ursprungswerte für die einzelnen Gemeinden unmittelbar damit vergleicht und die entsprechende Zuordnung vornimmt (vgl. *Bargel* 1976). Bei der Gruppierung und Klassifizierung der Gebietseinheiten in der Untersuchungsregion Nordhessen ist dieser Weg eingeschlagen worden, da deren Zahl bei N = 67 liegt.

3. Zur Beschreibung der Soziotope im Untersuchungsgebiet

3.1. *Die Bestimmung der Soziotope*

Das Untersuchungsgebiet ist ein ehemaliger Landkreis und zwei ausgewählte Stadtteile einer Großstadt Nordhessens.
Die Charakterisierung der „Kleinstadt" und der beiden städtischen Soziotope als „Viertel von Besitz und Bildung" und „Mietwohnsiedlung" erfolgte aufgrund der unmittelbaren Kenntnis der jeweiligen Gebiete, weil keine verwendbaren statistischen Unterlagen für die Städte vorlagen. Wie im weiteren zu sehen sein wird, bestätigen die Angaben der befragten Eltern diese Zuordnungen.
In den ländlichen Gebieten waren 67 Gemeinden, mit einer Einwohnerzahl von 38 bis 2467, zu typisieren. Das geschah anhand von jenen sieben Merkmalen, die in der Abbildung 2 aufgeführt sind. Aufgrund der Merkmalsprofile wurden die Gemeinden vier Soziotopen zugeordnet:

- 15 Gemeinden dem „Traditionellen Bauerndorf",
- 12 Gemeinden der „Ländlichen Pendlergemeinde",
- 28 Gemeinden der „Arbeiterpendlergemeinde",
- 12 Gemeinden der „Industrialisierten Landgemeinde".

In der Abbildung 2 sind die Mittelwertprofile dieser vier Typgruppen (untransformiert) aufgezeichnet. Dabei sind auch die „Schwellenwerte" zur Trennung zwischen niedrigen, mittleren und hohen Anteilen der einzelnen Merkmale angeführt. In die Kästchen der Profilverläufe sind die jeweiligen Durchschnitte der zu einem Typ gruppierten Gemeinden eingetragen.
Aufgrund der geringen Einwohnerzahlen der „Traditionellen Bauerndörfer" und der „Ländlichen Pendlergemeinden" wurden diese beiden Soziotope zusammengefaßt, zumal diese beiden Typen entsprechend der theoretischen Verortung und dem Profilverlauf als am ähnlichsten anzusehen sind. Sie werden daher in den weiteren Untersuchungen unter dem Begriff der „Traditionell ländlichen Kleingemeinden" geführt.
In unserem Untersuchungsgebiet sind demnach sieben der insgesamt 15 als Modell aufgestellten Soziotope vorhanden. Sie stellen einen diagonalen Schnitt durch das Schema der Soziotope dar (vgl. Abbildung 1): von den „Traditionellen Bauerngemeinden" über die Kleinstadt bis zum städtischen „Viertel von Besitz und Bildung". Angesichts dieser Auswahl ist darauf hinzuweisen, daß für die städtischen Gebiete gerade nicht solche Soziotope repräsentiert sind, die unter der Perspektive sozialer Ungleichheit unterprivilegiert und situativ depriviert sind[14]. Dies ist bei der Beurteilung einzelner Ergebnisse (z. B. zur Qualität der Spielsituation; zu den

Abbildung 2: Merkmalsprofile der untersuchten ländlichen Soziotope

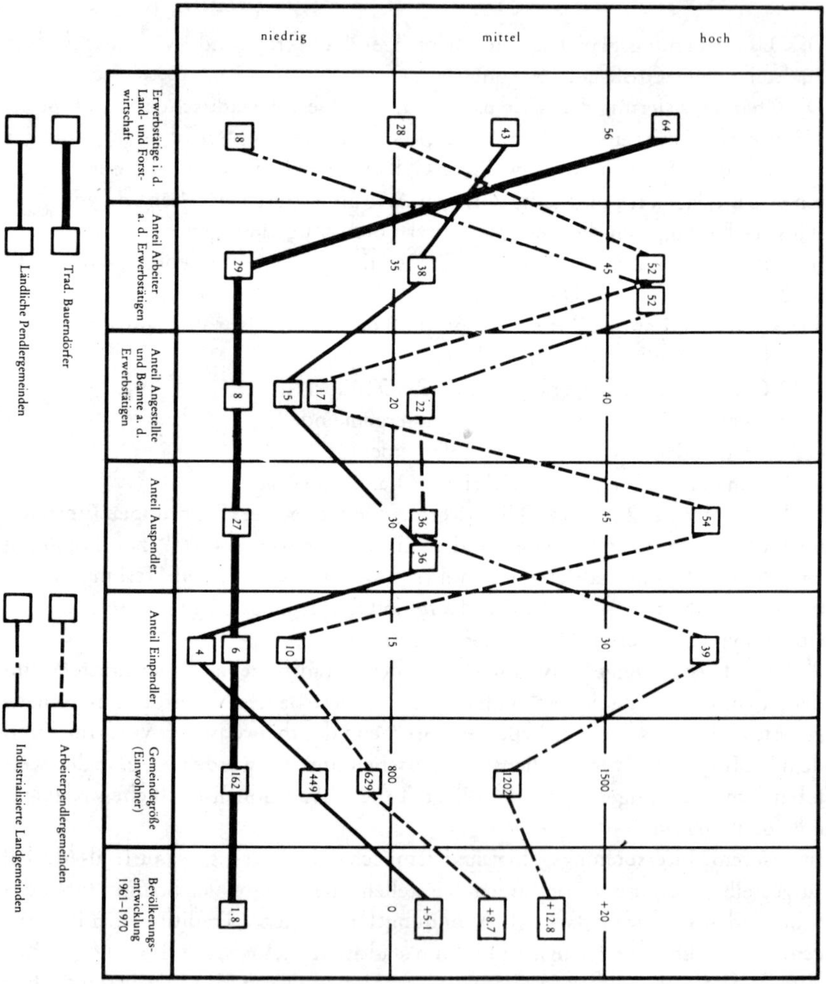

Bildungsaspirationen) zu berücksichtigen: Sie spiegeln weder die mögliche Spannweite der ökologischen und sozialen Rahmenbedingungen von Sozialisation wider, noch erlauben sie eine Verallgemeinerung der Befunde. Die Ergebnisse können nur eine „typologische Repräsentativität" für die in der Untersuchung berücksichtigten Fallbeispiele beanspruchen – freilich bedürfen auch sie weiterer Replikationen, um erhärtet zu werden.
Eine Befragung von Eltern fand im Herbst 1977 statt. Alle Eltern in dem beschriebenen Gebiet, die ein Kind im Vorschulalter hatten (= zwischen 3 und 6 Jahre alt), wurden gebeten, an der schriftlichen Befragung teilzunehmen. Von den insgesamt ca. 2000 angeschriebenen Eltern antworteten 1193 (60 %). Sie verteilen sich wie folgt auf die Soziotope:

- 143 Eltern wohnen in traditionell ländlichen Kleingemeinden: Orte mit hohem Anteil landwirtschaftlicher Bevölkerung, geringer Bevölkerungsgröße und -entwicklung;
- 380 Eltern wohnen in ländlichen Arbeiterpendlergemeinden: kleine Orte in ländlichen Regionen mit höherem Arbeiteranteil und vielen Auspendlern;
- 265 Eltern wohnen in industrialisierten Landgemeinden: Landgemeinden mit zunehmender Industrie- und Gewerbeansiedlung, höheren Einpendleranteilen und mit wachsender Bevölkerungsgröße;
- 181 Eltern wohnen in der Kleinstadt: ein Ort mit einer Einwohnerzahl zwischen 5000 und 20000, mit überörtlichen Funktionen in Verwaltung und Dienstleistung und mit heterogener Sozialstruktur;
- 137 Eltern wohnen in der städtischen Mietwohnsiedlung: Quartier neuerer Mietwohnblöcke, bewohnt von meist besser qualifizierten Arbeitern und einfachen und mittleren Angestellten;
- 87 Eltern wohnen im städtischen Viertel von Besitz und Bildung: Quartier mit Angehörigen besserer beruflicher Positionen mit hoher Qualifikation.

Welchen Sozialgruppen die befragten Eltern in den Soziotopen angehören, ist als erstes zu bestimmen, weil in Analysen zur sozial-ökologischen Abhängigkeit von Einstellungen, Bildungserwartungen oder Bildungsbeteiligungen naheliegenderweise gefragt wird, ob Unterschiede, die zwischen Gebietseinheiten sichtbar werden, nicht einfach dadurch zustande gekommen sind, weil dort im sozio-ökonomischen Status unterschiedliche Bevölkerungsgruppen leben. Die analytische Fragestellung lautet dann: Verhalten sich die Angehörigen einer Sozialgruppe oder -schicht in den unterschiedlich charakterisierten Gebietseinheiten (Soziotopen) jeweils gleich oder verhalten sie sich anders, je nachdem wo sie wohnen? D. h. liegen Einflüsse aufgrund der Verhältnisse in der Gebietseinheit vor (soziale Vermischung, Kontakte, ökologische Merkmale wie Standortentfernung und sozialgruppenspezifische Reaktion darauf)?

Um diese Fragen beantworten zu können, wurden die befragten Eltern drei Sozialgruppen zugeordnet:

- Die obere Sozialgruppe setzt sich aus freiberuflich Tätigen, Beamten des gehobenen und höheren Dienstes und aus leitenden Angestellten zusammen;
- die mittlere Sozialgruppe umfaßt einfache Angestellte, Beamte des mittleren und einfachen Dienstes sowie kleinere Selbständige, Landwirte und auch Werkmeister/Vorarbeiter;
- in der unteren Sozialgruppe sind die gelernten und ungelernten Arbeiter sowie die Facharbeiter zusammengefaßt.

Wir verstehen diese Zusammenfassungen im Sinne von *Hummell* (1972) als „soziale Aggregate" und implizieren damit noch nicht eine soziale Kategorie oder Netzwerke im Sinne von Schichten oder Klassen.

Die Verteilung der befragten Eltern nach ihrem sozio-ökonomischen Status in den Soziotopen bestätigt deren Typisierung, wie sie anhand statistischer Daten bzw. unmittelbarer Kenntnis vorgenommen wurde (vgl. Tabelle 1).

Tabelle 1: Die soziale Zusammensetzung der befragten Eltern in den Soziotopen (Angaben in v. H.)

	Sozialgruppe		
Soziotop	*obere*	*mittlere*	*untere*
ländliche Gebiete			
– traditionell ländliche Kleingemeinden	17	48	35
– Arbeiterpendlergemeinden	13	41	46
– industrialisierte Landgemeinden	22	41	37
Kleinstadt	38	38	24
städtische Gebiete			
– Mietwohnsiedlung	23	44	32
– Viertel von Besitz und Bildung	65	32	4

In den traditionell ländlichen Kleingemeinden dominiert die mittlere Sozialgruppe, die auch die Landwirte umfaßt; entsprechend sind in den Arbeiterpendlergemeinden die Arbeiter stärker vertreten. In beiden Soziotopen gibt es relativ wenig Angehörige der oberen Sozialgruppe.

Die Kleinstadt zeigt eine ausgeprägte Heterogenität. Die homogenste Gruppe bilden die befragten Familien im städtischen Viertel von Besitz und Bildung, die zu zwei Dritteln der oberen Sozialgruppe angehören. Arbeiter gibt es hier so gut wie keine.

Am ähnlichsten nach der sozialen Zusammensetzung sind sich die industrialisierten Landgemeinden und die städtische Mietwohnsiedlung, in denen jeweils die mittlere Sozialgruppe bei gleichzeitig vergleichsweise hohen Anteilen von Arbeitern dominiert. Die obere Sozialgruppe ist zwar häufiger vertreten als in den übrigen Landgemeinden, aber dennoch deutlich geringer als in der Kleinstadt.

3.2. *Die empirische Verortung der Soziotope in den Koordinaten von Urbanität und Bildungschancen*

Um die Gültigkeit des Konzepts der Soziotope und die empirische Zuordnung der Gemeinden/Quartiere des Untersuchungsgebietes für die befragten Eltern zu überprüfen, ist die Verortung der untersuchten Auswahl von Soziotopen in den Koordinaten von Bildungschancen und Urbanität anhand von Daten ihrer eigenen Lebensgeschichte nachzuweisen. Für die Dimension vertikaler Ungleichheit ist dafür der Anteil derjenigen Männer in den Soziotopen heranzuziehen, die einen höheren Schulabschluß erreicht haben als ihre Väter. In horizontaler Weise kann über die Wohndauer der Familien in der jetzigen Wohnung das Ausmaß räumlicher Mobilität der Familien in den Soziotopen bestimmt werden. Es kennzeichnet ein Element traditionellen Lebensstils, wenn Eltern nie die eigene Herkunftsfamilie verlassen haben und ‚schon immer' in der jetzigen Wohnung wohnen. Von diesen Familien ist auch zu erwarten, daß sie sich in ihren Lebensformen nur vergleichsweise geringfügig von der vorangegangenen Generation abheben, da sie mit dieser in der Regel auch räumlich nahe zusammenwohnen und entsprechend enge Kontakte mit ihr bestehen (vgl. Abschnitt 5).

Der Anteil der Familien, die schon immer in der gleichen Wohnung wohnen, ist um so höher, je ländlicher ein Soziotop ist: In den traditionell ländlichen Kleingemeinden trifft dies für fast ein Drittel der befragten Familien zu, in den städtischen Quartieren ist ihr Anteil praktisch bedeutungslos (vgl. Tabelle 2).

Da in den ländlichen Soziotopen aufgrund der dort bestehenden geringeren Bildungsmöglichkeiten und beruflichen Alternativen sozialer Aufstieg erschwert wird, führt der in den ländlichen Gemeinden anzutreffende räumliche Immobilismus auch zur Verringerung der sozialen Chancen der dort Wohnenden. Dies wird belegt durch die geringe vertikale Statusmobilität in den ländlichen Gemeinden, wie sie hier durch den Vergleich zwischen dem Schulabschluß zweier Generationen gemessen wird. Weniger als jeder zehnte Mann in den traditionell ländlichen Kleingemeinden, dessen Vater einen Volksschulabschluß hat, erreichte einen höheren Abschluß. Aber bereits jeder fünfte in den Arbeiterpendlergemeinden und jeder dritte in der Kleinstadt konnte sich diesbezüglich gegenüber dem Vater verbessern (vgl. Tabelle 3).

Tabelle 2: Die Wohndauer der befragten Familien in der jetzigen Wohnung nach Soziotopen (Angaben in v. H.)

Soziotop	0–3 Jahre	Wohndauer mehr als 4 Jahre	schon immer
Ländliche Gebiete			
– traditionell ländliche Kleingemeinden	14	56	30
– Arbeiterpendlergemeinden	21	56	23
– industrialisierte Landgemeinden	28	58	15
Kleinstadt	40	53	7
städtische Gebiete			
– Mietwohnsiedlung	40	56	4
– Viertel von Besitz und Bildung	42	54	2

Tabelle 3: Bildungsmobilität zwischen den Generationen nach Soziotopen (Männer)

Soziotop	Anzahl Väter	Von 100 Vätern mit Volksschulabschluß haben Söhne mit . . . Volksschulabschluß (keine Mobilität)	mehr als Volksschulabschluß
Ländliche Gebiete			
– traditionell ländliche Kleingemeinden	111	91	9
– Arbeiterpendlergemeinden	308	81	19
– industrialisierte Landgemeinden	211	77	23
Kleinstadt	121	65	35
städtische Gebiete			
– Mietwohnsiedlung	83	73	27
– Viertel von Besitz und Bildung	35	(18)[1]	(17)[1]

[1] Wegen der geringen Ausgangshäufigkeit sind in den Klammern nicht die Prozentwerte, sondern die Absolutzahlen angegeben.

Lediglich in der städtischen Mietwohnsiedlung ist der Anteil vertikal mobiler Männer erwartungsgemäß wieder geringer und liegt etwa gleichauf mit dem in den industrialisierten Landgemeinden.
Das Verhältnis der Ausprägungen dieser beiden Indikatoren zueinander auf den beiden Achsen von Lebensstil/Urbanität und Lebenschancen/Bildungschancen weist den untersuchten Soziotopen jeweils den Ort zu, der ihnen aufgrund von theoretischen Überlegungen im Schema der Soziotope (Abbildung 1) zugewiesen wurde. Abbildung 3 nun zeigt die empirische Verortung der untersuchten Soziotope zwischen diesen beiden Koordinaten und veranschaulicht die Übereinstimmung mit dem Modellschema.

Abbildung 3: Die empirische Verortung der untersuchten Soziotope in den Koordinaten von Lebensstil/Urbanität und Lebens-/Bildungschancen (vgl. die Daten in Tab. 2 und 3)

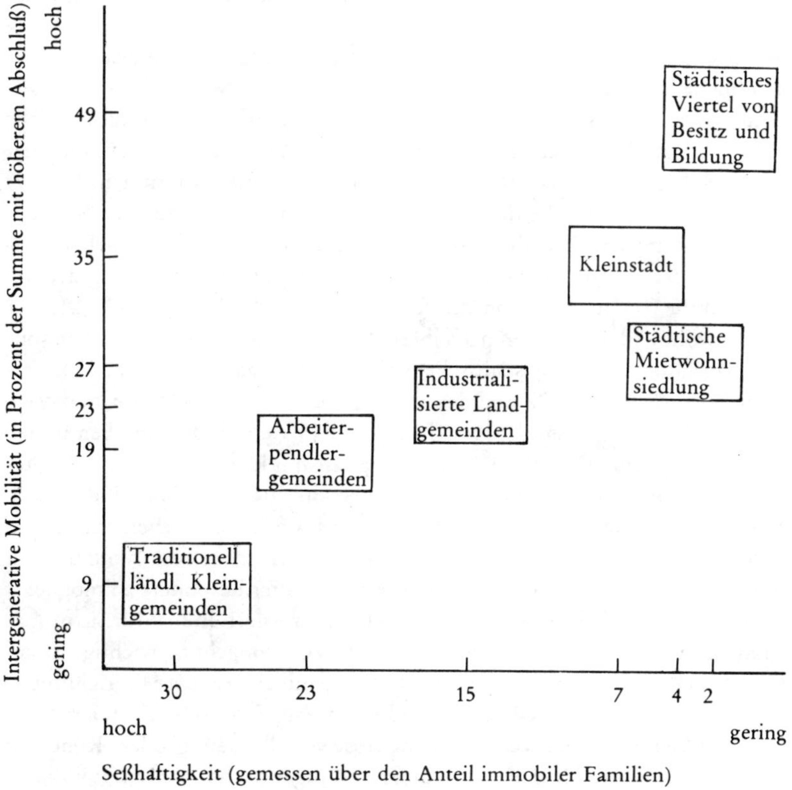

3.3. *Zur Wahrnehmung der räumlichen Gestalt und der Bewohnerstruktur in den Soziotopen*

Becker/Keim (1973) unterscheiden in ihrer Arbeit zur Wahrnehmung der städtischen Umwelt zwischen Stadtgestalt, Erscheinungsbild, Vorstellungsbild und Image. Dabei verstehen sie unter *Stadtgestalt* die objektiv vorhandene Umwelt, die Ist-Umwelt, wie sie für alle Betrachter vorhanden ist: ,,das tatsächliche Umweltangebot, die ,Realsituation' (Karl Ganser)" (*Becker/Keim* 1973, 111). Das *Erscheinungsbild* ist nach ihrer Definition bereits das Produkt erster Auseinandersetzungen mit einer Umwelt, welche zum Tätigkeitsfeld und Teil der Lebenssituation von Individuen geworden ist. Daraus entsteht das *Vorstellungsbild,* ,,in dem das Subjekt ,seine Stadt' klassifiziert, bewertet, interpretiert, ordnet, sich mit ihr identifiziert, sie mit Symbolen besetzt" (a. a. O.). Unter *Image* verstehen sie eine ,,Nivellierung der Vorstellungsbilder vieler" im werbepsychologischen Sinn zu ,,einem normativen, über spezifische Mechanismen gesteuerten Vorstellungsbild" (112).

In unserer Untersuchung wurden nicht alle diese Aspekte von Umweltwahrnehmung umfassend berücksichtigt: wir beschränken uns auf Momente der Gestaltwahrnehmung, des Erscheinungs- und des Vorstellungsbildes. An dieser Stelle gehen wir nur auf die Angaben der befragten Mütter zu ihrer Wahrnehmung der Wohnumgebung in ihrer Bebauungs- und in ihrer Bewohnerstruktur ein. Ergänzt wird sie durch die Bewertung des Wohngebietes. Dabei hat die Beschreibung der Bebauungsstruktur vor allem illustrativen Charakter, indem sie die ,visuellen' Unterschiede zwischen den Soziotopen veranschaulicht. Die Beschreibung der Bewohnerstruktur orientiert sich an der Kennzeichnung der im Stadtviertel/in der Gemeinde wohnenden Familien nach ihrem Stand im Familienzyklus, da besonders dies zur Unterscheidung städtischer Quartiere beiträgt[15] (vgl. dazu in letzter Zeit *Strohmeier/Schulze* 1977 und den Beitrag von *Strohmeier/Herlth* in diesem Band). Sie geben Aufschluß darüber, in welcher Phase sich die Familien in den Quartieren befinden, wie z. B. in der Aufbauphase mit kleinen Kindern, mit älteren Schulkindern oder mit Kindern, welche bereits aus dem Haus sind. Durch diese unterschiedlichen Phasen im Familienzyklus werden der Lebensstil der Familien und ihre Orientierung an unterschiedlichen Ausschnitten der Wohnumwelt mitbestimmt. Sind Eltern von Kindern im Vorschulalter besonders an möglichst gefahrlosen Spielmöglichkeiten für ihre Kinder interessiert und ist für sie primär der Kindergarten als Einrichtung in der näheren Wohnumgebung wichtig, so stehen für Eltern von größeren Schulkindern und Jugendlichen andere Einrichtungen im Vordergrund, wie z. B. weiterführende Bildungsangebote oder ein Jugendzentrum. Ältere Leute dagegen werden ihr Interesse vor allem auf größere Ruhe und Ungestörtheit, z. B. durch spielende Kinder und Jugendliche, richten. Für die Si-

tuation der Familien in ihrer Wohnumwelt spielt daher auch die Bewohnerstruktur eine Rolle, wie sie die Eltern subjektiv wahrnehmen. Die Angaben hierüber ergänzen und erweitern somit die Soziotopbestimmung.
Das über die Bebauungsstruktur vermittelte Bild der traditionell ländlichen Kleingemeinden wird erwartungsgemäß geprägt durch Bauernhöfe und Eigenheime/Reihenhäuser. Dies trifft auch für die beiden anderen ländlichen Soziotope zu. Dabei sinkt der Anteil von Familien, für die Bauernhöfe in der direkten Umgebung vorhanden sind, von über 90 % in den traditionell ländlichen Kleingemeinden auf knapp 70 % in den industrialisierten Landgemeinden ab, in der Eigenheime/Reihenhäuser vor den Bauernhöfen dominieren (vgl. Abb. 4, in der aus Platzgründen nur ein Teil der Beschreibungsmerkmale, auf die im Text Bezug genommen wird, berücksichtigt ist).
Mietwohnblöcke als Element des Erscheinungsbildes sind in den industrialisierten Landgemeinden für ein Fünftel der Eltern vorhanden, in den übrigen beiden ländlichen Soziotopen spielen sie praktisch keine Rolle. In der Kleinstadt sind sie bereits für annähernd die Hälfte der Eltern in der Nahumgebung der Wohnung präsent, und in der städtischen Mietwohnsiedlung dominieren sie erwartungsgemäß. Da sie auch im städtischen Viertel von Besitz und Bildung für einen großen Teil der befragten Eltern im Blickfeld sind, dokumentiert sich hierin ein weiterer, gleichsam optischer Indikator zur Kennzeichnung städtischen Charakters. Gegenläufig sind Bauernhöfe um so weniger vorhanden, je urbaner das Soziotop ist. Industrieanlagen/Fabriken in der Wohnumgebung haben nur sehr wenige Familien in den beiden ländlichsten Soziotopen (weniger als 10 %). In den industrialisierten Landgemeinden ist dieser Anteil erwartungsgemäß höher. Vergleichsweise die meisten Familien sind davon in der städtischen Mietwohnsiedlung betroffen. Im Gegensatz dazu wohnt im städtischen Viertel von Besitz und Bildung praktisch niemand in der Nähe solcher Anlagen, was die bevorzugte Wohnsituation in diesem vor allen Dingen mit Eigenheimen/Reihenhäusern bebauten Areal unterstreicht.
Die Beschaffenheit der Wohnumgebung bestätigt die Charakterisierung der Soziotope nach ihrer Bebauungs-Struktur: In den ländlichen Soziotopen überwiegen Felder und Wald, aber auch in der Kleinstadt und im städtischen Viertel von Besitz und Bildung wohnen viele Familien in der Nähe davon. Daß in der städtischen Mietwohnsiedlung dies auch noch für einen nennenswerten Teil der befragten Eltern zutrifft, hängt mit der Lage der Siedlung am Großstadtrand zusammen. In ihr dominiert aber die Wahrnehmung von Straßen und Parkplätzen. Gärten und Grünanlagen sind vor allem im städtischen Viertel von Besitz und Bildung, aber auch in der Kleinstadt und in den industrialisierten Landgemeinden in der Wohnumgebung vorhanden. In der städtischen Mietwohnsiedlung sind es vergleichsweise wenige Eltern, die dies angeben.
Die unterschiedliche *Bewohnerstruktur* in den ländlichen Gemeinden und der

Abbildung 4: Die Bebauungsstruktur in den Soziotopen (Anteile von Müttern in v. H., die angeben, daß die aufgeführten Gebäude und Anlagen in der unmittelbaren Umgebung der Wohnung vorhanden sind)

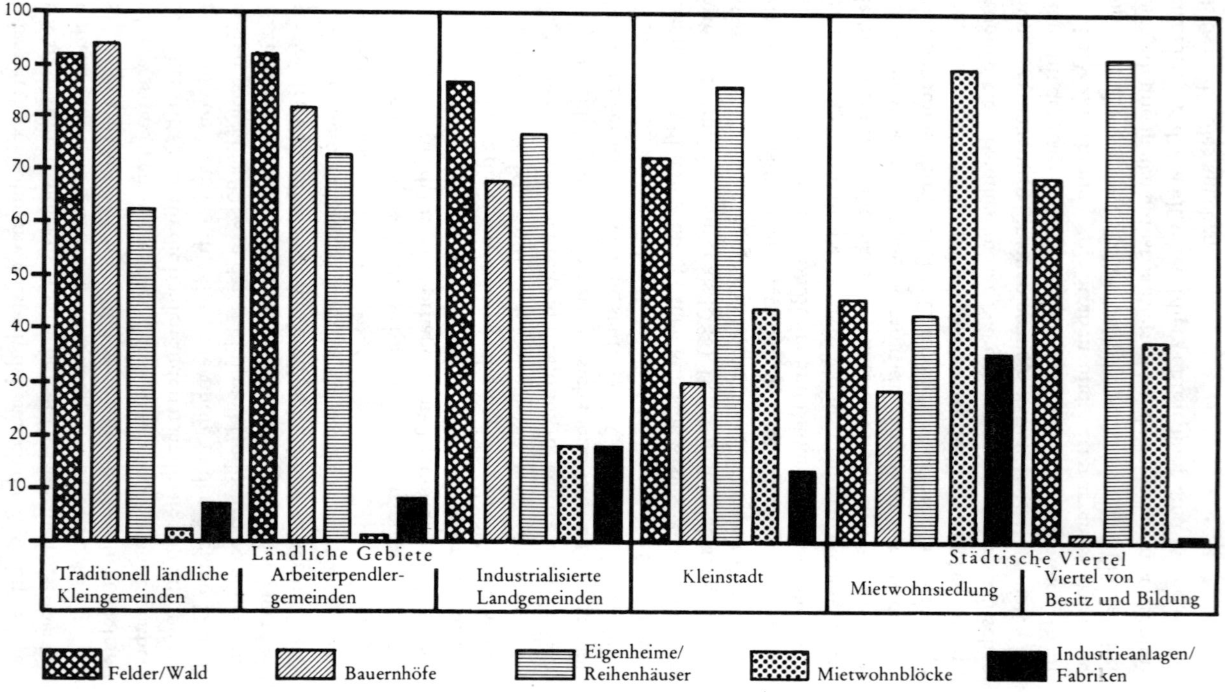

Kleinstadt auf der einen, der beiden städtischen Quartiere auf der anderen Seite, wie sie die dort jeweils wohnenden Mütter subjektiv wahrnehmen, wird durch einen Blick auf Abb. 5 deutlich. Dabei heben sich auch die beiden städtischen Quartiere noch einmal deutlich voneinander ab. Die in der Wahrnehmung der Mütter dominierende Gruppe in der städtischen Mietwohnsiedlung sind junge Familien: für 59 % wohnen viele und sehr viele solcher Familien in diesem Wohnviertel. Besonders auffallend ist die Heterogenität dieses Viertels: neben vielen kinderreichen und vielen jungen Familien werden dort – wie im Viertel von Besitz und Bildung – von einer großen Zahl der Befragten viele kinderlose Ehepaare und ältere Leute wahrgenommen. Ins Auge fällt hier auch die häufige Nennung von berufstätigen Müttern, die nach der Wahrnehmung der Mütter in den ländlichen Soziotopen nur sehr selten anzutreffen sind. Als relativ homogen erscheint das Viertel von Besitz und Bildung, für das besonders häufig angeführt wird, dort wohnten viele und sehr viele ältere Leute. Dies ist wohl auch dadurch zu erklären, daß vielfach selbst besser gestellte junge Familien noch nicht über die finanziellen Mittel verfügen, um dort wohnen zu können.

Wenngleich es sich bei diesen Angaben über die Bewohnerstruktur nicht um „harte Daten", sondern um die subjektive Einschätzung durch die befragten Mütter handelt, wird doch deutlich, daß familienzyklische Variation in den ländlichen Soziotopen praktisch nicht zu beobachten ist, wohl aber in den beiden städtischen Quartieren, die sich diesbezüglich signifikant voneinander abheben. Dies unterstreicht die Bedeutung dieses Faktors für die innerstädtische Segregation.

Die *Bewertung* der Wohnumwelt durch die Mütter fällt in der hier untersuchten Auswahl der Soziotope insgesamt positiv aus. Durchschnittlich drei Viertel der Mütter in den ländlichen Gemeinden und in der Kleinstadt geben an, daß ihnen ihr Wohnort gefällt. Den übrigen gefällt er ‚teilweise', und nur wenigen (insgesamt 23 Personen) gefällt er nicht. Im städtischen Viertel von Besitz und Bildung gefällt fast allen Müttern (89 %) – nicht unerwartet – ihr Wohnviertel, 10 % gefällt es ‚teilweise'. Die städtische Mietwohnsiedlung hebt sich dagegen im Urteil der Mütter deutlich von den anderen Soziotopen ab: nur 37 % von ihnen geben an, daß ihnen ihr Stadtviertel gefällt, 53 % gefällt es ‚teilweise', und 10 % geben an, daß es ihnen nicht gefällt.

Einige Gründe für das Zustandekommen dieser summarischen Bewertung und insbesondere für das vergleichsweise schlechte Abschneiden der städtischen Mietwohnsiedlung werden in diesem Beitrag näher untersucht. Neben der bereits beschriebenen baulichen Struktur der Wohnumwelt in den Soziotopen sind dies Aspekte der Versorgung des Wohngebietes mit Einrichtungen der Infrastruktur und von Kontakten mit anderen Personen. Sie werden in den beiden folgenden Abschnitten behandelt.

Abbildung 5: Die Bewohnerstruktur in den Soziotopen (Anteile von Müttern in v. H., die angeben, daß ,,viele" und ,,sehr viele" solcher Leute in ihrem Stadtviertel/ihrer Gemeinde wohnen)

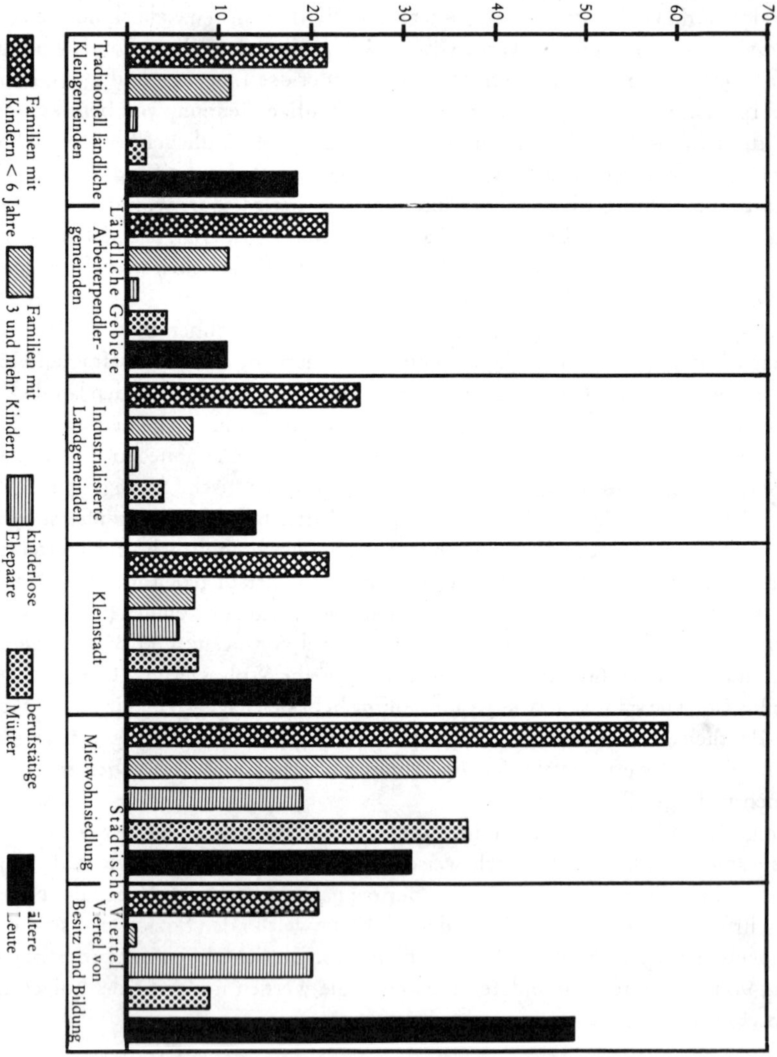

4. Lebensverhältnisse in den Soziotopen unter der Perspektive sozialer Disparitäten

4.1. *Zur theoretischen Ausgangslage: soziale Disparitäten*

Für die Untersuchung sozialer Ungleichheit haben auf dem 16. Soziologentag 1968 in Frankfurt *Bergmann, Brandt, Körber, Mohl* und *Offe* (1969) in einem Gemeinschaftsreferat die Perspektive sozialer Disparität akzentuiert: ,,Die unter dem Gesichtspunkt des sozialen Wandels dominante Form der Ungleichheit ist weniger in der vertikalen Dimension der Ungleichheit von Schichten und Klassen zu suchen als in der horizontalen Dimension der Disparität von Lebensbereichen, d. h. der ungleichgewichtigen Befriedigung der verschiedenen Lebensbedürfnisse" (S. 82).

Die Perspektive der sozialen Disparität wurde inzwischen vielfach aufgegriffen (vgl. *Korte* 1978; *Hoffmann-Nowottny* 1978). Mit der Aufnahme des Konzepts sozialer Disparität entwickelte sich zugleich die Kontroverse darum, wie distributive Benachteiligung und situationsabhängige Deprivation zusammenhängen. Schon *Bergmann et al.* (1969) hatten dazu widersprüchlich argumentiert. Einerseits stellten sie fest:

,,Den Mangelerscheinungen und Defekten des Gesamtsystems sind nahezu alle Bürger wenn nicht in strikt gleicher, so doch in gleichermaßen unentrinnbarer Weise ausgesetzt" (S. 81). Diese etwas apokryphe Aussage konkretisieren sie, indem sie verneinten, ,,daß der Status des einzelnen in der Einkommensskala viel zur Behebung der Probleme und Krisen bewirken könnte" (S. 86). Andererseits – und dazu im Widerspruch – hielten sie es für wahrscheinlich, ,,. . . daß die in der klassischen Phase des Kapitalismus unterprivilegierten Gruppen und Schichten auch am ehesten die Leidtragenden jener Systemdefekte sein werden, die die gleichmäßige Entfaltung der Produktivkräfte und der Freiheitschancen in allen Bereichen des gesellschaftlichen Lebens unterbinden. Im unteren Bereich der Einkommensskala kumulieren sich gleichsam die Effekte distributiver Benachteiligung und horizontaler Disparität" (S. 85). Für die Anwendung des Konzeptes der Disparität von Lebensbereichen erscheinen Untersuchungen von Quartieren, Städten, Regionen besonders geeignet, weil dabei, wie *Herlyn* (1974a) zu Recht betonte, ,,die Verknüpfung vertikaler Ungleichheit und horizontaler Disparität empirisch herausgearbeitet werden kann" (S. 18). Mit dem Modell der Soziotope ist dafür eine räumliche Grundlage zur Messung sozialer Disparität entwickelt worden (vgl. *Bargel/Kuthe/Mundt* 1978), und zwar in einem doppelten Sinne:

a. Da die Soziotope in der Dimension der Lebenschancen verortet und damit selbst als Areale verschieden hohen Status zu verstehen sind, kann für sie als

Ganzes das infrastrukturelle Angebot und die anderen Momente von Lebensqualität bestimmt werden. D. h. die Gebiete selbst sind die Untersuchungseinheiten für die Frage nach der Verschränkung von vertikaler Ungleichheit und horizontaler Disparität.

b. Da in den einzelnen Soziotopen Individuen und Familien leben, die in ihrer sozio-ökonomischen Lage und ihrem statusmäßigen Rang sehr unterschiedlich eingestuft sind, ist des weiteren zu analysieren, wie sie von den Disparitäten betroffen sind: wie sie sie wahrnehmen, wie sie sie bearbeiten und welche Folgen sie für sie haben. D. h. die Individuen und Familien sind die Untersuchungseinheiten und die Areale gelten als Situationskontexte, um die Frage nach der Betroffenheit der verschiedenen Statusgruppen zu beantworten.

Man kann davon ausgehen, daß „für die biographische Marginalsituation der vorschulischen Sozialisationsphase" (*Bergmann et al.* 1969, 86) die Untersuchung sozialer Disparitäten in den verschiedenen Soziotopen und Schichten besondere Aufschlüsse ergeben. Zwei Aspekte möglicher Disparitäten, die für diese Lebensphase sowohl für die Kinder wie auch deren Eltern hinsichtlich ihrer Bedürfnisbefriedigung, der Problembewältigung und der Lebensqualität von großer Bedeutung sind, sollen behandelt werden[16]:

- Erstens die Ausstattung mit Infrastruktureinrichtungen im Bereich von Bildung und Beratung; dabei interessiert weniger das „objektive" Vorhandensein oder Fehlen solcher Einrichtungen, sondern vor allem die subjektive Seite der Versorgungsqualität aus der Sicht der Eltern, wie etwa ihre Beurteilung der Erreichbarkeit und der persönlichen Wichtigkeit der einzelnen Einrichtungen.
- Zweitens die Benotung wichtiger Aspekte der Spielmöglichkeiten der Kinder durch die Eltern (Mütter), weil die Qualität der Spielmöglichkeiten für die Entfaltungs- und Entwicklungschancen der Kinder von außerordentlichem Gewicht ist.

Die Absicht der Darlegungen zu diesen beiden Aspekten besteht darin, im Sinne von Erkundungen anhand der ausgewählten Soziotope als Fallbeispiele „die konkreten Formen der Verschränkung vertikaler Ungleichheit und horizontaler Disparität zu analysieren" (*Bergmann et al.* 1969, 87).

4.2. *Die Versorgung mit Einrichtungen des Bildungs- und Beratungswesens*

Die Einrichtungen des Bildungs- und Beratungswesens sind ein wichtiger Teil der örtlichen Infrastruktur, die für die Sozialisationsleistungen der Familien wie für die Bildungsmöglichkeiten der Kinder erschwerende oder unterstützende Rahmenbedingungen darstellen. Ihr Vorhandensein oder Fehlen kann Eltern ihre Erziehungsaufgabe erleichtern oder erschweren, kann ihnen in problematischen Situationen Hilfestellungen ermöglichen oder sie mit den Problemen alleine lassen. Für den Bereich des Bildungswesens sind es sechs Einrichtungen, die zu berücksichtigen sind[17]: der Kindergarten, die Grundschule, die Sonderschule, die Hauptschule, die Real-/Mittelschule, das Gymnasium/die höhere Schule.

Sie werden für die Familien je nach dem Alter der Kinder unterschiedlich wichtig; aufgrund des Alters ihrer Kinder (3–6 Jahre) besteht für die von uns befragten Eltern der unmittelbare Bezug zu einer außerfamilialen Erziehungseinrichtung, zum Kindergarten. Jedoch weisen die Hauptschule, die Realschule und das Gymnasium für sie bereits eine deutliche antizipatorische Relevanz auf, wie sowohl die Ausbildungswünsche für ihre Kinder als auch – damit zusammenhängend – die Wichtigkeit der guten Erreichbarkeit dieser Einrichtungen belegen (vgl. Abschnitt 6.4 und 6.5). Für den Bereich des Beratungswesens sind ebenfalls sechs Einrichtungen zu benennen: die Mütterberatung, die Erziehungsberatung, die Bildungs-/Schullaufbahnberatung, die Berufsberatung, die Ehe-/Familienberatung, Elternbildungskurse/-seminare. Sie sind nicht nur je nach familienzyklischer Phase unterschiedlich bedeutsam (wie die Bildungseinrichtungen), sondern auch je nach der „*aktuellen Problemsituation*", in der sich die Familie, die Eltern oder die Kinder befinden können.

Um die sozialen Disparitäten zwischen Soziotopen und Bevölkerungsgruppen für diese Einrichtungen des Bildungs- und Beratungswesens angemessen bestimmen zu können, reicht es nicht hin, ihr Vorhandensein oder ihr Fehlen nur zu konstatieren. Es müssen zumindest zu vier Aspekten Informationen vorliegen:

1. Zum *Kenntnisstand* der Eltern, d. h. ob sie wissen, ob es eine solche Einrichtung in ihrem Umfeld gibt;
2. zur Beurteilung der *Erreichbarkeit* dieser Einrichtungen, denn davon hängt die subjektive Nutzungschance weitgehend ab;
3. zur *Wichtigkeit* der guten Erreichbarkeit einer solchen Einrichtung, denn darüber ist das „Bedürfnis" nach ihr zu klären;
4. zum tatsächlichen *Versorgungsdefizit*, das sich aus dem Verhältnis von Wichtigkeit und guter Erreichbarkeit bestimmen läßt.

Die Kenntnis oder Unkenntnis von Eltern darüber, ob es die einzelnen Einrichtungen des Bildungs- und Beratungswesens in ihrem Wohnumfeld gibt, ist ein Teil ihres für die Sozialisationsvorgänge wichtigen Wissens. Denn die Kenntnis oder Unkenntnis läßt ihre Handlungsmöglichkeiten für den Bildungsweg ihrer Kinder (im Sinne der Ausfüllung ihrer „Plazierungsfunktion") oder in kritischen Situationen der Familie, der Erziehung, der Ausbildungs- und Berufsentscheidung nicht unberührt. Zugleich wird einiges von dem sichtbar, was als ihre „Vergewisserung über das Umfeld" bezeichnet werden kann.

Bei den Einrichtungen des Bildungswesens – mit Ausnahme der Sonderschule – ist nahezu allen Müttern bekannt, ob es sie gibt oder ob sie fehlen. Dagegen wissen bei den Einrichtungen des Beratungwesens dies eine ganze Reihe von Müttern, zum Teil mehr als die Hälfte, nicht[18]. Die Zugehörigkeit zu einer der drei Sozialgruppen (Arbeiterschaft, Mittelschicht, Oberschicht) weist dabei keinen Zusammenhang mit der Kenntnis oder Unkenntnis auf.

Zwischen den Müttern in ländlichen Gebieten und der Kleinstadt auf der einen Seite und den Müttern in den städtischen Vierteln auf der anderen Seite bestehen zum Teil sehr große Unterschiede im Wissen über das Vorhandensein der Einrichtungen des Beratungswesens und der Sonderschule. Beispiele für das Ausmaß der Unterschiede im Wissen sind:

- Die Sonderschule: In den ländlichen Soziotopen wissen stets höchstens 10 % der Mütter nicht, ob es sie gibt; in der städtischen Mietwohnsiedlung sind es 45 %, im Viertel von Besitz und Bildung sogar 63 %!
- Die Mütterberatung: So gut wie alle Mütter in den Landgebieten und der Kleinstadt wissen davon, in den städtischen Vierteln sind es 40 % oder 44 %, die nicht darüber Bescheid wissen.
- Die Erziehungsberatung: Fast genau ein Viertel der Mütter in den ländlichen Soziotopen und in der Kleinstadt haben darüber keine Kenntnis; in der städtischen Mietwohnsiedlung wissen 53 % nicht und im Viertel von Besitz und Bildung wissen 46 % nicht, ob es diese gibt.
- Die Berufsberatung: Auf dem Lande und in der Kleinstadt sind es etwa 10 % der Mütter, die darüber nichts wissen; in den beiden städtischen Vierteln sind es jeweils fast ein Drittel.

Aus diesen Unterschieden kann für den Umfang des Kenntnisstandes gefolgert werden:

Je *allgemeiner* und je *permanenter* die gegebene oder zukünftige Betroffenheit durch eine Einrichtung ist, desto größer ist der Kenntnisstand. Liegt eine spezifische Problembezogenheit der Einrichtung vor, dann nimmt insbesondere die Unkenntnis in den städtischen Vierteln zu, weil diese Einrichtung dann in der städtischen Komplexität aus dem Blick gerät, während sie woanders auch dann noch in der Wahrnehmung präsent bleibt. Dies gilt unabhängig von der Sozialgruppenzugehörigkeit der Bewohner der verschiedenen Gebiete.

Als zweiter Aspekt der Infrastruktureinrichtungen interessiert, ob sie für die Eltern als „gut erreichbar" oder als „zu weit entfernt" gelten. Denn wenn sie als „zu weit entfernt" angesehen werden, heißt das, daß es für die Eltern und ihre Kinder problematisch wird, dieses Angebot zu nützen, daß zum Teil aus diesem Grund sogar eine Nutzung des Angebots unterbleibt. Für die Einschätzung der Erreichbarkeit der Bildungs- und Beratungseinrichtungen hat es ebenfalls keine Bedeutung, welcher Sozialgruppe die Mütter angehören. In ihrem Urteil sind sie dem Vorhandensein oder Fehlen solcher Einrichtungen in den Soziotopen – mit den Worten von *Bergmann et al.* (1969) – „gleichermaßen ausgesetzt"; Unterschiede

bestehen erwartungsgemäß zwischen den Soziotopen, jedoch nicht für alle Einrichtungen in gleicher Weise.
In der Kleinstadt lebende Mütter beurteilen durchweg die Erreichbarkeit der Einrichtungen besser als die Mütter auf dem Lande oder in der Stadt. Im Vergleich der beiden städtischen Soziotope kann nicht davon die Rede sein, daß für die Mütter im Viertel von Besitz und Bildung alle Einrichtungen besser erreichbar seien; schlechter zu erreichen sind für sie die Mütterberatung, die Grundschule, die Haupt- und Realschule, besser zu erreichen sind das Gymnasium und die Elternbildungskurse/-seminare. Für das schulische Angebot kann auch für die Landgebiete nicht durchgängig von einer schlechteren Erreichbarkeit in der von uns untersuchten Region gesprochen werden.
Für den Kindergarten, der für die familienzyklische Phase, in der sich die befragten Mütter befinden, besonders wichtig ist, ist jedoch eine klare Stufung der Erreichbarkeit auf dem „Stadt-Land-Kontinuum" festzustellen: In den noch stark ländlich geprägten Gebieten der bäuerlichen Kleingemeinden und der Arbeiterpendlergemeinden wird er von weniger als zwei Dritteln der Mütter als gut erreichbar angesehen. In der industrialisierten Landgemeinde und in der Kleinstadt sind es jeweils knapp mehr als vier Fünftel der Mütter, die ihn für gut erreichbar halten. Nur in den städtischen Vierteln bezeichnen neun von zehn Müttern die Erreichbarkeit des Kindergartens als gut. Ob diese Erreichbarkeit tatsächlich den Besuch des Kindergartens beeinflußt, das wird später aufzuzeigen sein (vgl. Abschnitt 6.2 und 6.3).
Es kann nicht unterstellt werden, daß alle Eltern bei allen den in Frage stehenden infrastrukturellen Einrichtungen das gleiche Bedürfnis nach ihrer guten Erreichbarkeit haben. Vielmehr ist zu erwarten, daß sich bei dem Bedürfnis danach Unterschiede zwischen den Sozialgruppen und Soziotopen einstellen. Das Bedürfnis an diesen Einrichtungen wurde über die Frage gemessen, *wie wichtig es für die Mütter ist, daß die einzelnen Einrichtungen gut erreichbar sind.* Das Bedürfnis an den Angeboten im Bildungs- und Beratungswesen zeigt ein differentielles Bild über die Soziotope und Sozialgruppen.
Bei manchen Einrichtungen sind weder nach den Soziotopen noch nach den Sozialgruppen irgendwelche nennenswerten Unterschiede zu erkennen: Dies trifft nur auf Einrichtungen des Bildungswesens zu, wobei der Kindergarten, die Grundschule und die Realschule überall als etwa gleich wichtig gelten, während die Sonderschule überall häufiger in gleicher Weise als unwichtig betrachtet wird. Andere Einrichtungen zeigen deutliche Unterschiede nach der Sozialgruppenzugehörigkeit, gleich welche Soziotope man betrachtet: Dies trifft auf alle sechs angeführten Beratungsangebote zu. Für Mütter aus der oberen Sozialgruppe sind diese Einrichtungen durchweg weniger wichtig, zum Teil mit deutlichem Abstand im Vergleich zur Wichtigkeit bei den anderen Sozialgruppen: wie bei der Mütter-

beratung und Berufsberatung[19]. Offensichtlich schätzen sie ihre Kompetenz in solchen Fragen höher ein, so daß sie meinen, auf öffentliche Angebote dazu weniger angewiesen zu sein. Auch darin tritt das von *Kob* (1963) für diese Elterngruppe konstatierte höhere „pädagogische Selbstbewußtsein" zutage.
Von differentieller Wichtigkeit sind die Hauptschule und das Gymnasium: In den ländlichen Soziotopen ist die gute Erreichbarkeit der Hauptschule für alle Sozialgruppen gleich wichtig. In der Kleinstadt und im Viertel von Besitz und Bildung messen die Mütter aus der Oberschicht in auffälliger Weise der guten Erreichbarkeit der Hauptschule ein deutlich geringeres Gewicht bei. Daß das Gymnasium gut zu erreichen sei, ist in allen Soziotopen für die Angehörigen der Oberschicht am wichtigsten, in der Kleinstadt und im Viertel von Besitz und Bildung sogar häufiger wichtig als die gute Erreichbarkeit einer Hauptschule. Für die Mütter aus der Arbeiterschaft ist es stets am seltensten wichtig, daß ein Gymnasium gut erreichbar ist. Wie sich bei der Untersuchung der Bildungswünsche zeigen wird, ist gerade die Wichtigkeit der guten Erreichbarkeit dieser beiden Einrichtungen auch abhängig von dem Ausbildungswunsch, den die Eltern für ihr Kind haben (vgl. Abschnitt 6.5).
Um für die Soziotope ein angemessenes Bild vom Ausmaß der Versorgung oder des Mangels an solchen Einrichtungen zu erhalten, ist auf der individuellen Ebene zu bestimmen, wie die Wichtigkeit der guten Erreichbarkeit damit einhergeht, ob die Einrichtung tatsächlich gut erreichbar ist. Es ergeben sich dann vier Möglichkeiten[20]:

- *Angemessene Versorgungslage:* die Einrichtung wird als wichtig angesehen und ist gut erreichbar;
- *Implizites Überangebot:* die Einrichtung wird nicht als wichtig angesehen, ist aber gut zu erreichen;
- *Implizites Unterangebot:* die Einrichtung wird zwar nicht als wichtig angesehen, ist aber auch nicht gut zu erreichen;
- *Defizitäre Versorgungslage:* die Einrichtung wird als wichtig angesehen, ist aber „zu weit entfernt".

Für die *defizitäre Versorgungslage*, die das *aktuelle Ausmaß der Mangelsituation* anzeigt, ist die Verteilung nach den Soziotopen in Tabelle 4 angeführt. Es werden dabei zum Teil erhebliche Spannweiten und damit ein großes Maß sozialer Disparität sichtbar. Sie reichen von so gut wie keinem Versorgungsdefizit (bei Anteilen unter 10 %) bis zu großen Versorgungsdefiziten (bei Anteilen von nahezu die Hälfte oder mehr) wie hinsichtlich der Realschule und dem Gymnasium.

Für die aktuellen Versorgungsdefizite in den Soziotopen, die wir als Fallbeispiele untersuchten, ergibt sich folgendes Bild[21]:

- Die Soziotope der ländlichen Gebiete haben für die Eltern fast durchweg höhere Versorgungsdefizite als die Kleinstadt oder auch die städtischen Gebiete. Bei

Tabelle 4: Ausmaß defizitärer Versorgungslage in den einzelnen Soziotopen für Einrichtungen des Bildungs- und Beratungswesens: Anteil der Mütter, denen die Einrichtung zu weit entfernt und zugleich wichtig ist (in v. H.)

Einrichtung:	Ländliche Gebiete: Traditionelle ländl. Kleingemeinden	Ländliche Gebiete: Arbeiterpendlergemeinden	Ländliche Gebiete: Industrialisierte Landgemeinden	Kleinstadt	Städtische Gebiete: Mietwohnsiedlung	Städtische Gebiete: Viertel von Besitz und Bildung
Bildungswesen						
Kindergarten	32	35	16	16	6	9
Grundschule	27	30	18	25	2	33
Sonderschule	38	31	33	19	21	12
Hauptschule	32	36	26	32	10	38
Realschule	47	46	38	27	26	41
Gymnasium	50	49	58	35	50	44
Beratungswesen						
Mütterberatung	22	27	18	14	17	12
Erziehungsberatung	36	27	34	14	18	10
Bildungsberatung	32	23	29	17	19	9
Berufsberatung	39	36	41	10	32	16
Familienberatung	25	18	23	9	20	9
Elternbildung	29	26	28	19	26	21

diesen zum Teil erheblichen Unterschieden kann in der Tat noch von einer Stadt-Land-Dichotomie hinsichtlich horizontaler Ungleichheit gesprochen werden. Daher kann die Annahme, daß die Widersprüche zwischen Stadt und Land tendenziell bedeutungsloser werden (vgl. *Herlyn* 1974a) – zumindest was die infrastrukturellen Rahmenbedingungen familialer Sozialisationsleistung betrifft –, in solcher Globalität nicht stehen bleiben. Dies wird sich in den weiteren Analysen (etwa hinsichtlich der Qualität der Spielmöglichkeiten oder der Kontaktdichte) bestätigen (vgl. Abschnitt 4.3 und 5.2).

- Bei den ländlichen Gebieten ist die situative Deprivation in den traditionellen Kleingemeinden und in den Arbeiterpendlergemeinden stets sehr ähnlich stark vorhanden. In den industrialisierten Landgemeinden wird die Situation partiell besser, insbesondere hinsichtlich der Versorgung mit der Grundausstattung im Bildungswesen wie Kindergarten, Grundschule, Hauptschule.
- In den beiden städtischen Gebieten ist das Versorgungsdefizit generell nicht so hoch wie auf dem Lande: es betrifft eher punktuell einzelne Einrichtungen. Dabei sind es im untersuchten Viertel von Besitz und Bildung vor allem Bildungseinrichtungen wie Grundschule, Hauptschule und Realschule; in der untersuchten Mietwohnsiedlung der kleinbürgerlichen Angestellten und Arbeiter sind es vor allem Beratungseinrichtungen wie Berufsberatung, Familienberatung, Elternbildung. Die verschiedene Betroffenheit hinsichtlich der Versorgungslage in diesen beiden Soziotopen verweist darauf, daß noch des genaueren zu prüfen bleibt, für welche Aspekte infrastruktureller Einrichtungen und der Lebensqualität die Feststellung *Häussermanns* (1969) gültig ist, daß die Viertel der sozio-ökonomisch bessergestellten Schichten weniger von Disparitäten betroffen seien als die Viertel der Arbeiter[22].
- Insgesamt ist in der Kleinstadt das Versorgungsdefizit am geringsten; nur für die Hauptschule ist nach den Angaben der Eltern hier ein relativ hohes Defizit zu konstatieren. Auch die Versorgungslage bei den Kindergärten liegt nur in der mittleren Stufe. Die bessere Situation in dieser Kleinstadt mag damit zusammenhängen, daß es sich in gewisser Weise um ein ,,solitäres Verdichtungsgebiet" handelt, das Versorgungsfunktionen für das umliegende Land wahrzunehmen hat, von dem die Einwohner solcher Kleinstädte unmittelbar am ehesten profitieren können. Es bleibt zu prüfen, ob für ,,polyzentrisch" strukturierte Kleinstädte, etwa in den Ballungsrandzonen, auch ein solches geringeres Versorgungsdefizit besteht[23].

Das gestufte Bild des Versorgungsdefizits im Vergleich der einzelnen Soziotope wiederholt sich, wenn die Eltern, die Ausstattung im Bildungs- und Beratungswesen bilanzierend, sie nach der gebräuchlichen Notenskala von eins bis sechs bewerten.

Die Infrastruktur für Bildung und Beratung wird in den ländlichen Gebieten im

Schnitt ausgesprochen schlecht beurteilt, im Durchschnitt nur mit der Note vier[24]. Entsprechend der partiell besseren Versorgung fällt diese Note in der industrialisierten Landgemeinde geringfügig besser aus (3,7). Eindeutig am besten ist das Urteil der Mütter aus der Kleinstadt (durchschnittlich 2,7), wo auch das Versorgungsdefizit insgesamt am geringsten ist. Die Mütter in den beiden städtischen Gebieten ziehen eine ähnliche Bilanz (durchschnittlich 3,1 bzw. 3,2), sie fällt nicht so gut wie in der Kleinstadt aus, aber auch längst nicht so schlecht wie in den ländlichen Gebieten. Aufgrund des eher partiellen Versorgungsdefizits in diesen beiden Wohngebieten ist dieses Gesamturteil der Mütter verständlich.

4.3. *Die Beurteilung der Spielmöglichkeiten für die Kinder*

Für die Situation der Familien und ihrer Kinder in den Soziotopen ist aber die infrastrukturelle Ausstattung nur ein Aspekt der Lebensqualität – und vielleicht nicht einmal der wichtigste. Es ist in Abhebung von vielen Untersuchungen zur sozialen Disparität zu betonen, daß die Beschränkung auf Infrastrukturausstattungen und ihre Benutzung die vorhandenen sozialen Disparitäten in der Lebensqualität nur unzureichend zu erfassen vermögen. Gerade für Kinder im Vorschulalter dürfte die Qualität der Spielmöglichkeiten von mindestens ebenso großer, wenn nicht größerer Bedeutung sein. Die Mütter wurden daher gebeten, verschiedene Aspekte der Spielmöglichkeiten in der Wohnungsumgebung anhand der Notenskala zu bewerten. Für die Bewertung der Spielmöglichkeiten wurden sechs Aspekte ausgewählt, die für deren Charakterisierung als besonders wichtig gelten können[25]:

- die Sicherheit und Ungefährdetheit des Kindes beim Spielen;
- die Ungestörtheit (z. B. durch Lärm, ältere Kinder);
- damit zusammenhängend das Verständnis, die Toleranz der Nachbarn;
- die Abwechslungsmöglichkeiten für ihre Spiele;
- das gemeinsame Spielen mit anderen Kindern
- und auch die Sauberkeit/Ordnung der Spielmöglichkeiten.

Die Urteile zu diesen Aspekten der Spielmöglichkeiten zeigen einen gewissen positiven Zusammenhang; d. h. alle Aspekte werden mehr oder weniger gleichsinnig evaluiert. Wo also ein größeres Maß der Sicherheit gesehen wird, dort gelten auch die Ungestörtheit, die Abwechslungsmöglichkeiten und das Verständnis der Nachbarn eher als besser. Das bedeutet aber zugleich, daß dort, wo etwa ungestörtes Spielen weniger möglich ist und wo die Nachbarn weniger Verständnis zeigen, solche Beeinträchtigungen nicht oder kaum durch andere Aspekte positiv aufgewogen werden (etwa durch das gemeinsame Spielen oder die Sicherheit). Die Gesamtspannweite der Spielqualität liegt zwischen den traditionellen ländli-

chen Kleingemeinden auf der positiven Seite und dem städtischen Viertel der Arbeiter und Kleinbürger in der Mietwohnsiedlung auf der anderen Seite, wo alle Aspekte erheblich negativer bewertet werden. Im Vergleich zu den anderen Soziotopen ist das Verständnis der Nachbarn am negativsten beurteilt worden. Gerade die städtische Mietwohnsiedlung erweist sich in der Sicht der Mütter als eine eher belastende, weniger angenehme oder förderliche Spielumwelt für ihre Kinder. Nach den Urteilen der Mütter haben Kinder in den drei ländlichen Gebietstypen eine gleichermaßen ähnliche Spielsituation. In allen untersuchten Gebieten wird die Sicherheit noch am kritischsten beurteilt, das Verständnis der Nachbarn, ihre Toleranz am besten (mit Ausnahme der Mietwohnsiedlung). In der Kleinstadt sind die Verhältnisse in allen drei angeführten Aspekten nicht mehr so positiv wie auf dem Lande bewertet worden. Hier fallen die Notendurchschnitte jeweils sehr ähnlich aus wie bei den Müttern aus dem Viertel von Besitz und Bildung.
Bei einer Gesamtbewertung der Spielmöglichkeiten von Kindern ist zu bedenken, daß in diesem Untersuchungsschritt keine Areale berücksichtigt wurden, für die mangelhafte und begrenzte Spielmöglichkeiten allenthalben besonders beklagt wurden, wie etwa den innerstädtischen Cityringen, Vorortkernen, den städtischen Mietwohnblöcken der Arbeiterschaft und den Arealen von Randgruppen (auch Sanierungsvierteln). Es ist anzunehmen, daß dort die Urteile zu den Spielmöglichkeiten noch erheblich schlechter ausfallen als in der städtischen Mietwohnsiedlung (durchschnittlich um 3).
Aufschlußreich erscheint der Vergleich der Benotung der infrastrukturellen Ausstattung mit der Benotung der Spielmöglichkeiten: Während in der städtischen Mietwohnsiedlung und in der Kleinstadt beide Urteile sehr ähnlich ausfallen, wird im städtischen Viertel von Besitz und Bildung die Infrastruktur von Bildung und Beratung etwas schlechter, in den drei ländlichen Gebieten erheblich schlechter bewertet. Dies gilt im Extrem besonders für die beiden stärker ländlichen Gebiete der traditionellen ländlichen Kleingemeinden und der Arbeiterpendlergemeinden. An diesen sehr unterschiedlichen Bewertungen der Infrastruktur und der Spielmöglichkeiten, die beides Aspekte situativer Disparität für Familien mit Kindern darstellen, erweist sich unmittelbar die Notwendigkeit, einerseits die Analyse horizontaler Ungleichheit nicht auf Infrastrukturausstattungen zu begrenzen und andererseits die Situation für die einzelnen Quartiere, Regionen und Sozialgruppen differenziert zu erkunden, ehe vorschnelle Verallgemeinerungen angebracht sind[26].

5. Lebensverhältnisse in den Soziotopen unter der Perspektive sozialer Netzwerke

5.1. *Mängel in der Erfassung informeller Sozialbeziehungen von Familien*

Die Sachverständigenkommission zum Zweiten Familienbericht der Bundesregierung hat die von ihr angenommene soziale und gesellschaftliche Isolation der Familie als ein zentrales Problemfeld und eine Problembedingung familialer Sozialisation beurteilt (*Zweiter Familienbericht* 1975, 62). Das bislang zur Verfügung stehende empirische Material läßt allerdings eine derartige Einschätzung zumindest als voreilig erscheinen. Insbesondere befriedigen weder die begrifflichen Bestimmungen sozialer Isolation oder Verflechtung von Familien noch die empirischen Konzeptualisierungen und Operationalisierungen. Immer noch findet sich als häufigstes Maß für informelle Sozialbeziehungen die Feststellung von gegenseitigen Kontakten. Unberücksichtigt bleibt dabei meist die „Angebotsseite": Es wird nicht kontrolliert, welche Personen überhaupt zur Verfügung stehen, wie groß die Anzahl der Nachbarn und Bekannten oder die Größe des Verwandtenkreises und ihre räumliche Entfernung ist. Ebenso unterbleibt oft die Überprüfung von Funktionen bestimmter Bezugsgruppen für den Familienalltag sowie der möglichen Effekte einer Einbeziehung bzw. Nichteinbeziehung familienexterner Personen in die Erledigung von Erziehungs- und Sozialisationsaufgaben.
In diesem Abschnitt werden unter Zugrundelegung des Soziotopenrasters und anhand von Daten der Elternbefragung Elemente sozialer Verflechtung und Dimensionen der Kommunikation bestimmt. Dabei wird insbesondere auf *räumliche Bedingungen* geachtet, die zur Erklärung des Umfangs der sozialen Integration und der Kommunikation herangezogen werden können. Soziale Integration oder Verflechtung wird ausdrücklich nicht nur über die bloße Häufigkeit von Besuchen bestimmt. Vielmehr wird die Funktionalität sozialer Beziehungen für die Leistungen, aber auch die Leistungsgrenzen von Eltern hinsichtlich kindlicher Sozialisation mitberücksichtigt. Dafür kommen Informationen über Gesprächsthemen mit Verwandten, Nachbarn und Bekannten ebenso in Betracht, wie deren möglichen Hilfeleistungen für die Familien.

5.2. *Zur Kontaktdichte mit verschiedenen Bezugsgruppen in den Soziotopen*

Zunächst ist über die Häufigkeit zu berichten, mit der sich die befragten Mütter mit ihren eigenen Eltern und Geschwistern oder mit denen des Ehepartners treffen. Dabei ergeben sich charakteristische Unterschiede nach Soziotopen: Mütter

Abbildung 6: Häufige Kontakte zu Großeltern, Geschwistern und Bekannten in den Soziotopen (häufig = praktisch täglich oder 1–2mal in der Woche)

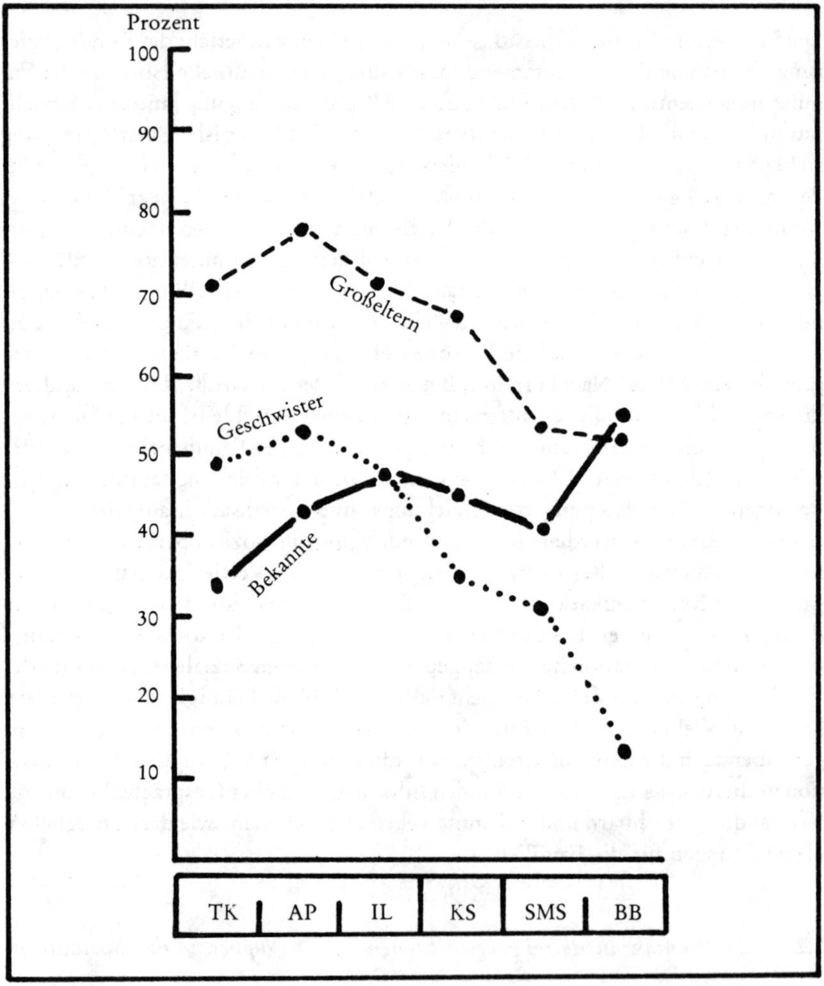

TK = Traditionell ländliche Kleingemeinden; AP = Arbeiterpendlergemeinden; IL = Industrialisierte Landgemeinden; KS = Kleinstadt; SMS = Städtische Mietwohnsiedlung; BB = Viertel von Besitz und Bildung

Abbildung 7: Entfernung der Wohnung von Großmüttern, differenziert nach Soziotopen

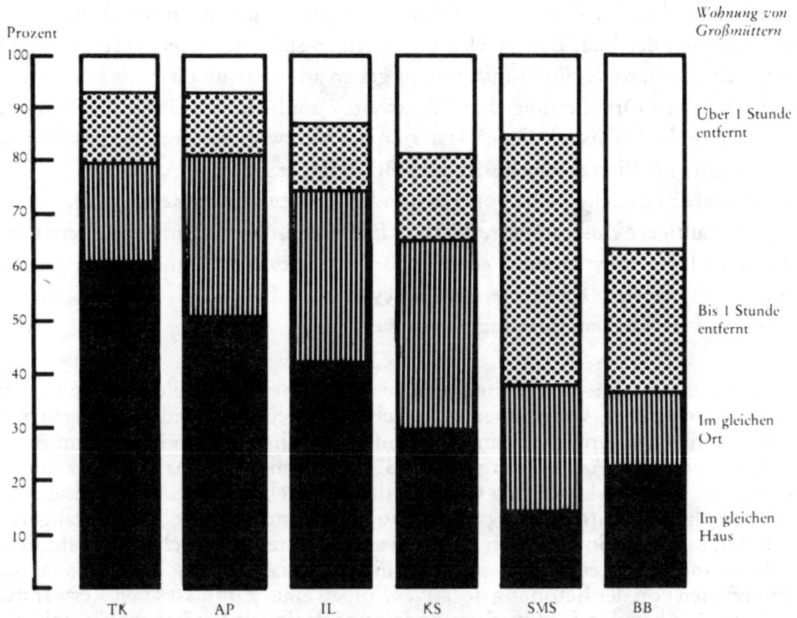

TK = Traditionell ländliche Kleingemeinden; AP = Arbeiterpendlergemeinden; IL = Industrialisierte Landgemeinden; KS = Kleinstadt; SMS = Städtische Mietwohnsiedlung; BB = Viertel von Besitz und Bildung

in traditionell ländlichen Kleingemeinden kommen zu mehr als der Hälfte nahezu täglich mit Großeltern zusammen, in den beiden untersuchten städtischen Vierteln beträgt dieser Anteil nur 20 Prozent. Fügt man dieser Gruppe diejenigen Mütter hinzu, die sich 1–2mal in der Woche mit Großmüttern treffen, sind die Unterschiede über Soziotope hinweg nicht mehr so gravierend. Die beiden zusammengefaßten Kategorien sind auch in Abbildung 6 wiedergegeben.

Auch in den Beziehungen zu Geschwistern zeigen sich Differenzen zwischen ländlichen und städtischen Wohngebieten, wobei die Kleinstadt sich noch deutlich insbesondere von dem großstädtischen Viertel von Besitz und Bildung unterscheidet. Umgekehrt – und damit die Annahme einer Komplementarität von Beziehungen zu Verwandten und Bekannten bestätigend (vgl. *Pfeil/Ganzert* 1973) – kommen Familien auf dem Lande seltener mit Bekannten zusammen als in den städtischen Vierteln. Das deutlich größere Vorkommen häufigen Zusammentreffens mit Verwandten in ländlichen Gebieten ist primär zu erklären aus der räumlichen Nähe, in der Großeltern und Geschwister dort überwiegend wohnen. Abbildung

7 veranschaulicht dies für die Wohnorte der Großmütter: Lediglich 14 Prozent der Familien in städtischen Mietwohnsiedlungen haben Großmütter im selben Haus, in den ländlichen Gebieten ist dies zusammengenommen bei mehr als der Hälfte der Befragten der Fall. Bei Geschwistern zeigen sich auf dieser Stufe zwar keine Unterschiede (jeweils rund fünf Prozent geben an, diese im gleichen Haus zu haben), im selben Ort allerdings hat jede zweite Familie in den ländlichen Gebieten und auch in der Kleinstadt Geschwister, in der Mietwohnsiedlung sind es aber nur 25 Prozent, im Viertel von Besitz und Bildung gar nur 15 Prozent.
Die größere räumliche Nähe von Verwandten in den traditionelleren Soziotopen und das häufigere Zusammentreffen von Eltern mit ihnen kann neben dem damit zusammenhängenden Befund einer größeren regionalen Immobilität (vgl. Abschnitt 3.2.) als weiteres Element eines bestimmten Lebensstils je nach Soziotopzugehörigkeit von Familien angesehen werden.

Verwandtenkontakte werden heute zwar auch zunehmend selektiv unterhalten, die stillschweigende Vorgegebenheit solcher Beziehungen und Bindungen wird immer weniger akzeptiert: Dennoch handelt es sich hier immer noch um Beziehungen besonderer Art, im Vergleich z. B. zu Kontakten am Arbeitsplatz oder zu Nachbarn. Welcher konkreten Qualität diese Beziehungen allerdings sind, etwa hinsichtlich ihres Aufforderungsgehalts zu bestimmtem Handeln, ist bislang noch zu wenig bekannt. So fällt auch eine Bewertung unterschiedlicher Kontaktdichte zu Verwandten unter dem Aspekt familialer Sozialisation schwer. Annahmen dazu reichen von der Betonung negativer Folgen eines Einflusses von Verwandten (*Lidz* 1971) über den Schluß einer Bedeutungslosigkeit für Entwicklungsbedingungen von Kindern bis hin zu einer ausgesprochen positiven Sichtweise einer Mitgestaltung des Familienalltags durch Verwandte (*Pfeil/Ganzert* 1973; *Wurzbacher* 1977).

Generell kann festgehalten werden, daß Annahmen darüber, welche Handlungsmöglichkeiten durch enge, lockere oder fehlende Beziehungen zu Verwandten für Familien geschaffen oder aber verhindert werden, bis heute empirisch nicht eindeutig belegt sind. Insbesondere ist es bislang nicht möglich, wirkungsanalytische Folgerungen mit Blick auf familiale Sozialisationsleistungen aus einem je verschiedenen Umfang der Einbindung in Verwandtschaftssysteme zu ziehen. Dazu würde die Feststellung der konkreten Hilfen oder Interventionen von Verwandten gehören und die Beachtung der Anlässe hierfür, ebenso eine inhaltsanalytische und evaluative Vorgehensweise bei der Erfassung von Interaktionen und von Kommunikation mit Verwandten.
Der Befund einer in der Regel größeren räumlichen Nähe von Großeltern bei Familien in ländlich-traditionell geprägten Orten stellt allerdings eine Aufforderung dar, die Bedeutung von Verwandten und in Ergänzung dazu auch von Nachbarn und Bekannten für die Aktivierung oder auch die Nicht-Nutzung gesellschaft-

licher Ressourcen im Sinne des theoretischen Bezugrahmens, wie er in dem Beitrag von *Strohmeier/Herlth* in diesem Reader dargestellt ist, detaillierter zu erforschen.

5.3. *Eigene Kinder, Kindergarten und Schule als Themen der Kommunikation*

Um einen ersten Überblick darüber zu erhalten, in welchem Umfang bestimmte Inhalte Gegenstand von Alltagsgesprächen sind, wurden die Mütter gefragt, wie häufig sie sich mit anderen Personen über ihre Kinder, den Kindergarten und die Schule unterhalten. Bei dem Thema ,,eigene Kinder" bestehen keine bedeutenden soziotop-spezifischen Unterschiede danach, wie häufig Mütter mit anderen darüber sprechen. Mit Ausnahme des Viertels von Besitz und Bildung, welches etwas geringere Werte aufweist, ist es über die Soziotope hinweg jede zweite Mutter, die sich *zumindest* 1–2mal in der Woche mit Verwandten darüber unterhält. Mit jeweils etwa zwei Drittel ist der Anteil bei Gesprächen mit Bekannten oder Nachbarn dabei noch größer, ebenfalls weitgehend soziotopunabhängig.

Die Feststellung bloßer Gesprächshäufigkeiten ist für sich genommen auch nur ein erster Schritt zur weiteren Erforschung solcher Fragen auf ihre sozialisatorische Relevanz und noch nicht besonders aussagekräftig. Der Befund erstaunt dennoch, erwartet man z. B. in der Kommunikation unter Nachbarn auf dem Hintergrund vielfältiger gemeindesoziologischer Studien ein Stadt-Land-Gefälle. Für weitergehende Schlüsse anhand bestimmter sozialisationstheoretischer Überlegungen sind jedoch die oben angesprochenen weiteren Informationen vonnöten, wie Auskünfte über die Gesprächs*inhalte* (wenn z. B. über Kinder gesprochen wird) und auch darüber, welchen Stellenwert der Gesprächspartner und damit auch die je ausgetauschten Informationen oder Ratschläge für die Mütter besitzen. Ebenso bleibt zu prüfen, zugunsten oder zu Lasten welcher anderen Bezugspersonen dies jeweils geht. Diese Bemerkungen gelten auch für den von uns ermittelten Umfang, in welchem Kindergarten und Schule in der Kommunikation mit dem Ehepartner, mit Verwandten, Nachbarn und Bekannten vorkommen. Auch hierfür finden sich in bisherigen Untersuchungen wenige inhaltlich angereicherte Ergebnisse. Stets wird aber die Bedeutung von Gesprächen über schulische Angelegenheiten für den schulischen Erfolg von Kindern betont. Beispielsweise bestimmt *Pettinger* (1970) in seiner Untersuchung von Einflußfaktoren auf die Schulentscheidung für die Kinder von Arbeitereltern verschiedene ,,Aspekte elterlichen Ausbildungsverhaltens", darunter auch einen Kontaktaspekt (S. 58f.). Dieser schließt neben Interaktionen der Eltern mit der Schule und ihren Vertretern auch solche mit anderen Personen ein.

Abbildung 8 belegt auch für unsere Untersuchung eine rege Kommunikation der Eltern untereinander und mit außenstehenden Personen über Schule und Kindergarten. Zwei Drittel der Eltern unterhalten sich *zumindest* 1–2mal in der Woche über die Schule miteinander, über den Kindergarten wird – bei der untersuchten

Abbildung 8: Häufige Gespräche über Kindergarten und Schule mit dem Ehepartner, Verwandten, Nachbarn und Bekannten in den Soziotopen (häufig = praktisch täglich oder 1–2mal in der Woche)

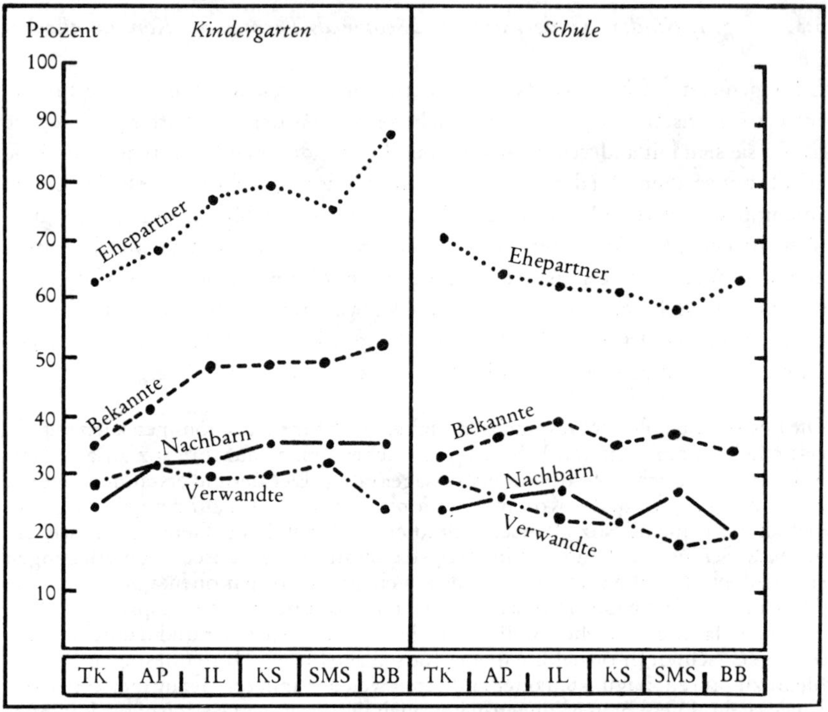

TK = Traditionell ländliche Kleingemeinden; AP = Arbeiterpendlergemeinden; IL = Industrialisierte Landgemeinden; KS = Kleinstadt; SMS = Städtische Mietwohnsiedlung; BB = Viertel von Besitz und Bildung

Müttergruppe mit Kindern im Vorschulalter verständlicherweise – noch häufiger gesprochen. Hier werden soziotopspezifische Unterschiede sichtbar, die weitgehend davon abhängen, ob das Kind den Kindergarten besucht oder nicht.
Neben dem erwarteten Ergebnis, daß der Ehepartner der hauptsächliche Gesprächspartner ist, wenn es um Bildungs- und Ausbildungsfragen von Kindern geht, erstaunt die relativ große Bedeutung, die Bekannten hier zukommt. Zudem fällt die geringe Variationsbreite über die Soziotope hinweg ins Auge. Verwandte und Nachbarn halten sich in etwa die Waage als bevorzugte und häufige Gesprächspartner in Angelegenheiten des Kindergartens und der Schule. Auch hier zeigen sich nur geringe Schwankungen nach der Soziotopzugehörigkeit. Insbesondere spielen Verwandte in *den* Soziotopen offensichtlich keine größere Rolle als Ge-

sprächspartner solcher Thematiken, in denen sie ganz in der Nähe wohnen, und umgekehrt kommen Nachbarn, wiederum entgegen landläufiger stadtsoziologischer Erwartungen, in den städtischen Vierteln in nicht geringerem Maße als Kommunikationspartner in Frage als in ländlichen Wohngebieten.

5.4. *Inanspruchnahme von Hilfen und Unterstützung in unterschiedlichen Problemsituationen*

Zur Charakterisierung familialer Lebensverhältnisse ist es notwendig zu wissen, hierauf wurde eingangs (Abschnitt 5.1.) bereits hingewiesen, ob mit Kontakten und Gesprächen auch Hilfen zu Problemlösungen für Eltern verknüpft sind und welcher Art eine etwaige Unterstützung ist. Deswegen wurde in der Erhebung auch nach Situationen gefragt, in welchen eine Inanspruchnahme von Verwandten, Nachbarn oder Bekannten denkbar ist. Dabei wurde, bezogen auf verschiedene Bereiche des Familienlebens, jeweils eine leichtere und eine gewichtigere Problemsituation hypothetisch vorgegeben. Fragen wurden u. a. gestellt zum Verhalten

- beim Fehlen eines Werkzeugs für eine kleine Reparatur in der Wohnung
- bei der Renovierung der Wohnung
- beim Fehlen eines kleinen Geldbetrages
- beim Fehlen eines größeren Betrages für eine Nachnahmesendung
- bei der Notwendigkeit einer mehrstündigen Betreuung der Kinder
- bei der Notwendigkeit einer längerfristigen Versorgung der Kinder wegen eines Krankenhausaufenthalts.

Es interessiert, ob Eltern in solchen Situationen auf sich allein gestellt sind, oder ob sie jeweils mit Hilfe rechnen.

Hier soll nur darüber berichtet werden, wie es um das Unterstützungspotential in den einzelnen Soziotopen bestellt ist, wenn Eltern vor der Situation stehen, für einige Stunden bzw. für längere Zeit (für Tage oder gar Wochen) eine Betreuungs- oder Beaufsichtigungsperson für die Kinder zur Verfügung zu haben. Was die Frage betrifft, wer die Versorgung der Kinder übernimmt, wenn die Mutter für längere Zeit nicht zur Verfügung steht, so ist die Situation eindeutig: Lediglich zwei Prozent antworteten, in diesem Falle keine Hilfe zur Verfügung zu haben. Mit durchschnittlich 90 Prozent würde sich die weit überwiegende Mehrheit hingegen an Verwandte wenden. Nachbarn kommen in solch einem Falle praktisch überhaupt nicht als Hilfspersonen in Frage; ebensowenig Bekannte und Freunde, mit Ausnahme bei Familien, die im städtischen Viertel von Besitz und Bildung leben. Jede fünfte Mutter gibt hier an, Bekannte in diesem Falle um Hilfe zu bitten. Geht es dagegen um eine kurzfristige und lediglich mehrstündige Beaufsichtigung der Kinder, variiert die Inanspruchnahme von Verwandten mit ihrer räumlichen Erreichbarkeit. Komplementär dazu schwankt auch die Wichtigkeit, die zur Lösung dieser Problemsituation Nachbarn und Bekannten zukommt. Dabei sind bei einer Differenzierung nach Soziotopen bezeichnende Unterschiede festzustellen: So wendet sich im städtischen Viertel von Besitz und Bildung gerade jede vierte Mutter an Verwandte, während dies für drei Fünftel in traditionell ländlichen Kleingemeinden gilt. Dort kommt dann auch – wie Tabelle 5 belegt – Nachbarn und Bekannten lediglich eine untergeordnete Bedeutung zu. Hingegen erfahren gerade Nachbarn in den beiden städtischen Vierteln, d. h. dort, wo Verwandte nicht unmittelbar zur Beaufsichtigung der Kinder zur Verfügung stehen, eine Bedeutungszunahme.

Tabelle 5: Kurzzeitige Beaufsichtigung von Kindern, differenziert nach Soziotopen (Angaben in v. H.; Mehrfachnennungen möglich)

Soziotope	Beaufsichtigung durch . . . Verwandte	Nachbarn	Bekannte/ Freunde	Niemand
ländliche Gebiete				
– Trad. ländl. Kleingemeinden	59	26	20	1
– Arbeiterpendlergemeinden	63	19	13	2
– industrialisierte Landgemeinden	52	23	24	2
Kleinstadt	51	23	27	2
städtische Gebiete				
– Mietwohnsiedlung	47	31	22	5
– Viertel von Besitz und Bildung	28	37	37	2

Es kann angenommen werden und ist auch empirisch nachzuweisen (vgl. *Fauser* 1978), daß ein Zusammenhang besteht zwischen dem Umfang, in welchem diese Personen für eine Betreuung der Kinder eingesetzt werden, und der Bereitschaft der Eltern, sich auch in schwierigen Erziehungssituationen um Rat an diese zu wenden. Ebenso ist zu vermuten, daß alltägliche Gespräche über Erziehungsfragen mit Verwandten, Nachbarn und Bekannten zusammenhängen mit der Häufigkeit von Treffen und auch dem Umfang gegenseitiger Unterstützung und Hilfe.

5.5. *Ausmaß lokalpolitischen Engagements in Landgemeinden und Stadtvierteln*

Das Ausmaß regionaler Immobilität, die räumliche Entfernung von Verwandten und der Umfang, in dem Familien in Problemsituationen mit externer Unterstützung rechnen können, wurden bereits als Elemente unterschiedlichen Lebensstils bestimmt. Als eine weitere Komponente hierfür kann das Ausmaß, in dem Väter und Mütter an „lokaler Öffentlichkeit“ (*Dunckelmann* 1975) partizipieren, angesehen werden. Es kann Hinweise darauf abgeben, inwieweit – im Sinne *Dahrendorfs* (1965b, 327ff.) – öffentliche und private Tugenden in Familien präsent sind, und inwieweit, entsprechend der Typologie *Riesman*'s et al. (1958) Elternverhalten innen- oder außengelenkt ist. Die Fragen in diesem Zusammenhang lauten daher:

1. In welchem Umfang zeigt sich bei Vätern und Müttern ein Interesse und die Bereitschaft zum Engagement für öffentliche Belange, soweit diese lokalen Charakter besitzen, z. B. für Gemeindepolitik?
2. Sind feststellbare Unterschiede im Grad lokaler Öffentlichkeit bei Familien lediglich auf diesen Sektor begrenzt oder sind sie gleichzeitig Ausdruck eines allgemeineren Grundmusters, Zeichen von Unterschieden in der Repräsentanz öffentlicher Tugenden und außengeleiteten Verhaltens von Eltern, wie es sich auch in einer Beteiligung an der Kindergartenarbeit äußern müßte?

Das Öffentlichkeitsinteresse und das öffentliche Engagement in der Gemeinde kann über verschiedene Indikatoren bestimmt werden. Diese reichen von einer Beteiligung an Wahlen, über die Mitarbeit in Parteien und die Bereitschaft zur Übernahme von „Ehrenämtern“ bis hin zu Diskussionen mit Nachbarn oder am Stammtisch. In unserer Erhebung sollte der Grad öffentlich-lokalen Interesses und Engagements gemessen werden über die Mitarbeit in Organisationen und die Häufigkeit, mit der über Lokalpolitik und Gemeindefragen mit bestimmten Personen gesprochen wird, sowie dadurch, wie oft Veranstaltungen dazu besucht werden. Für die Analyse wurden Aktivitäten berücksichtigt, die auf ein recht starkes Involviertsein in lokalpolitische Strukturen schließen lassen, nämlich: Besuch von Bürgerversammlungen und Diskussionsabenden; Besuch von Gemeinderats- oder Stadtratssitzungen; Gespräche mit Gemeinde- oder Stadträten; Besuch von Parteiveranstaltungen.

Mütter und Väter unterscheiden sich im Umfang und in der Intensität öffentlicher Beteiligung. Dies ist Ausdruck einer immer noch weit vorhandenen traditionellen Rollenteilung, wonach es zunächst einmal Sache von Männern ist, öffentlich interessiert und tätig zu sein, während den Frauen der „Binnenraum der Familie“ als hauptsächliches Betätigungsfeld zugewiesen wird. So ergibt die Analyse unserer Daten, daß lediglich 40 Prozent der Mütter eine der ausgewählten Aktivitäten wahrnimmt, wobei die Intensität, mit der dies geschieht, recht gering ist; bei den Vätern beträgt der entsprechende Anteil dagegen rund 70 Prozent bei einer insgesamt zudem deutlich größeren Intensität.

Daher werden im folgenden die Mütter lediglich in zwei Gruppen geteilt: In solche, die zumindest eine dieser Tätigkeiten nannten, unabhängig von deren Häufigkeit, und in solche, die sich in diesen Formen mit Gemeinde- und Lokalpolitik nicht befassen. Bei den Vätern hingegen konnten differenziertere und abgestuftere Gruppen gebildet werden, und zwar:

- Väter mit sehr großem lokalem Engagement: bei Nennung von ,,sehr häufig" oder ,,häufig" in drei oder vier Vorgaben (N = 147 = 16 %).
- Väter mit großem lokalem Engagement: bei Nennung von ,,sehr häufig" oder ,,häufig" in einer oder zwei Vorgaben (N = 124 = 13 %).
- Väter mit mittlerem lokalem Engagement: bei Nennung von ,,selten" in drei oder vier Vorgaben (N = 165 = 18 %).
- Väter mit geringem lokalem Engagement: bei Nennung von ,,selten" in einer oder zwei Vorgaben (N = 227 = 24 %).
- Väter mit keinem lokalem Engagement: diejenigen, welche bei allen Vorgaben ,,nie" angeben (N = 269 = 29 %).

Tabelle 6 gibt für die Mütter und Abbildung 9 für die Väter wieder, wie das lokalpolitische Engagement zwischen den Soziotopen schwankt.

Tabelle 6: Lokalpolitisches Engagement von Müttern, differenziert nach Soziotopen (Angaben in v. H.)

Traditionell ländl. Kleingemeinden	Arbeiterpendlergemeinden	Industrialisierte Landgem.	Kleinstadt	Mietwohnsiedlung	Viertel von Besitz und Bildung
48	45	46	29	30	29

In den ländlichen Orten ist die Partizipation an Lokalpolitik erheblich größer als in Großkommunen. Dies gilt in der genannten unterschiedlichen geschlechtsspezifischen Intensität sowohl für das Verhalten der Mütter als auch von Vätern. Bei beiden zeigt sich in den Beteiligungszahlen ein relativ ähnliches Muster: Jedesmal schnellt beim Übergang von der industrialisierten Landgemeinde zu städtischen Wohngebieten der Anteil derer nach oben, die kein Beteiligungsverhalten äußern. Bemerkenswerterweise bleibt dabei die übliche Rollenverteilung zwischen den Eltern, was die Beteiligung an ,,Öffentlichkeit" anlangt, über die Soziotope hinweg im Grundmuster erhalten. Dies trotz einer unterschiedlichen Bestimmung dieser räumlichen Einheiten nach der jeweiligen sozialen Zusammensetzung. Zu berücksichtigen ist in diesem Zusammenhang allerdings die Bedeutung, die hier der

Abbildung 9: Lokalpolitisches Engagement von Vätern, differenziert nach Soziotopen

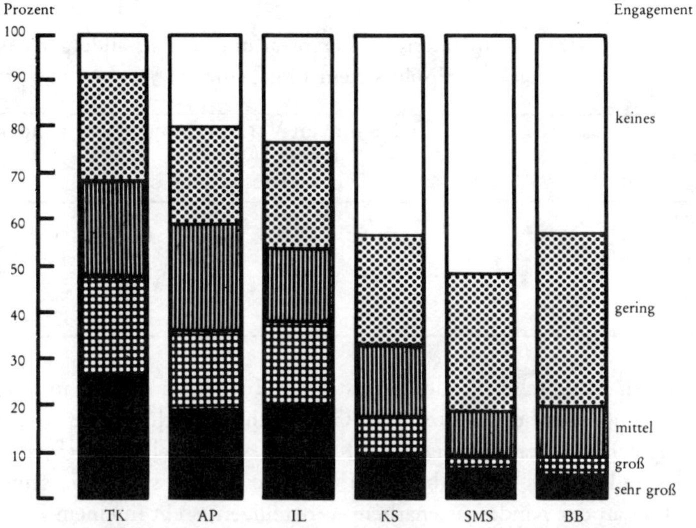

TK = Traditionell ländliche Kleingemeinden; AP = Arbeiterpendlergemeinden; IL = Industrialisierte Landgemeinden; KS = Kleinstadt; SMS = Städtische Mietwohnsiedlung; BB = Viertel von Besitz und Bildung

Wohndauer zukommt. Die Soziotope mit großem Desinteresse und fehlendem Engagement sind, dies ist in Abschnitt 3.2. aufgezeigt, charakterisiert durch einen geringen Anteil an Bewohnern, die schon immer an diesem Ort leben.

Weitere Gründe für diese deutlichen Unterschiede können in der leichteren Zugänglichkeit von Repräsentanten der Öffentlichkeit (Behörden, Gemeinderäten etc.) und auch der geringeren Komplexität lokaler Strukturen in ländlichen Gebieten gesehen werden (vgl. *Schneider* 1977). Mitverantwortlich kann aber auch eine genuin besondere Orientierung auf dem Lande im Vergleich zur Stadt sein, die wiederum Ausdruck einer besonderen Sozialisation ist, gerade dann, wenn man schon immer am gleichen Ort wohnt.

Abschließend interessiert die Frage, ob die Unterschiede im lokalpolitischen Engagement von Vätern und Müttern auf diesen Öffentlichkeitsbereich beschränkt sind, oder ob dies Ausdruck eines Grundmusters des Verhaltens darstellt, welches sich auch auf die Beteiligung und das Interesse der Eltern an den Belangen des Kindergartens auswirkt. Ein Blick auf Tabelle 7, in der nach Vätern unterschiedlichen Grades lokalpolitischen Engagements differenziert wird, macht deutlich, daß in der Tat diejenigen Väter, die ein intensives Engagement für Belange ihres Wohnviertels zeigen, indem sie z. B. regelmäßig Gemeinderatssitzungen besuchen und sich mit Gemeinderäten besprechen, in einem größeren Umfang die Möglichkeit wahrnehmen, Veranstaltungen des Kindergartens zu besuchen.

Tabelle 7: Teilnahme von Vätern an Veranstaltungen des Kindergartens, differenziert nach lokalpolitischem Engagement (Angaben in v. H.)

Öffentliches Engagement	Teilnahme an Veranstaltungen des Kindergartens: regelmäßig oder häufig	selten	nie
sehr groß	45	38	18
groß	36	45	20
mittel	34	38	28
gering	31	37	32
keines	29	3	40

Bei Müttern ist dieselbe Tendenz feststellbar: Beteiligen sie sich in irgendeiner Form an Angelegenheiten ihrer Nah-Öffentlichkeit, nehmen sie zu rund drei Fünfteln auch an Veranstaltungen des Kindergartens regelmäßig teil, andernfalls sind es gerade 45 Prozent. Aber auch die Bereitschaft, sich in verschiedenster Form aktiv an der Kindergartenarbeit zu beteiligen, steht in einem Zusammenhang mit dem Grad anderer öffentlicher Beteiligungen der Eltern. Sowohl Väter als auch Mütter sind in einem größeren Umfang bereit, an der Organisation von Festen mitzuarbeiten, Elternabende zu besuchen, mit den Kindern Lernübungen zu machen, mit ihnen über alltägliche Probleme zu sprechen und auch von der eigenen Arbeit zu berichten, wenn sie ein Engagement an lokaler Öffentlichkeit artikulieren.
Die referierten Zusammenhänge können als Hinweise darauf verstanden werden, daß Familien tatsächlich nach ihren öffentlichen und privaten Orientierungen unterscheidbar sind und daß in dem Umfang lokalpolitischen Engagements *ein* brauchbarer Indikator hierfür gesehen werden kann.

6. Sozial-ökologische Differenzierungen und Erklärungen von Bildungsbeteiligung und Bildungswünschen

6.1. *Zur Bedeutung von Bildungsbeteiligung und Bildungswünschen*

Von zentraler Bedeutung für die Entfaltung von Lebenschancen in unserer Gesellschaft ist eine qualifizierte schulische Bildung. Die Forderung nach Chancengleichheit umfaßt auch die Forderung nach gleichen Bildungschancen. Dies ist spätestens seit der grundlegenden Arbeit von *Schelsky* (1957) zum Verhältnis von Schule und Gesellschaft bekannt. In Abschnitt 3.2. wurden deshalb die in dem vorliegenden Beitrag betrachteten Soziotope über die intergenerative vertikale Statusmobilität hinsichtlich der in ihnen bestehenden Bildungschancen eingestuft. In diesem Abschnitt nun sollen zwei Aspekte von Bildungschancen der Kinder im Vorschulalter untersucht werden.

Im ersten Teil geht es um konkrete *Bildungsbeteiligung am Beispiel des Kindergartenbesuchs.* Es ist gerechtfertigt, auch beim Kindergarten von einer eigenständigen Bildungseinrichtung zu sprechen, da ihm eine wichtige Funktion für die Förderung der kognitiven und insbesondere der sozialen Entwicklung von Kindern im Vorschulalter zukommt (vgl. *Deutscher Bildungsrat* 1973; die Beiträge in *Zimmer* 1973). Durch den Kindergarten kommen die Kinder zeitenweise aus der Familie heraus, lernen mit anderen Kindern in der Gruppe und mit anderen Erwachsenen umzugehen und können sich dadurch weitere Lernfelder erschließen. Daß Kindergartenkinder besser in ihrer Entwicklung gefördert werden als Kinder, die nicht in den Kindergarten gehen, sehen auch die befragten Eltern so: die überwiegende Mehrheit ist der Meinung, daß Kinder, die in den Kindergarten gehen, es später einmal in der Schule leichter haben, daß sie früher selbständig werden und im Kindergarten Dinge lernen, die sie zu Hause nicht lernen können.

Im zweiten Teil werden die *Bildungswünsche der Eltern für ihre Kinder* näher untersucht. Da sie vor dem Schuleintritt ihres Kindes hierzu befragt wurden, ist ihr Wunsch noch unbeeinflußt von den konkreten Schulleistungen ihres Kindes und Meinungsäußerungen der Lehrer. Wo Bildungswünsche bislang untersucht wurden, geschah dies bereits nach dem Eintritt der Kinder in die Schule (*Kob* 1963; *Eirmbter* 1977 u. a.). Die Wünsche sind der Ausgangspunkt und eine erste wichtige Orientierung für den Start der Kinder in die Schule. Daß der soziale Status der Familie für den Schulerfolg eine wichtige Rolle spielt, ist mittlerweile Allgemeinplatz, jedoch ist zu berücksichtigen, daß der soziale Status für sich alleine genommen ihn nicht hinreichend erklären kann. *Müller/Maier* (1976) resümieren in diesem Zusammenhang, daß zur Beantwortung der Frage, ,,inwieweit zukünftige Lebenschancen bereits durch die Tatsache der Geburt in eine bestimmte Familie und in die damit gegebene soziale Umwelt hinein feststehen . . ., der sozio-ökonomische Status der Familie ein zu eng begrenzter Herkunftsindikator (ist)" (S. 49). Zwar schreiben sie dem sozio-ökonomischen Status die hauptsächliche Bedeutung hierfür zu, da er aber nur 35 % der beobachteten Gesamtvarianz der Ausbildung von Söhnen abdeckt und der Gesamteinfluß der Familie darauf in ihrer Untersuchung bei ca. 60 % liegt[27], bezeichnen sie diesen unaufgeklärten Rest als ,,Familien-Residual-Effekt" (S. 50). In ihren Mutmaßungen über diesen Faktor beschränken sich *Müller/Mayer* auf familienimmanente Faktoren wie z. B. Kinderzahl, ihre etwaigen Bildungserfahrungen, die Unterstützung der Kinder durch die Eltern usw. Daß auch externe Gründe zum Zustandekommen dieses „Familien-Residualeffektes“ beitragen, belegen die unterschiedlichen Bildungswünsche von Eltern gleicher Sozialgruppenzugehörigkeit in unterschiedlichen Soziotopen.

6.2. *Unterschiedlicher Besuch des Kindergartens in den Soziotopen*

Da der Kindergartenbesuch freiwillig ist, gehen, trotz der von vielen Eltern geteilten, sehr positiven Beurteilung der Leistungen des Kindergartens, nicht alle Kinder in den Kindergarten: Ein Viertel der von uns befragten Eltern schickte ihr Kind nicht in den Kindergarten. Während in den letzten 15 Jahren diejenigen Bedingungen und Faktoren untersucht wurden, die dazu führen, daß weiterführende Bildungseinrichtungen (Realschule, Gymnasium), deren Besuch ebenfalls auf freiwilliger Basis erfolgt, nicht in Anspruch genommen werden (vgl. u. a. *Geipel* 1965; *Peisert* 1967), fehlen bislang solche Aussagen hinsichtlich des Kindergartenbesuchs. Ebenso wie in den zitierten Arbeiten die räumlichen Strukturen von Bildungsbeteiligung am weiterführenden Schulwesen und die dazu führenden Faktoren herausgearbeitet wurden, werden daher auf den folgenden Seiten die entsprechenden Gründe und Motive für den Kindergartenbesuch diskutiert:

Tabelle 8: Kindergartenbesuch in den verschiedenen Soziotopen

Soziotop	Anzahl der Eltern	davon schicken ihr Kind in einen Kindergarten (in v. H.)
Ländliche Gebiete		
– traditionell ländliche Kleingemeinden	143	60
– Arbeiterpendlergemeinden	380	68
– industrialisierte Landgemeinden	265	77
Kleinstadt	181	84
Städtische Viertel		
– Mietwohnsiedlung	137	79
– Viertel von Besitz und Bildung	87	85

Tabelle 8 gibt die Häufigkeit des Kindergartenbesuchs in den Soziotopen wieder. Nur im städtischen Viertel von Besitz und Bildung und in der Kleinstadt gehen mehr als acht von zehn in Frage kommenden Kindern in einen Kindergarten. Dagegen übersteigt der Kindergartenbesuch in den traditionell ländlichen Kleingemeinden und Arbeiterpendlergemeinden kaum die Schwelle von zwei Dritteln.

6.3. *Gründe und Motive des Kindergartenbesuchs: die Entfernung des Kindergartens*

Die Ursachen für den Verzicht auf den Kindergartenbesuch sind angesichts der insgesamt sehr positiven Einschätzung der Leistungen des Kindergartens durch die Eltern einerseits in äußeren räumlichen, zudem aber auch in sozialen Bedingungen zu suchen. Die wohl wichtigste Ursache ist zunächst in der Entfernung zum nächsten Kindergarten zu sehen, denn mit zunehmender Entfernung sinkt der Kindergartenbesuch.

- Ist der Kindergarten weniger als 500 m Wegstrecke entfernt, dann besuchen ihn 85 % der Kinder;
- Ist der Kindergarten zwischen 500 m und 1 km entfernt, dann sind es 80 % der Kinder, die ihn besuchen;
- Liegt er in einer Entfernung zwischen 1 km und 3 km, dann besuchen ihn noch 72 %;
- Ist er mehr als 3 km von der elterlichen Wohnung entfernt, sind es nur noch 47 %, die ihn besuchen, somit ist hier eine kritische Schwelle erreicht.

Der verschieden hohe Kindergartenbesuch in den einzelnen Soziotopen muß daher wesentlich daran liegen, daß Kindergärten in ihnen jeweils unterschiedlich gut erreichbar sind. So wohnen in den traditionell ländlichen Kleingemeinden jeweils 45 % der Eltern weiter als drei Kilometer vom nächsten Kindergarten entfernt. In den industrialisierten Landgemeinden ist die Situation bereits erheblich besser: hier sind es nur noch 12 %. In der Kleinstadt und in den städtischen Soziotopen wohnt praktisch niemand so weit entfernt. Im Nahbereich am besten versorgt ist die städtische Mietwohnsiedlung, in der über 95 % der Familien in weniger als einem Kilometer Entfernung vom nächsten Kindergarten wohnen. Diesem Faktum entspricht, daß in der Befragung der Mütter als Motiv für die Nichtinanspruchnahme des Kindergartens in den schlechter versorgten Soziotopen vor allen Dingen seine schlechte Erreichbarkeit genannt wird; etwa die Hälfte der Mütter nennen jeweils in den traditionell ländlichen Kleingemeinden und in den Arbeiterpendlergemeinden, daß der Kindergarten zu weit entfernt ist. In den besser versorgten industrialisierten Landgemeinden sind es nur 15 %, die dies als Grund für ihre Nichtinanspruchnahme angeben. In den Städten fällt die Nennung des Motivs „der Kindergarten ist zu weit entfernt" als Grund für einen Verzicht auf den Kindergartenbesuch aus[28].

Insgesamt lassen sich aber nicht alle Eltern in gleicher Weise von der Entfernung des Kindergartens darin beeinflussen, ob sie ihr Kind in den Kindergarten schikken oder nicht. Es sind insbesondere Arbeiterfamilien, die schon bei geringeren Entfernungen auf einen Kindergartenbesuch für ihr Kind verzichten. Die Kindergartenentfernung wirkt also sozial selektiv (siehe Abb. 10): Ist der Kindergarten weniger als einen Kilometer von der elterlichen Wohnung entfernt, dann unterscheiden sich die drei Sozialgruppen kaum danach, in welchem Ausmaß sie jeweils den Kindergarten in Anspruch nehmen. Erst wenn der Kindergarten mehr als einen Kilometer entfernt ist, zeigen sich deutliche Unterschiede im Verhalten zwischen der mittleren und der oberen Sozialgruppe auf der einen und der unteren Sozialgruppe auf der anderen Seite.

Denn bei dieser Entfernung verzichtet bereits fast die Hälfte der Arbeitereltern auf den Kindergartenbesuch für ihr Kind. Die Eltern der beiden anderen Sozialgruppen lassen sich von dieser Entfernung dagegen noch nicht beeindrucken. Erst wenn der Kindergarten über drei Kilometer entfernt ist, sinkt auch bei ihnen der Anteil derer stark ab, die auch dann noch ihre Kinder in den Kindergarten gehen lassen. Vor allen Dingen führt diese unterschiedliche Reaktion auf die Entfernung des Kindergartens dazu, daß der Kindergarten in den drei Sozialgruppen in unterschiedlichem Ausmaß in Anspruch genommen wird.

Abbildung 10: Der Besuch eines Kindergartens in Abhängigkeit von dessen Entfernung in verschiedenen Sozialgruppen

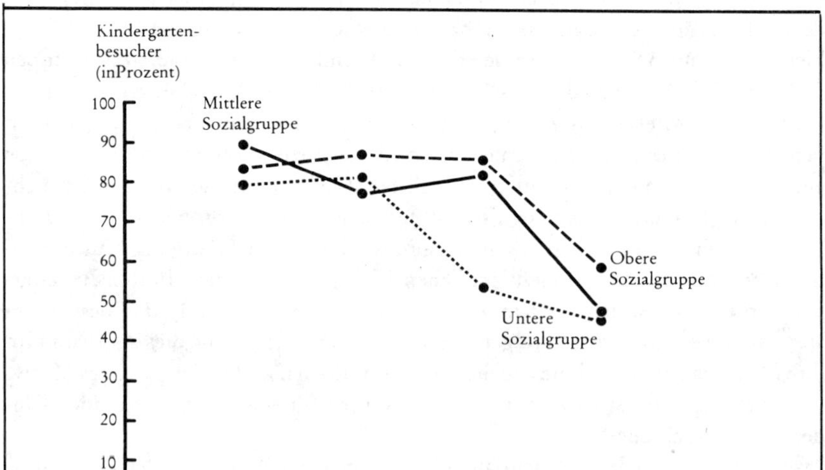

6.4. *Bildungswünsche der Eltern für ihre Kinder in den verschiedenen Soziotopen*

Fast alle befragten Eltern hatten bereits Vorstellungen darüber, welchen Schulabschluß ihr Kind anstreben sollte. Nur knapp 10 % von ihnen hatten dazu noch keine Wünsche. Dabei richtet sich der Bildungswunsch in erster Linie auf einen weiterführenden Abschluß: insgesamt wünschen sich die Eltern Mittlere Reife und Abitur jeweils gleich häufig (je 43 % der Eltern). Ein Hauptschulabschluß ist dagegen nur für sehr wenige Eltern attraktiv: kaum 5 % nennen ihn. Dabei bestehen große Unterschiede zwischen den Sozialgruppen. In der oberen Sozialgruppe denkt praktisch niemand an einen Hauptschulabschluß, bei den Eltern aus der Arbeiterschaft dagegen sind es 10 %, die das Abschlußziel nicht höher stecken. Bemerkenswert ist auch, daß Arbeitereltern zu 13 % noch keine Wünsche haben, während dieser Anteil in den beiden anderen Sozialgruppen nur bei knapp über 5 % liegt. Dies deutet auf eine größere Unsicherheit und damit verbundenes passives Abwarten hinsichtlich der Bildungslaufbahn unter Arbeitereltern hin. Am ausgeprägtesten sind die Unterschiede zwischen den drei Sozialgruppen bei dem Abschlußziel Abitur: drei Viertel der Eltern aus der oberen Sozialgruppe haben dies vor Augen. Abbildung 11 dokumentiert, daß sich Eltern in ihren Bildungsaspirationen auch davon beeinflussen lassen, welches allgemeine Bildungsklima in der Gemeinde oder dem Wohnviertel vorherrscht, in dem sie leben. Davon wiederum sind die Angehörigen der Sozialgruppen in unterschiedlicher Weise betroffen.

Vermutlich aufgrund des eigenen pädagogischen Selbstbewußtseins lassen sich die Eltern der oberen Sozialgruppe am wenigsten von ihrem sozialen Umfeld beeinflussen: jeweils eine deutliche Mehrheit strebt das Abitur an. Selbst bei diesen Eltern wird jedoch der Anteil deutlich geringer, wenn sie in Umfeldern mit einem insgesamt niedrigen Klima von Bildungsaspirationen wohnen, wie z. B. in traditionell ländlichen Kleingemeinden.

Am deutlichsten wird der Umwelteinfluß bei der mittleren Sozialgruppe. Die Verteilung der gewünschten Abschlußziele in den verschiedenen Soziotopen zeigt für sie deutlich das Bild einer Schere: je ländlicher geprägt der Ort ist, desto seltener haben Eltern dieser Sozialgruppe das Abitur für ihre Kinder im Auge, vielmehr überwiegt das Abschlußziel Mittlere Reife. In der Kleinstadt und in den untersuchten städtischen Vierteln überwiegt dann das Abitur als angestrebter Abschluß, wobei sich diese Eltern offensichtlich den Verhältnissen in der oberen Sozialgruppe anpassen, wenn sie selbst in dem von diesen dominierten Viertel von Besitz und Bildung wohnen[29].

Unter den Eltern der unteren Sozialgruppe (Arbeiter) dominiert zwar nirgends das Abschlußziel Abitur, es steigt aber mit zunehmend ‚städtischer' Prägung der

Abbildung 11: Bildungswünsche von Eltern unterschiedlicher Sozialgruppen in verschiedenen Soziotopen

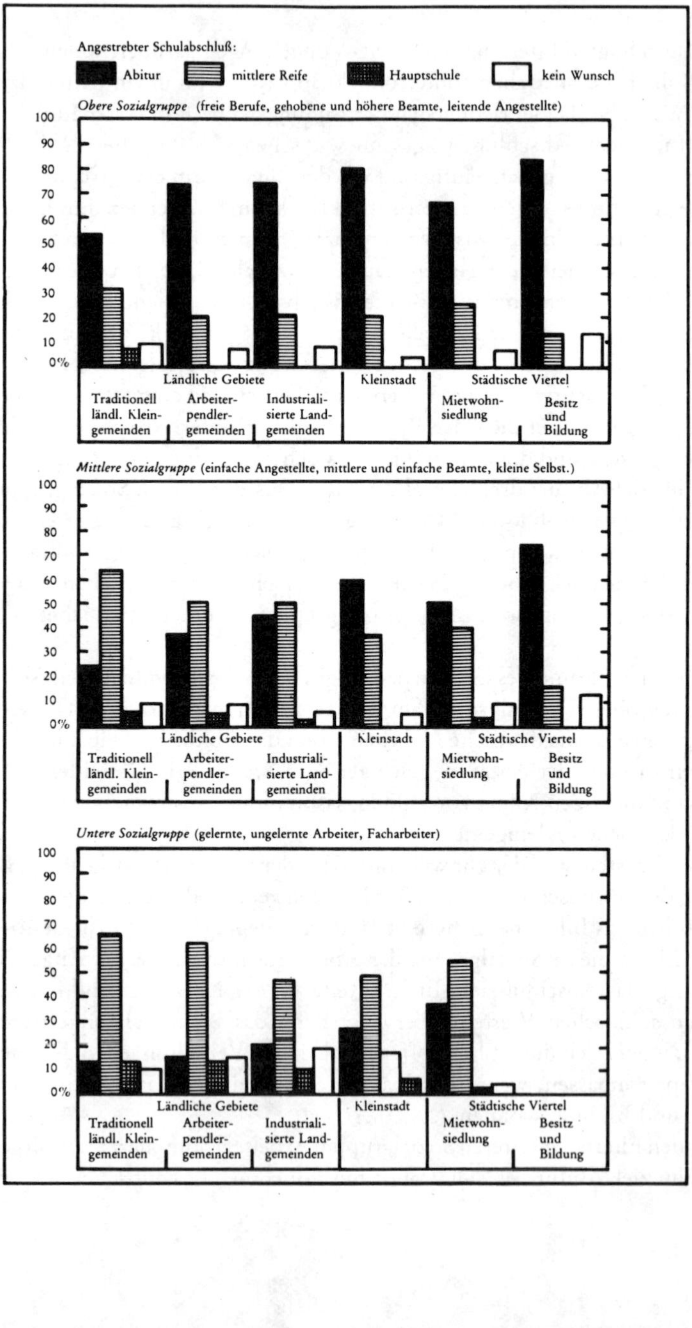

Landgemeinden kontinuierlich bis auf 29 % in der Kleinstadt an. In der städtischen Mietwohnsiedlung sind es sogar mehr als ein Drittel, die dieses Ziel für ihre Kinder haben. Nur in der städtischen Mietwohnsiedlung geht auch bei ihnen der Anteil jener Eltern, die noch keine Wünsche haben oder die sich mit dem Hauptschulabschluß begnügen wollen, auf die Anteile der beiden höheren Sozialgruppen herunter (5 %). Die Unsicherheit über den Ausbildungswunsch ist bei ihnen am höchsten in den industrialisierten Landgemeinden: dies ist ein Hinweis dafür, daß sich die ländlichen Muster für Bildungsaspiratonen aufzulösen beginnen. Dies wiederum führt bei den Arbeitereltern in typischer Weise zu einer Verunsicherung und einer vermehrten Haltung des Abwartens bezüglich der Schullaufbahn ihrer Kinder.
Vergleicht man die Bildungswünsche der Eltern für ihre Kinder in den ländlichen Soziotopen mit den realisierten Abschlüssen der beiden vorangegangenen Generationen (vgl. Abschnitt 3.2.), ist festzustellen, daß sich hier ein Wandel andeutet. Denn wenn es nach den Wünschen der Eltern geht, zeichnet sich eine Auflockerung der Statusimmobilität in diesen Gemeinden ab: die meisten Eltern geben hier die Mittlere Reife als Schulziel für ihre Kinder an. Der Hauptschulabschluß wird von den Eltern aus diesen Soziotopen annähernd gleich selten genannt wie von den Eltern aus den übrigen untersuchten Soziotopen. Er wird als Ziel praktisch ersetzt durch die Mittlere Reife. Dieser veränderten Situation muß auch die Bildungsplanung in diesen Gebieten entsprechen, indem sie für eine gute Erreichbarkeit weiterführender Bildungseinrichtungen sorgt, die momentan für viele Familien dort noch nicht gegeben ist (vgl. Abschnitt 4.2.).

6.5. *Die Wichtigkeit der Erreichbarkeit von Bildungseinrichtungen als strategische Sicherung des gewünschten Bildungsweges*

Ein wichtiger Faktor für die Realisierung von weiterführenden Bildungsabschlüssen ist die Erreichbarkeit der entsprechenden Bildungseinrichtungen. Die von den Müttern angegebene Wichtigkeit der Erreichbarkeit der Schultypen in Verbindung mit dem geäußerten Bildungswunsch gibt daher auch einigen Aufschluß darüber, wie sicher sie in ihrem Wunsch sind und welche Chancen sie einer Verwirklichung einräumen (vgl. Tabelle 9).

Tabelle 9: Bewertung der Erreichbarkeit weiterführender Schulen nach dem gewünschten Schulabschluß bei verschiedenen Sozialgruppen

			Gute Erreichbarkeit der Einrichtungen ist* . . .								
			sehr wichtig			wichtig			weniger wichtig / unwichtig		
Gewünschter Schulabschluß	Sozialgruppe	Anzahl der Mütter	Hauptschule	Realschule	Gymnasium	Hauptschule	Realschule	Gymnasium	Hauptschule	Realschule	Gymnasium
Hauptschulabschluß:	Untere	43	72	42	36	28	42	33	–	16	31
Mittlere Reife:	Obere	51	65	53	40	27	41	43	8	6	17
	Mittlere	205	67	50	38	30	44	47	4	6	15
	Untere	205	62	40	28	37	52	56	1	8	16
Abitur:	Obere	189	57	44	56	30	43	41	13	13	3
	Mittlere	191	67	50	48	26	42	47	7	8	4
	Untere	74	68	55	53	27	38	37	6	7	10

* Angaben in v. H. (Die Wichtigkeitsstufen je Schule ergeben 100%)

Unabhängig vom Bildungswunsch und von der Sozialgruppe ist die gute Erreichbarkeit der Hauptschule jeweils der Mehrheit der Mütter sehr wichtig. In ihren Augen wird dies offensichtlich weitgehend als Mindeststandard der Versorgung eines Gebietes mit Bildungseinrichtungen angesehen. Lediglich den Müttern der oberen Sozialgruppe, die für ihr Kind das Abitur als Bildungsabschluß wünschen, ist die gute Erreichbarkeit des Gymnasiums gleich wichtig; mit jeweils 13 % ist ihnen die Entfernung der Haupt- und Realschule gleichgültig. Diese vergleichsweise sehr hohe Zahl weist darauf hin, wie stark in dieser Gruppe die Gerichtetheit des Bildungswunsches ist und wie ausgeprägt die Orientierung auf das Gymnasium hier ausfällt. Selbst ein Realschulbesuch erscheint häufig als ausgeschlossen, und deshalb ist die gute Erreichbarkeit der Realschule ihnen weniger wichtig als die des Gymnasiums. Müttern der mittleren und der unteren Sozialgruppe, die auch das Abitur als Ausbildungswunsch angeben, ist dagegen die gute Erreichbarkeit der Realschule in gleichem Ausmaß sehr wichtig wie die des Gymnasiums. Sie wollen sich die Realschule als Alternative offenhalten, wenn aufgrund von eventuell auftretenden Problemen im Gymnasium das Abitur als nicht mehr realisierbar erscheint.

Wird das Abitur nicht gewünscht, sind es erheblich weniger Mütter, welche die gute Erreichbarkeit des Gymnasiums für sehr wichtig halten, besonders dann, wenn sie der unteren Sozialgruppe angehören. Wird der Hauptschulabschluß als Ziel genannt – was fast nur in der unteren Sozialgruppe vorkommt –, dann ist es fast ein Drittel der Mütter, denen die gute Erreichbarkeit des Gymnasiums gleichgültig ist.

Mütter aus der unteren Sozialgruppe, die für ihr Kind die Mittlere Reife als Schulabschluß wünschen, sind sich offenbar weniger sicher in ihrem Wunsch als diejenigen, die für ihr Kind das Abitur als Ziel vor Augen haben: Nur 40 % der Mütter mit der Mittleren Reife, aber 53 % derer mit dem Abitur als Bildungsziel ist die gute Erreichbarkeit der jeweils entsprechenden Einrichtungen sehr wichtig. Für die beiden anderen Sozialgruppen zeigen sich hier praktisch keine Differenzen.

Diese Befunde zeigen, daß bei den Bildungswünschen deren Realisierung über die gute Erreichbarkeit der jeweils entsprechenden Bildungseinrichtung gesichert werden muß. Deutlich wird darüber hinaus auch, daß der in der unteren Sozialgruppe dominierende Wunsch nach Mittlerer Reife nicht sehr verfestigt ist und man davon ausgehen kann, daß viele dieser Eltern letztlich wohl doch den Hauptschulabschluß für ihr Kind akzeptieren werden. Es wäre Aufgabe von Schule und Bildungsberatung, diese Eltern ganz besonders in ihren Wünschen und Vorstellungen zu unterstützen, damit ihre Kinder die gebotenen Bildungschancen auch wahrnehmen können. Sonst besteht die Gefahr, daß die geäußerten Wünsche nur Wünsche bleiben, viele Kinder aus Arbeiterfamilien resigniert auf der Hauptschule verbleiben und die Hauptschule völlig zu dem wird, was sie heute in weiten

Teilen schon ist: eine ‚Restschule', deren Besuch von den wenigsten gewünscht wird.

7. Zusammenfassung und einige Folgerungen

Die Absicht des Soziotopenansatzes, unterschiedliche Lebenswelten über Angaben aus der amtlichen Statistik für kleine Gebietseinheiten zu indizieren, ist erreicht worden. Dies zeigt sich, wenn man die durch die Befragung gewonnenen Informationen zu den realisierten Bildungschancen der Väter und der horizontalen Mobilität der Eltern heranzieht: Danach bestätigt sich die Verortung der Soziotope in den beiden Koordinaten von Lebensstil/Urbanität und Lebens-/Bildungschancen. Verdeutlicht wird die Bedeutung der Soziotope für die Kennzeichnung von unterschiedlichen Graden der Einbindung von Eltern in die sozialen Netzwerke ihrer Gemeinden/Quartiere und über ihr unterschiedliches Engagement für lokalpolitische Themen und Probleme als ein weiteres Element für Lebensstil. In sehr einprägsamer Weise illustriert die Wahrnehmung der Umwelt durch die Eltern in den Soziotopen über verschiedene Dimensionen (Bebauungsstruktur, Wohnumwelt und soziale Verhältnisse), daß sie auch subjektiv und nach ihrem Erscheinungsbild voneinander abgehoben sind.
Die ersten Analysen unterschiedlicher Einstellungen und Verhaltensweisen sind Beweise dafür, daß die Soziotope eine Bedeutung für die Messung sozialer Disparitäten haben, die nicht allein auf die unterschiedliche Konglomeration der sozialen Schichten in ihnen zurückgeführt werden kann (wie dies etwa *Bertram* 1976a nahelegt). Die gleichzeitige Betrachtung vertikaler sozialer Schichtung und horizontaler Lokalisierung von Personen in unterschiedlichen Umwelten verbessert und verfeinert die Deskription von Lebenslagen und von Auswirkungen auf Verhaltensweisen von Personen und Familien und damit auch der Konstitution von Sozialisationsbedingungen. Wie am Beispiel der sozial selektiven Wirkung der Kindergartenentfernung auf den Kindergartenbesuch deutlich wird, ist es hierdurch möglich, eher den komplexen Begründungszusammenhängen und Motivationsstrukturen auf die Spur zu kommen als durch die bloße Verwendung von Merkmalen der sozialen Schichtung. Dies hat insbesondere seine Bedeutung für die Umsetzung von Untersuchungsergebnissen in praktische Vorschläge zur Verbesserung bestimmter Lebenssituationen. Würde man nämlich nur die sozialgruppenspezifische Nutzung des Kindergartens betrachten, wären hieraus kaum praktikable Schlüsse für die Entwicklung von Maßnahmen zu ziehen, die dazu führen, daß Kinder aus Arbeiterfamilien in größerem Ausmaß als bisher den Kin-

dergarten besuchen. Durch die Kombination der beiden Bedingungsfaktoren ,,soziale Gruppe" und ,,Kindergartenentfernung" wird deutlich, daß dieses Problem offensichtlich vor allem durch das Angebot von Kindergartenplätzen in einer Entfernung von weniger als einem Kilometer von der Wohnung der Familien in solchen Gebieten verbessert werden kann, in denen viele Arbeiterfamilien wohnen.

Es bleibt aber festzuhalten, daß mit den hier dargelegten Befunden unserer Untersuchung – auch wenn sie in vielem bereits das Ergebnis von inhaltlich relativ differenzierten Analysen sind – nur bedingt *Erklärungen* der ermittelten Unterschiede und Beziehungen möglich sind. Sie sind vielmehr als Ausgangspunkt für weitere Untersuchungsschritte zu verstehen, die über weitere Befragungen oder Beobachtungen usw. – je nach Forschungsfrage – Beiträge zur Erklärung des Zustandekommens der ermittelten Ergebnisse liefern. Ein erster mehr oder weniger am ‚grünen Tisch' entstandener Fragebogen legt für die Beantwortung solcher differenzierten Fragenstellungen ein zu grobes Raster aus. Die Verwendung eines solchen Instruments erweist sich aber besonders da als fruchtbar, wo über den Untersuchungsgegenstand noch wenig bekannt ist und zunächst einmal festgestellt werden soll, welche Bedeutung bestimmten Hypothesen beigemessen werden kann. In vielen Fällen ist die Verwendung eines Fragebogens für eine große Stichprobe notwendig, um die Forschungsfragen zu präzisieren und insbesondere die Auswahl der zur Beantwortung dieser Fragen heranzuziehenden Stichproben zu bestimmen. Dies sei an unserem Beispiel der sozialgruppenspezifischen Inanspruchnahme des Kindergartens kurz erläutert:

1. Über die Fragebogenerhebung wurde zunächst einmal festgestellt, daß die Sozialgruppen den Kindergarten in jeweils unterschiedlichem Ausmaß in Anspruch nehmen. Durch die Verknüpfung mit der Entfernung des Kindergartens wurde deutlich, daß diese dazu führt, daß Arbeiterkinder relativ seltener den Kindergarten besuchen.
2. Um erklären zu können, *warum* Arbeitereltern ab einer bestimmten Entfernung des Kindergartens von ihrer Wohnung ihr Kind viel seltener in den Kindergarten schicken, ist es notwendig, Arbeitereltern, die in einer solchen Entfernung vom Kindergarten wohnen, zu befragen. Um die Motive deutlich herausarbeiten zu können, die in dem einen Fall zur Nutzung des Kindergartens, in dem anderen Fall aber zur Nicht-Nutzung führen, müssen sowohl Eltern befragt werden, die ihr Kind bei dieser Entfernung nicht in den Kindergarten gehen lassen und solche, die es dennoch in den Kindergarten schicken.

Diese Frage hätte so gar nicht gestellt werden können, wenn nicht anhand einer relativ umfangreichen Erhebung diese Beziehung zwischen Sozialgruppenzugehörigkeit und Kindergartenentfernung untersucht worden wäre. Eine Studie über die Motive des Kindergartenbesuches mit einer geringeren Fallzahl hätte möglicherweise solche Eltern gar nicht erfaßt, und das hier deutlich gewordene Problem wäre unentdeckt geblieben. Ähnliches gilt für weitere Befunde, die in dieser Arbeit referiert wurden. So ist das Wissen um die Häufigkeit, mit der schulische Fragen und solche des Kindergartens Teil der Kommunikation der Eltern mit Nachbarn, Bekannten und Verwandten ist, Voraussetzung für Überlegungen zur Untersuchung weiterführender inhaltlicher Aspekte von Kommunikation in unterschiedlichen Soziotopen. Untersuchungen über die Bedeutung von Großeltern oder Bekannten für familiäre Sozialisationsleistungen können von dem Befund profitieren, wonach den jeweiligen Gruppen je nach dem Wohnort der Familien verschiedene Bedeutung zukommen dürfte, allein schon aufgrund der festgestellten Unterschiede in der räumlichen Nähe von Verwandten.

Mit der hier vorgeschlagenen sequentiellen Strategie kann zweierlei vermieden werden: einmal, daß Fragebogendaten überinterpretiert werden und da Erklärungen liefern sollen, wo sie allenfalls Beziehungen beschreiben und die Bildung von qualifizierten Hypothesen erlauben, zum anderen, daß Daten qualitativer Studien, die aufgrund des jeweils notwendigen Aufwandes immer nur eine geringe Anzahl von Fällen berücksichtigen können, zu sehr generalisiert werden (selektiver Fehlschluß).

Daß es sich nicht um ein rein akademisches Interesse handelt, wenn genauere Analyseverfahren und empirisch gestützte Strategien zur Erklärung unterschiedlicher Einstellungen und Verhaltensweisen vorgeschlagen werden, wird deutlich, wenn man sich vor Augen hält, daß Ergebnisse sozialwissenschaftlicher Forschung und insbesondere auch ihre Interpretationen zunehmend als Grundlage für die Formulierung politisch-praktischer Maßnahmen herangezogen werden. Maßnahmen zur Verbesserung von Lebenschancen können aber nur dann ihren Zweck erfüllen, wenn sie auch tatsächlich an den Bedingungsfaktoren ansetzen, die bislang die Entfaltung dieser Chancen hemmen und damit für in diesem Sinne disparate Lebensverhältnisse verantwortlich sind.

Anmerkungen

1 Daß auch ein „neuer" Weg seine Traditionen hat, darauf ist verschiedentlich bereits hingewiesen worden (vgl. *Mundt* 1975; *Graumann* 1976). Graumann bezieht sich auf Arbeiten des Psychologen *Hellpach* (1924), Mundt auf Arbeiten der Soziologen aus der Chikagoer Schule wie *Park/Burgess/McKenzie* (1925). Zu verweisen ist auch auf die wichtigen sozial-psychologischen Arbeiten *Lewins* (1936; 1951).

2 Die Feststellung Bahrdts ist zu ergänzen um die Komponente psychischen Erlebens, so daß sich ein Verbund von ,,räumlichen Elementen" – ,,sozialer Bedeutung" – ,,psychischem Erleben" ergibt (vgl. *Ittelson et al.* 1974).

3 Für die Qualität der Analyse ist entscheidend, in welcher Weise die ,,Kollektive höherer Ordnung" bestimmbar sind. Bleiben sie auf der Ebene von a) Aggregaten (einfachen statistischen Klassen) oder b) sozialen Kategorien, so ist damit zwar einiges gewonnen, aber noch nicht genug. Erst wenn es gelingt, Kollektive als c) soziale Netzwerke oder d) soziale Systeme (sei es als Wirkungssysteme oder als Interaktionssysteme) zu identifizieren, kann eine Mehrebenenanalyse ihre Nützlichkeit voll entfalten (vgl. zu den Kategorien im einzelnen *Hummell* 1972, 15–17).
Diese Unterscheidungen in der Charakterisierung von Einheiten höherer Ordnung werden zu selten beachtet. Was bloße Aggregate sind oder bestenfalls soziale Kategorien (z. B. Schichtzuschreibungen, geographische Zugehörigkeiten), das wird leicht als soziales Netzwerk oder gar System ausgegeben, obwohl dies weder theoretisch begründet noch empirisch belegt wird. Mängel der ,,schichtspezifischen Sozialisationsforschung" bestehen nicht zuletzt gerade in solchen Verschiebungen unter der Hand. Auch die sozialökologische Sozialisationsforschung ist vor solchen Unterstellungen nicht gefeit.

4 *Schlosser* (1976) unterscheidet zwei ,,zusammenhangsanalytische Konzeptionen", ,,nämlich die profilanalytische und die faktorenanalytische Konzeption" (S. 16). Er stellt die Begrenzungen der korrelationsstatistischen Konzeptionen dar und unterstreicht die Vorteile der profilanalytischen Vorgehensweise (vgl. S. 14–50). Von solchen profilanalytischen Überlegungen ist die Bildung des Konzepts der Soziotope geleitet (vgl. dazu den Abschnitt 2 dieses Beitrages).

5 Zur Ableitung dieser Klassifikationen aus der Forschung zur familialen Sozialisation und ihrer inhaltlichen Ausfüllung nach dem damaligen Stand der Forschung vgl. *Arbeitsgruppe soziale Evaluation* 1973; *Bargel* 1974.

6 Solche Vorbehalte beziehen sich auf mehrere Punkte der Skizze von Bronfenbrenner; sie können hier nur angedeutet, jedoch nicht ausdiskutiert werden.
Erstens erscheint es nicht nötig, seinem ausgeprägten ,,Zwiebel-Modell" der sich umlagernden Schichten zu folgen. Denn was er als sich umlagernde Schichten aufführt, das ist allemal auf der Ebene der ,,unmittelbaren Umgebung" präsent, so die ,,Nachbarschaft" als soziales Netzwerk, so die ,,Schule" als Institution – und die ideologischen Systeme (wie gebrochen auch immer) sind in den Köpfen, Bauwerken und Institutionen der unmittelbaren Umgebung ebenfalls vorhanden. Was Bronfenbrenner ,,Schichten" nennt, sind vielleicht eher als ,,analytische Dimensionen" zu begreifen. Sie sind selber – und da liegt für uns das Interessante – jeweils in sich gestuft und geschachtelt, wobei – was zu beachten ist – diese Stufungen und Schachtelungen selber von sozial-historischen Konstellationen abhängig sind. Die ,,unmittelbare Umgebung" liegt in einer Stadt oder Region (z. B. reich oder arm), diese in einem Land oder Staat (kapitalistischer oder sozialistischer Provenienz in seiner Selbstdefinition), der zu einem ,,Kulturkreis" oder ,,politischen Block" gehört. Die Schulklasse oder Kindergartengruppe ist die unterste institutionelle Ebene, die das ,,Kindergartenkind" oder der ,,Schüler" erfährt; sie gehört zu einem Kindergarten oder einer Schule (z. B. kommunaler oder konfessioneller Trägerschaft; klein oder groß); diese untersteht einer regionalen Schulverwaltung (kollegialer oder autoritärer Aufsichtsprinzipien), diese ist wieder Teil einer Kultusbehörde eines Landes (z. B. konservativer oder sozial-liberaler Prägung; die bestimmte Schulbücher zuläßt, andere nicht). Selbst die ideologischen Systeme erscheinen nicht als etwas ,,allgemein Umschließendes", sondern selbst als gestuft: jede Familie, jede Schule, jeder Kirchensprengel hat sein spezifisches ideologisches System, das nicht allein aus übergeord-

neten Systemen verständlich wird, wie etwa der Familienideologie des Mittelstandes, der Bildungsideologie des Neuhumanismus oder dem Katechismus der katholischen Kirche Roms, sondern man muß die konkrete Situation der Familie, der Schule, des Kindergartens in ihren sozialen Bindungen und Umwelten betrachten, um sie angemessen zu verstehen.

Zweitens sind einzelne Zuordnungen, die Bronfenbrenner vornimmt, weiterer Klärung bedürftig: – Ist „Schule" unmittelbare Umgebung oder Institution oder ist sie beides; und wenn sie beides ist: wann dies, wann das? – Ist die „Nachbarschaft" unmittelbare Umgebung oder gehört sie zu dieser umschließenden Schicht der „sozialen Netzwerke" oder ist auch sie beides; und wenn sie beides ist: wann dies, wann das? – Ist die katholische Kirche eine Institution oder ein ideologisches System: was ist an ihr gegebenenfalls dem einen, was dem anderen zuzurechnen?

Drittens erscheinen einige Aussagen zumindest mißverständlich: – Etwa wenn aufgeführt wird, daß Institutionen „klar festgelegte Ziele, Strukturen und Regeln" (S. 204) haben. Die Ziele der Schule erscheinen alles andere als klar, eher sind sie unpräzise und entsprechend umstritten. Zudem gibt es manches „soziale Netzwerk", das härtere und klarere Regeln des Verhaltens und der Beziehungen kennt (auch und gerade des Ausschlusses aus dem „Netzwerk") als manche Institutionen. – Oder wenn Bronfenbrenner die „Einkaufsmöglichkeiten (z. B. den kleinen Laden an der Ecke im Gegensatz zum Supermarkt am Stadtrand)" (S. 204) unter die Institutionen faßt, was die Kategorie über Gebühr auszudehnen scheint. Eine Kategorie wie etwa die der „sozialen Orte" (Spielplatz, Straße, Laden etc.) könnte zur Entlastung dieser Ebene und als analytische Ergänzung für die Erfassung der unmittelbaren Umgebung – neben den vorhandenen sozialen Netzwerken – vielleicht nützlich sein.

7 Diese Literaturangaben sind beispielhaft gemeint; als „Übersichtsreferate" enthalten sie die Hinweise auf die konkrete Forschungsliteratur, die hier nicht angeführt werden kann.

8 Diese Aussage ist freilich in gewisser Weise zu modifizieren, wenn man an Arbeiten wie die von *Peisert* (1967) über „Regionen geringer Bildungsdichte", von *Vontobel* (1970) zu regionalen Momenten der Leistungsmotivation oder von *Capecchi/Galli* (1969) zu regional-typischem Wählerverhalten denkt. Zu präzisieren ist daher diese Aussage, daß es an Konzepten zur Bestimmung von Arealen unter der theoretischen Perspektive ihrer sozialisatorischen „Gesamtrelevanz" fehlt; dies ist es wohl auch, was Bronfenbrenner bei seiner zitierten Aussage als Manko erschienen sein mag.

9 Es ist zu betonen, daß nur ein sehr begrenzter Ausschnitt aus dem von uns erhobenen empirischen Material in diesem Beitrag bearbeitet und präsentiert werden kann. Selbst die behandelten theoretischen Aspekte der sozialen Disparitäten, der sozialen Netzwerke und der Bildungschancen in den Soziotopen sind jeweils nur selektiv empirisch fundiert worden. Umfassender als hier möglich – auch aus Zeitgründen – sollen Befunde zu diesen Themen (und zu den anderen Themen unseres Fragebogens wie Wohnsituation, Nachbarschaft, Erwartungen an den Kindergarten, elterliche Mitarbeit im Kindergarten, Forderungen zur Verbesserung der Situation der Kinder im Wohngebiet etc.) in einem demnächst erscheinenden Werkstattbericht des Bundesministeriums für Bildung und Wissenschaft versammelt werden, das dieses Projekt fördert *(Mundt et al.* 1980). In weitere Berichte des Projektes sind dann auch die Befunde aus den Erhebungen, die wir in ausgewählten Soziotopen Berlins und des Landkreises Konstanz durchgeführt haben, zu integrieren. Damit werden spezifische Lücken, die in diesem Beitrag noch offenbleiben müssen, zu schließen sein, z. B. zur Bewertung der Spielmöglichkeiten, der Qualität und Funktionalität von Kontaktkreisen, zur Verschränkung von sozialem Status und re-

gionalem Kontext als Einflußgrößen auf die Bildungsbeteiligung (am Kindergarten) und auf den gewünschten Schulabschluß für die Kinder (vgl. Mundt 1980; *Bargel/Fauser/Mundt* 1980).

10 Sowohl die schichtspezifische Sozialisationsforschung als auch die regionale Bildungsforschung haben gerade diese beiden Sachverhalte als Ausgangspunkt für ihre Untersuchungen genommen (vgl. *Rolff* 1967; *Dahrendorf* 1965 a; *Peisert* 1967). Die sozial-ökologischen Ansätze sind gerade hinsichtlich der beiden Sachverhalte mit dem Anspruch aufgetreten, sie differenzierter erfassen und besser erklären zu können (vgl. *Eirmbter* 1977).

11 Der Wert solcher Maße für manche Analysen soll damit nicht bestritten werden. Nur kann man sich vielfach nicht des Eindrucks erwehren, als würden solche Maße konventionell-modisch benutzt, ohne daß ihre Angemessenheit hinreichend reflektiert wird. Es scheint nicht selten vergessen zu werden, daß diese Maße nicht mehr darstellen, als Verarbeitungsweisen der zugrunde liegenden Datenmatrix unter Gesichtspunkten der Vereinfachung, der Feststellung von Zusammenhängen und Ähnlichkeiten und der Überprüfung ihrer Gültigkeit und Zuverlässigkeit. Ob die Datenbeschaffenheit der Grundmatrix das aber überhaupt zuläßt, ist oft genug fragwürdig, und die zentrale Wichtigkeit des Nachdenkens darüber, was angemessener Inhalt der Datenmatrix wäre, wird so allzuleicht in den Hintergrund geschoben. Wir halten es daher mit der Bilanz von *Kaminski* (1976a, 12), daß im Bereich der ,,Umwelt-Psychologie" (wie auch der ,,Umwelt-Soziologie") ,,Erkundungsarbeiten" vordringlich sind, die auch in ihrem ,,statistischen Apparat" diesen Charakter bewahren sollten.

12 Sie sind weitgehend aus den genannten Arbeiten hier nur zusammengestellt worden; auf eine jeweilige ,,Neuformulierung" haben wir vielfach verzichtet.

13 Diese Zusätze und Entwicklungen in der Typologie der ,,reinen Fälle" sind im Konzept der Soziotope und dem Verfahren ihrer Bestimmung vorgesehen. Solche Erweiterungs- und Revisionsmöglichkeiten im Rahmen des Grundkonzepts sind im Grunde von Vorteil. Gerade daran mangelt es vielen vorhandenen Typisierungen: sie werden deshalb nicht selten als beliebig vermehrbar angesehen und bleiben unverbunden nebeneinander stehen; sie lassen kaum kontinuierliche Weiterentwicklungen zu. In die Konstruktion der Soziotope sind aufgrund der theoretischen Verankerung, der Orientierung am reinen Fall und der aufgestellten Modellprofile diese Revisions- und Verbesserungsmöglichkeiten eingebaut: sei es auf der Ebene der Koordinatenverortung, auf der Ebene der Indikatorenauswahl wie auch auf der Ebene der empirischen Auffindbarkeit und Zuordnung anhand des Profilverlaufs der Merkmale.

14 Solche Soziotope – wie z. B. traditionelle Industriearbeiterviertel – wurden in einer weiteren Erhebung in West-Berlin berücksichtigt, die zum Zeitpunkt der Abfassung dieses Beitrages noch nicht ausgewertet war.

15 Betrachtet werden hier nur die Angaben der Mütter zur Beschreibung der Bewohnerstruktur ihres Stadtviertels/ihrer Gemeinde nach familienzyklischen Kategorien und nach berufstätigen Müttern. Gefragt wurde darüber hinaus noch nach den Anteilen von Ausländern, Leuten, die in der gleichen Firma arbeiten usw. Diesen Angaben kommt jedoch bei den hier untersuchten Soziotopen praktisch keine Bedeutung zu.

16 Mit den Fragen zur Infrastrukturausstattung im Bereich von Bildung und Beratung ist nur ein Teil jener Infrastruktur in der Region abgedeckt, die für die Situation von Familien und ihrer Sozialisationsmöglichkeiten relevant sind; andere bedeutsame Bereiche sind die der Gesundheit (Arzt/Kinderarzt z. B.), der Freizeit und der Sportmöglichkeiten (Schwimmbad, Turnmöglichkeiten etc.) und anderer kultureller Einrichtungen (z. B. Bücherei, Freizeitheim). Selbst wenn diese Einrichtungen der ,,allgemeinen" In-

frastruktur berücksichtigt werden, greift die Messung ,,sozialer Disparitäten" immer noch zu kurz, denn bedeutsame Teile der ,,Lebensqualität" in einem Gebiet und für die verschiedenen Bevölkerungsgruppen sind nicht über Infrastrukturangebote zu erfassen: so etwa die Spielmöglichkeiten der Kinder, die Kommunikationschancen der Erwachsenen, die Partizipationsangebote durch Vereine, Parteien, Organisationen.

17 Diese Einrichtungen des ,,Bildungsbereichs" werden auch in der Arbeit von *Nake-Mann/Neumann* (1976) zur ,,Infrastruktur in nordrhein-westfälischen Gemeinden" behandelt. Bei *Gassner* (1974, 325) findet sich eine Darstellung der angestrebten Versorgung (berechnet für eine jeweils zugeordnete Einwohnerbasis) für diese Einrichtungen.

18 Es ist zu beachten, daß die Mütter sich etwa in einer ähnlichen familienzyklischen Phase befinden, da sie alle Kinder im Alter von 3–6 Jahren haben. Die Unterschiede, z. B. hinsichtlich der Kenntnis, ob es eine Mütterberatungsstelle gibt, können also nicht darauf zurückgeführt werden. Auch die Unterschiede in der Kenntnis, ob es eine ,,Sonderschule" gibt, sind so groß, daß sie nicht durch ,,aktuelle Betroffenheit" (z. B. behindertes Kind in der Familie) erklärbar sind.

19 Dazu einige Zahlen: Es halten als wichtig oder sehr wichtig, daß die Mütterberatung gut erreichbar sei, von den Müttern der oberen Sozialgruppe 48 %, der mittleren Sozialgruppe 68 %, der unteren Sozialgruppe 75 %; die gute Erreichbarkeit der Berufsberatung ist wichtig oder sehr wichtig wiederum für 48 % der Mütter aus der oberen Sozialgruppe, für 64 % der Mütter aus der mittleren und für ebenfalls 75 % der Mütter aus der unteren Sozialgruppe.

20 Es handelt sich dabei nicht um direkte Angaben der Mütter, ob sie ein ,,Versorgungsdefizit" erleben, sondern dies ist implizit erschlossen worden durch die jeweiligen Fragen nach der Erreichbarkeit der betreffenden Einrichtung und ihrer Wichtigkeit. Den Müttern ist aber darüber hinaus eine Frage gestellt worden, was sie als vordringlich zur Verbesserung der Situation ihrer Kinder im Wohngebiet ansehen. Bei dieser Frage nimmt die Dringlichkeit der Forderung bei größerem Versorgungsdefizit zu.

21 Anläßlich dieser Darstellung der Versorgungsdefizite ist noch einmal daran zu erinnern, daß es sich um Fallbeispiele handelt, die nicht ohne weiteres Verallgemeinerungen zulassen.

22 Es ist nicht zu unterstellen, daß damit die Feststellung Häussermanns, ,,daß die unterschiedlichen ökonomischen und sozialen Lagen auch eine unterschiedliche Versorgungsqualität im Infrastrukturbereich mit sich bringen" (zit. nach *Korte* 1978, 1249), disqualifiziert ist. Das Fallbeispiel zeigt nur, daß diese Aussage nicht generell zutrifft und daher über weitere empirische Untersuchungen noch im einzelnen zu modifizieren ist. Dazu ist auch zu bedenken, daß Häussermann Arbeiterviertel und bürgerliche Viertel gegenüberstellte, während bei den Fallbeispielen kein traditionelles Arbeiterviertel vertreten ist und die städtische Mietwohnsiedlung eher kleinbürgerlichen Zuschnitts ist.

23 Die Bezeichnung von Städten als ,,solitäres Verdichtungsgebiet" oder ,,polyzentrisch strukturiert" stammt aus der Regional- und Stadtplanung, und zwar werden sie speziell im Rahmen von Landesentwicklungsplänen gebraucht, wo sie für die infrastrukturelle Ausstattung der Orte relevant werden. Solitäre Verdichtungsräume meinen Einzelstädte in eher ländlichen Gebieten, die für diese in starkem Maße Versorgungsfunktionen übernehmen und daher auch mit Infrastruktureinrichtungen besser ausgestattet werden. Polyzentrisch strukturierte Orte liegen in Ballungsgebieten oder Ballungsrandzonen in unmittelbarer Nähe zu anderen Städten: Infrastruktureinrichtungen werden dort dann nicht selten nur einem Ort zugeteilt (z. B. das Krankenhaus hier, das Theater dort), so daß die Ausstattung der Einzelstadt nicht voll ihrer zentralörtlichen Bedeutung (etwa gemessen über die Einwohnerzahl im Versorgungsbereich) gerecht wird. Das trifft ins-

besondere für eine ganze Reihe von Groß- und Mittelstädten im Ruhrgebietsraum zu.

24 Zu einer richtigen Beurteilung der Durchschnittswerte ist zu beachten, daß die Skala zwar formell von 1–6 reicht, real aber im Grunde nur von 1–5, da die Note 6 kaum verteilt wird. Deshalb zeigt – ganz analog wie in der Schule – eine Durchschnittsnote von 4 bereits eine schlechte Situation an.

25 Die Abstraktheit der Formulierung zur Qualität der Spielmöglichkeiten läßt den Eltern sicherlich viel Spielraum, ihr Verständnis davon in das Urteil hineinzudefinieren (z. B. was sie unter Sicherheit, unter Ordnung, unter Verständnis der Nachbarn verstehen und erwarten). Vor einem Schluß auf die reale Situation ist daher zu warnen; sie ist nur über weitere Untersuchungsschritte zu erhellen – im Sinne der im Schlußabschnitt angesprochenen „sequentiellen Forschungsstrategie" (vgl. Abschnitt 7).

26 Auf diese Notwendigkeit haben im Grunde bereits *Bergmann et al.* (1969) hingewiesen: „Es bleibt das empirische Problem, die konkreten Formen der Verschränkung vertikaler Ungleichheit und horizontaler Dispariät zu analysieren" (S. 87). Dies bleibt nach wie vor im einzelnen und in wiederholten Replikationen zu leisten, um zu differenzierten Einsichten über die Folgen vertikaler Ungleichheit und horizontaler Disparität für „Lebensqualität" und „Lebenschancen" zu gelangen.

27 Den Gesamteinfluß der Familie auf den Bildungsabschluß des Sohnes berechnen *Müller/Mayer,* indem sie die Ausbildung von Söhnen einer Familie mit der aller anderen Söhne aus Familien mit gleichem sozio-ökonomischen Status vergleichen. Sind sich die Söhne aus jeweils einer Familie untereinander ähnlicher in ihren Bildungsabschlüssen als mit allen Söhnen mit gleichem sozio-ökonomischem Hintergrund, wird dies als „ein Indiz dafür" gewertet, „daß andere familienspezifische Faktoren für den Ausbildungs- und Berufserfolg eine Rolle spielen" (*Müller/Mayer* 1976, 50).

28 Trotz der Diskussion über die Abschaffung der Kindergartenbeiträge bleibt ihr Einfluß auf den Kindergartenbesuch hier unerwähnt, weil die Höhe des Beitrages im Untersuchungsgebiet so gut wie keine Rolle für den Kindergartenbesuch spielt: nur knapp 10 % der befragten Eltern, deren Kind nicht in den Kindergarten geht, geben an, daß die Höhe des geforderten Beitrages *ein* Grund unter mehreren für einen Verzicht auf den Kindergartenbesuch ist. Dieses – auf den ersten Blick überraschende – Ergebnis ist leicht durch die im Untersuchungsgebiet geforderten Beiträge zu erklären: 63 % der Eltern zahlen weniger als 50.- DM und nur knapp 5 % mehr als 100.– DM im Monat. Sie sind vergleichsweise niedrig, wenn man bedenkt, daß in einigen Großstädten in der BRD auch Beiträge um die 200.– DM keine Seltenheit sind.

29 Die Differenzen zwischen den Angehörigen der mittleren Sozialgruppe aus unterschiedlichen Soziotopen hängen zu einem Teil auch mit der unterschiedlichen Zusammensetzung dieser Gruppe in den Soziotopen zusammen. So sind z. B. Landwirte – von denen man annehmen kann, daß sie besonders traditionell eingestellt sind – nur in den ländlichen Soziotopen und in der Kleinstadt vertreten. Im Viertel von Besitz und Bildung fehlen einige Berufsgruppen wie „Vorarbeiter, Meister, Polier" und „Angestellte mit einfachen Tätigkeiten", die in den anderen Soziotopen einen Teil der mittleren Sozialgruppe (zwischen 7 % und 22 %) ausmachen. In welchem Ausmaß diese Unterschiede in der Zusammensetzung für die ermittelten Differenzen bei der Äußerung der Bildungswünsche verantwortlich sind, wird Gegenstand weiterer Analysen sein.

Literatur

Arbeitsgruppe Soziale Evaluation
1973. (T. Bargel, K. Gloy, U. Heinke, G. Presch, H. Walter). Beiträge zum Konzept sozialer Evaluation: Elemente und Probleme. In: Zimmer, J. (Hrg.): Curriculumentwicklung im Vorschulbereich. Bd. 2, 56–133.

Arbeitsgruppe Umwelt-Taxonomie
1973a. (T. Bargel, K. Gloy, U. Heinke, G. Presch, H. Walter). Bildungschancen und Umwelt. Teil I: Eine Studie zur sozialen Evaluation im Elementarbereich. In: Deutscher Bildungsrat (Hrg.): Materialien zur Bildungsplanung, Heft 3, o.O.: Westermann.

Arbeitsgruppe Umwelt-Taxonomie
1973b. Standortwahl für Modellkindergärten. In: Deutscher Bildungsrat (Hrg.): Zur Einrichtung eines Modellprogramms für Curriculum-Entwicklung im Elementarbereich. Bonn. S. A. 70–A 87.

Arbeitsgruppe Umwelt-Taxonomie
1974. (T. Bargel, K. Gloy, U. Heinke, G. Presch, H. Walter): Bildungschancen und Umwelt II: Familie als Umwelt – Zur sozialen Evaluation im Elementarbereich. In: Deutscher Bildungsrat (Hrg.): Materialien zur Bildungsplanung, Heft 4, o.O.: Westermann.

Aschenbrenner, K./Kappe, D.
1965. Großstadt und Dorf als Typen der Gemeinde. Opladen: Westdeutscher Verlag.

Bahrdt, H. P.
1974. Räumliche und soziale Umwelt im großstädtischen Milieu. In: ders.: Umwelterfahrung. Soziologische Betrachtungen über den Beitrag des Subjekts zur Konstitution von Umwelt. München: Nymphenburger, 15–40.

Bargel, T.
1973. Probleme der Rezeption empirischer Sozialisationsforschung. In: H. Walter (Hrg.): Sozialisationsforschung, Bd. I. Erwartungen, Probleme, Theorieschwerpunkte. Stuttgart: Fromann-Holzboog, 119–138.

Bargel, T.
1974. Familie als Umwelt: Zur Erfassung von Variablen der familialen Situation. In: Arbeitsgruppe Umwelt-Taxonomie, 13–59.

Bargel, T.
1976. Soziotope im Landkreis Konstanz. Ihre Bestimmung mit Daten der amtlichen Statistik. Arbeitsbericht 2. Projekt „Umwelt, Kind und Elementarbereich". Zentrum I Bildungsforschung (SFB 23). Universität Konstanz.

Bargel, T./Kuthe, M./Mundt, J. W.
1977. Zur Bestimmung sozialisationsrelevanter Areale (Soziotope) – Modelle, Verfahren und Probleme. In: H. J. Hoffmann-Nowotny (Hrg.): Politisches Klima und Planung, Soziale Indikatoren, Bd. 5. Frankfurt/New York: Campus, 119–154.

Bargel, T./Kuthe, M./Mundt, J. W.
1978. Die Indizierung von Soziotopen als Grundlage der Messung sozialer Disparitäten. In: H. J. Hoffmann-Nowotny (Hrg.): Messung sozialer Disparitäten, Soziale Indikatoren, Bd. 6. Frankfurt/New York: Campus, 43–92.

Bargel, T./Bongers, D./Günther, K./Kuthe, M./Nagl, W.
1978. Die sozial-räumliche Gliederung der Städte mit Gesamtschulen in Nordrhein-Westfalen. Projektgruppe Bildung und Region. Konstanz.

Bargel, T./Fauser, R./Mundt, J. W.
1980. Lokale Umwelten und familiale Sozialisation: Konzeptualisierung und Befunde. In:

L. Vaskovics (Hrg.): Sozialökologische Einflußfaktoren familialer Sozialisation. Stuttgart: Enke (in Vorbereitung).
Bargel, T./Wunberg, M.
1975. Was leistet die amtliche Statistik für die Sozialisationsforschung? Eine Diskussion der Möglichkeiten und Probleme. In: H. Walter (Hrg.): Sozialisationsforschung, Bd. III, Sozialökologie – neue Wege in der Sozialisationsforschung. Stuttgart: Frommann-Holzboog, 229–270.
Becker, H./Keim, K. D.
1973. Wahrnehmung in der städtischen Umwelt – Möglicher Impuls für kollektives Handeln. Berlin: Kiepert.
Bergmann, J./Brand, G./Körber, K./Mohl, E. Th./Offe, C.
1969. Herrschaft, Klassenverhältnis und Schichtung. In: Deutsche Gesellschaft für Soziologie (Hrg.): Spätkapitalismus oder Industriegesellschaft? Stuttgart, 67–87.
Berelson, B./Steiner, G. A.
1972. Menschliches Verhalten. Bd. II: Soziale Aspekte. Weinheim: Beltz.
Bertram, H.
1976a. Gesellschaftliche und familiäre Bedingungen moralischen Urteilens. Dissertation. Universität Düsseldorf.
Bertram, H.
1976b. Probleme einer sozialstrukturell orientierten Sozialisationsforschung. In: Zeitschrift für Soziologie, 5, 103–117.
Bolte, K. M.
1963. Typen sozialer Schichtung in der Bundesrepublik Deutschland. In: Hamburger Jahrbuch für Wirtschafts- und Gesellschaftspolitik, 8. Jahr, Tübingen: Mohr (Siebeck).
Braun, P.
1968. Die Sozialräumliche Gliederung Hamburgs. Weltwirtschaftliche Studien Bd. 10. Göttingen: Vandenhoek & Rupprecht.
Bronfenbrenner, U.
1973. An Emerging Theoretical Perspective for Research in Human Development. Mimeo. Cornell University.
Bronfenbrenner, U.
1976. Ökologische Sozialisationsforschung – Ein Bezugsrahmen (Neufassung). In: U. Bronfenbrenner: Ökologische Sozialisationsforschung, hg. von K. Lüscher. Stuttgart: Klett, 199–220.
Bundesforschungsanstalt für Landeskunde und Raumordnung.
1976. Informationen zur Raumentwicklung, 1, (Flurbereinigung bei Planungsräumen). Bonn-Bad Godesberg.
Capecchi, V./Galli, G.
1969. Determinants of Voting Behavior in Italy: A linear Causal Model of Analysis. In: M. Dogan/S. Rokkan (Hrg.): Quantitative Ecological Analysis in the Social Sciences. Cambridge-London: M. I. T. Press, 235–283.
Dahrendorf, R.
1965a. Arbeiterkinder an deutschen Universitäten. In: Recht und Staat, Heft 302/303. Tübingen: Mohr (Siebeck).
Dahrendorf, R.
1965b. Gesellschaft und Demokratie in Deutschland. München: Piper.
Dann, H.-D./Helmreich, R./Müller-Fohrbrodt, H./Peifer, H./Cloetta, B.
1975. Ist Umwelt meßbar? – Ein Versuch zur Erfassung von Ausbildungsbedingungen für den innovativen Lehrer. In: H. Walter (Hrg.): Sozialisationsforschung, Bd. III. Sozial-

ökologie – neue Wege in der Sozialisationsforschung. Stuttgart: Frommann-Holzboog, 1–36.
Deutscher Bildungsrat. Empfehlungen der Bildungskommission.
1973. Zur Einrichtung eines Modellprogramms für Curriculum-Entwicklung im Elementarbereich. Bonn.
Dunckelmann, H.
1975. Lokale Öffentlichkeit. Schriften des Dt. Instituts für Urbanistik, Bd. 51. Stuttgart: Kohlhammer.
Engfer, A.
1976. „Sozialökologie" und „Erziehungsverhalten". Manuskript. Universität Trier.
Eirmbter, W. H.
1977. Ökologische und strukturelle Aspekte der Bildungsbeteiligung. Weinheim-Basel: Beltz.
Fauser, R.
1978. Isolationstendenz von Familien und familiale Sozialisationsleistungen. Ein Beitrag zur Soziologie der Sozialisation (Manuskript), Zentrum I Bildungsforschung (SFB 23). Universität Konstanz.
Fend, H.
1977. Schulklima: Soziale Einflußprozesse in der Schule. Soziologie der Schule III, 1. Weinheim-Basel: Beltz.
Friedrichs, J.
1977. Stadtanalyse, Soziale und räumliche Organisation der Gesellschaft. Reinbek bei Hamburg: Rowohlt.
Fröhlich, D.
1978. Arbeitserfahrung und Bildungsverhalten. Der Einfluß der Arbeitswelt auf die elterliche Schulwahl. Frankfurt/New York: Campus.
Galtung, J.
1967. Theory and Methods of Social Research. Oslo. Universitetsforlaget.
Gassner, E.
1974. Die städtebauliche Infrastruktur. In: W. Pehnt (Hrg.): Die Stadt in der Bundesrepublik. Lebensbedingungen, Aufgaben, Planung. Stuttgart: Reclam jun., 316–333.
Geipel, R.
1965. Sozialräumliche Strukturen des Bildungswesens. Frankfurt/M.: Diesterweg.
Gottschalch, W./Neumann-Schönwetter, M./Soukup, G.
1971. Sozialisationsforschung. Materialien, Probleme, Kritik. Frankfurt/M.: Fischer.
Graumann, C. F.
1976. Die ökologische Fragestellung – 50 Jahre nach Hellpachs „Psychologie der Umwelt". In: G. Kaminski (Hrg.): Umweltpsychologie. Perspektiven – Probleme – Praxis. Stuttgart: Klett, 21–25.
Habermas, J./Luhmann, N.
1971. Theorie der Gesellschaft oder Sozialtechnologie – Was leistet die Systemforschung? Frankfurt/M.: Suhrkamp.
Hamm, B.
1973. Betrifft: Nachbarschaft. Verständigung über Inhalt und Gebrauch eines vieldeutigen Begriffes. Düsseldorf: Bertelsmann Universitätsverlag.
Häussermann, H.
1969. Zitiert nach H. Korte, Bericht über die Veranstaltungen der Sektion für Stadt- und Regionalsoziologie. In: Deutsche Gesellschaft für Soziologie (Hrg.): Materialien aus der soziologischen Forschung. München: Deutsche Gesellschaft für Soziologie, 1248–1250.

Heckhausen, H.
1966. Einflüsse der Erziehung auf die Motivationsgenese. In: T. Herrmann (Hrg.): Psychologie der Erziehungsstile. Göttingen: Hogrefe, 131–169.
Heckhausen, H.
1968. Förderung der Lernmotivierung und der intellektuellen Tüchtigkeiten. In: H. Roth, (Hrg.): Begabung und Lernen, Stuttgart: Klett, 193–228.
Hellpach, W.
1924. Psychologie der Umwelt. In: E. Abderhalden (Hrg.): Handbuch der biologischen Arbeitsmethoden. Abt. VI, Teil C, Heft 3. Wien: Urban & Schwarzenberg.
Herlth, A./Kaufmann, F.-X./Strohmeier, K.-P.
1976. Öffentliche Sozialleistungen und familiale Sozialisation. Zur Analyse der Wirkungen familienpolitischer Maßnahmen. In: K. Hurrelmann (Hrg.), Sozialisation und Lebenslauf. Reinbek: Rowohlt, 243–259.
Herlyn, U.
1974a. Wohnquartiere und soziale Schicht. In: ders. (Hrg.): Stadt- und Sozialstruktur. München: Nymphenburger, 16–41.
Herrmann, T.
1969. Handbuch der empirischen Persönlichkeitsforschung. Göttingen: Hofgrefe.
Hoffmann, L. W./Lippitt, R.
1960. The Measurement of Family Life Variables. In: Mussen, P. H. (Hrg.): Handbook of Research Methods in Child Development. New York, London, Sydney, 45–1013 (4. Aufl. 1967).
Hoffmann-Nowotny, H. J. (Hrg.)
1977. Politisches Klima und Planung, Soziale Indikatoren, Bd. 5, Frankfurt/New York: Campus.
Hoffmann-Nowotny, H. J. (Hrg.)
1978. Messung sozialer Disparitäten. Soziale Indikatoren, Bd. 6. Frankfurt/New York: Campus.
Huber, L.
1975. Hochschule als „Umwelt". In: T. Bargel/G. Framhein/L. Huber/G. Portele (Hrg.): Sozialisation in der Hochschule. Blickpunkt Hochschuldidaktik Bd. 37. Hamburg: Arbeitsgemeinschaft für Hochschuldidaktik, 118–135.
Hummell, H. J.
1972. Probleme der Mehrebenenanalyse. Stuttgart: Teubner.
Humpert, H./Oehm, H. J.
1974. Sortierungsprozesse in Freiburg/Br. In: Bauwelt, 65, 58–59.
Hurrelmann, K. (Hrg.)
1976. Sozialisation und Lebenslauf. Reinbek bei Hamburg: Rowohlt.
Ittelson, W. H./Proshansky, H. M./Rivlin, L. G./Winkel, G. H.
1974. An introduction to environmental psychology. New York: Holt, Rinehart & Winston.
Kämpfe, N./Wunberg, M.
1973. Regionale Strukturen der Bildungsbeteiligung. Zeitschrift für Pädagogik, 6, 869–886.
Kaminski, G.
1976a. Einführung und Vorschau. In: ders. (Hrg.): Umweltpsychologie. Perspektiven – Probleme – Praxis. Stuttgart: Klett, 10–19.
Kaminski, G. (Hrg.)
1976b. Umweltpsychologie. Perspektiven – Probleme – Praxis. Stuttgart: Klett.

Kob, J. P.
1963. Erziehung in Elternhaus und Schule. Stuttgart: Enke.
Korte, H.
1978. Bericht über die Veranstaltungen der Sektion für Stadt- und Regionalsoziologie. In: Deutsche Gesellschaft für Soziologie (Hrg.): Materialien aus der soziologischen Forschung. München: Deutsche Gesellschaft für Soziologie, 1244–1250.
Kreppner, K.
1973. Überlegungen zur Evaluation von Vorschulcurricula. In: Zimmer, J. (Hrg.): Curriculumentwicklung im Vorschulbereich. München: Piper, Bd. 2, 45–55.
Landwehr, R.
1975. Die Gliederung des Raumes: Typisierung und Regionsabgrenzung und Regionierung. Beiträge zum Siedlungs- und Wohnungswesen und zur Raumplanung. Bd. 22, Münster.
Lempert, W.
1977. Untersuchungen zum Sozialisationspotential gesellschaftlicher Arbeit. Materialien aus der Bildungsforschung Nr. 12. Berlin: Max-Planck-Institut für Bildungsforschung.
Lewin, K.
1936. Principles of topological psychology. New York: McGraw-Hill.
Lewin, K.
1951. Field Theory in the Social Science. New York: Harper & Row.
Lidz, Th.
1971. Familie und psychosoziale Entwicklung. Frankfurt: Fischer.
Lüdtke, H.
1971. Soziale Schichtung, Familienstruktur und Sozialisation. In: b:e Redaktion (Hrg.): Familienerziehung, Sozialschicht und Schulerfolg. Weinheim – Berlin – Basel: Beltz, 132–160.
Lüschen, G./Lupri, E. (Hrg.)
1970. Soziologie der Familie. Kölner Zeitschrift für Soziologie und Sozialpsychologie. Sonderheft 14.
Mischke, M.
1976. Faktorenökologische Untersuchung zur räumlichen Ausprägung der Sozialstruktur in Pforzheim (= Karlsruher Manuskripte zur mathematischen und theoretischen Wirtschafts- und Sozialgeographie, H. 15), Karlsruhe.
Mollenhauer, K.
1968. Sozialisation und Schulerfolg. In: Roth, H. (Hrg.): Begabung und Lernen. Stuttgart: Klett, 269–296.
Müller, W./Mayer, K. U.
1976. Chancengleichheit durch Bildung. Untersuchungen über den Zusammenhang von Ausbildungsabschlüssen und Berufsstatus. Gutachten und Studien der Bildungskommission, Bd. 42. Stuttgart: Klett.
Mundt, J. W.
1975. Perspektiven ökologischer Sozialisationsforschung. Referat auf der Tagung der Sektion Familien- und Jugendsoziologie der Deutschen Gesellschaft f. Soziologie, Bad Homburg, September 1975, verv. Manuskript, Konstanz.
Mundt, J. W.
1980. Vorschulkinder und ihre Umwelt. Eine Studie über Lebensbedingungen und Entwicklungschancen, Weinheim und Basel: Beltz
Mundt, J. W./Bargel, T./Fauser, R./Henze, W./Kuthe, M.
1980. Eltern und Kindergarten. Ergebnisse einer Untersuchung zu ihrem Verhältnis in

verschiedenen Umwelten: Werkstattbericht 24 des Bundesministeriums für Bildung und Wissenschaft
Nake-Mann, B./Neumann, H.
1976. Infrastruktur in nordrhein-westfälischen Gemeinden. Forschungsbericht des Landes Nordrhein-Westfalen Nr. 2584. Opladen: Westdeutscher.
Oevermann, U.
1968. Schichtenspezifische Formen des Sprachverhaltens und ihr Einfluß auf die kognitiven Prozesse. In: H. Roth (Hrg.): Begabung und Lernen. Stuttgart: Klett, 297–356.
Pappi, F.-U.
1970. Wahlverhalten und politische Kultur. Meisenheim/Glan: Hain.
Park, R. W./Burgess, E. W./McKenzie, R. D. (Hrg.)
1925. The City. Chicago: University of Chicago Press.
Pehnt, W. (Hrg.)
1974. Die Stadt in der Bundesrepublik. Lebensbedingungen, Aufgaben, Planung. Stuttgart: Reclam jun.
Peisert, H.
1967. Soziale Lage und Bildungschancen in Deutschland. München: Piper.
Pettinger, R.
1970. Arbeiterkinder und weiterführende Schulen. Weinheim: Beltz.
Pfeil, E.
1970. Die Großstadtfamilie. In: G. Lüschen/E. Lupri (Hrg.): Soziologie der Familie. Kölner Zeitschrift für Soziologie und Sozialpsychologie. Sonderheft 14, 411–432.
Pfeil, E./Ganzert, J.
1973. Die Bedeutung der Verwandten für die großstädtische Familie. Zeitschrift für Soziologie, 2, 366–383.
Planck, U.
1970. Die Landfamilie in der Bundesrepublik Deutschland. In: G. Lüschen/E. Lupri (Hrg.): Soziologie der Familie, Kölner Zeitschrift für Soziologie und Sozialpsychologie, Sonderheft 14, 380–410.
Riesman, D./Denney, R./Glazer, N.
1958. Die einsame Masse. Reinbek bei Hamburg: Rowohlt.
Rolff, H.-G.
1967. Sozialisation und Auslese durch die Schule. Heidelberg: Quelle & Meyer.
Sack, F.
1972. Stadtgeschichte und Kriminalsoziologie, Eine historisch-soziologische Analyse abweichenden Verhaltens. In: Ludz, P. Chr. (Hrg.): Soziologie und Sozialgeschichte, KZfSS, Sonderheft 16. Opladen: Westdeutscher, 357–358.
Schelsky, H.
1957. Schule und Erziehung in der industriellen Gesellschaft. Würzburg: Werkbund.
Scheuch, E. K.
1969. Social Context and Individual Behavior. In: M. Dogan/S. Rokkan (Hrg.): Quantitative Ecological Analysis in the Social Sciences, Cambridge, London: M.I.T. Press.
Schlosser, O.
1976. Einführung in die sozialwissenschaftliche Zusammenhangsanalyse. Reinbek bei Hamburg: Rowohlt.
Schneider, H.
1977. Lokalpolitik in einer Landgemeinde. In: Aus Politik und Zeitgeschichte. B3/77.
Schreiner, G.
1973. Schule als sozialer Erfahrungsraum. Überlegungen und Untersuchungen zum Phä-

nomen des Schulklimas. Frankfurt am Main: Fischer-Athenäum.
Shevky, E./Bell, W.
1955. Social Area Analysis. Westport (Conn.): Greenwood Press.
Strohmeier, K. P./Schulze, H. J.
1977. Wohnquartiere als sozialökologische Umwelten von Familien mit Vorschulkindern. Referat, gehalten auf der 2. Sitzung des Arbeitskreises Sozialökologie und Sozialplanung in Bad Homburg am 5./6. 9. 1977. verv. Manuskript, Bielefeld.
Thoss, R.
1976. Bemerkungen zur Diskussion über die Abgrenzung von Regionshierarchien für die regionale Entwicklungspolitik. Informationen zur Raumentwicklung, 1, 35–40.
Trudewind, C.
1975. Leistungsmotivgenese und Umwelt: Probleme, Strategien und erste Ergebnisse. In: H. Walter (Hrg.): Sozialisationsforschung, Bd. III, Sozialökologie – neue Wege in der Sozialisationsforschung. Stuttgart: Frommann-Holzboog, 55–71.
Vaskovics, L. A.
1976. Segregierte Armut. Randgruppenbildung in Notunterkünften. Frankfurt/New York: Campus.
Vontobel, J.
1970. Leistungsbedürfnis und soziale Umwelt. Zur soziokulturellen Determination der Leistungsmotivation. Bern: Huber.
Walter, H.
1971. Schulökologie. Zur Dimensionierung schulischer Sozialisationsverhältnisse. Forschungsberichte 18. Zentrum I Bildungsforschung (SFB 23). Universität Konstanz.
Walter, H.
1973a. Einleitung oder Auf der Suche nach einem sozialisationstheoretischen Konzept. In: ders. (Hrg.): Sozialisationsforschung Bd. I, Erwartungen, Probleme, Theorieschwerpunkte. Stuttgart: Frommann-Holzboog, 13–65.
Walter, H. (Hrg.)
1973b. Sozialisationsforschung, Bd. I, Erwartungen, Probleme, Theorieschwerpunkte. Stuttgart: Frommann-Holzboog.
Walter, H.
1975. Sozialisationsforschung, Bd. III, Sozialökologie – neue Wege in der Sozialisationsforschung. Stuttgart: Frommann-Holzboog.
Weber, M.
1964. Wirtschaft und Gesellschaft. Studienausgabe. Köln – Berlin: Kiepenheuer & Witsch.
Wurzbacher, G.
1977. Die Familie unter den Aspekten eines lebenslangen Sozialisationsprozesses des Menschen. Hypothesen – Fragestellungen – Folgerungen. In: ders. (Hrg.): Die Familie als Sozialisationsfaktor, 2. Neubearb. Stuttgart: Enke.
Zimmer, H. (Hrg.)
1973. Curriculumentwicklung im Vorschulbereich. 2 Bände. München: Piper.
Zweiter Familienbericht
1975. Familie und Sozialisation: Leistungen und Leistungsgrenzen der Familie hinsichtlich des Erziehungs- und Bildungsprozesses der jungen Generation. Bundesminister für Jugend, Familie und Gesundheit (Hrg.). Bonn.

Grundschule im Wohnquartier: Erkundungen zu einer regional versteckten Klassenschule

Projektgruppe Jugendbüro
Redaktion: Imbke Behnken und Jürgen Zinnecker

Die Projektgruppe berichtet in diesem Beitrag von einigen Erkundungen, die sie für zwei Grundschulen mit sozialstrukturell kontrastierenden Schulbezirken angestellt hat. Die Erkundungen stehen im Zusammenhang eines längerfristigen Forschungsvorhabens der Projektgruppe, die seit einigen Jahren die Lebens- und Lernbedingungen der Bewohner von Innen- und Altstadtbezirken in ‚Mittelstadt' (Pseudonym), einer Großstadt am Rande eines großflächigen Ballungsgebietes, untersucht. Ein Forschungsschwerpunkt sind Schulsituation und Schülerbiographie von Arbeiter- und Kleinbürgerkindern vor dem Hintergrund der innerstädtischen Quartiers-Lebenswelt (*Projektgruppe Jugendbüro* 1975, 1977).

Die methodische Vorgehensweise orientiert sich an Mustern kulturanthropologischer Forschung: Exploriert werden das Selbstverständnis der Akteure einer begrenzten soziokulturellen Lebenswelt, die in dieser Welt geltenden Alltagsregeln und -rituale sowie die technisch-ökonomischen Ressourcen (z. B. die bebaute Umwelt), die den sozialen Gruppen für die Bewältigung ihres Lebens zur Verfügung stehen. Als Quellen für die wissenschaftliche Interpretation werden u. a. die lokalen Druckerzeugnisse, Gelegenheits- und Interviewäußerungen von Bewohnern, verdeckte und offene teilnehmende Beobachtungen oder amtliche Statistiken verwertet bzw. eigens erhoben. Die methodische Sorgfalt richtet sich auf die Authentizität und Subtilität der dokumentarischen Quellen und deren wissenschaftliche Ausdeutung, nicht auf Standardisierung und Verallgemeinerbarkeit der Untersuchungsergebnisse. Der Sinn einer solchen Einzelfallstudie liegt unseres Erachtens in der Anregung und Entwicklung von Fragestellungen und in der Rückbindung sozialwissenschaftlicher Forschung an eine sinnlich erfahrbare soziale Realität. Die Vorgehensweise entspricht dem Programm der Projektgruppe und einem wenig entwickelten Forschungsbereich wie dem der sozialökologischen Bildungs- oder Sozialisationsforschung. Bevor wir über die eigene Untersuchung berichten, gehen wir kurz auf diesen Forschungskontext und unsere Position darin ein.

1. Zur Verknüpfung von Sozialökologie und Klassenanalyse in der Bildungsforschung

Ganz allgemein formuliert verfolgen wir mit unserer Untersuchung die Fragerichtung, wie der je spezifische Wohn- und Lebenskontext auf die Schullaufbahnen und Ausbildungsvorstellungen in den einzelnen sozialen Klassen einwirkt. Wir verbinden also die Fragestellung nach den klassenspezifischen Unterschieden in Schulbesuch und Bildungschancen mit der Frage regionspezifischer Unterschiede der Schul- und Bildungsbeteiligung. Die Bildungsforscher der Bundesrepublik sind in den letzten eineinhalb Jahrzehnten beiden Fragen – für sich genommen – recht intensiv nachgegangen. Nur betrachteten sie die klassen- und die regionspezifischen Unterschiede gewöhnlich getrennt voneinander. Wenige Bildungsforscher haben sich hierzulande an die diffizile Frage herangewagt, wie die Zugehörigkeit eines Schülers zu einer sozialen Klasse und seine Ansässigkeit in einem bestimmten Wohnbezirk zusammenwirken. (Auf diese Ausnahmen werden wir gleich noch eingehen; für Großbritannien, wo die Situation im allgemeinen ähnlich zu sein scheint, vgl. *Eggleston* 1967). Ungeachtet der Schwierigkeiten, auf die die Bildungsforschung bei der kombinierten Untersuchung sozialräumlicher und klassenspezifischer Faktoren stößt, ist zu hoffen, daß sie auf diese Weise zu einer realitätshaltigeren Interpretation der Situation von Schule und Schülern in einzelnen Schulbezirken gelangt. Lehrer, Schüler und Eltern haben es im Schulalltag ja nicht einfach mit Schülern und Familien unterschiedlicher sozialer Klassenzugehörigkeit zu tun. Ihre sozialen Einschätzungen und Umgangsprobleme beziehen sich vor allem auf die jeweiligen Bewohner eines Wohnviertels, das durch eine ,,bekannte" Bau- und Sozialstruktur ausgewiesen ist.

Mehr Erfahrungen mit der Frage, wie das Wohnquartier als Vermittlungsinstanz klassenspezifischer Schullaufbahnen wirkt, liegen aus den USA vor, auch wenn die in den letzten beiden Jahrzehnten durchgeführten Untersuchungen letztlich nicht zu konsistenten Ergebnissen oder einer beständigen Klärung der theoretischen Annahmen geführt haben. (In diesem Sinn äußern sich z. B. *Sewell/Armer,* 1966, oder *Jencks* et. al. in ihrem kritischen Sammelreferat 1973, 191ff.) Ungeachtet dieser Einschränkung erscheint es uns sinnvoll, einige forschungsleitende Annahmen, die der sozialökologisch ausgerichteten Bildungsforschung in den USA zugrundeliegen, hier zu zitieren, da sie dem Leser auch unsere eigene Fragerichtung verdeutlichen können. Wir wählen eine prägnante Stelle aus einem recht frühen Aufsatz von *Natalie Rogoff* (1959, 242f.), der nicht ohne Einfluß auf die Forschungstradition in den USA und in Großbritannien war:

,,Möglicherweise hängen erreichter Bildungsstand und soziale Klassenposition bei Erwachsenen deshalb so eng zusammen, weil sozialökologische Prozesse auf

der Gemeinde- und Schulebene maßgeblich an dieser statistischen Korrelation beteiligt sind. (. . .)
Zunächst einmal dürfen wir wohl unterstellen, daß die einzelnen sozialen Klassen sich nicht nach dem Zufallsprinzip auf die verschiedenen Gemeindetypen und -größen in den USA verteilen. (Die empirischen Belege für diese Behauptung vernachlässigen wir an dieser Stelle.) Das hat zur Folge, daß jede soziale Klasse in bestimmten Wohnortumgebungen häufiger und in anderen seltener vertreten ist, und daß die einzelnen Wohnorte sich danach unterscheiden, zu welcher sozialen Klasse ihre Bevölkerungsmehrheit gehört. Die Dominanz bestimmter sozialer Klassen in einer Gemeinde führt wahrscheinlich zu einem spezifischen Angebot an kulturellen Institutionen wie Schulen, Büchereien und befördert spezifische kulturelle Normen und soziale Ansprüche. Die kulturellen Einrichtungen und Traditionen haben nicht lediglich für die dominierende soziale Klasse dieser Gemeinde Geltung, sie wirken sich – zu einem gewissen Grad – auf alle Ortsansässigen aus – ob das nun Eltern oder Kinder, Angehörige der Bourgeoisie, des Kleinbürgertums oder der Arbeiterklasse sind. (. . .)
Wenn wir nun beobachten, daß Jugendliche aus sozial begünstigten Elternhäusern im Schnitt einen besseren Bildungsabschluß erreichen, so läßt sich das in einem solchen Fall maßgeblich darauf zurückführen, daß solche Jugendliche vorrangig in Gemeinden wohnen, wo ihnen der Schulerfolg durch besser ausgestattete Schulen und durch ein bildungsfreundliches Klima leichter gemacht wird. Der soziale Aufstieg von Arbeiterjugendlichen wäre entsprechend unseren Annahmen dann ein Privileg der Minderheit von Arbeiterkindern, die das Glück haben, in bürgerlichen Wohngemeinden und Wohnquartieren zu leben. Für Prozesse einer Abstiegsmobilität wären solche bürgerliche Jugendliche besonders anfällig, die in Arbeitergemeinden wohnen. Die Chance, den von den Eltern ererbten sozialen Klassenstatus zu tradieren, müßte für alle jene Jugendliche besonders groß sein, bei denen Klassenmilieu am Wohnort und Klassenzugehörigkeit des Elternhauses übereinstimmen.
Die vorgetragenen Ideen eröffnen eine faszinierende gedankliche Perspektive: Wir haben mit ihnen vielleicht ein theoretisches Bindeglied in der Hand, um sozialökologische Prozesse, die zu räumlichen Mustern des Wohnens und Arbeitens führen, und sozialökonomische Prozesse, durch die Personen zu einem klassenspezifischen Status gelangen, in ihrer strukturellen Verflechtung besser zu interpretieren. Die sozioökonomische Position einer Familie hat Einfluß darauf, in welchem Typus von Wohnort oder Nachbarschaft jemand lebt. Die sozioökologische Position der Familie wirkt sich in der Folgezeit bestimmend auf die Lebenschancen der Kinder aus, von denen einige den Klassenstatus erhalten, andere ihn verändern werden. Die individuellen Wechsel wie die Gesamtheit der Veränderungen des Klassenstatus in der zweiten Generation wirken ihrerseits maßgeblich auf die Gestaltung der sozialökologischen Lebensmuster ein – und so weiter, bis möglicherweise eine Art Gleichgewicht hergestellt ist."

Die Autorin skizziert hier einen recht differenzierten Satz von untersuchungsleitenden Annahmen, an denen eine sozialökologisch orientierte Bildungsforschung sich beweisen kann. In der Forschungspraxis – der Autorin selbst wie der anderer Forscher – schrumpfte das Programm allerdings in Richtung statistische Prüfung von Teil-Zusammenhängen. Die Untersuchungen beschränkten sich darauf, den Einfluß dingfest zu machen, der von einem bestimmten Typus der Quartiers-Schule auf die Schulleistung(-stests) oder auf die weiterführende Schulbildung (College) von Schülern aus unterschiedlichen sozialen Klassen ausgeübt wird. Um die reduzierte – wenn auch nicht unwichtige – Fragestellung dieser Studien an einem Beispiel zu erläutern, greifen wir auf eine Untersuchung zurück, die *Wilson* 1959 publizierte und die eine Reihe von Folgeuntersuchungen provozierte. Die Ausgangsfrage des Autors lautete: Entwickeln die Söhne von Arbeitern eher ein höheres Anspruchsniveau für ihre Schullaufbahn, wenn sie eine Schule in einem vorwiegend bürgerlichen Wohnquartier besuchen? Und umgekehrt: Verringern Söhne von Angestellten und Akademikern etwas ihre Laufbahnansprüche, wenn sie eine ‚High School' (us-amerikanische Form der Gesamtschule) in einem Arbeiterbezirk besuchen?

Wilson teilte die „Gesamtschulen" seiner Untersuchung entsprechend der sozialen Zusammensetzung der Schulbevölkerung in drei Gruppen ein. Je nachdem, welche soziale Schicht unter den Eltern einer Schule zahlenmäßig überwog, nannte er diese Schulen großbürgerlich („upper white collar"), kleinbürgerlich („lower white collar") oder arbeiterbezogen („industrial"). *Wilson* fand seine Annahmen bestätigt. Bei Schülern gleicher sozialer Herkunft verringerte sich die Zahl derer, die planten, eine weiterführende Schule zu besuchen (College), je nach sozialer Zusammensetzung der Schülerschaft. Während die Schulziele (wie übrigens auch die Schulnoten) in den großbürgerlichen Schulen für alle sozialen Klassengruppen am anspruchsvollsten ausfielen, verringerten sich diese in den Arbeiterschulen. Wie Tabelle 1 ausweist, gilt der Zusammenhang für alle sozialen Herkunftgruppen.

Tabelle 1: Prozentsatz der Schüler mit dem Ziel, nach der „Gesamtschule" (high school) ein College zu besuchen, nach sozialer Herkunft der Schüler und nach soziokulturellem Schultyp

Schichtzuordnung des Vaterberufs	Soziale Zusammensetzung der Schule; d. h. vorwiegend		
	großbürgerlich (upper white)	kleinbürgerlich (lower white)	Arbeiter (industrial)
Akademiker (professional)	93 %	77 %	64 %
Angestellte (white collar)	79 %	59 %	46 %
Selbständige (self employed)	79 %	66 %	35 %
Arbeiter (manual)	59 %	44 %	33 %

Eine vergleichbare Forschungstradition zum Zusammenhang zwischen sozialer Klassenherkunft, Siedlungs-/Schulstruktur und Schullaufbahn gibt es in der BRD nicht. Beschränken wir uns auf den Problembereich der sozialökologischen Einbindung (groß-)städtischer Grundschulen, so stoßen wir allenfalls auf beiläufig mitgeteilte Nebenergebnisse größerer Untersuchungen – Nebenergebnisse allerdings, die nicht ohne Interesse sind. Zwei (bekannte) Grundschuluntersuchungen aus Hamburg mögen das verdeutlichen.

1963 veröffentlichte der Hamburger Soziologe *Kob* eine empirische Studie mit dem Titel „Erziehung in Elternhaus und Schule". Er hatte Eltern, Lehrer und Rektoren von 24 Hamburger Grund- und Hauptschulen (seinerzeit noch als ‚Volksschulen' vereint) aus drei sozialen „Schulmilieus" (*Kob*) befragt: „Schulen, deren Einzugsgebiet 1. in einem Arbeiterwohngebiet liegt, 2. in einem Wohngebiet mit Einwohnern hauptsächlich aus der ‚gehobenen Mittelschicht' und 3. in einem gemischten Wohngebiet." (S. 37). Es stellte sich heraus, daß die rund 200 befragten Arbeitereltern – alles Eltern von Jungen – aus 1. bzw. 3./4. Grundschulklassen etwas unterschiedliche Schulziele nannten, je nachdem, in welchem ‚Schulmilieu' ihre Kinder – und damit auch sie selbst – Grundschulerfahrungen gesammelt hatten (vgl. Tab. 2). Die Entscheidungen für eine Mittelschule oder für ein Gymnasium stiegen in Schulen mit ‚gemischtem' bzw. Mittelschicht-Einzugsgebiet leicht an. Noch gravierender war, daß die Unentschlossenheit und Unsicherheit der Arbeitereltern, was die Wahl des Schulzieles für ihre Kinder anging, geringer war, wenn ihre Kinder eine Schule in einem gemischten, und noch geringer, wenn sie eine Schule in einem gutbürgerlichen Wohnquartier besucht hatten.

Tabelle 2: Schulziele von Arbeitereltern, nach Schuleinzugsgebiet der Grundschule (Hamburg 1957/58, nur Eltern von Jungen) (Zusammengestellt nach *Kob* 1963, 39, 54)

SCHULZIEL	SCHULEINZUGSGEBIET		
	‚Arbeiterwohngebiet'	‚gemischtes Wohngebiet'	‚Wohngebiet der gehobenen Mittelschicht'
Volksschule	19 %	24 %	30 %
Mittelschule	10 %	18 %	14 %
Gymnasium	11 %	13 %	18 %
Unentschieden	58 %	44 %	36 %
Sonstiges/Keine Angaben	2 %	2 %	2 %
Gesamt	100 %	101 %	100 %
Anteil der Arbeiter in den einzelnen Schulmilieus	53 %	31 %	20 %

Einige Jahre später vermochte *Steinkamp* (1967) in seiner Untersuchung über „Die Rolle des Volksschullehrers im schulischen Selektionsprozeß" – wiederum für Hamburg – die andere Seite der Medaille zu belegen: Die Verringerung der Schullaufbahnchancen bürgerlicher Grundschüler, wenn sie in einer Grundschule eingeschult wurden, die in einem Arbeiter-Wohnquartier lag und dort ihr Einzugsgebiet hatte. *Steinkamp* bat 334 Hamburger Grundschullehrer, die im 2., 3. und 4. Schuljahr unterrichteten, diejenigen Schüler anzugeben, die sie für fähig hielten, ein Gymnasium zu besuchen. Es stellte sich heraus, daß das Lehrerurteil – neben der vorherrschenden Ausrichtung an der sozialen Klassenherkunft der Grundschüler – mit durch die Quartierslage einer Schule beeinflußt wurde. Zwar änderte sich für Arbeiterschüler in den verschiedenen Schulumwelten praktisch nichts, aber für die Chancen bürgerlicher Schüler spielte es schon eine gewisse Rolle, ob sie in einer bürgerlichen Schule ‚unter sich' waren, oder ob sie als Minderheit in einer Arbeiter-Grundschule untergebracht waren (vgl. Tab. 3). (Die Zuordnung der Wohnquartiere zu drei ‚Milieutypen' war die gleiche wie bei *Kob*.)

Die mitgeteilten Untersuchungsergebnisse von *Kob* und *Steinkamp* regen zu weiteren Untersuchungen an, sie „beweisen" – das sei hier ausdrücklich betont – nicht sehr viel: Zu viele Unbekannte fließen in solche Tabellen mit ein. Welche Schul- und Unterrichtsbedingungen herrschen an den Grundschulen in den einzelnen Quartieren? Wie setzt sich die Population der Lehrer an den verschiedenen Grundschul-Typen zusammen? Vor allem: Gibt es Unterschiede zwischen Arbeitern oder bürgerlichen Gruppen, die in unterschiedlichen Typen von Wohnquartieren leben? Der letzte Punkt ist von besonderer Bedeutung, da wir ja unterstellen dürfen, daß sich Familien, die den einen oder den anderen Wohntypus wählen, sich in bestimmter Beziehung – trotz gleicher Klassenlage – unterscheiden (soziale Ambitionen; finanzielle Situation; Kinderzahl usw.).
Da wir uns auf großstädtische Wohnquartiere und deren Grundschulen beziehen, wollen wir nur beiläufig die Gruppe von Untersuchungen erwähnen, die das Übergangsverhalten von Grundschulkindern nach Gemeindegröße (Dorf, Kleinstadt, Großstadt) und Schichtzugehörigkeit statistisch aufschlüsseln. Bekanntlich haben Grundschüler in (Groß-)Städten größere Chancen, eine weiterführende Schullaufbahn einzuschlagen, als Grundschüler aus (ländlichen) Kleingemeinden. Wir beschränken uns auf folgende Beispiel-Untersuchung. *Rita Baur* (1972) belegt anhand einer für Baden-Württemberg repräsentativen Stichprobe aus den Jahren 1967–69, daß die besseren Schullaufbahnmöglichkeiten in städtischen Ballungsräumen vor allem für bürgerliche Schüler- und Elterngruppen gelten. „Erstaunlicherweise ist es für das Übergangsverhalten der Kinder in den unteren Schichten praktisch bedeutungslos, ob sie in Dörfern oder in Städten leben. Arbeiterkinder

Tabelle 3: Gymnasialempfehlungen Hamburger Grundschullehrer nach sozialer Herkunft*) der Schüler und nach Einzugsgebiet der Grundschule (nach *Steinkamp* 1967, 321)

EINZUGSGEBIET DER GRUNDSCHULE	SOZIALE HERKUNFT DER SCHÜLER (2.–4. Klasse) ‚Ober-schicht'	‚Obere Mittel-schicht'	‚Untere Mittel-schicht' (I)	‚Untere Mittel-schicht' (II)	‚Unter-schicht'
Schulen, deren Einzugsgebiet in einem Wohnquartier der ‚gehobenen Mittelschicht' liegt (unter 20 % Arbeiter)	62 %	41 %	26 %	9 %	6 %
Schulen, deren Einzugsgebiet in einem gemischten Wohnquartier liegt (um 35 % Arbeiter)	57 %	38 %	22 %	9 %	4 %
Schulen, deren Einzugsgebiet in einem Arbeiterquartier liegt (über 50 % Arbeiter)	50 %	34 %	20 %	9 %	5 %

*) Die Schichtzuordnung wurde nach Väterberufen vorgenommen (Lehrerangaben):

‚Oberschicht'	= Unternehmer, Führungskräfte, Akademiker
‚Obere Mittelschicht'	= höhere Beamte/Angestellte, selbständige Handwerker/Kaufleute
‚Untere Mittelschicht' (I)	= untere, mittlere Beamte/Angestellte, kleine Gewerbetreibende
‚Untere Mittelschicht' (II)	= lohnabhängige Handwerker, Facharbeiter
‚Unterschicht'	= an- und ungelernte Arbeiter

in größeren Städten haben kaum höhere Übergangschancen auf weiterführende Schulen als Arbeiterkinder auf dem Dorf" (S. 290). In den bürgerlichen Schichten dagegen „haben Kinder, die in größeren Städten leben, durchweg bessere Übergangschancen als Kinder, die auf Dörfern leben, wenn auch der Einfluß der Gemeindegröße nicht so erheblich ist, daß die Unterschiede zwischen den Schichten verwischt würden" (S. 291).

Es liegt nahe, als einen Interpretationsschlüssel für diese Daten die sozial exklusiven Einzugsgebiete der Grundschulen in den größeren Städten und die ungünstige Schulsituation in Arbeiterwohnquartieren heranzuziehen. Nimmt man noch hinzu, daß die Standorte großstädtischer Gymnasien wiederum bevorzugt in bürgerlichen Wohnquartieren liegen (vgl. *Peisert* 1967, *Weishaupt* 1977), so erscheint es ganz plausibel, daß die sozial segregierten Arbeiterfamilien viel weniger an den qualitativ günstigeren Schulbedingungen der großen Städte partizipieren als bürgerliche Familien. – Vgl. zu diesem Themenkomplex die Literaturübersicht und neuere Untersuchungsdaten bei *Thonhauser* (1977).

2. Grundschule im Wohnquartier

2.1. *Die verordnete Zuordnung von Wohnquartier und Grundschule*

Bevor wir die beiden gegensätzlichen Grundschulen und Wohnquartiere beschreiben, die wir selbst untersucht haben, wollen wir dem Leser und uns vor Augen halten, daß die enge Verknüpfung der Schule mit dem städtischen Wohnquartier kein Zufallsprodukt, sondern Ergebnis staatlichen Verwaltungshandelns ist, das pädagogisch legitimiert wird. Die pädagogische Legitimation lautet: Die Schule möglichst nahe an die elterliche Wohnung heranzurücken. Diese vernünftige Maxime gerät angesichts der klassenspezifischen Wohnquartiere in den Großstädten in Widerspruch zur Idee einer die sozialen Klassen übergreifenden Grundschule. Seit dem Grundschulgesetz, zu Beginn der Weimarer Republik erlassen (1920), darf es in den ersten vier Schuljahren keine sichtbaren und administrativ verordneten Klassen-Schulen mehr geben. Wie die Verhältnisse in der Zeit davor waren, können wir der typisierenden Beschreibung *Tews* aus dem Jahr 1916 entnehmen (S. 13f.): „Die Kinder besuchen in vielen Gemeinden vom ersten Tag an verschieden eingerichtete und ungleich bewertete Schulen; das eine die Volksschule, das zweite die Bürgerschule, das dritte die Mittelschule, das vierte die Vorschule einer höheren Lehranstalt. Außerdem kommen noch Privatschulen verschiedenster Güte in Betracht . . ., so daß man in mancher Mittel- und Großstadt bequem ein Dutzend verschiedener Schulen für die Erlernung des Abc unterscheiden kann." Solche offenen Klassen-Schulen wurden in der Weimarer Republik aufgelöst. Allerdings: In den großen Städten sind diese öffentlich proklamierten Klassen-Schulen durch regional versteckte Klassen-Schulen abgelöst worden, die sich über Miet- und Grundstückspreise, über soziale Exklusivitätskriterien des Wohnquartiers vermitteln. Schulgesetze und die Verwaltungspraxis der Schulämter sorgen dafür, daß möglichst wenige Eltern aus diesem Zwangsverband ausbrechen. In der Hamburger Schulordnung von 1968 heißt es beispielsweise: „Die Erziehungsberechtigten melden die schulpflichtig gewordenen Kinder in der Volksschule *ihres Kreises* an." Die Schulverwaltung bemüht sich, die jeweiligen Schulkreise den vorfindlichen Strukturen der Wohnbezirke und -quartiere anzupassen.

Welche Konsequenzen eine solche Einschulungspraxis hat, beschreibt *Luc Jochimsen* (1971) am Beispiel zweier extrem entgegengesetzter Schulkreise in Hamburg. Nachdem sie ausgeführt hat, daß und wie die Schulen im Stadtrandgebiet im Nordosten gegenüber den Schulen im Innenstadtbezirk (St. Georg, St. Pauli, Hamm u. a.) privilegiert sind, fährt sie fort:

„. . . die Schüler kommen in die Schulen des Schulkreises 51 (Stadtrandgebiet mit Alstertal, Walddörfer, Hummelsbüttel, Sasel), wenn ihre Eltern *Eigentum* haben. Man kann sich in diesem Schulbezirk umschauen, wo man will, es gibt ein beherrschendes Stichwort: Eigentum . . . Es kostet also einiges, in die Schulen des Schulkreises 51 hineinzukommen. Nicht an Schulgeld, das ist frei, aber an Eintrittsgeld in den Schulkreis sozusagen. Wer hier wohnen will, muß genug Geld haben, um entweder immens hohe Mieten oder eigene Häuser oder Eigentumswohnungen bezahlen zu können. Und da Lernen ans Wohnen gekoppelt ist, ist der Besuch einer Schule im Schulkreis 51 daran gekoppelt, daß man Eltern hat, die reich sind. Genauso wie der Besuch des Schulkreises 10 (Innenstadt) daran gekoppelt ist, daß man Eltern hat, die arm sind" (S. 40f.).

Angesichts der erheblichen Bedeutung, die den Einzugsbereichen der Grundschulen für eine klassenspezifisch homogene Schulausbildung gegenwärtig zufällt, entzünden sich lokale und regionale Schulkonflikte häufig gerade an diesem Punkt. So führte es Januar 1977 beispielsweise in Berlin zu einer heftigen Reaktion der Schulverwaltung, als Elternvertreter herausfanden, daß das Berliner Schulgesetz eine Lücke hat: Es stellt den Eltern frei, an welcher Grundschule sie ihr Kind anmelden wollen. Wie die Schulverwaltung diesen Fall behandelt wissen wollte, teilt der Berliner Tagesspiegel in der Ausgabe vom 13. Januar 1977 mit:

„*Schulverwaltung fürchtet ‚Chaos‘*
Festhalten an den Einschulungsbereichen – Ausnahmen möglich
Die Senatsschulverwaltung hat gestern erklärt, im Interesse einer einheitlichen und kontinuierlichen Einschulungspraxis sei ‚davon auszugehen‘, daß bei der Einschulung in die Grundschule *keine* Wahlfreiheit bestehe. Ein Sprecher der Verwaltung sagte gestern, an den Schulen entstünde das ‚absolute Chaos‘, wenn nach dem im Schulgesetz formulierten Auswahlrecht verfahren würde.
Am Tag zuvor hatte die Verwaltung, wie berichtet, zugegeben, daß das Wahlrecht unabsichtlich (!) in das Schulgesetz geraten sei und ausdrücklich bestehe. Gestern sprach sie nur noch von einer ‚nicht ganz eindeutigen Formulierung‘. Die Eltern sollten ihre Kinder nach wie vor an jenen Schulen anmelden, in deren Einzugsbe-

reich sie wohnen. ,Begründeten Ausnahmeanträgen wird jedoch nach Möglichkeit von den Bezirken stattgegeben.'
Bis zu der angekündigten Änderung des Schulgesetzes ist die Verwaltung offenkundig entschlossen, den Gesetzestext nicht zu berücksichtigen und sich notfalls auf eine gerichtliche Auseinandersetzung einzulassen."

Die Verhältnisse liegen in ,,Mittelstadt", der Großstadt unserer Untersuchung, nicht anders. In den ,,Verwaltungsvorschriften" des Kultusministeriums heißt es: ,,Der Volksschulpflichtige hat die Volksschule zu besuchen, in deren Schulbezirk er seinen Wohnsitz oder gewöhnlichen Aufenthalt hat." Das städtische Schulamt handelt entsprechend. Unter dem 10. 11. 1964 teilt der ,,Mittelstädter Kurier" seinen Lesern mit: ,,Manche Eltern haben den Wunsch, ihr Kind in eine andere als die zuständige Schule zu schicken. Das Schulamt lehnt aber ab. Jedes Kind muß die Schule besuchen, in deren Bezirk es wohnt."

2.2. *Ein Fallbeispiel: Grundschule im Kasernenbau und Pavillonschule*

Sehen wir zu, was dieses Diktum im Einzelfall heißt. Als Kontrastpaar Mittelstädter Grundschulen haben wir zwei Schulen gewählt, die kaum 500 Meter voneinander entfernt liegen. Die eine Schule, als mächtiger, mehrstöckiger Kasernenbau 1844 errichtet, bedient die Schüler der nördlichen Innen- und Altstadt. Es handelt sich um das älteste Schulgebäude von Mittelstadt, das noch zu Unterrichtszwekken genutzt wird. In den eineinhalb Jahrhunderten Schulgeschichte, die in diesem Bau spielten, wurde die Schule mehrfach umgebaut und modernisiert. Jüngst erhielt die Außenfassade einen warmen, ockergelben Anstrich, der die gewaltigen Giebel der Vorderfront etwas weniger mächtig wirken läßt. Ohne Übergang tritt man vom schmalen, asphaltierten Bürgersteig ins Schulgebäude ein. Kein Vorgarten; keine repräsentativen Treppen, die es zu besteigen gilt. Der schmale Schulhof befindet sich als Hinterhof im Inneren des Grundstücks.
Der Grundschulbau entspricht in seiner baulichen Struktur und gestalteten Umgebung dem dazugehörenden Einzugsgebiet. Charakteristisch für das Altstadtviertel ,,Auf der Höh", das die Schule umgibt, ist eine enge, geschlossene Bebauung mit zwei- bis viergeschossigen Mietshäusern. Die Wohnblöcke sind kaum jünger als der ehrwürdige Schulbau. Der Mittelstädter Stadtforscher D. Kraushaupt (Pseudonym) charakterisiert die bauliche Geschichte dieses Altstadtviertels so: ,,Das ,Viertel auf der Höh' entstand als Wachstumszone zwischen 1800 und 1900 . . . Die Planung sah ein- und zweistöckige Häuser in klassizistischem Stile vor. Heute sind davon leider nur noch wenige erhalten. Viele wichen der frühwilhelminischen Bebauung am Ende des 19. Jahrhunderts . . . In der Regel gehört zu

jedem Haus ein Hinterhaus, außerdem kann noch ein Seitenbau oder ein Schuppen vorhanden sein . . . Eine derartige Bebauung mit Hinterhäusern, Schuppen und Hinterhöfen zieht natürlich das Kleingewerbe an, und so ist es auch nicht verwunderlich, daß sich fast im gesamten Viertel die Wohn- und Gewerbefunktion mischen."
Seit einigen Jahren steht das Wohnquartier im Mittelpunkt von Diskussionen Mittelstädter Politiker und Stadtplaner. Wegen der unzureichenden Wohnqualität fand – beginnend mit der sozialen „Entmischung" in den 50er Jahren und dem Bau von Trabantensiedlungen am Rande der Stadt – eine Umschichtung in der Bewohnerstruktur statt. Junge Familien verließen das Viertel, zurück blieben ältere Bewohner und Bewohner, die wegen der niedrigen Mietpreise auf dieses Wohngebiet angewiesen blieben. In die frei werdenden Wohnungen zogen ausländische Familien, zuletzt auch kinderlose Jugendliche und jüngere Erwachsene. Das „Viertel auf der Höh" ist als Sanierungsgebiet ausgewiesen. Abriß- und Modernisierungsmaßnahmen prägen gegenwärtig das Straßenbild.
Den zweiten Teil des Einzugsgebietes der Kasernenschule bildet die nördliche Innenstadt (City) von Mittelstadt. Infolge der Ausweitung des Geschäftszentrums sowie der Konzentration von Verwaltungs- und Bürogebäuden sind geschlossene Wohngebiete hier nicht mehr vorhanden. Lediglich in einzelnen Seitengassen finden sich noch zusammenhängende Wohn„inseln". Ansonsten sind hier vereinzelte Wohnhäuser und -flächen typisch. Es handelt sich dabei zumeist um die oberen Geschosse und Hinterhäuser von Geschäfts- und Bürohäusern. Die Wohnhäuser der Seitengassen sind durch schlechte Bausubstanz und unzureichende Wohnqualität gekennzeichnet. Vielfach wird saniert.
So wie sich die Kasernenschule bruchlos in das sie umgebende Altstadtquartier „Auf der Höh" einfügt, so entspricht der Pavillonbau der benachbarten Grundschule als „Schule im Grünen" der Bau- und Wohnstruktur ihrer Umgebung. Die Umgebung: gepflegte Ein- und Zweifamilienhäuser inmitten von Gärten, großzügig gestaltete Appartementhäuser und repräsentative Villen, von Parkanlagen umgeben oder in Waldnähe. Die besondere Prägung dieses Wohnviertels, die Hanglage der Grundstücke, finden wir in der terrassenartigen Anlage des Schulgrundstücks wieder. Die einzelnen Pavillons liegen inmitten eines weiträumigen, durch Grünanlagen gegliederten Schulhofes. Als die Schule 1960 eröffnet wurde, erging sich die Lokalpresse in Lobeshymnen: „Das Schönste aber ist die einmalige Aussicht über Türme und Dächer der Stadt von den Pausenhöfen aus."
Im Einzugsgebiet der Pavillonschule finden wir Großvillen aus der wilhelminischen Epoche, Appartement-Siedlungen aus den sechziger Jahren, gehäuft Ein- und Zweifamilienhäuser verschiedenster Bauart, darunter auch moderne Luxusvillen. Mehr noch als das „bessere Westend" – der eine Teil des Einzugsgebietes der Schule – gehörte und gehört das „Villenviertel am Waldberg" zu einem bevor-

zugten Wohngebiet von Mittelstadt, nicht zuletzt wegen der Einbettung des Quartiers in Park- und Waldanlagen sowie wegen der Hanglage vieler Grundstücke.
Von der Bauweise, der Anlage des Geländes und vom Zeitpunkt des Baues – Anfang der 60er Jahre – her gesehen, bilden Pavillonschule und Villenquartier eine enge ökologische Einheit. Allerdings: Ein Zipfel des Altstadtquartiers „Auf der Höh" gehört auch noch zum Einzugsgebiet, so daß auch einige Altstadtkinder in diese Grundschule kommen und dort eine Minderheit bilden. Was das bedeutet, werden wir weiter unten darstellen.

2.3. *Vom klassenspezifischen Charakter der beiden Wohn- und Schulumwelten*

Inwieweit ist die beschriebene sozial-räumliche Segregierung Ausdrucksform klassenspezifischer Lebenszusammenhänge? Um uns in dieser Frage Klarheit zu verschaffen, befragten wir die amtliche Statistik, die uns zwar nur wenige, aber immerhin brauchbare Kontrastdaten liefert.
Beginnen wir mit der unterschiedlichen Qualität der Wohnungen und Wohngebäude. Im Einzugsgebiet der Kasernenschule finden wir 1968 rund 10 % Einfamilienhäuser, gegenüber 30 % solcher Häuser im Gebiet der Pavillonschule. Recht unterschiedlich ist das Baualter der Wohngebäude. Im Altstadtbereich stammen 80 % aller Gebäude aus der Zeit vor 1900, im Villenbereich dagegen nur 27 %. Im Einzugsbereich der Villenschule sind 77 % aller Wohnungen mit Bad und WC ausgestattet, im Einzugsbereich der Altstadtschule nur 30 %. (Bei allen Zahlen zählt der Zipfel Altstadt, der zum Bereich der Pavillonschule gehört, bereits mit!)
Über die unterschiedliche Struktur der Quartiersbewohner gibt die städtische Statistik folgende Auskünfte: Während in dem Einzugsgebiet der Kasernenschule 43 % aller Erwerbstätigen (sozialrechtlich) zur Gruppe der Arbeiter gehören, sind es in dem Einzugsgebiet der Pavillonschule lediglich 18 %. Weiterhin finden wir erhebliche Unterschiede hinsichtlich des durchschnittlichen Einkommens. (Zugrunde liegt das durchschnittliche Monatseinkommen der Familien mit Kindern.) Für die Altstadtviertel wurde errechnet, daß über die Hälfte der Familien weniger als 1200 DM netto verdienen; in den Villenvierteln trifft dies nur für ein Fünftel der Familien zu. (Die Angaben beziehen sich auf 1970.) Vergleichbare Auskünfte erhalten wir über die Schulabschlüsse der erwachsenen Bewohner. Im Gebiet der Altstadtschule erreichten 74 % als höchsten Abschluß einen Volks- bzw. Hauptschulabschluß. In den Villenvierteln mußten sich demgegenüber nur 45 % damit begnügen.

Die soziale Zusammensetzung der Schüler in den beiden Schulen ist demzufolge recht unterschiedlich. Die Mittelstädter, die es angeht, sind sich dieser Tatsache und der Probleme, die daraus für die Schulen entstehen, durchaus bewußt. Wir lassen einige Repräsentanten zu Wort kommen, um die common-sense-Einschätzung der beiden Schulen und Schülerpopulationen zu charakterisieren.
Ein Stadtverordneter erklärte uns 1972 die bildungspolitische Lage der Kasernenschule so: „Die Schule hat die meisten Ausländerkinder hier in der Stadt. Einige Lehrer sind nicht länger bereit, das noch mitzumachen." 1973 vermerkt das Schulamt in einer Broschüre zur Lage der Ausländerkinder lakonisch: „Da die Verteilung ausländischer Schüler ganz bestimmte Schulen am härtesten trifft, sind die Arbeitsbedingungen für die Lehrer hier sehr schwierig." Die Rektorin der Kasernenschule schreibt im gleichen Jahr aus ihrer Sicht: „Herausragende ausländische Schüler sind selten, aber das ist bei den deutschen Schülern . . . nicht anders. Erfreulich hoch ist aber der Anteil der Kinder, die anstrengungsbereit und leistungsmotiviert sind und so (!) auch durchschnittliche Leistungen erreichen . . . Es kommt zwar häufig vor, daß ausländische Schüler das 1. Schuljahr wiederholen . . ." 1977 hebt das Mittelstädter Tagblatt in einem Bericht, der ein von der Schule veranstaltetes Schulkonzert würdigen soll, folgende Aspekte der Schulsituation hervor: „Die (Kasernenschule), im Volksmund nicht zu Unrecht ‚die Europaschule auf der Höh' genannt, Grundschule mit rund vierhundert Kindern in 17 Klassen, . . . wird heute schon zu 40 % von Ausländern besucht . . . Es wundert, wenn eine solche Schule zu einem Konzert mit einem Programm mit 16 Vorträgen einlädt."
Wir sehen: Mittelstädter, die etwas Einsicht in die Schulverhältnisse der Kasernenschule nehmen können, sind sich einig, daß es sich um schwierige Arbeitsbedingungen, um bestenfalls durchschnittliche Schüler handelt. Der abschätzige Unterton in der Stimme ist unüberhörbar. Die Schule ist eine Art Sozialfall.
Demgegenüber steht die Pavillonschule seit ihrer Gründung unter einem günstigeren Stern. Die Lokalpresse bemerkte kurz nach der Gründung achtungsvoll: „Die Mittelstädter können recht stolz auf ihre neue Pavillonschule sein./ Mustergültige Einrichtung findet zahlreiche Bewunderer./ Die ganze Welt kiebitzt in der Pavillonschule." Vertreter der lokalen und überregionalen Prominenz gaben sich bei der Gründung und in den folgenden Jahren wiederholt ein Stelldichein in der Schule, machten Schenkungen, repräsentierten als Eltern die Elternvertretung der Pavillonschule. Anläßlich der Zehnjahresfeier, 1970, betonte der Schuldezernent der Stadt: „Hier herrscht ein Geist, wie wir ihn uns immer wünschen." Das Lob galt der guten Zusammenarbeit von Schule, Kindern und Eltern. Die eher problematische Seite der Schulsituation hoben dagegen einige jüngere Abgeordnete der Stadtversammlung 1972 hervor: „Kleinbürgerkinder fehlen dort fast völlig. Es gibt nur Unterschicht- und Oberschicht-Kinder. Diese prallen dort aufeinander.

Die Eltern der Oberschichtkinder wünschen eine Entmischung. Aber die Schule macht hierbei nicht mit, vertritt die Integration."

2.4. *Schulkonflikte um das Schuleinzugsgebiet der Pavillonschule*

Es könnte scheinen, als habe sich die sozialökologische Symbiose von Pavillonschule und Villenquartier gleichsam von selbst, als natürliches Ergebnis sozialer Segregation in Mittelstadt, hergestellt. Wenn wir jedoch der Entstehungsgeschichte des Schuleinzugsgebietes und des Schulneubaus bis in die 50er Jahre nachgehen, stoßen wir auf einen heftigen Schulkonflikt in Mittelstadt, der allerdings fast unter Ausschluß der Öffentlichkeit ausgetragen wurde. Erst nachdem die Eltern des Villenviertels ihre Lobby in den kommunalpolitischen Gremien mobilisiert hatten, gelang es ihnen, die neue Grundschule ihrem exklusiven Sozialviertel einzuverleiben. Als Zeugen für diesen Konflikt können wir die Rektoren und Kollegien der betroffenen Schulen nehmen, die keinesfalls alle mit diesem Aneignungs- und Assimilationskampf einverstanden waren, da er teilweise ihre beruflichen Interessen verletzte.

Der Schulkonflikt entzündete sich zunächst an der Frage, wie die Grenzen der Schulbezirke ab dem Schuljahr 1960/61 neu festgelegt werden sollten. Streitpunkt war, ob der neuerbauten Pavillonvolksschule einseitig die privilegierten Villenviertel zufallen sollten, die sich zuvor mehrere Volksschulen (d. h. vereinigte Grund- und Hauptschulen) geteilt hatten. Wie aus dem Jahresbericht eines der betroffenen Rektoren in der Schulchronik hervorgeht, engagierten sich Kollegium und Elternvertreter in dieser Frage erheblich. Die Stoßrichtung ihres Protestes geht aus dem Dokument unmißverständlich hervor:

„Durch die neue Begrenzung unseres Schulbezirkes verloren wir, schulleistungsmäßig und soziologisch gesehen, gutfundierte Wohngebiete, die im wesentlichen den Bezirken der (Pavillonschule) . . . zufielen. Für (unsere Schule) blieb ein engbegrenztes Altstadtgebiet mit all seinen nivellierenden und gefährdeten Nachteilen übrig . . . Auf gemeinsamen Tagungen von Vertretern der Elternschaft und Kollegium ist diese . . . einseitig krasse aber vermeidbare soziologische Strukturwandlung unserer Schule Gegenstand eingehender Besprechungen und ernster Überlegungen gewesen . . . Es sei für die Zukunft dieser Schule nun zu befürchten, daß neben diesem Niveausturz auch erhebliche erzieherische Schwierigkeiten sich ergeben werden, in deren Strudel auch die Kinder schulfreundlicher Elternhäuser geraten würden . . . Im Kollegium war die Meinung vorherrschend, daß eine bezirksgebundene Volksschule Elternhäuser aller sozialen Schichten umfassen muß. Der Bezirk einer Volksschule darf nicht einseitig eingeengt sein. Gerade im Wechselspiel der Kräfte breiter sozialer Schichtung liegt für eine Volksschule der bildungsbeständige und erzieherische Erfolg ihrer Arbeit begründet. Nur so wird unsere heranwachsende Jugend lernen, frühzeitig Spannungen zu lösen und Unterschiede auszugleichen."

Das zweite Kapitel des Schulkonflikts um die Pavillonschule wurde 1966 geschrieben, als in Mittelstadt – wie im ganzen Land – die bestehenden Volksschulen in Grundschulen einerseits und in Hauptschulen andererseits aufgeteilt wurden. Jetzt entstand die Frage, ob die neu einzurichtende eigenständige Hauptschule in die Gebäude der Pavillonschule einziehen sollte, oder ob die Hauptschule in einen damals 82jährigen Kasernenbau, der gleichfalls im Altstadtviertel „Auf der Höh" lag, untergebracht würde. Der erste Plan entsprach der ursprünglichen städtischen Planung. Den zweiten Weg verfochten bürgerliche Elterngruppen aus den Villenvierteln und deren Lobby in der Stadtverwaltung. Die bürgerlichen Elterngruppen rangen den städtischen Planern Versprechungen ab und setzten ihren Willen schließlich durch. Die sozialräumliche Segregierung der Pavillonschule als Grundschule für das Villenviertel war gelungen. Auf der Strecke blieb die pädagogische Vernunft – so argumentierten *beide* am Konflikt beteiligten Rektoren noch Jahre nach der Entscheidung.

Der Rektor der Pavillonschule (in einem informellen Gespräch 1972): Ich frage Rektor Q., wie es seinerzeit eigentlich passiert sei, daß der jetzige Neubau nicht – wie vorgesehen – für die Hauptschüler reserviert worden sei, sondern daß die Grundschüler jetzt darin einquartiert seien. Rektor Q. betont, daß er für seinen Teil immer dagegen gewesen sei, daraus eine Grundschule zu machen. Aber in dieser Frage sei er gegen Mauern gerannt. Die Schuldigen sind nach seiner Meinung die Planer im Schulamt . . . Nach den Interessengruppen befragt, die hinter der Umwidmung standen: Seiner Auffassung nach haben damals die Planer im Schulamt einen Fehler gemacht, als sie zunächst den im Beamten- und Villenviertel wohnenden Eltern versprochen haben, eine Grundschule zu bauen. Als Begründung hätten die Eltern angeführt, daß der Weg in die anderen, bestehenden Grundschulen zu weit für ihre Kinder sei. – Der Rektor der anderen betroffenen Schule: „Es ist mir . . . unverständlich, daß die (Pavillonschule) als Grundschule verblieben ist . . . Welche pädagogischen Gründe also bei dieser Wahl der Gebäude den Ausschlag gegeben haben, ist nicht erfindlich!"

2.5. *Schulklassen: „soziale Mischung" oder „soziale Segregation"?*

Mit dem gewonnenen Schulkampf haben die Familien der Villen- und Eigenheimviertel zwar durchgesetzt, daß ihre Kinder geschlossen an eine Schule – und zwar an die besser ausgestattete, privilegierte gehen dürfen. Allerdings: Ganz geschlossen ist die soziale Welt der Pavillonschule damit keineswegs. Wie oben angedeutet, geht auch eine beachtliche Minderheit von Altstadtkindern auf die Schule im Grünen. Sie macht ein gutes Drittel der Schulbevölkerung aus. Wie handhaben Kollegium und Elternschaft der Pavillonschule das klassenspezifische Gefälle, das damit an ihrer Schule weiter existiert?

Die Möglichkeiten zur sozialen Segregation, zur Behauptung sozialer Exklusivität, sind nach der Einschulung noch längst nicht ausgeschöpft. Ein wichtiges administratives Mittel, ,,unter sich" zu bleiben, stellt die Verteilung der Kinder auf unterschiedliche Schulklassen dar – und zwar dann, wenn als Kriterium der Einteilung das Wohngebiet genommen wird. Einige Beispiele aus der Grundschulliteratur sollen erläutern, wie eine solche Aufteilung nach Wohnquartieren in einzelnen Schulen aussehen kann:

Beispiel Nr. 1. Der Grundschulreformer *Erwin Schwartz* (1969, 52) gibt ein Beispiel für eine soziale Differenzierung nach Wohneinzugsgebiet: ,,Früher trennte man vom ersten Schultag an nach Geschlecht und Konfession; heute tut man es bis zum vierten Schuljahr nach Wohngegenden. In A-Stadt gibt es *drei erste Klassen:* in der A-Klasse sitzen die Kinder aus dem Akademikerviertel um das Landgericht, in der B-Klasse jene aus dem vornehmlich gewerblich orientierten Mittelstandsbereich, und für die C-Klasse verbleiben die Kinder aus den Randgebieten . . . Einige Schulen neigen dazu, diese Sortierungstendenz durch Differenzierung nach Schulleistungen noch zu verstärken."

Beispiel Nr. 2. Aus einem unveröffentlichten Interview mit einer Junglehrerin in einer nordhessischen Kleinstadt (1970): Die Lehrerin K. berichtet, daß alle Junglehrerinnen eine 1. Klasse bekommen hätten, obwohl bis zur zweiten Lehrerprüfung das nicht sein solle. Die älteren Kolleginnen seien ,,müde" geworden. Sie selbst habe es am schwersten getroffen: ,,In T. werden die Parallelklassen nach Stadtbezirken aufgeteilt. Die beiden Sanierungsgebiete der Stadt – wo es auch Baracken gibt – hat man zusammengefaßt zu einer Schulklasse. Dort waren etwas asoziale Familien dabei. Das massierte sich bei 44 Kindern in der 1. Klasse. Ich habe nicht gewußt, wie ich es schaffen soll. Ich war manchmal sehr weit unten. Am Ende der 4. Klasse waren 12 Schüler aus dieser Klasse in der Sonderschule gelandet. Der Rektor gab mir allein die Schuld für meine Schwierigkeiten. Der Schulrat hat die Schwierigkeiten anerkannt, aber konnte mir keine rechte Hilfe geben. Er gab mir eine junge Lehrerin als Mentorin, die hat nicht ganz gesehen, wo meine Schwierigkeiten lagen."

Beispiel Nr. 3. Der Frankfurter Grundschuldidaktiker *Richard Meier* (1974, 23f.) kennzeichnet die schulinterne Aufteilung der Anfangsklassen, die in einer Grundschule in den Jahren 1966 bis 1970 geübt wurde, wie folgt: ,,An der Beispielschule ist es es Praxis, die Kinder nach Wohnvierteln in den Klassen zusammenzufassen. Wer zusammen wohnt, geht auch zusammen zur Schule. Die drei routinierten Erstklaßlehrerinnen sorgen für einen gewissen Ausgleich, indem sie Kinder austauschen, wenn sie der Meinung sind, daß sich in einer Klasse eine Häufung von schwierigen Fällen ergeben wird. Mit einer deutlichen Voreinstellung werden die Schulanfänger empfangen: Bestimmte Familien liefern schwierige Kinder . . . Die Kinder der Klasse 1a stammten in der überwiegenden Zahl aus einem Neubauviertel, in dem Eigentumshäuser für ein und zwei Familien mit Wohnblocks für Umsiedler in gemischter Bauweise kombiniert sind. Die Schüler der Klasse 1b kommen aus einem Viertel gehobener Wohnlage, an dessen Rand sich noch eine ältere Siedlung befindet. Eine besondere Gruppe bilden die Schüler aus einem Kinderheim, die geschlossen auftreten und von den Lehrerinnen mit Unbehagen empfan-

gen werden. Klasse 1c erhält ihre Schüler aus einem Altbauviertel, das einige Bauernhöfe und Nebenerwerbsstellen aufweist. Es handelt sich um die ‚Einheimischen' (so der Rektor über diese Gruppe)."
Die Idee, Schulklassen als Nachbarschaftsklassen einzurichten, ist gewiß auf den ersten Blick faszinierend. Berücksichtigt die Schule damit nicht die primären sozialen Beziehungen, die Kinder wie Eltern in den Unterricht mitbringen? Nur leider stößt sich der gute Wille der Grundschullehrer mit der teilweise scharfen klassenspezifischen Segregierung im Schuleinzugsgebiet. Es verwundert deshalb nicht, wenn eine Schulklasse, wo alle Kinder aus den Sanierungsgebieten einer Stadt zusammentreffen, sich als kaum „regierbar" erweist – schon gar nicht von einer Anfängerin. Erfahrene Grundschullehrerinnen (Beispiel 3) sorgen daher unter der Hand für einen entsprechenden sozialen Ausgleich.

Der Rektor der Pavillonschule bringt durchaus Argumente gegen eine Klasseneinteilung nach Wohnquartieren vor. Es kann nicht Aufgabe der allgemeinen Grundschule sein, durch schulinterne Differenzierung die ohnehin im Wohngebiet wirksamen sozialen Abschließungstendenzen der einzelnen Schichten noch zu unterstützen. Die Lehrerschaft der Pavillonschule nimmt also bewußt eine soziale Integrationsaufgabe wahr? Ganz so eindeutig liegen die Verhältnisse wohl nicht, wie der Rektor uns in einem Gespräch plausibel machen möchte. Gegen Ende fällt ihm ein, daß das Schulamt bereits einmal die Einrichtung einer „reinen" Altstadtklasse veranlaßt hat. Und: Wer so beredt für eine soziale Zusammenlegung plädieren muß – redet der nicht über eine keinesfalls selbstverständliche, keinesfalls konfliktfrei durchzusetzende schulpolitische Angelegenheit?

Dazu aus einem Gespräch mit dem Rektor der Pavillonschule (1972): Er sitzt gerade im Bayernkrug, einem gutbürgerlichen Speiserestaurant in der Innenstadt, als ich ihn treffe. Nach einigen anderen Themen kommen wir auf das Einzugsgebiet und die soziale Zusammensetzung der Schüler in seiner Grundschule zu sprechen. Rektor Q. unterteilt die Schüler in Altstadtkinder, Kinder aus dem Beamtenviertel und Kinder aus der Villengegend. Etwa zwei Fünftel kommen aus der Altstadt. Die Klassen werden von ihm und seinem Kollegium nach Wohngebieten gemischt. Also befänden sich in jeder Klasse anteilsmäßig Kinder aus allen drei Wohngebieten. Er erläutert:
„Ich bin für's Mischen. Die Oberschichtkinder ziehen die Unterschichtkinder mit hoch. Die Unterschichtkinder bremsen die Oberschichtkinder etwas in ihrem Drang zum Snobismus. Die Oberschichteltern und auch die Beamteneltern sind mit dieser Regelung sehr einverstanden. Sie wissen: Die Kinder müssen ja auch später mit solchen Leuten auskommen. Da ist es schon besser, wenn sie dies von Anfang an lernen. Die (Familie X., Besitzer einer Discount-Ladenkette) zum Beispiel hat drei Kinder an unserer Schule, und die kommen ständig mit solchen Rabauken nach Hause. Die Mutter ist damit sehr zufrieden: Dann lernen ihre Kinder wenigstens, wie sie die zu nehmen haben. Dafür sprechen die Unterschichtkinder unserer Schule meistens gut. Nicht, weil der Lehrer sie dazu zwingt, sondern weil sie das von ihren Mitschülern und Spielkameraden lernen."

Rektor Q. gibt an, daß rund 80 % seiner Schüler auf weiterführende Schulen übergehen. Die Abgänger zur weiterführenden Schule kämen prozentual zu gleichen Teilen aus allen Wohngebieten. Bei der Frage nach einer Statistik hierüber bekomme ich eine ausweichende Antwort.
Einmal sei es passiert, daß ein Kind aus der Altstadt auf dem Schulweg von einem Auto angefahren worden sei. Daraufhin habe das Schulamt verlangt, daß alle Kinder aus der Altstadt in einer Klasse zusammengefaßt werden, damit alle zur gleichen Zeit zur Schule gehen. Damit sollte erreicht werden, daß es sich auch lohnt, wenn man einen Polizisten oder eine andere Aufsichtsperson an gefährlichen Stellen auf dem Schulweg aufstellt. Daraufhin wurden die Altstadtkinder des nächsten Jahrgangs in einer Klasse zusammengefaßt. „Aber fragen Sie mich nicht, was das für eine Klasse wurde!"

Soweit die Stellungnahme des Rektors der Pavillonschule, die wohl eine Portion rechtfertigender Idealisierung enthält. Ein Stadtverordneter jedenfalls, der die lokalen Schulverhältnisse gut kennt, gab als Kommentar zu dieser Selbstdarstellung zu Protokoll: „Ich habe den Eindruck gewonnen, daß die vom Rektor der Pavillonschule propagierte soziale Mischung der Kinder mit verschiedener Schichtzugehörigkeit in der Praxis keineswegs so gut gelingt." Ebenso skeptisch äußerten sich einige Lehrerkollegen von der Hauptschule, die Abnehmer für die Minderheit von Schülern ist, die von der Pavillongrundschule aus nicht auf eine Realschule oder auf ein Gymnasium überwechseln. Ihr Sprecher führte aus:

„Wir haben einmal versucht, auf einer gemeinsamen Konferenz mit den Lehrern der Pavillonschule in Kontakt zu kommen. Da haben wir den Eindruck gewonnen, daß sie sich als die Elite fühlen. Die Hauptschule hier oben – die betrachten die doch als was Minderwertiges. Wir möchten mal gerne wissen, wie die den Übertritt der Schüler auf unsere Hauptschule vorbereiten. Da genügt doch ein einziger Gesichtszug, da wissen die Kinder Bescheid! Bezeichnend war der Standpunkt von Madame E.: ‚Was wollen Sie denn überhaupt von uns, 90 % meiner Kinder gehen ja auf weiterführende Schulen weg. Da bleiben nur noch 10 % übrig. Was sollen wir hier also groß über den Übergang auf die Hauptschule diskutieren?'"

2.6. *Der Übertritt auf die Hauptschule oder Wie eine Segregierung sich fortsetzt*

Auch die Schulstatistik der Hauptschule mahnt zur Vorsicht gegenüber dem sozialintegrativen Optimismus, den der Rektor der Pavillonschule gesprächsweise verbreitet. Die 10 oder 20 % der Pavillonschüler, die auf die Hauptschule übergehen, kommen keineswegs zu gleichen Teilen aus allen Wohnquartieren. Es handelt sich fast ausschließlich um die Altstadtkinder, deren Wohnquartier wir oben beschrieben haben.

Nehmen wir als Beispiel den Schülerjahrgang, der Herbst 1971 in die 7. Klasse der Hauptschule eintrat und der demzufolge zwischen 1965 und 1966 eingeschult wurde. (Diesen Schülerjahrgang konnten wir insbesondere im 8. Hauptschuljahr untersuchen. Wir werden uns bei allen folgenden Schülerdaten und Schüleräußerungen auf diesen Jahrgang stützen, ohne dies im Einzelfall noch einmal hervorzuheben.) Unter den 136 Schülern Anfang der 8. Klasse – sie kommen aus insgesamt vier Grundschulen – befinden sich – neben 24 Schülern aus der Kasernengrundschule – 21 Schüler aus der Pavillonschule. Nur *ein* Mädchen ist darunter, das – nach einer gescheiterten Episode an einer Realschule – aus dem Villenquartier kommt. Das spricht beredt gegen das Selbstverständnis des Schulrektors.

Was das Frappierende ist: Die Hauptschule setzt auf ihre Weise die Segregierung der Schüler nach Wohnquartieren fort. Äußerer Anlaß dazu ist, daß die Schüler aus der Kasernenschule bereits nach dem 4. Schuljahr an die Hauptschule kommen, während die Pavillonschüler erst nach dem 6. Schuljahr folgen (was mit der Zahl der verfügbaren Klassenräume in den einzelnen Schulgebäuden zusammenhängt). Wiederum versichert uns der Rektor – diesmal der der Hauptschule –, daß die Grundschüler zu gleichen Teilen auf die vier Parallelklassen verteilt worden seien. Als wir diese Aussage anhand der Klassenlisten und Schülerbögen kontrollierten, stießen wir auf das genaue Gegenteil. Jeder einzelnen Grundschule ließ sich eine Schulklasse zuordnen. So bildeten 18 von 21 ehemaligen Pavillongrundschülern die 8 A-Hauptschulklasse. Und 16 der 24 ehemaligen Kasernengrundschüler saßen in der Klasse 8 D zusammen. In wenigstens fünf Fällen konnten wir Abweichungen leicht aufklären: Es handelte sich um Strafversetzungen in andere Klassen aus Disziplingründen.

Schüler wie Lehrer wußten, daß es sich bei der 8 A, also bei den ehemaligen Pavillongrundschülern, um eine „besondere" Klasse handelt. Die Schüler gaben zu erkennen, daß sie ihrer Pavillonschule nachtrauerten. Die Klassenlehrerin beispielsweise berichtete: „Heute wieder, als wir über das Thema Schule sprachen, fing's sofort wieder an. ‚Ja, seit wir hier sind auf der G.-Hauptmann-Schule, ist es nicht mehr so schön wie an der Pavillonschule. Da waren ordentliche Lehrer, da war 'ne gute Ausstattung.' Da kam das wieder. Und das ist nicht mehr rauszukriegen."

Die vier Hauptschullehrer, die die vier Parallelklassen vom 7. bis 9. Schuljahr als Klassenlehrer betreuten, wußten um den unterschiedlichen „Ruf" dieser Klassen sowie deren schulische Herkunft und machten sich dies strategisch zunutze. Weil sie die Klasse der ehemaligen Pavillonschüler als die am leichtesten zu führende Klasse und als vergleichsweise leistungswillig einschätzten, gaben sie diese Klasse einer jungen Referendarin, die gut durch die Prüfungsstunden kommen sollte. Dagegen übernahm der robusteste Lehrer unter den vier Kollegen die als „schwierig" eingeschätzte Klasse der ehemaligen Kasernenschulschüler. Ein zweiter erfahrener Kollege widmete sich dem restlichen Drittel der Kasernenschulschüler. So setzte sich die unterschiedliche Qualität schulischer Betreuung bis in die Hauptschulzeit als „Stil" einer Klasse durch.

2.7. *Schulanfang in der Kasernen- und in der Pavillonschule*

Um einen Eindruck davon zu erhalten, welches Bild vom Schülersein den Schulanfängern in den beiden Grundschulen vermittelt wird, haben wir in zwei Jahren (1975 und 1977) den Einschulungsfeiern beigewohnt (vgl. den ausführlichen Bericht hierüber in: *Projektgruppe Jugendbüro* 1977).

Die Quintessenz der Schülerrolle, wie sie am ersten Tag in der *Kasernenschule* inszeniert wird, lautet: sich in eine strenge, zweckgerichtete Ordnung einfügen. Die Schulklasse lernt noch in Anwesenheit der Eltern, sich ordnungsgemäß aufzustellen. Die Darbietungen der älteren Mitschüler auf der Bühne folgen einem strengen, förmlichen Ritual. Die Schüler und ihre Eltern erhalten einen Handzettel, sogenannte Tips für die Schulneulinge, auf den Lehrerin und Rektorin eindringlich in ihren Beiträgen eingehen. Sehen wir uns einzelne Tips an:

„1. Bringe keine Spielsachen mit zur Schule!" Dieses Verbot wird durch ein durchgestrichenes Spielauto verbildlicht. – Schülersein heißt also, sein kleines Eigentum von zu Hause zurückzulassen, verleugnen zu müssen; und heißt, lernen statt spielen.

„5. Laufe in der Pause nicht im Schulhaus herum! Geh in den Hof!" – Schülersein heißt also, seinen Bewegungsdrang zu zügeln, bloß zu „gehen", und darauf verzichten, sich das Schulhaus als Spiel- und Toberaum anzueignen.

„4. Komme nicht zu früh in die Schule, 5 Minuten vorher reichen!" – Schülersein heißt also, die Schule ganz als Unterrichts- und Lernort zu sehen. Die Schule ist kein Treffpunkt für Schüler, kein Ort, zu dem sie gern früh und aus eigenem Antrieb gehen, sondern wo sie knapp vor Unterrichtsbeginn und nur zu Unterrichtszwecken zugelassen sind.

„6. Geh zu Hause aufs Klo!" – Schülersein heißt also, Privates und Intimes zu Hause zu erledigen. Nur nicht die Schule mit Dingen belasten, die nicht zum Lernen selbst gehören!

Gleich am ersten Tag erfahren die Schüler der Kasernenschule – und ihre Eltern –, daß ein Schüler vor allem anderen einer strikten Schulordnung zu folgen hat und daß das Lernen in der Schule etwas ist, das strikt von privaten (Spiel-)Interessen, von Bewegungs- und Kommunikationsformen abzutrennen ist.

Über die Inhalte des Schullernens erfahren die Schulneulinge in der Kasernenschule demgegenüber wenig. Das Wenige allerdings ergibt einen eindeutigen Sinn: „Sei nicht traurig, wenn du nicht gleich alles kannst!" So teilen die „Freunde aus der 2 A" – alias deren Klassenlehrerin – auf dem Handzettel ihre Erwartung mit, daß die Anfänger vieles am Anfang nicht können werden. Die Rektorin weckt Erwartungen in der gleichen Richtung: Sie teilt mit, daß in den nächsten Wochen noch einige Schüler gehen müßten, die dem Unterricht nicht folgen könnten.

Andere Vorstellungen vom Schülersein werden den Anfängern in der *Pavillonschule* vermittelt. Von Ordnungsübungen ist weit und breit nichts zu sehen. Die Schulleitung hofiert die Neulinge: Während sie den Eltern bedeutet, sie müßten in der Aula hinter den Kindern stehen, dürfen die Anfänger auf Bänken in den ersten Reihen Platz nehmen. Keine strengen Musikvorführungen auf einem Podest, sondern ballettartige Tanzspiele werden als vorbildlich für die Schülerexistenz vorgeführt. Als nächstes Symbol für das Schülersein werden Kasperpuppen vorgezeigt, die Anfänger dürfen sie benennen. Die Schule vermittelt den Eindruck, in der Schule habe eine Form des Spiels durchaus Raum, das soziale Rollenspiel nämlich. Die Kinder dürfen (sollen) laut ihre Kommentare zu den Puppen in dem Raum hineinrufen. Spontaneität ist also gefragt.
In der Klasse werden den Schülern anschließend weitere Angebote unterbreitet, sich mit der Schule, mit der Klasse zu identifizieren. Beispielsweise darf die künftige Schulklasse bereits eine Viertelstunde mit der Lehrerin allein sein. Oder es werden Angebote gemacht, künftig *ihren* Klassenraum zu verändern und umzugestalten.

2.8. *Rückerinnerungen von Hauptschülern an ihre Schulzeit im Schulpavillon und in der Schulkaserne*

Soweit die Anfangsszenen der Einschulung. Wir gingen noch einen anderen Weg, um einigen Differenzen zwischen den beiden Grundschulen auf die Spur zu kommen. Wir befragten Hauptschüler (8. Klasse), die in der einen oder der anderen Schule eingeschult worden waren, nach ihren Rückerinnerungen. Dabei standen uns – wohlgemerkt – die Mehrheit aller Schüler aus der Schulkaserne und eine Minderheit von Pavillonschülern, die – aus der Altstadt kommend – den Weg in die weiterführenden Schulen nicht geschafft hatten, zur Verfügung (vgl. *Arbeitsgemeinschaft Hauptschule* 1975).
Rituale des Schullebens. Hauptschüler, die aus der Kasernenschule kommen, zeichnen ein Alltagsbild ihrer Grundschule, das deren rituellen, auf äußerliche Disziplin abgestellten Charakter hervorhebt. Traditionalistisch ist die Form: das Anstellen vor Schulbeginn; die Sitzordnung. Traditionalistisch ist auch der Unterrichtsinhalt: Die Schüler erinnern sich an ausgiebigen Religionsunterricht, an Schönschreibübungen, ans Auswendiglernen. Die „Lieblinge“ durften vorne sitzen, hinten, „wo man nichts mitkriegte“, saßen die anderen. Versuchten die Schüler einmal eigene Aktivitäten einzubringen, beispielsweise etwas von zu Hause

mitzubringen (ein Meerschweinchen etwa), kam es eher zu einer exemplarischen Bestrafung als zur Ermunterung in diesem Tun.
Dagegen erinnern sich die Schüler der Pavillonschule, daß in ihrem Schulleben Mitgestaltung der Schüler, Spontaneität und Eigenaktivität durchaus Platz hatte. ,,Wir haben manchmal jeden Tag die Tische und Stühle umgestellt, so wie wir das gerade wollten". Es war üblich, Blumen in der Klasse zu pflegen oder ein Tier von zu Hause mitzubringen. Selbstverständlich war es auch, das Klassenzimmer mit Bildern auszuschmücken, die aus dem Malunterricht stammten oder von den Schülern mitgebracht wurden. Alle Schüler hatten irgendwelche Aufgaben. ,,Deswegen hat auch keiner gerne in der Schule gefehlt. Ich dachte immer, wenn du jetzt fehlst, das geht nicht, sonst klappt das nicht."
Umgangsformen der Lehrer mit den Schülern. Über die Umgangsformen der Lehrer berichten die ehemaligen Schüler der Kasernenschule sehr ausführlich. Diese werden vorwiegend als ,,streng" oder sogar als ,,wild" gekennzeichnet. Drastische Strafen wie Schläge, in der Ecke stehen, Eselsbank gehörten hier zum Alltag. – ,,Wir waren noch so klein. Ich habe mal an der Tafel gestanden, da hat sie mich am Arm hin- und hergerissen, und sie hat immer so lange Fingernägel gehabt, und da hat sie mich am Arm gekratzt." – ,,Sie hat einen immer für dumm verkaufen wollen." – ,,Ich hab jeden Tag mindestens zwei Stunden in der Ecke gestanden." – ,,Manchmal, wenn die Ecken voll waren, mußten wir rausgehen."
Über Umgangsformen dieser Art berichten die Schüler der Pavillonschule an keiner Stelle. Im Gegenteil, sie erzählen, daß die Lehrer freundlich und nett waren, wie ein Vater, eine Mutter sich ihnen gegenüber verhalten hätten, für alle Probleme ansprechbar waren, sich um jeden einzelnen Schüler bemühten. – ,,Herr Hoffmann hat nie jemanden sitzen lassen. Wenn's mal brenzlig war, dann hat er noch extra geübt, und dann ist die Arbeit gut ausgefallen." – ,,Wenn es Schwierigkeiten in der Klasse gab, haben wir zusammen darüber gesprochen."
Persönliches Befinden und Überlebensstrategien. Entsprechend fallen die Rückerinnerungen über das eigene Befinden aus. Die Hauptschüler aus der Kasernenschule wissen zu berichten, daß sie unter Lernstörungen litten, unüberwindliche Arbeitshemmungen hatten, nur mit Angst in die Schule gingen und – um sich die Situation einigermaßen erträglich zu gestalten – Taktiken entwickelten bzw. zu Fluchtmöglichkeiten gezwungen waren wie: krank sein, passiven Widerstand leisten, offene Verweigerung gegenüber dem Lehrer. (Wie aus den Schülerbögen hervorgeht, fehlten sie in der Grundschule häufiger als ihre Mitschüler in der Villengrundschule.)
Die Hauptschüler aus der Pavillonschule berichten im Gegenteil, daß sie ungern in der Schule fehlten, daß sie den Kontakt mit den Lehrern und mit der Schule teilweise über die Unterrichtsstunden hinaus und sogar über die Schulzeit hinaus suchten, weil sie, so berichten alle ohne Ausnahme, sich dort wohlfühlten. (Und

dies, obwohl die durchschnittlichen Zensuren in den Hauptfächern bei den Hauptschülern aus der Villenschule keinesfalls besser ausfielen als die Zensuren bei den Schülern aus der Kasernenschule. Allerdings: Die Hauptschüler aus der Villenschule erhielten keineswegs so schlechte Kopfzensuren in Fleiß, Ordnung, Aufmerksamkeit, Betragen wie die aus der Kasernenschule.)

2.9. *Als erfolgreicher Arbeiterschüler in einer bürgerlich geprägten Schulklasse. Eine biografische Fallstudie*

Eine reizvolle Variante der Rückerinnerungen der Hauptschüler an die Grundschulzeit bieten Rückerinnerungen von Arbeiterschülern, die in ihrer schulischen Laufbahn erfolgreicher waren und ins Gymnasium übergehen konnten. Wie spiegelt sich die Grundschulzeit in den Gedanken solcher Schüler wider?
Wir berichten im folgenden aus einem Erkundungsgespräch mit einem Lehrerstudenten, der es mit uns zusammen unternahm, sich die vergangenen Grundschultage an der *Pavillonschule* ausführlich ins Gedächtnis zurückzurufen. Der Gesprächspartner steht für jene Minderheit von Arbeiterschülern aus der Altstadt, die die Pavillonschule besuchten und dort als Schüler reüssierten. Als Wiedererinnerungsimpuls verwendeten wir ein altes Klassenfoto. Das entscheidende „Hilfsinstrument" war jedoch das erstaunlich biographische Detailwissen, über das unser Zeuge verfügt. Bestimmte Aspekte der damaligen Grundschulsituation müssen sich unauslöschlich in sein Gedächtnis eingeprägt haben. Wir deuten dieses Erinnerungsphänomen in zweifacher Richtung. Zum einen steht es uns als ein Zeichen dafür, in welcher Intensität der Zeuge als Schüler in und mit der Grundschulsituation gelebt hat. Zum zweiten belegen u. E. die leicht abrufbaren und in Worte zu fassenden Erinnerungen, wie oft und wie eindringlich der Lehrerstudent die Erfahrungen seiner Schullaufbahn, die für ihn ja eine Erfahrung der sozialen Konfrontation mit einer fremden bürgerlichen Welt und der Behauptung und des Aufstiegs im Rahmen dieser Welt waren, für sich und mit anderen zusammen „durchgearbeitet" hat. Unser Zeuge, auf die Deutung hin angesprochen, bekräftigt diese durch Beispiele aus seiner erinnerten Biographie.
Der heute Vierundzwanzigjährige wurde 1960 eingeschult, zu einem Zeitpunkt also, als die Pavillonschule gerade errichtet worden war. Wenn man vom Klassenstand im vierten Schuljahr ausgeht, so stammten die 33 Schüler der Klasse genau zur Hälfte aus der Altstadt und der Villengegend. Nach der Grundschule trennten sich die Wege der beiden Schülergruppen eindeutig. Während drei Viertel der Altstadtschüler auf die Hauptschule übergingen, konnten drei Viertel der Schüler aus der Villengegend Gymnasien und Realschulen besuchen.

Im Gespräch stießen wir recht schnell auf einen schulklassenbeherrschenden Unterschied zwischen den beiden Schülergruppen. Die eindeutig rekonstruierbare Differenz bezog sich auf den schulöffentlichen Aspekt der Schülerrolle. Wo immer es darum ging, gegenüber Eltern, Kollegium und Mitschülern die vorbildliche Schülerrolle darzustellen, waren die Schüler aus der Villengegend weitgehend unter sich. (Innerhalb dieser Gruppe wiederum überwogen die Mädchen und die besonders erfolgreichen Schüler.) Sie waren die erkorenen Repräsentanten des Schülerseins. Wenn es zwei, vielleicht drei Altstadt- und Arbeiterschülern gelang, in den Kreis der öffentlichen Darsteller von Schülerrollen aufgenommen zu werden, so war dies ein Ergebnis intensiver sozialer Lernprozesse. Diese Altstadtschüler, namentlich der Zeuge selbst, kopierten Techniken und Strategien, mit Schule und Lehrern umzugehen, die sie an den bürgerlichen Kindern aus der Villengegend wahrnahmen. (Die allgemeine Voraussetzung, ein „guter Schüler" zu sein, versteht sich von selbst.) Die damit gesetzte potentielle Entfremdung von den Mitschülern aus der Altstadt versuchten sie durch bewußt „kameradschaftliches" und gruppenbezogenes Verhalten auszugleichen.

Eine der Gelegenheiten zur öffentlichen Darstellung der vorbildlichen Schülerrolle bot die Einschulungsfeier. Die zweite Klasse führte in diesem Rahmen ein Osterhasenspiel auf, das in spielerischer Verkleidung auf die künftige Schulsituation der Einschulungskinder anspielte. Der Zeuge erinnert sich, daß „die Teilnahme völlig freiwillig war. Wer Lust hatte. Aber ich dachte, daß es meine Pflicht wäre, da mitzumachen, um mich beim Lehrer nicht unbeliebt zu machen. ‚Wenn du da net mitmachst, biste beim Lehrer out. Kriegste ne schlechte Note.' Das Selbstdarstellungsinteresse von manchen Mädchen war da größer. Mir ging's wirklich nur darum mitzumachen, um nicht beim Lehrer schlecht dazustehen." Die namentliche Auszählung der damaligen Mitspielenden ergibt: Von den zehn „Schauspielern" waren acht aus dem Villenviertel; acht der Mitspielenden gingen später aufs Gymnasium und zwei auf die Mittelschule über. Die Osterhasenlehrerin, die Hauptrolle, spielte ein Mädchen aus dem Villenviertel, das später ein Gymnasium besuchte.
Eine andere Gelegenheit, sich vor der Schulöffentlichkeit zu präsentieren, bot die Flötengruppe. Der Flötenunterricht fand ab dem 3. Schuljahr nachmittags und nach der letzten Unterrichtsstunde statt. Alle sieben Flötenspieler (fünf davon Mädchen) stammten aus dem Villenviertel. Diese Gruppe durfte beispielsweise wiederholt während des Unterrichts den Mitschülern etwas vorspielen, „eine Show machen", wie der Zeuge sagt. Er sieht in der Erinnerung zwei Momente, die verhinderten, daß Altstadtkinder an dieser Flötengruppe teilnahmen. Zum einen gab es das finanzielle Hemmnis. „Für uns war damals die Anschaffung einer solchen Flöte ganz schön teuer." Des weiteren gab es kulturelle Hinderungsgründe. Es fehlte den Altstadtkindern der musikalische Hintergrund, eine bewußt gepflegte Musikkultur des Elternhauses.
Eine weitere Selbstdarstellungsmöglichkeit ergab sich, als der Klassenlehrer gegen Ende des 4. Schuljahres für ein geographisches Thema mehrere Arbeitsgruppen bildete, die öffentlich präsentable Abschlußarbeiten erstellen sollten. Der Lehrer

bestimmte selbst die Teilnehmer der Arbeitsgruppen, wobei er sich offenkundig – so schlußfolgert der Zeuge heute – von dem Gedanken leiten ließ, daß diejenigen, die etwas zustandebringen konnten, auch zusammen in einer leistungsstarken Gruppe sein sollten. Der Zeuge erinnert sich, daß er einer vierköpfigen, sehr ehrgeizigen Jungengruppe angehörte, die dann auch eine der besten Abschlußarbeiten ablieferte. Er weiß noch genau die Zusammensetzung der ersten vier leistungsstarken Gruppen. „Dann kam der Rest, der Ramsch, der hat sich so verteilt." An die namensmäßige Zusammensetzung dieses Restes erinnert er sich nicht mehr. Ergebnis: Von den sechzehn Teilnehmern der vier leistungsstarken Gruppen kamen vierzehn Schüler aus dem Villengebiet und nur zwei aus der Altstadt.
Das Zusammensein mit den bürgerlichen Schülern aus den Villenvierteln bereitete unserem ehrgeizigen und aufstiegsorientierten Arbeiterschüler mehrfach diffizile Selbstdarstellungsprobleme. Er fühlte sich verpflichtet, mit den eleganten Gefälligkeitstechniken der Bürgerkinder zu konkurrieren, um in der Gunst des Lehrers zu bleiben. Er fühlte sich auch gezwungen, nach Darstellungsmitteln zu suchen, die ihm erlaubten, den Beruf seines Vaters zu vertuschen, für den er sich schämte. Der Zeuge weist allerdings darauf hin, daß möglicherweise die Selbstdarstellungsprobleme einiger Altstadtmädchen schwieriger als die seinen gewesen sein können, da in der Mädchengruppe die sozialen Statusmerkmale offener und gezielter als bei den Jungen gehandelt wurden. – Wir geben im folgenden Ausschnitte aus dem Gesprächsprotokoll wieder, in denen der Zeuge die damaligen Selbstdarstellungs- und Orientierungsprobleme plastisch zu schildern weiß:
„Ich habe die sozialen Unterschiede sehr stark gemerkt. Zum Beispiel in der Kleidung. Dabei fielen die Unterschiede vor allem zwischen den Mädchen auf. Die aus der Villengegend kamen wie aus dem Modejournal entlaufen in die Schule. Unsere Mädchen aus der Altstadt dagegen gingen ein bißchen wie die Jungen. Angelumpt, ältere Sachen. Wenn sie ein jüngeres der Geschwister waren, dann mußten sie halt die Pullover der Älteren auftragen, da war ein Herzchen am Ellenbogen. Bei den Jungen hat man eher durchgehen lassen, daß die halt etwas verschlampter gehen.
Die Kinder aus der Villengegend, die brachten dann also kleine Aufmerksamkeiten und Geschenke den Lehrern mit, Blumensträuße usw. Das war auch eine Frage des Geldes. Sie erhielten entsprechend mehr Ämter. ‚Sie machen sich lieb Kind', so urteilten wir. Sie machten auch viele Fleißarbeiten: Die Heftränder rot anmalen, für Erdkunde oder Biologie Extrablätter abpausen und malen, Tierbilder ausschneiden und aufkleben. Das habe ich dann auch sehr schnell gelernt, bei ihnen abgeguckt.
Besonders peinlich war mir immer, wenn die Berufe der Väter gesagt werden mußten. Einige von uns aus der Altstadt, die hatten sich dann so was zurechtgelegt, wo sich das dann besser anhörte. Zum Beispiel sagten sie: ‚Städtischer Angestellter', obwohl der einfacher Arbeiter dort war. Mein Vater war damals Baggerführer. Das war mir schrecklich, daß ich das sagen mußte gegenüber: Ingenieur, Arzt usw. Später im Gymnasium war das besser. Da war mein Vater untergekommen bei einem Verwandten in der Gärtnerei. Da habe ich dann ‚Gartenbauarchitekt' gesagt.
Obwohl ich bis zur Pubertät laufend Zweien und Einser schrieb, geriet ich nie in den Ruf eines Strebers. Ich habe die Kameradschaft gepflegt, habe versucht, im Klassenverband zu bleiben. Habe auch abschreiben lassen. Ich war selbst motiviert, Zeit zu haben, um mit anderen auf der Straße mitzuspielen, um mich nicht

abzusondern. Zum Beispiel durch Hausaufgaben. Die Hausaufgaben hab ich bis drei Uhr fertiggemacht, dann war ich im Sommer bis acht Uhr und im Winter bis sechs Uhr auf der Straße.
Wie ich aufs Gymnasium gekommen bin? Mein Vater hatte keine Ahnung. Er hat mir gesagt, das müßte ich selbst wissen. Er hat nur gesagt: Wer auf's Gymnasium geht, der wird Doktor. Ich bin dann mit den anderen Jungen, die auf's Gymnasium gingen, einfach so mitgedappt, ohne daß ich recht wußte, warum und wohin."

3. Bemerkungen zum Schluß

Die wenigen Erkundungsmaterialien zur Situation von aus der Altstadt kommenden Arbeiterkindern in zwei kontrastierenden Schulumwelten, die wir erheben und hier mitteilen konnten, vermitteln dem Leser vielleicht eine Vorstellung von den ungelösten Aufgaben, die sich pädagogischer Reflexion und wissenschaftlicher Untersuchung in diesem Bereich sozialisationsrelevanter sozialer Umwelt stellen. Mit ihrem Beitrag möchte die Projektgruppe methodisch für die Idee werben, auch subtilere Interaktions- und Definitionsprozesse, die sich einer grobschlächtigeren sozialökologischen Statistik entziehen müssen, in die Untersuchung miteinzubeziehen. Sinnvoll erscheinen uns Untersuchungsansätze, die sozialstatistische Datenanalyse mit Interpretationen ,,mikroskopischer" Sozialprozesse zu vereinen suchen.
Inhaltlich plädieren wir dafür, sozialökologische und klassenanalytische Untersuchungen nicht alternativ zu verstehen, sondern als bestimmte Aspekte des gleichen Sozialisationsvorganges zu begreifen, die die Sozialisationsforschung nicht ungestraft auseinanderreißen kann. Allerdings: Eine solche Vorstellung macht auf Dauer differenziertere Untersuchungsmodelle notwendig als sie gegenwärtig Praxis sind.

Literatur

Arbeitsgemeinschaft Hauptschule
1975. Biografien von Hauptschülern. betrifft: erziehung, 8, 37–43, (H. 10)
Baur, R.
1972. Elternhaus und Bildungschancen. Eine Untersuchung über die Bedeutung des Elternhauses für die Schulwahl nach der 4. Klasse Grundschule. Weinheim: Beltz.
Eggleston, S.
1967. The Social Context of the School. London: Routledge.

Jencks, C./Smith, M./Acland, H./Bane, M. J./Cohen, D./Gintis, H.
1973. Chancengleichheit. Reinbek: Rowohlt. (Urspr. Inequality – A Reassessment of the Effect of Family and Schooling in America. New York: Basic Books, 1972)
Jochimsen, L.
1971. Hinterhöfe der Nation. Die deutsche Grundschulmisere. Reinbek: Rowohlt.
Kob, J.
1963. Erziehung in Elternhaus und Schule. Eine soziologische Studie. Stuttgart: Enke.
Meier, R.
1974. Individuelle Lernsituation und Binnendifferenzierung: Beispiel Schulanfang. In Redaktion betrifft: erziehung (Hrg.), Thema: Grundschule. Weinheim: Beltz.
Peisert, H.
1967. Soziale Lage und Bildungschancen in Deutschland. München: Piper.
Projektgruppe Jugendbüro und Hauptschülerarbeit.
1975. Die Lebenswelt von Hauptschülern. München: Juventa.
Projektgruppe Jugendbüro.
1977. Subkultur und Familie als Orientierungsmuster. München: Juventa.
1977. Zweimal Schulanfang. Beobachtungen in einer Altstadt und in einer Villengegend. päd. extra, 5, 27–32.
Rogoff, N.
1959. Local Social Structure and Educational Selection. In A. H. Halsey (Eds.), Education, Economy and Society. New York: Free-Press, 4, 1968, 241–251.
Schwartz, E.
1969. Die Grundschule. Funktion und Reform. Braunschweig: Westermann.
Sewell, W./Armer, J. M.
1966. Neighborhood Context and College Plans. American Sociological Review, 31, 159–168.
Steinkamp, G.
1967. Die Rolle des Volksschullehrers im schulischen Selektionsprozeß. Ergebnisse einer empirisch-soziologischen Untersuchung. In H.-D. Ortlieb/B. Molitor (Hrg.), Hamburger Jahrbuch für Wirtschafts- und Gesellschaftspolitik. Tübingen: Mohr.
Tews, J.
1920. Die deutsche Einheitsschule. Leipzig.
Thonhauser, J.
1977. Determinanten unterschiedlicher Bildungswünsche. Hannover: Schroedel.
Weishaupt, H.
1977. Die Bedeutung regionaler sozialstruktureller Bedingungen für Schulgrößenentscheidungen. In P. A. Döring (Hrg.), Große oder kleine Schulen? München: Piper, 261–270.
Wilson, A. B.
1959. Residential Segregation of Social Classes and Aspirations of High School Boys. American Sociological Review, 24, 836–845.

Heinz Walter (Hrsg.)
Sozialisationsforschung
problemata 25–27

Band I: Erwartungen, Probleme, Theorieschwerpunkte

Einleitung oder Auf der Suche nach einem sozialisationstheoretischen Konzept
Heinz Walter: Zu diesem Band

Erwartungen, Probleme

Hanna Wilde: Erwartungen der „Sozialisationspraktiker" an die Sozialisationstheorie und -forschung
Dieter Geulen: Thesen zur Metatheorie der Sozialisation
Heinz Steinert: Über Objektivierung, Reifikation und die Ansätze einer reflexiven Sozialwissenschaft
Tino Bargel: Probleme der Rezeption empirischer Sozialisationsforschung
Klaus Gloy: Bernstein und die Folgen – Zur Rezeption der soziolinguistischen Defizithypothese in der BRD
Friedrich Heckmann: Können die Hypothesen der Einstellungsänderungstheorie zur Erklärung von Sozialisationsprozessen beitragen?
Maria Reif: Sozialisationsforschung und Emanzipation

Theorieschwerpunkte

Franz Wellendorf: Über die Bedeutung der Psychoanalyse für eine Theorie der schulischen Sozialisation
Manfred Waller: Zur Kritik der rollentheoretischen Orientierung der psychologischen Sozialisationsforschung
Werner Langenheder: Verhaltenstheoretische Grundlagen einer Theorie der Sozialisation
Alfred Lorenzer: Grundprobleme einer materialistischen Sozialisationstheorie

Band II: Sozialisationsinstanzen, Sozialisationseffekte

Heinz Walter: Zu diesem Band

Primäre Sozialisation

Klaus Hurrelmann: Familiale Sozialisation und soziale Ungleichheit
Ludwig Liegle: Familienerziehung oder Kollektiverziehung? Eine falsche Alternative

Vorschule, Schule

Thea Sprey: Zur Funktion der Vorschule im Sozialisationsprozeß. Eine Problemskizze
Jürgen Zimmer: Merkmale vorschulischer Curriculumentwicklung